smart is sexy
Orbi.kr

KB084571

smart is sexy

Orbi.kr

디오르비는

모든 시스템이 수험생 중심으로 더 강화됩니다.

모든 시설이 최고의 결과가 나올 수 있도록 설계됩니다.

집중을 위해 디오르비가 수험생 옆으로 다가갑니다.

디오르비와 시작하면

원하는 대학문이 가장 빠르게 열립니다.

전화 : 02-522-0207 문자 전용 : 010-9124-0207 주소: 강남구 삼성로 61길 15 (은마사거리 도보 3분)

출발의 습관은 수능날까지 계속됩니다.
형식적인 상담이나
관리하고 있다는 모습만 보이거나
학습에 전혀 도움이 되지 않는
보여주기식의 모든 것을 배척합니다.

쓸모없는 강좌와 할 수 없는 계획을 강요하거나
무모한 혹은 무리한 스케줄로
1년의 출발을 무의미 하게 하지 않습니다.
형식은 모방해도 내용은 모방할수 없습니다.

smart is sexy
Orbi.kr

개인의 능력을 극대화 시킬 모든 계획이 디오르비에 있습니다.

문제

la Vida 생명과학 I

기출 문제집 (상)편

반승현

la Vida 생명과학 I 기출 문제집 (상)편 책 소개

la Vida 기출문제집은 기출 문제와 자작 문제로 이루어져있습니다.

기출 문제는 2014학년도 이후 평가원 모의평가 및 수능(예비시행 포함), 교육청 학력평가 문제 중 선별한 문제입니다.
자작 문제는 기출 문제에서 학습한 논리를 적용/응용할 수 있는 문제와 기출 문제만으로는 대비가 어려울 수 있는 문제들을 심화 학습할 수 있도록 추가한 문제들로 이루어져 있습니다.

목차는 크게 6개로 이루어져 있습니다.

1단원 - 개념 문항

개념 공부를 제대로 했다면 틀리기 어려운 문제들을 수록했습니다.

비유전 문항에서 필요한 개념들을 모두 요약하여 정리했습니다.
또한 사용되는 개념이나 풀이 과정이 너무 중복되는 문항들은 대부분 삭제하였습니다.
(* 다만, 학생들이 어려워하는 항상성, 혈액형, 방형구 파트 문항은 대부분 수록하였습니다.)

재작년까지의 기출 문제는 교과서에 제시된 단원별로 유사한 유형들의 문제를 모아두었습니다.
재작년까지의 문제를 공부한 내용을 토대로 앞 단원의 내용을 얼마나 기억하고 계신지
간단히 복습하실 수 있도록 작년에 출제된 문항은 단원과 무관하게 마지막 번호대에 넣었습니다.

2~5단원 - 유전 문항, 6단원 - 전도&근수축

일반적으로 학생들이 어려워하는 유전 단원은 4개의 단원으로 세분화했습니다.

2~6단원은 단원 별로 자주 쓰이는 실전 개념들을 정리했습니다.
(* 가끔씩 활용되는 논리들은 <해설편>에서 '풀이 과정' 또는 'Comment'에 수록해두었습니다.)

해설은 결과를 나열하는 것이 아니라, 시험장에서 사용할 수 있는 풀이 과정을 담았습니다.
Comment를 통해 문제를 풀 때 떠올려야 하는 생각이나 다양한 팁을 함께 수록했습니다.

한 단원 내에서 문제들은 연도 순이 아닌, 난이도와 학습에 필요한 논리 순으로 재배치하였습니다.

또한, 연관 추론의 경우, 사실상 대부분 출제 가능함이 기출 문제를 통해 확인되었습니다.
다소 애매한 부분도 있지만, 출제 가능성을 배제하기는 어려워 연관 추론 문항들도 대부분 포함하였습니다.
동식물의 경우 학습에 도움이 되는 문항들은 포함하였습니다. 초파리 문항은 모두 배제하였습니다.

Part 1은 기출 문항이고, Part 2는 자작 문항입니다.

* 참고 : 과거 문항 중 발문의 표현 방식이 최근의 평가원 문항과 다르거나 있어야 할 조건이 누락된 경우,
표현을 수정/추가하여 현재 평가원 문항의 표현 방식을 따르도록 했습니다.
문제 풀이에 큰 영향을 주는 조건들의 경우 해설지에 수정 사항을 함께 수록했습니다.

la Vida 생명과학 I
기출 문제집 (상)편

학습 대상별로 권장하는
학습 방법

3등급 이하

개념서나 인강을 통해 전반적인 개념 내용을 1~2회독 이상 하시기 바랍니다.
가급적이면 해당 교재에서 쉬운 유전 문항들도 꼭 풀어보시기 바랍니다.

이후에는 취향에 따라 학습 방법이 달라지지만, 유전부터 학습하시기를 추천합니다.
보통 생명과학 I 을 포기하면 유전 때문입니다. 내용 상으로도 비유전 파트와 유전 파트는 아예 독립입니다.
비유전을 아무리 열심히 하시고, 다 맞아봤자 유전을 못 하면 의미가 없습니다.
따라서 포기할 거라면 빠른 포기를 할 수 있도록 유전부터 하시기 바랍니다.

유전 파트에서 Part 2 문항들은 대부분 난이도가 매우 높은 문항들입니다.
따라서 Part 1을 3회독 정도 하신 후, Part 2를 시도해보시기 바랍니다.
(* Part 2 문항을 아예 못 풀겠다면, 초반에는 해설지를 참고하며 논리를 익히시거나
조금 더 쉬운 난이도의 N제를 먼저 푼 후 푸시기 바랍니다.)

2~5단원 Part 1을 3회독 정도 하신 후, Part 2 문항은 하루에 5~10문항 정도씩만 푸시고
1단원/6단원을 학습하시기 바랍니다.

1단원은 la Vida 기출문제집 1단원 문제를 하루에 몰아서 도중에 끊지 않고 모두 풉니다.
(* 문제 수가 많지만, 난이도가 쉬워 오래 걸리지 않습니다.)
문제를 몰아서 풀다보면 헷갈리는 파트를 스스로 인지하실 수 있을 텐데, 해당 부분을 다시 학습하시기 바랍니다.
(* 문제를 보고, 해당 문제가 어디 단원 문제인지를 모르겠다면 개념 공부를 다시 하시기 바랍니다.)
2~3일 후 다시 250문항을 모두 풀어보시기 바랍니다.
이런 식으로 모두 풀었을 때 헷갈리는 부분이 아예 없고, 보자마자 모든 문항을 풀 수 있으면 됩니다.

6단원은 유전 파트와 마찬가지로 Part 1을 3회독 정도 하신 후, Part 2를 시도하시면 됩니다.

1등급 컷 ~ 2등급

본 책에 써있는 개념 요약본을 읽지 않고 250문항을 모두 풀어봅니다.
틀린 문제들에 한해서 개념 공부를 간단히 하고, 1~2주 후에 다시 풀어봅니다.
이런 식으로 세 번 정도 보신 후, 추후 N제나 실모를 통해 추가 학습하시기 바랍니다.

보통 1컷~2등급 학생일수록 해설지를 대충 읽고, 논리에 비약이 있는 경우가 많습니다.
스스로 푼 문제더라도 가급적 해설지를 확인한 후, 순서대로 따라가보시기 바랍니다.

2~6단원의 경우 Part 1을 1~2회독 정도 하신 후 Part 2를 시도하시기 바랍니다.
(* Part 2 문항을 아예 못 풀겠다면, 초반에는 해설지를 참고하며 논리를 익히시거나
조금 더 쉬운 난이도의 N제를 먼저 푼 후 푸시기 바랍니다.)

높은 1등급 ~ 50점

Part 2를 먼저 풀어봅니다.
절반 이상을 틀리신다면 해설지를 꼭 정독하며 Part 1 문항을 다 푸시기 바랍니다.
절반 이상을 맞추신다면 Part 2 문항들 정도만 해설지를 정독하셔도 얻어가실 게 많으실 거라 생각합니다.

FAQ

① 이 책만 보면 50점 가능한가요?

→ 시험 난이도와 학생 분의 재능에 따라 다릅니다.
개인적인 생각으론, 찍어서 맞는 경우를 제외했을 때, 머리가 적당히 좋은 학생이 열심히 공부했다면
22학년도 수능의 경우 불가능하고, 23/24학년도 수능의 경우 가능할 것 같습니다.

다만 상위권일수록 모든 공부는 '확률'을 높이는 공부가 되어야 합니다.
어떤 과목이든 고정적으로 만점을 받는 건 사람이라면 불가능합니다.
누구나 실수할 수 있고, 컨디션에 따라 평소에는 당연히 풀 문항도 못 풀 수도 있습니다.
따라서 저라면 이 책만 풀어도 50점이 가능하더라도 다른 N제와 실모를 가능한 많이 풀 것 같습니다.

② 비유전 문제랑 너무 쉬운 유전/전도/근수축 문제 건너뛰어도 되나요?

→ 비유전 문제는 자신이 있다면 건너뛰세요.
다만, 여기서 '자신이 있다'는 틀리지 않을 자신이 있다가 아닙니다.
정상적으로 학습했다면 비유전 문제는 맞는 게 당연한 겁니다.
'빠른 시간 안에' 다 맞을 자신이 있다면 건너뛰세요.

유전/전도/근수축 문제는 해설지 부분을 먼저 훑어 보시고, 해당 문제에서 별 내용이 없다면 건너뛰세요.

저자&검토진

저자

반승현

개정판 검토진

김지우 (고려대(안암) / 생명과학부)
김현민 (한양대 / 약학과)
송채훈 (연세대(신촌) / 화학과)
민성아 (연세대(신촌) / 신소재공학과)
윤종훈 (한양대 / 기계공학부)
장세진 (고려대(안암) / 비공개)
박서아 (서울대 / 비공개)

이전 검토진

Part 1 검토진

박연우 (고려대(안암) / 비공개)
윤종훈 (한양대 / 기계공학부)
김준하 (성균관대 / 소프트웨어학과)
권준성 (전주교대 / 초등교육과)
이기환 (성균관대 / 공학계열)
윤기정 (연세대(신촌) / 의예과)
김자민 (진주교대 / 초등교육과)
박찬희 (성균관대 / 자연과학계열)
전지윤 (비공개 / 의예과 자퇴)
비공개 (경희대 / 치의예과)
조민석, 최수현, 조성경

Part 2 검토진

안수민 (경희대 / 한의학과)
최지웅 (연세대(신촌) / 비공개)
구본혁 (BK 모의고사 / 강대 모의고사 출제진)
어수영 (제주대 / 의예과)
윤성근 (연세대 미래캠퍼스 / 의예과)
구본혁 (BK 모의고사 / 강대 모의고사 출제진)
정찬욱 (조선대 / 의예과)
이재혁 (성균관대 / 소프트웨어학부)
이기환 (성균관대 / 공학계열)
석재규 (중앙대 / 소프트웨어학부)
최수현

la Vida 생명과학 I

기출 문제집 (상)편

목차

I 개념 문항

250문항

주말 아침마다 같은 버스를 타는 여자가 있다.
그녀도 나를 의식하는지 종종 눈이 마주치곤 한다.
오늘 아침에도 그녀와 열세 번의 눈맞춤이 있었다.
평소와 다른 점이 있다면 열세 번째 눈맞춤 때 서로가 서로를 5초 정도 지긋이 바라봤다는 점일 것이다.

"이거, 착각하는 거 아니죠?"
라는 말이 그녀의 입 밖으로 나왔다는 점일 것이다.

말의 힘은 참 신기했다.
해가 뜨듯 당연했던 그녀가 보름달을 향해 가는 상현달처럼 나를 가득 채워갔다.
우리는 주말 아침마다 가벼운 인사와 대화를 나눴다.
서로의 이름도 모른 채 우리는 서로를 차곡차곡 쌓아갔다.

머지않아 나의 주말은 오롯이 그녀로 가득차게 되었다.
어린 왕자의 여우가 말했던 것처럼 난 금요일 밤부터 행복해지기 시작했다.
버스가 다가올수록, 그녀의 정류장에 다가갈수록,
사소한 내 모든 점들이 커다랗게만 느껴졌다.

① 생물의 특성

구분	참고
세포로 구성	세포는 생명체를 이루는 구조적 단위 + 생명 활동이 일어나는 기능적 단위 짚신벌레, 아메바는 단세포
물질대사	효소 필요
자극에 대한 반응과 항상성	
발생과 생장	발생 : 수정란이 하나의 개체로 발달하는 과정 생장 : 발생을 마친 개체가 자라는 것
생식과 유전	
적응과 진화	

② 바이러스

* 세균보다 작고, 세포로 이루어져 있지 않습니다.

* 단백질 껍질 속에 유전 물질인 핵산(DNA 또는 RNA)이 들어 있는 구조로 되어 있습니다.

* '숙주 세포 밖에서'는 독립적으로 물질대사를 하거나 증식할 수 없으며, 결정체로 존재합니다.

* '숙주 세포 안에서' 핵산을 복제해 증식하며, 이 과정에서 유전 현상이 나타납니다.

* 돌연변이가 일어나 새로운 형질이 나타나면서 환경에 적응하고 진화합니다.

* 박테리오파지(바이러스의 일종)는 그림만 보고 알 수 있어야 합니다.

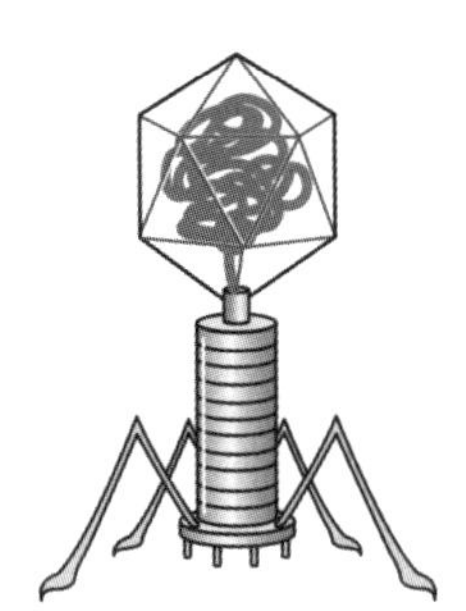
박테리오파지

③ 생명 과학의 탐구 방법

1) 귀납적 탐구 방법

자연 현상 관찰 → 관찰 주제 선정 → 관찰 방법과 절차 고안 → 관찰 수행 → 관찰 결과 분석 및 결론 도출

2) 연역적 탐구 방법

관찰 → 문제 인식 → 가설 설정 → 탐구 설계 및 수행 → 결과 정리 및 분석 → 결론 도출 → 일반화 또는 가설 수정

* 가설 : 의문에 대한 답을 추측하여 내린 잠정적인 결론

가설은 예측 가능해야 하며, 실험이나 관측 등을 통해 맞고 틀림이 검증될 수 있어야 합니다.

* 일반적으로 귀납적 탐구 방법에는 실험이 없지만, 연역적 탐구 방법에는 실험이 있습니다.

* 대조 실험 : 대조군과 실험군을 설정하여 비교하는 실험 → 결과 타당성 ↑

대조군 : 실험군과 비교하기 위해 아무 요인(변인)도 변화시키지 않은 집단

실험군 : 가설을 검증하기 위해 의도적으로 어떤 요인(변인)을 변화시킨 집단

* 변인 : 탐구와 관계된 다양한 요인

독립변인 : 조작 변인 + 통제 변인

ㄴ 조작 변인 : 가설을 검증하기 위하여 실험에서 변화시키는 변인

ㄴ 통제 변인 : 대조군과 실험군 모두 일정하게 유지하는 변인

종속변인 : 조작 변인의 영향을 받아 변하는 요인 (* 사실상 실험 결과)

① 세포의 생명 활동

1) 물질대사(=에너지 대사) : 생명체에서 일어나는 모든 화학 반응. 물질의 변화와 함께 에너지의 출입이 일어남.

2) 물질대사의 종류

동화 작용과 이화 작용으로 구분하며, 효소가 촉매로 작용

* 동화 작용 : 저분자 물질 → 고분자 물질 (합성 + 에너지 흡수(흡열 반응))

* 이화 작용 : 고분자 물질 → 저분자 물질 (분해 + 에너지 방출(발열 반응))

② 에너지 전환과 이용

1) 세포 호흡 : 세포 내에서 영양소를 분해하여 생명 활동에 필요한 에너지를 얻는 반응

포도당과 같은 영양소를 산화시킬 때 에너지가 방출되는데,

이 에너지 중 일부는 ATP에 저장되고 나머지는 열에너지로 방출됩니다.

주로 미토콘드리아에서 일어나며, 일부 과정은 세포질에서 진행됩니다.

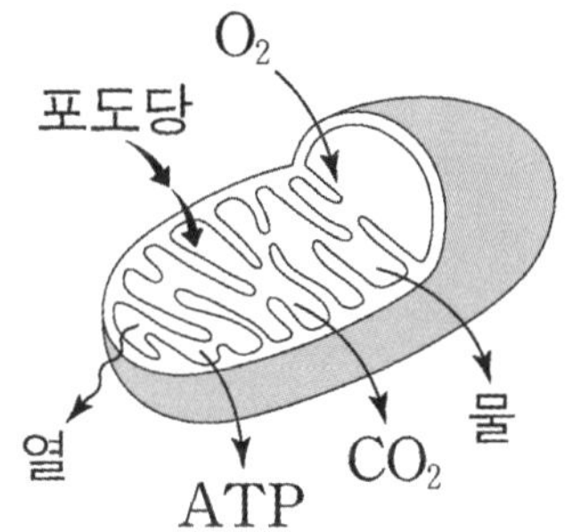

(* 포도당 + O_2 → H_2O + CO_2 + ATP + 열에너지)

2) 에너지의 전환과 이용

ATP : 아데노신(아데닌+리보스)에 3개의 인산기가 결합한 화합물

(* ATP와 ADP의 고에너지 인산 결합의 수는 각각 2, 1 입니다.)

ATP가 ADP + P_i로 분해될 때 에너지가 방출됩니다.

이때 방출된 에너지는 여러 형태의 에너지로 전환되어 발성, 정신 활동, 체온 유지, 근육 운동, 생장 등의 생명 활동에 이용됩니다.

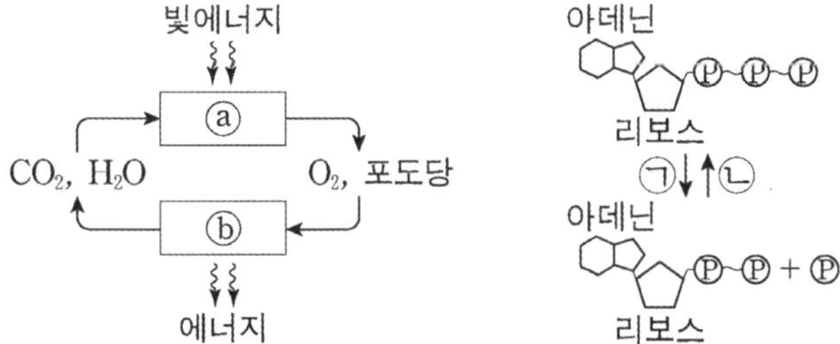

ⓐ는 광합성, ⓑ는 세포 호흡, ㉠은 ATP 분해, ㉡은 ATP 합성입니다.

① 기관계와 에너지 대사

1) 영양소의 흡수

* 영양소 : 에너지원으로 이용할 수 있는 탄수화물, 단백질, 지방 등

* 영양소의 소화 : 3대 영양소인 탄수화물, 단백질, 지방은 분자의 크기가 커서 세포막을 통과하지 못하므로 소화 과정을 통해 작은 분자로 분해되어 체내로 흡수

탄수화물 → 포도당, 과당, 갈락토스와 같은 단당류
단백질 → 아미노산
지방 → 지방산과 모노글리세리드

* 영양소의 흡수 : 소장에서 최종 소화된 영양소는 소장 내벽의 융털에서 모세 혈관과 암죽관으로 흡수

2) 기체의 교환

기체 교환 : 폐로 들어온 외부 공기 중 산소는 폐포에서 모세 혈관(혈액)으로 이동한 후 조직 세포로 이동하고, 세포 호흡 결과 생성된 이산화 탄소는 조직 세포에서 모세 혈관(혈액)으로 이동한 후 폐포로 이동합니다.
이때 기체는 분압이 높은 곳에서 낮은 곳으로 이동하는 확산에 의해 이루어지므로 ATP가 사용되지 않습니다.

3) 노폐물의 생성과 배설

조직 세포에서 세포 호흡의 결과 생성된 노폐물은 혈액으로 운반되어 날숨과 오줌을 통해 몸 밖으로 배출됩니다.

탄수화물과 지방이 세포 호흡에 이용되면 물과 이산화 탄소가 노폐물로 생성되고,
단백질이 세포 호흡에 이용되면 물, 이산화 탄소, 암모니아가 노폐물로 생성됩니다.

이산화 탄소 → 주로 폐를 통해 날숨으로 배출
물 → 재사용되거나 날숨 또는 오줌으로 배출
암모니아 → 간에서 독성이 약한 요소로 전환된 후 콩팥을 통해 오줌의 형태로 배설

* 콩즙 실험

콩즙에 있는 효소 유레이스는 요소를 분해하여 염기성인 암모니아를 생성합니다.
따라서 요소가 포함되어 있는 용액에 콩즙을 넣으면 콩즙 속 유레이스가 요소를 분해하여 암모니아가 생성되므로 BTB 용액을 넣으면 푸른색을 띱니다.

* 참고

pH	산성	중성	염기성
BTB 용액의 색	노란색	초록색	파란색

4) 운반

소화계에서 흡수된 영양소, 호흡계에서 교환된 기체, 배설계에서 노폐물은 모두 순환계를 통해 운반됩니다.

② 기관계의 통합적 작용

1) 순환계와 다른 기관계의 상호 작용

ⅰ. 소화계와 순환계 : 음식물에 들어 있는 영양소를 소화하여 흡수한 후 온몸의 조직 세포로 운반

ⅱ. 호흡계와 순환계 : 폐에서 흡수한 산소를 조직 세포로 운반 / 조직 세포의 이산화 탄소를 폐로 운반

ⅲ. 배설계와 순환계 : 노폐물을 콩팥까지 운반, 콩팥에서 노폐물을 걸러내 몸 밖으로 배출

2) 각 기관계의 통합적 작용

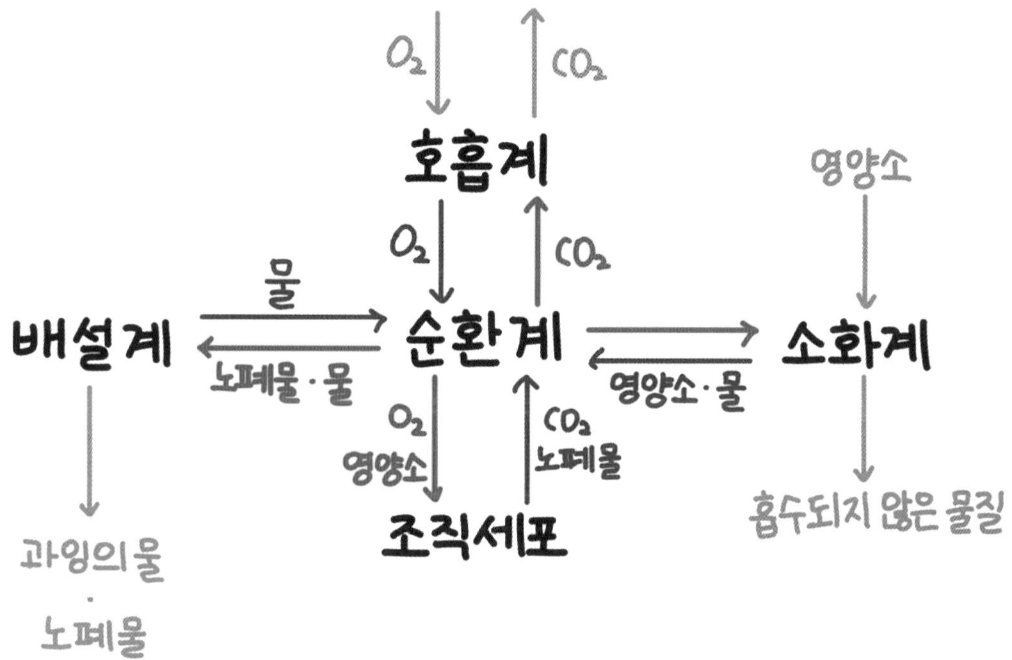

③ 대사성 질환과 에너지 균형

1) 대사성 질환 : 물질대사 장애에 의해 발생하는 질환을 모두 일컬어 대사성 질환이라고 합니다.
당뇨병, 고혈압, 고지질 혈증(고지혈증)은 반드시 아셔야 합니다.

* 대사 증후군 : 물질대사 장애로 인해 고혈압, 고혈당, 비만, 고지질 혈증(고지혈증) 등의 증상이 한 사람에게서 동시에 나타나는 것을 의미합니다.

2) 에너지의 균형

기초 대사량 : 체온 조절, 심장 박동, 혈액 순환, 호흡 활동과 같은 생명 현상을 유지하는 데 필요한 최소한의 에너지양

활동 대사량 : 다양한 생명 활동을 하면서 소모되는 에너지양

1일 대사량 : 기초 대사량 + 활동 대사량 + 소화, 흡수에 필요한 에너지양 등을 더한 값으로
하루 동안 생활하는 데 필요한 총 에너지양

에너지 섭취량 > 에너지 소비량 → 비만

에너지 섭취량 < 에너지 소비량 → 체중 감소 + 영양 부족 상태

① 뉴런

신경 세포체, 가지 돌기, 축삭 돌기, 말이집 등의 용어는 기본적으로 알고 있다 판단되어 생략합니다.

혹시 이런 용어를 모를 정도라면 여기서 간단하게 정리해서 어떻게 될 일이 아니므로 개념서를 봐주세요.

구심성 뉴런(감각 뉴런) : 가지돌기가 비교적 긴 편이고, 신경 세포체가 축삭 돌기의 중간 부분에 있습니다.
중추 신경계를 향해 흥분이 이동

원심성 뉴런(운동 뉴런) : 중추 신경계에서 전달된 흥분이 반응 기관을 향해 이동

연합 뉴런 : 구심성 뉴런과 원심성 뉴런을 연결하는 뉴런으로 뇌와 척수에 존재
구심성 뉴런으로부터 흥분을 전달받아 정보를 처리하고 처리 결과에 따른 명령을 원심성 뉴런에 전달합니다.

* 자극의 전달 경로

자극 → 감각 기관 → 구심성 뉴런 → 연합 뉴런 → 원심성 뉴런 → 반응 기관 → 반응

② 흥분의 전도

$Na^+ - K^+$ 펌프 : ATP 사용(능동 수송) / Na^+은 세포 안에서 밖으로, K^+은 세포 밖에서 안으로.
이로 인해 뉴런의 Na^+ 농도는 항상 세포 안 < 밖, K^+ 농도는 안 > 밖

Na^+ 통로 : 대부분 탈분극 시기에 열려 세포 밖에서 안으로 Na^+ 유입 → 막전위 상승, 확산이므로 ATP 사용 ×

K^+ 통로 : 대부분 재분극 시기에 열려 세포 안에서 밖으로 K^+ 유출 → 막전위 하강, 확산이므로 ATP 사용 ×

③ 흥분의 전달 : 시냅스 이전 뉴런의 흥분이 축삭 돌기 말단까지 전도되면 축삭 돌기 말단에 존재하는 시냅스 소포가 세포막과 융합되면서 시냅스 소포에 있던 신경 전달 물질이 시냅스 틈으로 분비됩니다. 이 신경 전달 물질이 확산되어 시냅스 이후 뉴런의 신경 전달 물질 수용체에 결합하면 시냅스 이후 뉴런의 이온 통로가 열리면서 탈분극이 일어납니다.

* 흥분의 전달 방향은 축삭 돌기 → 가지 돌기나 신경 세포체로만 전달됩니다.

④ 근육의 수축

1) 근육의 종류

골격근 : 뼈에 붙어 몸을 움직이게 하는 근육, 수의근, 가로무늬근

심장근 : 심장의 박동을 일으키는 근육, 불수의근, 가로무늬근

내장근 : 소화관 등을 둘러싸고 있는 내장근, 불수의근, 민무늬근

2) 골격근의 구조

골격근은 근육 섬유 다발로 이루어져 있고,

근육 섬유 다발은 여러 개의 근육 세포, 즉 근육 섬유로 이루어져 있습니다.

하나의 근육 섬유는 여러 가닥의 근육 원섬유로 이루어지며,

근육 원섬유에는 가는 액틴 필라멘트와 굵은 마이오신 필라멘트가 있습니다.

(* 액틴 필라멘트가 마이오신 필라멘트에 비해 가늘기 때문에 액틴 필라멘트가 마이오신 필라멘트보다 밝게 보입니다.)

3) 골격근의 수축 과정 : 활주설

* 액틴 필라멘트가 마이오신 필라멘트 사이로 미끄러져 들어가며 근육이 수축합니다. 이 과정에는 ATP가 필요합니다.

* 액틴 필라멘트와 마이오신 필라멘트의 길이는 변하지 않습니다. I대와 H대는 짧아지며, 액틴 필라멘트와 마이오신 필라멘트가 겹쳐진 부분의 길이는 늘어납니다.

① 신경계의 구성

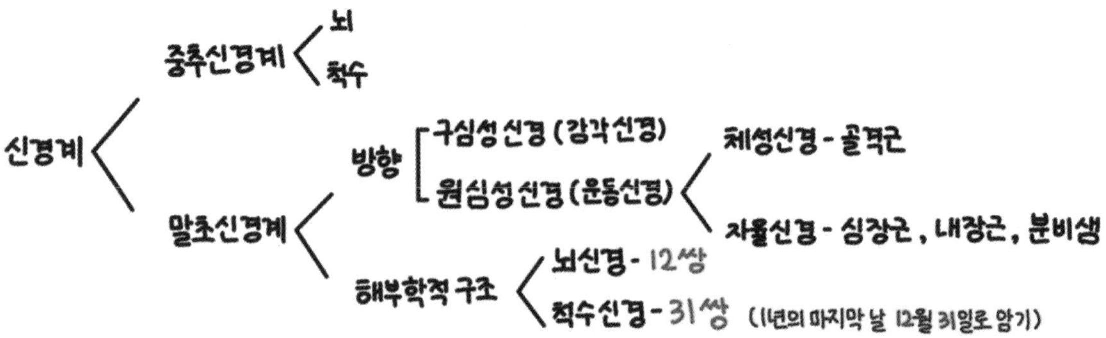

* 주의 : 뇌 신경은 '뇌와 주변 기관 사이를 연결하고 있는 신경', 척수 신경은 '척수와 주변 기관 사이를 연결하고 있는 신경'입니다. 따라서 뇌와 척수에 있는 연합 뉴런은 뇌 신경/척수 신경이 아닙니다.

② 중추 신경계

1) 뇌

* 대뇌 : 수의 운동의 중추 / 겉질 회색질(주로 신경 세포체), 속질 백색질(주로 축삭 돌기)

* 소뇌 : 평형 유지 중추

* 간뇌 : 항상성 조절 중추

* 중간뇌 : 몸의 평형 조절에 관여 / 동공의 크기 조절과 안구 운동의 중추

* 뇌교 : 호흡 운동 조절에 관여

* 연수 : 대뇌와 연결된 대부분의 신경이 교차 / 심장 박동, 호흡 운동, 소화 운동, 소화액 분비 등 조절 중추 / 기침, 재채기, 하품, 침 분비에 관여

* 뇌줄기 : 중뇌, 뇌교, 연수 (* 뇌줄기 없으면 중뇌연~ 하고 외우시면 됩니다. 간뇌는 애매해서 못 묻습니다.)

* 부교감 신경이 나오는 뇌 : 중간뇌, 뇌교, 연수

2) 척수 : 겉질 백색질(주로 축삭 돌기), 속질 회색질(주로 신경 세포체)

* 전근 : 원심성 뉴런 다발

* 후근 : 구심성 뉴런 다발

* 교감 신경은 모두 척수에서 나옵니다.

* 방광 수축의 경우 척수에서 부교감 신경이 나옵니다.

3) 반사

의식적인 반응 : 대뇌의 판단과 명령에 따라 일어나는 행동

무조건 반사 : 반응의 중추가 대뇌가 아니라 중간뇌, 연수, 척수 등이며 의식적인 반응에 비해 반응 속도가 빠름

반사	중추	반응
척수 반사	척수	무릎 반사, 회피 반사, 배뇨/배변 반사 등
연수 반사	연수	재채기, 하품, 침 분비 등
중간뇌 반사	중간뇌	동공 반사, 안구 운동 등

* 무릎 반사, 회피 반사 등이 일어났을 때도 대뇌로 감각이 전달됩니다.

③ 말초 신경계

원심성 신경은 체성 신경과 자율 신경으로 나뉩니다.

체성 신경은 주로 대뇌의 지배를 받으며, 골격근에 아세틸콜린을 분비하여 명령을 전달합니다.

자율 신경은 대뇌의 직접적인 지배를 받지 않으며, 중간뇌, 연수, 척수의 명령을 심장근, 내장근, 분비샘에 전달합니다.

자율 신경은 교감 신경과 부교감 신경으로 나뉘며, 대부분 하나의 신경절이 존재합니다.

교감 신경 : 신경절 이전 뉴런이 신경절 이후 뉴런보다 짧음.

부교감 신경 : 신경절 이전 뉴런이 신경절 이후 뉴런보다 김.

신경	분비되는 신경 전달 물질
체성 신경	아세틸콜린
교감/부교감 신경 신경절 이전 뉴런	
부교감 신경 신경절 이후 뉴런	
교감 신경 신경절 이후 뉴런	노르에피네프린

기관	자율 신경
척수	교감/부교감
중뇌	부교감
뇌교	부교감
연수	부교감

① 호르몬

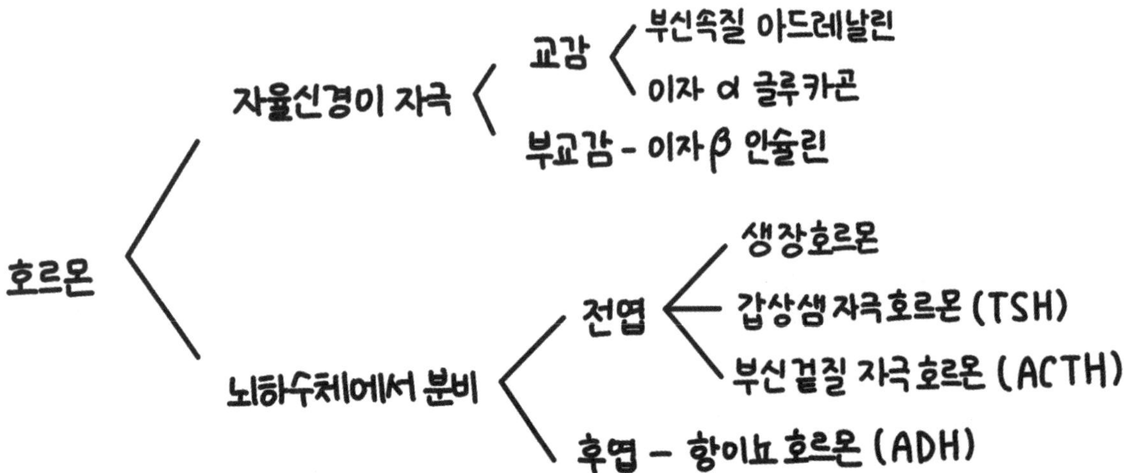

* 항이뇨 호르몬 표적 기관은 방광이 아니라 콩팥. 항이뇨 호르몬 분비 기관은 뇌하수체 후엽.

② 항상성

1) 항상성 유지의 원리

* 음성 피드백 : 어느 과정의 산물이 그 과정을 억제하는 조절
(* 예를 들어,
혈중 티록신 농도 ↑ → TRH 분비 ↓, TSH 분비 ↓ → 혈중 티록신 농도 ↓
혈중 티록신 농도 ↓ → TRH 분비 ↑, TSH 분비 ↑ → 혈중 티록신 농도 ↑)

* 길항 작용 : 두 가지 요인이 같은 기관에 대해 서로 반대로 작용하여 서로의 효과를 줄이는 것
(* 예를 들어, 교감 신경과 부교감 신경에 의한 심장 박동 속도 조절 / 인슐린과 글루카곤에 의한 혈당량 조절)

2) 구체적인 조절 과정

Ⅰ. 혈당량 조절

체내 혈당량이 높아지면, 혈당량을 낮추기 위해 이자 β 세포에서 인슐린이 분비되어 간에서 글리코젠 합성이 촉진되고, 혈액에서 세포로의 포도당 흡수가 촉진되어 혈당량을 낮춥니다.

체내 혈당량이 낮아지면, 이자 α 세포에서 글루카곤이 분비되거나 교감 신경에 의해 부신 속질에서 아드레날린(에피네프린)이 분비되어 간에서 글리코젠을 포도당으로 분해하여 혈당량을 높입니다. (+ 부신 겉질에서 당질 코르티코이드가 분비되어, 조직에 들어있는 단백질이나 지방을 포도당으로 전환하여 혈당량을 높입니다.)

* 혈당량은 이자에서 체내 혈당량을 직접 감지하여 조절하거나 시상 하부에서 자율 신경을 통해 이자나 부신을 자극하여 혈당량 조절 호르몬의 분비를 조절함으로써 일정하게 유지됩니다.

Ⅱ. TRH/TSH/티록신

일반적으로 시상 하부에서 TRH 분비량이 증가하면, 뇌하수체 전엽에서 TSH 분비량이 증가하게 되어 갑상샘에서 티록신 분비량 증가하게 됩니다.

갑상샘에서 티록신 분비량이 증가하면, 음성 피드백에 의하여 시상 하부에서 TRH 분비량이 감소되고, 따라서 TSH 분비량이 감소되어 티록신 분비량도 감소하게 됩니다.

(* TRH의 표적 기관이 뇌하수체 전엽, TSH의 표적 기관이 갑상샘임을 모르셨다면 굉장히 반성하셔야 합니다.)

다만 문제는 특정 부위에 이상이 생긴 개체가 출제되곤 합니다.

예를 들어, 갑상샘에 이상이 생겨 티록신 분비가 적은 개체가 있다면,

티록신 분비가 적으므로 음성 피드백에 의해 TRH와 TSH는 평상시보다 많은 상태로 유지될 겁니다.

뇌하수체 전엽에 이상이 생겨 TSH 분비가 적은 개체가 있다면, TSH 분비량이 적으므로 티록신 분비량이 적고, 음성 피드백에 의해 TRH 분비량은 정상보다 많은 상태로 유지될 겁니다.

위와 같이 과정을 생각해서 푸는 습관이 들면 별로 어렵지 않을 겁니다.

Ⅲ. 삼투압 조절

해당 파트는 원인을 정확히 파악하셔야 합니다.

제가 안정 상태였을 때 물을 먹었다면,

체내 수분량 ↑ → 혈장 삼투압 ↓ → ADH 분비량 ↓ → 오줌 생성량 ↑ → 오줌 삼투압 ↓

가 되지만,

제가 안정 상태였을 때 혈장 삼투압보다 농도가 높은 소금물을 먹었다면,

체내 수분량은 ↑지만, 혈장 삼투압도 ↑ → ADH 분비량 ↑ → 오줌 생성량 ↓ → 오줌 삼투압 ↑

가 됩니다.

일부 학생들의 경우 '체내 수분량 ↑ → 오줌 삼투압 ↑' 이런 식으로 무지성 암기를 하는데, 원인에 따라 결과는 모두 달라질 수 있으므로 꼭 생각하며 푸는 습관을 들이시기 바랍니다.

이렇게 차근차근 생각해서 풀다보면, 위의 과정을 생각하는 데 시간이 거의 걸리지 않습니다.

생각을 빠르게 하는 연습을 해야지, 무지성 암기를 하시면 안 됩니다.

생각하는 과정은 해설지에 모두 수록해두었으므로 참고하시기 바랍니다.

다만. 아래의 그래프는 헷갈리기 쉬우니 외워두시는 것을 권장합니다.

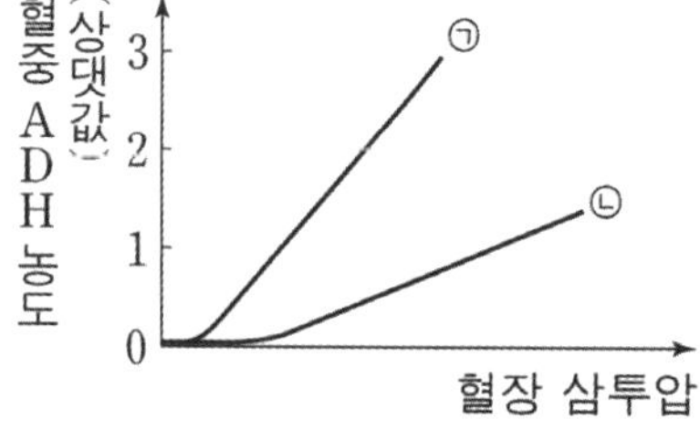

ADH는 뇌하수체 후엽에서 분비되며, ㉠과 ㉡ 중 하나는 정상 상태이고, 다른 하나는 정상 상태일 때보다 전체 혈액량이 증가한 상태입니다.

체내 수분량이 많을 때, 혈중 ADH의 농도가 높아지면 체내 수분량이 '너무' 많아져 혈압이 너무 높아집니다.

그러면 죽게 되므로 혈장 삼투압이 같을 때 기준, 혈중 ADH의 농도는 체내 수분량이 많을수록 낮습니다.

따라서 ㉠이 정상 상태이고, ㉡이 전체 혈액량이 증가한 상태입니다.

추가로, 시점을 잘 파악하시기 바랍니다.
물을 먹은 시점은 물이 흡수되기 전의 상황이므로 물을 안 먹은 상태와 동일한 상태입니다.

Ⅳ. 체온 조절

<table>
<tr><th>구분</th><th colspan="2">추울 때
(시상 하부가 저체온 감지)</th><th colspan="2">더울 때
(시상 하부가 고체온 감지)</th></tr>
<tr><td rowspan="2">열
발생량</td><td>교감 신경에 의해 골격근이 빠르게 수축/이완되어 몸이 떨림</td><td rowspan="2">증가</td><td rowspan="2">티록신 분비량 감소</td><td rowspan="2">감소</td></tr>
<tr><td>에피네프린과 티록신 분비량을 증가시켜 물질대사를 촉진함</td></tr>
<tr><td rowspan="2">열
발산량</td><td>교감 신경에 의해 피부 근처 혈관이 수축되어 피부 근처를 흐르는 혈액의 양이 감소</td><td rowspan="2">감소</td><td>교감 신경의 작용이 완화되어 피부 근처 혈관이 확장</td><td rowspan="2">증가</td></tr>
<tr><td>교감 신경에 의해 털세움근이 수축</td><td>땀 분비 촉진</td></tr>
</table>

보통 학생들이 헷갈려하는 부분은 체온과 시상 하부 온도입니다.
고온인지 저온인지를 감지하는 기준은 항상 시상 하부 온도입니다.

1) 피부에 저온 자극을 1회성으로 주게 되면, 결과적으로 시상 하부 온도도 내려가게 되므로 체온과 시상 하부 온도 모두 내려갑니다. 이후 춥다고 느끼므로 열 발생량이 증가하게 됩니다.

2) 시상 하부에 저온 자극을 주면 춥다고 느끼므로 열 발생량이 증가하게 되어 체온은 증가합니다.

3) 지속적으로 저온 자극을 주게 되면, 예를 들어 냉탕에 들어갔다면 시상 하부 온도가 내려가 열 발생량을 증가시키겠지만, 열 발생량을 증가시켜도 냉탕에 들어갔으니 체온은 내려갑니다.

이 부분을 구분하지 못하면 굉장히 헷갈리므로 꼭 숙지해두시기 바랍니다.
상식적으로 생각하시면 됩니다.

추가로, 시상 하부 설정 온도는 에어컨 설정 온도라고 보시면 됩니다.
시상 하부 설정 온도 > 시상 하부 온도라면, 추운 상태니 열 발생량이 증가하겠죠?
시상 하부 설정 온도 < 시상 하부 온도라면, 더운 상태니 열 발생량이 감소하겠죠?

① 질병

1) 질병의 구분

* 감염성 질병 : 병원체에 의해 나타나는 질병으로 전염이 되기도 함
* 비감염성 질병 : 전염 × / 예 : 고혈압, 당뇨병, 혈우병

2) 병원체

병원체	특징	예
세균	핵이 없는 단세포 원핵생물 세포벽 있음 / 항생제로 치료	결핵, 세균성 식중독, 세균성 폐렴, 탄저병, 파상풍, 콜레라
바이러스	항바이러스제로 치료	독감, 홍역, 후천성 면역 결핍증(AIDS), 광견병
원생생물	단세포 + 핵 있음	말라리아(모기를 매개로 전염됨)
균류(곰팡이)	다세포 + 핵 있음 항진균제로 치료	무좀
변형된 프라이온	단백질성 감염 입자 바이러스보다 작음	광우병

* 파란색은 기출된 적 있는 예시들입니다. 분홍색은 매우 자주 출제되는 예시입니다.

* 광견병과 광우병의 병원체를 헷갈려 하는 학생들이 있는데, 광견병의 병원체는 바이러스이고 광우병의 병원체는 변형된 프라이온입니다. 참고로 변형된 프라이온도 당연히 감염성 질병의 병원체입니다.

② 우리 몸의 방어 작용

1) 비특이적 방어 작용(선천성 면역) : 병원체의 종류나 감염 경험의 유무와 관계없이 감염 발생 시 신속하게 반응이 일어남
* 피부, 점막
* 라이소자임 : 땀, 눈물, 침, 호흡기 통로의 점액에는 라이소자임이 있어 세균의 세포벽을 파괴합니다.
* 식세포 작용(식균 작용) : 대식세포와 같은 백혈구가 병원체를 지신의 세포 인으로 끌어들여 분해하는 것
* 염증 반응 : 피부나 점막이 손상되어 병원체가 체내로 침입하면 열, 부어오름, 붉어짐, 통증이 나타나는 것.
병원체를 제거하기 위한 방어 작용(혈관벽 투과성 ↑ → 백혈구 ↑ → 식균 작용 ↑)

2) 특이적 방어 작용(후천성 면역)

세포성 면역과 체액성 면역으로 나뉩니다.

세포성 면역은 세포독성 T 림프구가 병원체에 감염된 세포를 제거하는 면역 반응이고,

체액성 면역은 형질 세포가 생산하는 항체가 항원과 결합함으로써 항원을 제거하는 면역 반응입니다.

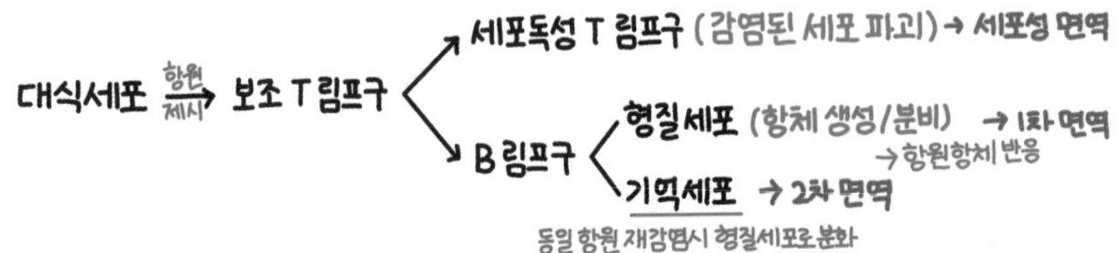

* 생성과 성숙 장소

	B 림프구	T 림프구
생성	골수	골수
성숙	골수	가슴샘

* 백신 : 질병을 일으키지 않도록 독성을 약화시킨 항원

(* 백신을 주입해 1차 면역 반응이 일어나면 기억 세포가 형성됩니다. 따라서 동일 항원이 다시 들어오면 2차 면역 반응이 일어나므로 그 병원체가 원인인 질병에 쉽게 걸리지 않게 됩니다.)

③ 혈액형에 따른 수혈 관계

1) ABO식 혈액형

응집원을 항원, 응집소를 항체라 생각하시면 이해하기 쉽습니다.

기본적으로 수혈은 같은 혈액형인 경우에 합니다.

다만 혈액을 주는 쪽의 응집원과 받는 쪽의 응집소 사이에 응집 반응이 나타나지 않으면 소량 수혈이 가능합니다.

(* 따라서 O형은 A, B, AB형 모두에게 수혈해줄 수 있지만, AB형은 A, B, O형에게 수혈을 해줄 수 없습니다.

A형과 B형은 서로에게 수혈해줄 수 없습니다.)

2) Rh식 혈액형

Rh 응집원이 있는 경우 Rh^+형, Rh 응집원이 없는 경우 Rh^-형입니다.

붉은털 원숭이는 Rh^+형이고, 토끼는 Rh^-형입니다. 따라서 붉은털 원숭이의 적혈구를 토끼의 혈액에 주사하면 토끼의 혈액에는 Rh 응집소가 형성됩니다. 이를 사람의 혈액과 섞었을 때 응집 반응 결과를 통해 Rh^+형인지 Rh^-형인지를 판정합니다.

① 개체군과 군집의 정의

개체군 : '한 지역'에서 살아가는 '동일한 종'의 개체들로 이루어진 집단

군집 : 일정한 지역 내에 서식하는 개체군들의 집합

② 생태계 구성 요소 사이의 상호 관계

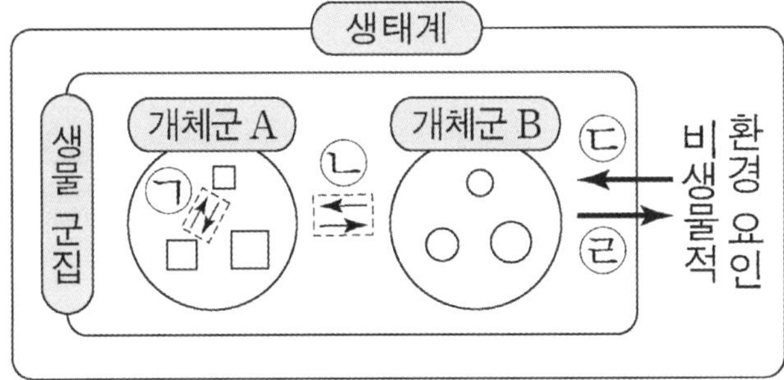

㉠은 개체군 '내'의 상호 작용, ㉡은 개체군 '사이'의 상호 작용, ㉢은 '작용', ㉣은 '반작용'입니다.

㉠과 ㉡은 꼭 구분해주세요. ㉠과 ㉡의 예는 밑의 ④를 확인해주세요.

③ 개체군 생장 곡선

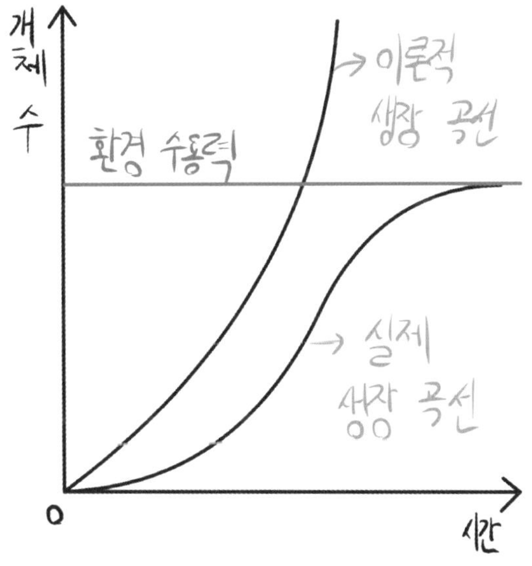

제가 3시간 동안 그린 그래프입니다.

보통 실제 생장 곡선에서 구간을 정해놓고 환경 저항이 있냐는 선지가 자주 나옵니다.

이론적 생장 곡선의 상황이 아니라면 환경 저항은 항상 있습니다.

④ 개체군 내의 상호작용 / 개체군 사이의 상호 작용

Ⅰ. 개체군 내의 상호작용

상호 작용	텃세	순위제	리더제	사회생활	가족생활
예	은어	닭	늑대	꿀벌	코끼리

Ⅱ. 개체군 사이 상호 작용

상호 작용	상리 공생	편리공생	기생	종간 경쟁	포식과 피식
개체군 A	이익	이익	이익	손해	이익
개체군 B	이익	이익도 손해도 ×	손해	손해	손해
예	① 흰동가리와 말미잘 ② 콩과식물과 뿌리혹박테리아				스라소니(포식자)와 눈신토끼(피식자)

* 위에 적은 예들은 외우시는 걸 권장합니다.

* 이외에도 개체군 사이의 상호 작용에는 분서가 있습니다.

* 경쟁은 개체군 내의 경쟁도 있고, 개체군 사이의 경쟁도 있습니다.

* 경쟁·배타 원리는 경쟁의 결과로, 경쟁에서 패배한 개체군이 경쟁 지역에서 사라지는 현상을 뜻합니다.

⑤ 밀도/빈도/피도, 상대밀도/상대빈도/상대피도, 우점종/중요치/핵심종

$$\text{밀도} = \frac{\text{특정 종의 개체 수}}{\text{전체 방형구의 면적}(m^2)}$$

$$\text{빈도} = \frac{\text{특정 종이 출현한 방형구의 수}}{\text{전체 방형구 수}}$$

$$\text{피도} = \frac{\text{특정 종이 점유하는 면적}(m^2)}{\text{전체 방형구의 면적}(m^2)}$$

위의 정의도 꼭 알아두시기 바랍니다.

특히, 밀도와 피도의 정의에서 분모가 같음을 활용하여 문제로 출제하기도 좋습니다.

'상대' 밀도/빈도/피도(%)는 $\frac{\text{특정 종의 밀도/빈도/피도}}{\text{조사한 모든 종의 밀도/빈도/피도 합}} \times 100$ 입니다.

그런데 어차피 밀도/빈도/피도 공식에서 '분모'는 모두 약분될 테니, 분자만 계산하면 됩니다.

따라서

상대 밀도는 개체 수의 비로 간단히 구할 수 있고,

상대 빈도는 출현한 방형구의 수 비로 간단히 구할 수 있습니다.

자세한 내용은 기출 문항들의 해설을 참고해주세요.

중요도(중요치) = 상대 밀도 + 상대 빈도 + 상대 피도

중요치가 가장 높은 종이 그 군집의 우점종입니다.

군집 안에서 우점종은 아니지만, 군집 구조에 중요한 역할을 하는 종을 핵심종이라 합니다.

⑥ 천이 과정

Ⅰ. 1차 천이

1) 건성 천이

지의류(개척자) → 초원 → 관목림 → 양수림 → 혼합림 → 음수림(극상)

2) 습성 천이

빈영양호 → 부영양호 → 습원 → 초원 → 관목림 → 양수림 → 혼합림 → 음수림(극상)

Ⅱ. 2차 천이

산불/산사태/벌목 등으로 인해 군집이 파괴된 후 기존에 남아 있던 토양에서 시작하는 천이입니다.

보통 1차 천이보다 빠른 속도로 진행되며, 주로 초본이 개척자로 들어오고 초원이 형성된 후 1차 천이와 같은 과정으로 일어납니다.

기출 문제에서는 대부분

산불 → 초원 → 관목림 → 양수림 → 혼합림 → 음수림(극상)

으로 제시합니다.

* 양수림에서 음수림으로 변하는 데는 빛이 중요한 환경 요인으로 작용합니다.

* 참나무 → 음수 / 소나무 → 양수 / 침엽수 → 양수 / 활엽수 → 음수

임은 외우시는 걸 권장합니다.

* 모든 군집에서 극상이 항상 음수림인 것은 아닙니다.

다만 생명과학 Ⅰ 시험지에서는 보통 음수림을 극상으로 제시할 확률이 높고, 판단하는 데 지장이 없도록 자료를 제시해 줄 것으로 사료됩니다.

① 물질의 생산과 소비

총생산량 = 호흡량 + 순생산량(피식량 + 고사/낙엽량 + 생장량)

생산자의 피식량 = 초식 동물(1차 소비자)의 섭식량

(* 1차 소비자의 동화량은 섭식량에서 배출량을 제외한 유기물의 양입니다.)

* 식물은 광합성으로 빛에너지를 유기물의 화학 에너지로 바꿉니다. 이때 유기물의 총량이 총생산량입니다.

② 에너지 흐름

생태계로 들어온 빛에너지는 화학 에너지로 전환되고 결국 열에너지로 방출됩니다.

따라서 생태계에서 에너지는 순환하지 않고 한쪽으로 흐릅니다.

(* 생산자가 만든 유기물에 저장된 에너지는 상위 영양 단계로 이동하며, 각 영양 단계에서 에너지 중 일부는 호흡을 통해 열에너지로 전환되어 방출됩니다. 생물의 사체나 배설물에 포함된 에너지는 분해자의 호흡에 의해 열에너지로 전환되어 방출됩니다.)

③ 생태 피라미드

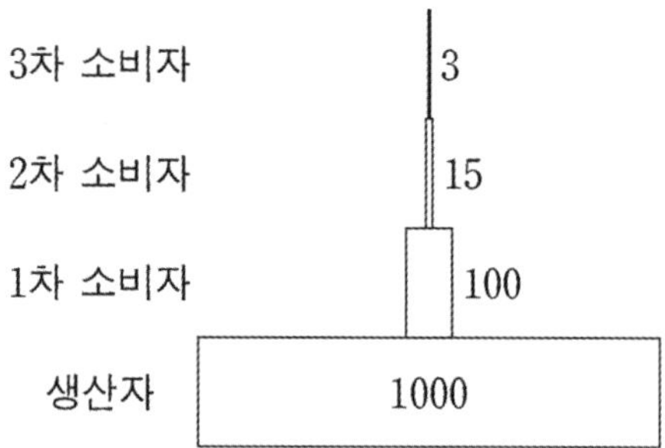

생태 피라미드는 위의 그림과 같이 하위 영양 단계부터 상위 영양 단계로 개체 수/생물량(생체량)/에너지양 등을 쌓아올린 피라미드입니다.

일반적으로 피라미드에서 위로 올라갈수록 개체 수/생물량(생체량)/에너지양이 더 적어지지만, 평형이 깨진 경우 그렇지 않을 수도 있습니다.

따라서 하위 영양 단계부터 상위 영양 단계로 쌓음을 기억해주세요.

④ 에너지 효율

$$\text{에너지 효율(\%)} = \frac{\text{현 영양 단계가 보유한 에너지 양}}{\text{전 영양 단계가 보유한 에너지 양}} \times 100$$

최근에는 식을 알려주지 않고 출제하므로 반드시 외우셔야 합니다.

일반적으로 상위 영양 단계로 갈수록 에너지 효율이 증가하지만, 생태계에 따라 다를 수 있습니다.

⑤ 물질 순환 → 탄소 / 질소

에너지는 순환하지 않고 흐르지만, 물질은 순환합니다.

Ⅰ. 탄소 순환

생산자가 탄소(대기 중 CO_2 또는 물속의 HCO_3^-)를 유기물로 합성합니다.

이후

① 생산자/소비자/분해자의 호흡을 통해 CO_2로 분해되어 대기로

② 일부는 화석 연료(석탄, 석유 등)가 되고, 인간의 활동 등으로 연소될 때 CO_2로 분해되어 대기로 이동

Ⅱ. 질소 순환

안 보고 그릴 수 있도록 완전히 외우시는 걸 권장합니다.

제대로 외우지 않을 경우 그 말이 그 말 같고, 낚시성 선지에 낚일 수도 있습니다.

특히 질소 고정 세균이나 분해자에 의해서는 질산 이온이 아닌 암모늄 이온이 되고,

공중 방전을 통해서는 암모늄 이온이 아닌 질산 이온이 됨은 꼭 외워주세요.

탈질산화 작용도 암모늄 이온이 아닌 질산 이온에서 일어난다는 것도 아시는 게 좋습니다.

(* 탈-질산-화니까 당연히 질산 이온에서 일어나겠죠! ?)

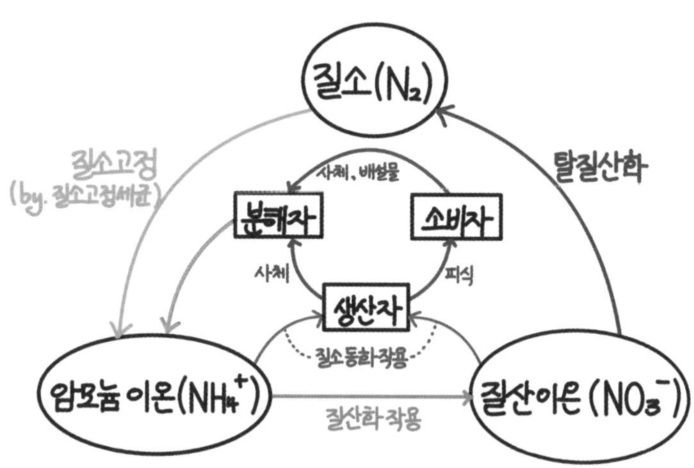

⑤ 유전적 다양성 / 종 다양성 / 생태계 다양성

유전적 다양성 : 같은 종에서 각 개체가 서로 다른 대립유전자를 가져 각 개체 사이에 형질이 다르게 나타나는 것

종 다양성 : 한 지역 내에 존재하는 생물종의 다양한 정도

종의 수가 많을수록, 전체 개체 수에서 각 종이 차지하는 비율이 균등할수록 종 다양성은 높습니다.

생태계 다양성 : 지구상에 존재하는 생태계의 다양함

20학년도 4월 1번

01. 아메바와 박테리오파지에 대한 설명으로 옳은 것만을 〈보기〉에서 있는 대로 고른 것은?

〈보 기〉

ㄱ. 아메바는 물질대사를 한다.
ㄴ. 박테리오파지는 핵산을 가진다.
ㄷ. 아메바와 박테리오파지는 모두 세포 분열로 증식한다.

① ㄱ ② ㄷ ③ ㄱ, ㄴ ④ ㄴ, ㄷ ⑤ ㄱ, ㄴ, ㄷ

22학년도 수능 1번

02. 다음은 벌새가 갖는 생물의 특성에 대한 자료이다.

(가) 벌새의 날개 구조는 공중에서 정지한 상태로 꿀을 빨아먹기에 적합하다.
(나) 벌새는 자신의 체중보다 많은 양의 꿀을 섭취하여 ㉠ <u>활동에 필요한 에너지를 얻는다.</u>
(다) 짝짓기 후 암컷이 낳은 알은 ㉡ <u>발생과 생장</u> 과정을 거쳐 성체가 된다.

이에 대한 설명으로 옳은 것만을 〈보기〉에서 있는 대로 고른 것은?

〈보 기〉

ㄱ. (가)는 적응과 진화의 예에 해당한다.
ㄴ. ㉠ 과정에서 물질대사가 일어난다.
ㄷ. '개구리알은 올챙이를 거쳐 개구리가 된다.'는 ㉡의 예에 해당한다.

① ㄱ ② ㄷ ③ ㄱ, ㄴ ④ ㄴ, ㄷ ⑤ ㄱ, ㄴ, ㄷ

22학년도 10월 1번

03. 다음은 문어가 갖는 생물의 특성에 대한 자료이다.

(가) 게, 조개 등의 먹이를 섭취하여 생명 활동에 필요한 에너지를 얻는다.
(나) 반응 속도가 빠르고 몸이 유연하여 주변 환경에 따라 피부색과 체형을 바꾸어 천적을 피하는 데 유리하다.

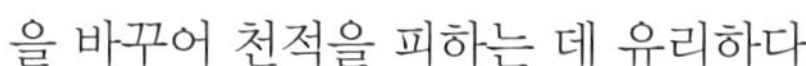

(가)와 (나)에 나타난 생물의 특성으로 가장 적절한 것은?

	(가)	(나)
①	물질대사	생식과 유전
②	물질대사	적응과 진화
③	물질대사	항상성
④	항상성	생식과 유전
⑤	항상성	적응과 진화

23학년도 수능 1번

04. 다음은 어떤 해파리에 대한 자료이다.

이 해파리의 유생은 ㉠ <u>발생과 생장</u> 과정을 거쳐 성체가 된다. 성체의 촉수에는 독이 있는 세포 ⓐ가 분포하는데, ㉡ <u>촉수에 물체가 닿으면 ⓐ에서 독이 분비된다.</u>

이 자료에 대한 설명으로 옳은 것만을 〈보기〉에서 있는 대로 고른 것은?

〈보 기〉

ㄱ. ㉠ 과정에서 세포 분열이 일어난다.
ㄴ. ⓐ에서 물질대사가 일어난다.
ㄷ. ㉡은 자극에 대한 반응의 예에 해당한다.

① ㄱ ② ㄴ ③ ㄱ, ㄷ ④ ㄴ, ㄷ ⑤ ㄱ, ㄴ, ㄷ

22학년도 6월 20번

05. 다음은 초식 동물 종 A와 식물 종 P의 상호 작용에 대해 어떤 과학자가 수행한 탐구이다.

> (가) P가 사는 지역에 A가 유입된 후 P의 가시의 수가 많아진 것을 관찰하고, A가 P를 뜯어 먹으면 P의 가시의 수가 많아질 것이라고 생각했다.
>
> (나) 같은 지역에 서식하는 P를 집단 ㉠과 ㉡으로 나눈 후, ㉠에만 A의 접근을 차단하여 P를 뜯어 먹지 못하도록 했다.
>
> (다) 일정 시간이 지난 후, P의 가시의 수는 Ⅰ에서가 Ⅱ에서보다 많았다. Ⅰ과 Ⅱ는 ㉠과 ㉡을 순서 없이 나타낸 것이다.
>
> 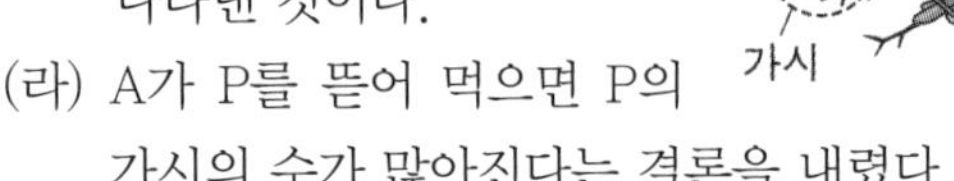
>
>
> (라) A가 P를 뜯어 먹으면 P의 가시의 수가 많아진다는 결론을 내렸다.

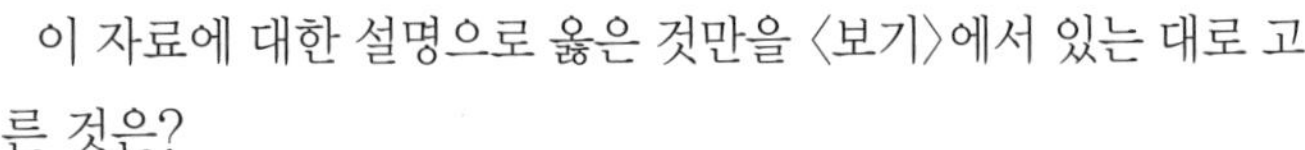

이 자료에 대한 설명으로 옳은 것만을 〈보기〉에서 있는 대로 고른 것은?

〈보 기〉

ㄱ. Ⅱ는 ㉠이다.
ㄴ. 연역적 탐구 방법이 이용되었다.
ㄷ. 조작 변인은 P의 가시의 수이다.

① ㄱ ② ㄷ ③ ㄱ, ㄴ ④ ㄴ, ㄷ ⑤ ㄱ, ㄴ, ㄷ

22학년도 9월 3번

06. 다음은 어떤 과학자가 수행한 탐구이다.

> (가) 초파리는 짝짓기 상대로 서로 다른 종류의 먹이를 먹고 자란 개체보다 같은 먹이를 먹고 자란 개체를 선호할 것이라고 생각했다.
>
> (나) 초파리를 두 집단 A와 B로 나눈 후 A는 먹이 ⓐ를, B는 먹이 ⓑ를 주고 배양했다. ⓐ와 ⓑ는 서로 다른 종류의 먹이이다.
>
> (다) 여러 세대를 배양한 후, ㉠ 같은 먹이를 먹고 자란 초파리 사이에서의 짝짓기 빈도와 ㉡ 서로 다른 종류의 먹이를 먹고 자란 초파리 사이에서의 짝짓기 빈도를 관찰했다.
>
> (라) (다)의 결과, Ⅰ이 Ⅱ보다 높게 나타났다. Ⅰ과 Ⅱ는 ㉠과 ㉡을 순서 없이 나타낸 것이다.
>
> (마) 초파리는 짝짓기 상대로 서로 다른 종류의 먹이를 먹고 자란 개체보다 같은 먹이를 먹고 자란 개체를 선호한다는 결론을 내렸다.

이 자료에 대한 설명으로 옳은 것만을 〈보기〉에서 있는 대로 고른 것은?

〈보 기〉

ㄱ. 연역적 탐구 방법이 이용되었다.
ㄴ. 조작 변인은 짝짓기 빈도이다.
ㄷ. Ⅰ은 ㉡이다.

① ㄱ ② ㄴ ③ ㄷ ④ ㄱ, ㄴ ⑤ ㄱ, ㄷ

22학년도 수능 6번

07. 다음은 어떤 과학자가 수행한 탐구이다.

(가) 바다 달팽이가 갉아 먹던 갈조류를 다 먹지 않고 이동하여 다른 갈조류를 먹는 것을 관찰하였다.
(나) ㉠ 바다 달팽이가 갉아 먹은 갈조류에서 바다 달팽이가 기피하는 물질 X의 생성이 촉진될 것이라는 가설을 세웠다.
(다) 갈조류를 두 집단 ⓐ와 ⓑ로 나눠 한 집단만 바다 달팽이가 갉아 먹도록 한 후, ⓐ와 ⓑ 각각에서 X의 양을 측정하였다.
(라) 단위 질량당 X의 양은 ⓑ에서가 ⓐ에서보다 많았다.
(마) 바다 달팽이가 갉아 먹은 갈조류에서 X의 생성이 촉진된다는 결론을 내렸다.

이에 대한 설명으로 옳은 것만을 〈보기〉에서 있는 대로 고른 것은?

〈보 기〉
ㄱ. ㉠은 (가)에서 관찰한 현상을 설명할 수 있는 잠정적인 결론(잠정적인 답)에 해당한다.
ㄴ. (다)에서 대조 실험이 수행되었다.
ㄷ. (라)의 ⓐ는 바다 달팽이가 갉아 먹은 갈조류 집단이다.

① ㄱ ② ㄷ ③ ㄱ, ㄴ ④ ㄴ, ㄷ ⑤ ㄱ, ㄴ, ㄷ

16학년도 9월 1번

08. 그림은 짚신벌레와 독감 바이러스의 공통점과 차이점을 나타낸 것이다.

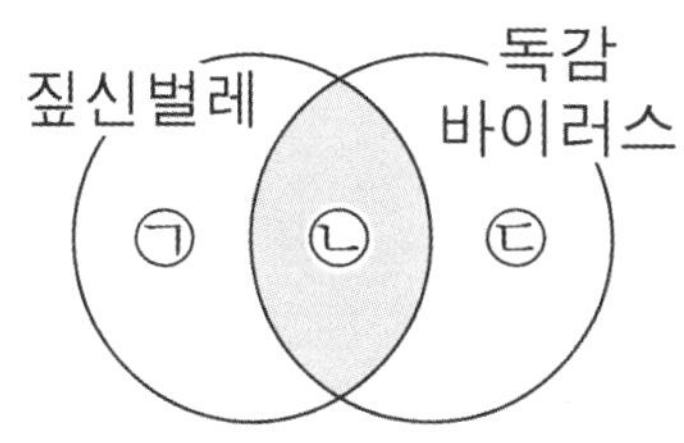

이에 대한 설명으로 옳은 것만을 〈보기〉에서 있는 대로 고른 것은?

〈보 기〉
ㄱ. '세포로 되어 있다.'는 ㉠에 해당한다.
ㄴ. '핵산을 가지고 있다.'는 ㉡에 해당한다.
ㄷ. '독립적으로 물질대사를 한다.'는 ㉢에 해당한다.

① ㄱ ② ㄷ ③ ㄱ, ㄴ ④ ㄴ, ㄷ ⑤ ㄱ, ㄴ, ㄷ

17학년도 3월 1번

09. 그림은 대장균(A)과 박테리오파지(B)의 공통점과 차이점을 나타낸 것이다.

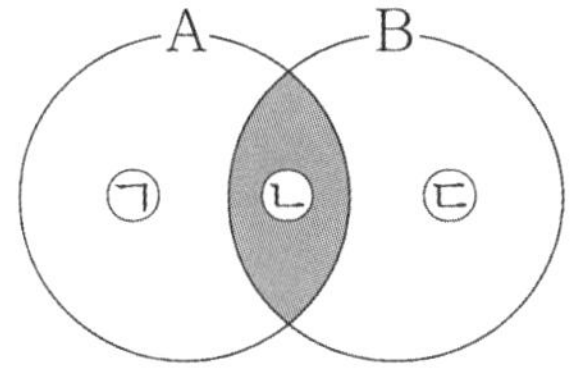

이에 대한 설명으로 옳은 것만을 〈보기〉에서 있는 대로 고른 것은?

〈보 기〉
ㄱ. '세포 분열을 한다.'는 ㉠에 해당한다.
ㄴ. '핵산을 가진다.'는 ㉡에 해당한다.
ㄷ. '효소를 가진다.'는 ㉢에 해당한다.

① ㄱ ② ㄷ ③ ㄱ, ㄴ ④ ㄱ, ㄷ ⑤ ㄴ, ㄷ

22학년도 9월 7번

10. 그림 (가)는 사람에서 녹말(다당류)이 포도당으로 되는 과정을, (나)는 미토콘드리아에서 일어나는 세포 호흡을 나타낸 것이다.

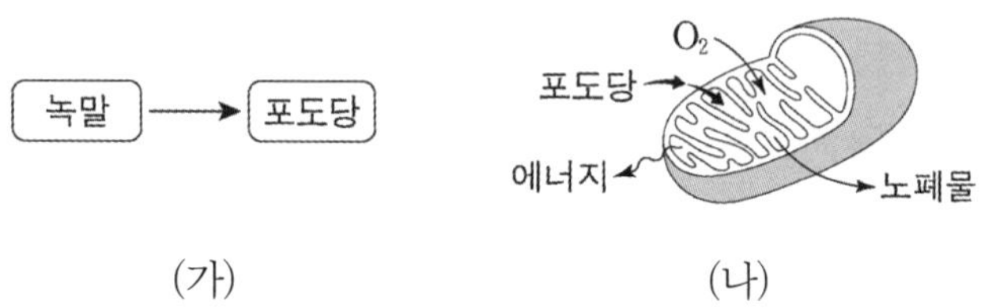

(가) (나)

이에 대한 설명으로 옳은 것만을 〈보기〉에서 있는 대로 고른 것은?

〈보 기〉

ㄱ. (가)에서 이화 작용이 일어난다.
ㄴ. (나)에서 생성된 노폐물에는 CO_2가 있다.
ㄷ. (가)와 (나)에서 모두 효소가 이용된다.

① ㄱ ② ㄷ ③ ㄱ, ㄴ ④ ㄴ, ㄷ ⑤ ㄱ, ㄴ, ㄷ

23학년도 6월 2번

11. 그림은 사람에서 세포 호흡을 통해 포도당으로부터 생성된 에너지가 생명 활동에 사용되는 과정을 나타낸 것이다. ⓐ와 ⓑ는 H_2O와 O_2를 순서 없이 나타낸 것이고, ㉠과 ㉡은 각각 ADP와 ATP 중 하나이다.

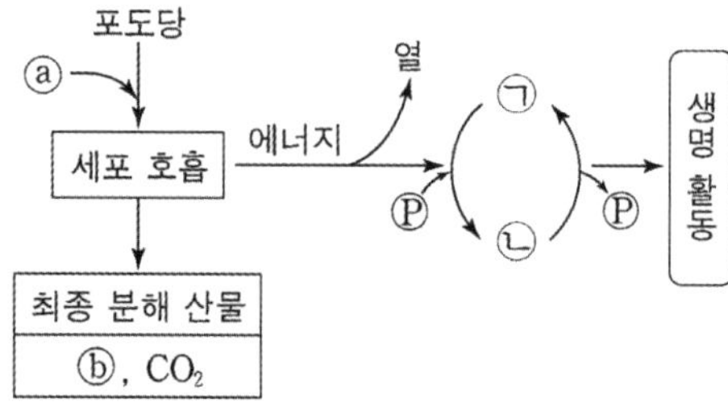

이에 대한 옳은 설명만을 〈보기〉에서 있는 대로 고른 것은?

〈보 기〉

ㄱ. 세포 호흡에서 이화 작용이 일어난다.
ㄴ. 호흡계를 통해 ⓑ가 몸 밖으로 배출된다.
ㄷ. 근육 수축 과정에는 ㉡에 저장된 에너지가 사용된다.

① ㄱ ② ㄴ ③ ㄱ, ㄷ ④ ㄴ, ㄷ ⑤ ㄱ, ㄴ, ㄷ

22학년도 7월 3번

12. 그림은 사람에서 일어나는 물질대사 과정 Ⅰ~Ⅲ을 나타낸 것이다.

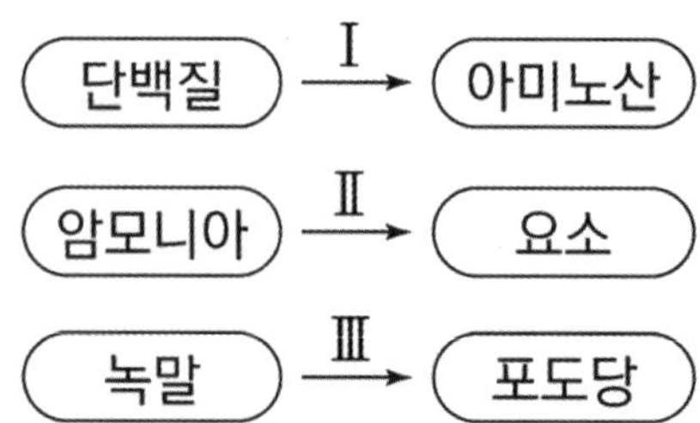

이에 대한 옳은 설명만을 〈보기〉에서 있는 대로 고른 것은?

〈보 기〉

ㄱ. Ⅰ에서 에너지가 방출된다.
ㄴ. 간에서 Ⅱ가 일어난다.
ㄷ. Ⅲ에 효소가 관여한다.

① ㄱ ② ㄷ ③ ㄱ, ㄴ ④ ㄴ, ㄷ ⑤ ㄱ, ㄴ, ㄷ

23학년도 수능 3번

13. 다음은 세포 호흡에 대한 자료이다. ㉠과 ㉡은 각각 ADP와 ATP 중 하나이다.

(가) 포도당은 세포 호흡을 통해 물과 이산화 탄소로 분해된다.
(나) 세포 호흡 과정에서 방출된 에너지의 일부는 ㉠에 저장되며, ㉠이 ㉡과 무기 인산(P_i)으로 분해될 때 방출된 에너지는 생명 활동에 사용된다.

이에 대한 설명으로 옳은 것만을 〈보기〉에서 있는 대로 고른 것은?

〈보 기〉

ㄱ. (가)에서 이화 작용이 일어난다.
ㄴ. 미토콘드리아에서 ㉡이 ㉠으로 전환된다.
ㄷ. 포도당이 분해되어 생성된 에너지의 일부는 체온 유지에 사용된다.

① ㄱ ② ㄴ ③ ㄱ, ㄷ ④ ㄴ, ㄷ ⑤ ㄱ, ㄴ, ㄷ

14학년도 수능 12번

14. 그림은 우리 몸에 있는 각 기관계의 통합적 작용을 나타낸 것이다. (가)~(다)는 각각 배설계, 소화계, 호흡계 중 하나이다.

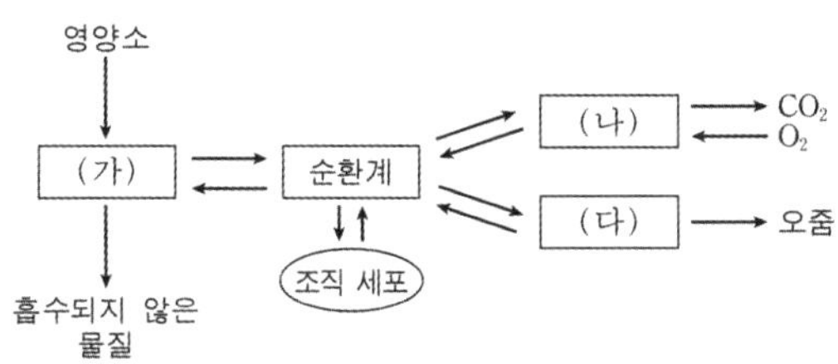

이에 대한 설명으로 옳은 것만을 〈보기〉에서 있는 대로 고른 것은?

〈보 기〉

ㄱ. (가)에서는 영양소의 소화와 흡수가 일어난다.
ㄴ. (나)는 호흡계이다.
ㄷ. (가)~(다)에서 모두 물질대사가 일어난다.

① ㄱ ② ㄷ ③ ㄱ, ㄴ ④ ㄴ, ㄷ ⑤ ㄱ, ㄴ, ㄷ

15학년도 수능 12번

15. 그림은 사람의 혈액 순환 경로를 나타낸 것이다. ㉠과 ㉡은 각각 폐동맥과 대동맥 중 하나이고, A와 B는 각각 간과 콩팥 중 하나이다.

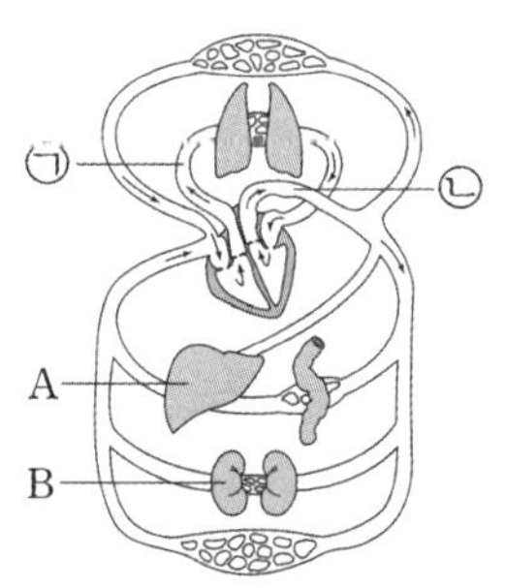

이에 대한 설명으로 옳은 것만을 〈보기〉에서 있는 대로 고른 것은?

〈보 기〉

ㄱ. 단위 부피당 산소량은 ㉠의 혈액이 ㉡의 혈액보다 많다.
ㄴ. A는 소화계에 속한다.
ㄷ. B에서 암모니아가 요소로 전환된다.

① ㄱ ② ㄴ ③ ㄱ, ㄴ ④ ㄱ, ㄷ ⑤ ㄴ, ㄷ

18학년도 9월 5번

16. 그림은 미토콘드리아에서 일어나는 세포 호흡을 나타낸 것이다. ⓐ와 ⓑ는 O_2와 CO_2를 순서 없이 나타낸 것이다.

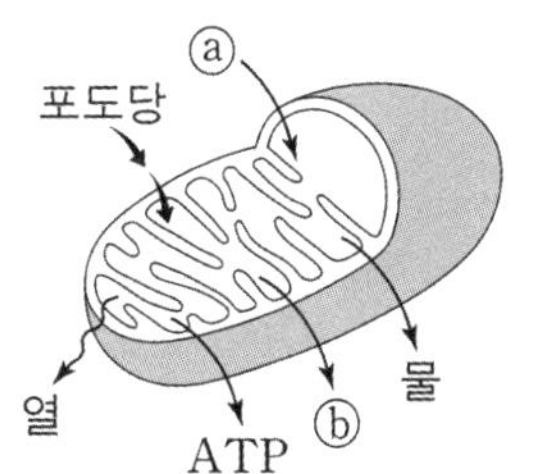

이에 대한 설명으로 옳은 것만을 〈보기〉에서 있는 대로 고른 것은?

〈보 기〉

ㄱ. ⓐ는 O_2이다.
ㄴ. 폐포 모세혈관에서 폐포로의 ⓑ 이동에는 ATP가 사용된다.
ㄷ. 세포 호흡에는 효소가 필요하다.

① ㄱ ② ㄴ ③ ㄱ, ㄴ ④ ㄱ, ㄷ ⑤ ㄴ, ㄷ

19학년도 7월 3번

17. 그림은 사람의 체내에서 일어나는 물질 대사 과정의 일부와 물질의 이동 과정을 나타낸 것이다. A와 B는 각각 콩팥과 소장 중 하나이고, ㉠~㉢은 각각 CO_2, 요소, 아미노산 중 하나이다.

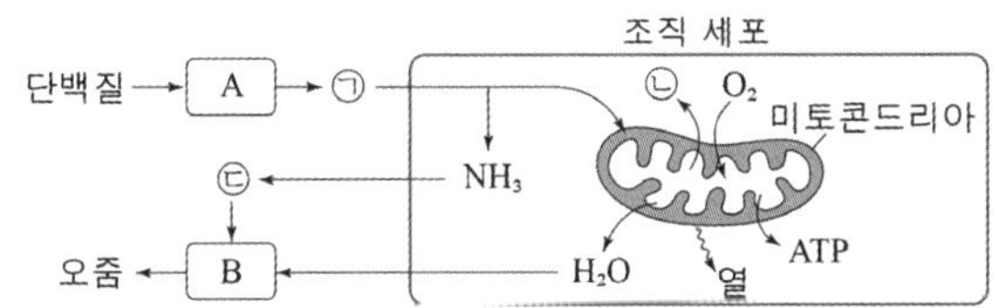

이에 대한 설명으로 옳은 것만을 〈보기〉에서 있는 대로 고른 것은?

〈보 기〉

ㄱ. A는 배설계에 속한다.
ㄴ. 호흡계를 통해 ㉡이 체외로 방출된다.
ㄷ. 소화계에는 ㉢이 생성되는 기관이 있다.

① ㄱ ② ㄴ ③ ㄱ, ㄷ ④ ㄴ, ㄷ ⑤ ㄱ, ㄴ, ㄷ

21학년도 9월 2번

18. 그림 (가)와 (나)는 각각 사람의 소화계와 호흡계를 나타낸 것이다. A와 B는 각각 간과 폐 중 하나이다.

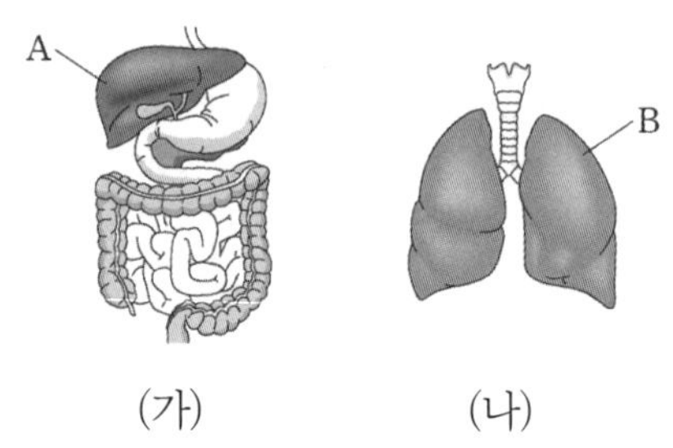

(가) (나)

이에 대한 설명으로 옳은 것만을 〈보기〉에서 있는 대로 고른 것은?

〈보 기〉

ㄱ. A에서 동화 작용이 일어난다.
ㄴ. B에서 기체 교환이 일어난다.
ㄷ. (가)에서 흡수된 영양소 중 일부는 (나)에서 사용된다.

① ㄱ ② ㄷ ③ ㄱ, ㄴ ④ ㄴ, ㄷ ⑤ ㄱ, ㄴ, ㄷ

20학년도 10월 2번

19. 다음은 효모를 이용한 물질대사 실험이다.

[실험 과정]

(가) 발효관 A와 B에 표와 같이 용액을 넣고, 맹관부에 공기가 들어가지 않도록 발효관을 세운 후, 입구를 솜으로 막는다.

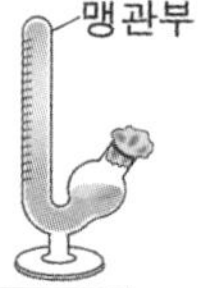

발효관	용액
A	증류수 20mL + 효모액 20mL
B	5% 포도당 수용액 20mL + 효모액 20mL

(나) A와 B를 37°C로 맞춘 항온기에 두고 일정 기간이 지난 후 ㉠ 맹관부에 모인 기체의 양을 측정한다.

이 실험에 대한 설명으로 옳은 것만을 〈보기〉에서 있는 대로 고른 것은?

〈보 기〉

ㄱ. ㉠은 조작 변인이다.
ㄴ. (나)의 B에서 CO_2가 발생한다.
ㄷ. 실험 결과 맹관부 수면의 높이는 A가 B보다 낮다.

① ㄱ ② ㄴ ③ ㄷ ④ ㄱ, ㄴ ⑤ ㄴ, ㄷ

21학년도 수능 1번

20. 그림은 사람에서 일어나는 영양소의 물질대사 과정 일부를 나타낸 것이다. ㉠과 ㉡은 암모니아와 이산화 탄소를 순서 없이 나타낸 것이다.

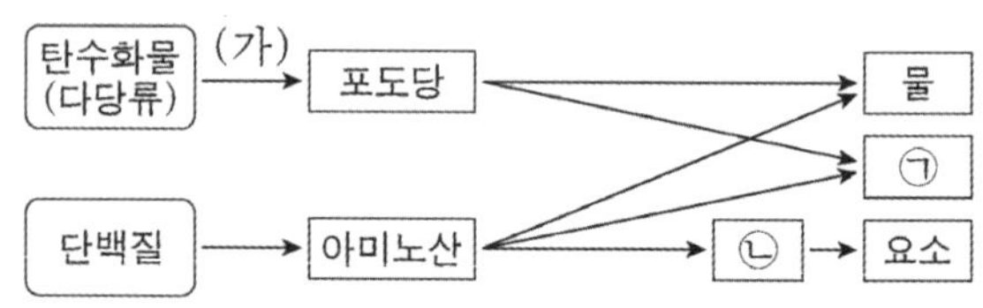

이에 대한 설명으로 옳은 것만을 〈보기〉에서 있는 대로 고른 것은?

〈보 기〉

ㄱ. 과정 (가)에서 이화 작용이 일어난다.
ㄴ. 호흡계를 통해 ㉠이 몸 밖으로 배출된다.
ㄷ. 간에서 ㉡이 요소로 전환된다.

① ㄱ ② ㄷ ③ ㄱ, ㄴ ④ ㄴ, ㄷ ⑤ ㄱ, ㄴ, ㄷ

21학년도 4월 9번

21. 그림은 사람에서 일어나는 영양소의 물질대사 과정 일부를, 표는 노폐물 ㉠~㉢에서 탄소(C), 산소(O), 질소(N)의 유무를 나타낸 것이다. (가)와 (나)는 각각 단백질과 지방 중 하나이고, ㉠~㉢은 물, 암모니아, 이산화 탄소를 순서 없이 나타낸 것이다.

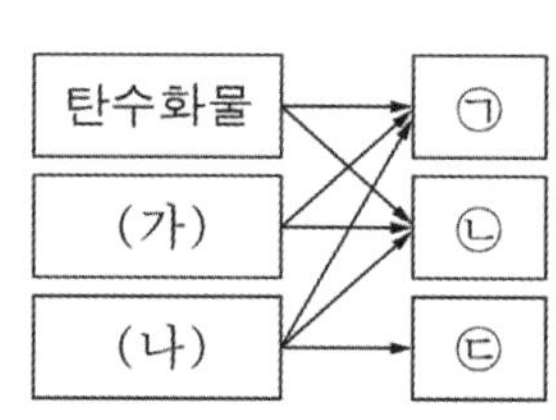

구분	탄소 (C)	산소 (O)	질소 (N)
㉠	×	○	×
㉡	?	○	×
㉢	×	×	○

(○: 있음, ×: 없음)

이에 대한 설명으로 옳은 것만을 〈보기〉에서 있는 대로 고른 것은?

〈보 기〉

ㄱ. (가)는 단백질이다.
ㄴ. 호흡계를 통해 ㉡이 몸 밖으로 배출된다.
ㄷ. 간에서 ㉢이 요소로 전환된다.

① ㄱ ② ㄴ ③ ㄱ, ㄷ ④ ㄴ, ㄷ ⑤ ㄱ, ㄴ, ㄷ

23학년도 6월 5번

22. 그림은 사람의 혈액 순환 경로를 나타낸 것이다. ㉠~㉢은 각각 간, 콩팥, 폐 중 하나이다.

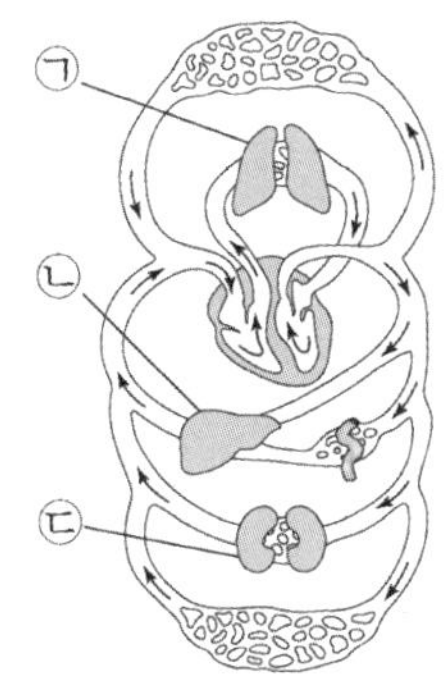

이에 대한 옳은 설명만을 〈보기〉에서 있는 대로 고른 것은?

〈보 기〉

ㄱ. ㉠으로 들어온 산소 중 일부는 순환계를 통해 운반된다.
ㄴ. ㉡에서 암모니아가 요소로 전환된다.
ㄷ. ㉢은 소화계에 속한다.

① ㄱ ② ㄷ ③ ㄱ, ㄴ ④ ㄴ, ㄷ ⑤ ㄱ, ㄴ, ㄷ

22학년도 7월 17번

23. 그림 (가)는 사람에서 일어나는 물질 이동 과정의 일부와 조직 세포에서 일어나는 물질대사 과정의 일부를, (나)는 ADP와 ATP 사이의 전환을 나타낸 것이다. ㉠과 ㉡은 각각 CO_2와 포도당 중 하나이다.

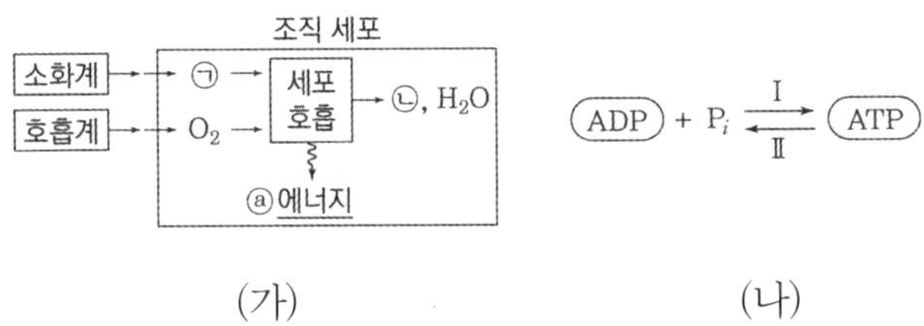

(가) (나)

이에 대한 설명으로 옳은 것만을 〈보기〉에서 있는 대로 고른 것은?

〈보 기〉

ㄱ. ㉠은 포도당이다.
ㄴ. ⓐ의 일부가 과정 Ⅰ에 사용된다.
ㄷ. 과정 Ⅱ는 동화 작용에 해당한다.

① ㄱ ② ㄴ ③ ㄷ ④ ㄱ, ㄴ ⑤ ㄱ, ㄷ

13학년도 4월 10번

24. 그림은 뉴런 (가)~(다)를 나타낸 것이다.

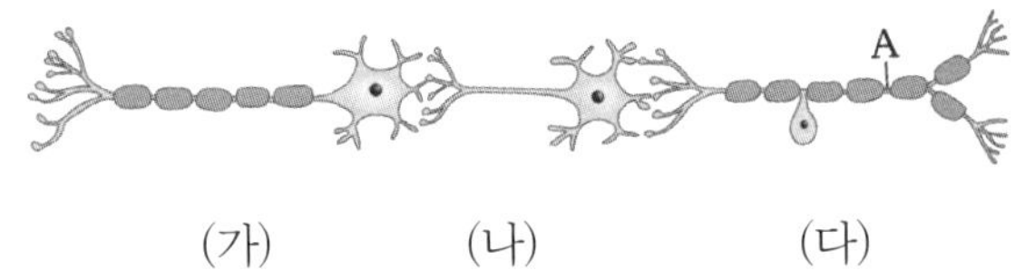

(가) (나) (다)

이에 대한 설명으로 옳은 것만을 〈보기〉에서 있는 대로 고른 것은?

〈보 기〉

ㄱ. (가)는 감각 뉴런이다.
ㄴ. (나)에서 흥분이 전도될 때 도약 전도가 일어난다.
ㄷ. A 지점에 역치 이상의 자극이 주어지면 (다)→(나)→(가)로 흥분이 전달된다.

① ㄱ ② ㄴ ③ ㄷ ④ ㄱ, ㄴ ⑤ ㄴ, ㄷ

16학년도 7월 9번

25. 그림 (가)는 미각 수용기에서 감지한 염분 자극이 뇌로 전달되는 경로를, (나)는 염분 자극이 주어지기 전과 후에 뉴런 A에서 일어나는 막전위 변화를 나타낸 것이다.

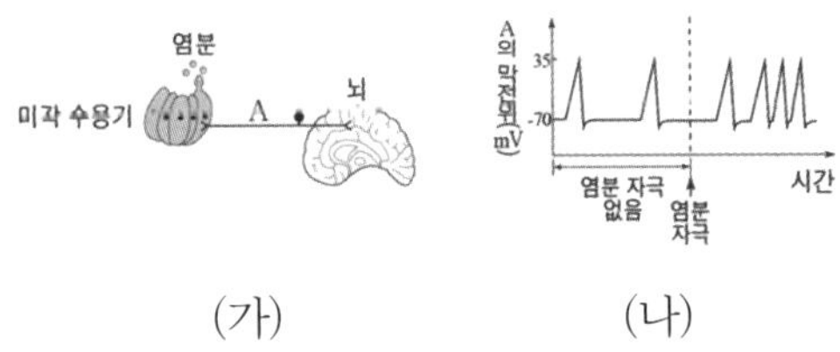

(가) (나)

이 자료에 대한 설명으로 옳은 것만을 〈보기〉에서 있는 대로 고른 것은?

〈보 기〉

ㄱ. A는 감각 뉴런이다.
ㄴ. 염분 자극이 없을 때는 A에서 활동 전위가 발생하지 않는다.
ㄷ. 뇌는 전달된 활동 전위의 크기에 따라 염분 자극의 유무를 구분한다.

① ㄱ ② ㄴ ③ ㄱ, ㄷ ④ ㄴ, ㄷ ⑤ ㄱ, ㄴ, ㄷ

26. 그림 (가)는 시냅스로 연결된 두 뉴런 A와 B를, (나)는 A와 B 사이의 시냅스에서 일어나는 흥분 전달 과정을 나타낸 것이다. X와 Y는 A의 가지 돌기와 B의 축삭 돌기 말단을 순서 없이 나타낸 것이다.

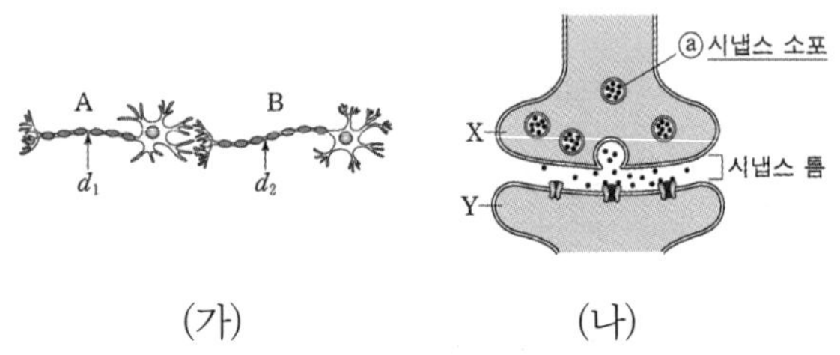

(가) (나)

이에 대한 설명으로 옳은 것만을 〈보기〉에서 있는 대로 고른 것은?

〈보 기〉

ㄱ. ⓐ에 신경 전달 물질이 들어 있다.
ㄴ. X는 B의 축삭 돌기 말단이다.
ㄷ. 지점 d_1에 역치 이상의 자극을 주면 지점 d_2에서 활동 전위가 발생한다.

① ㄱ ② ㄷ ③ ㄱ, ㄴ ④ ㄴ, ㄷ ⑤ ㄱ, ㄴ, ㄷ

27. 그림은 뉴런에서 물질 X의 처리 여부에 따른 막전위 변화를 나타낸 것이다. 물질 X는 세포막에 있는 이온 통로를 통한 Na^+과 K^+의 이동 중 하나를 억제한다.

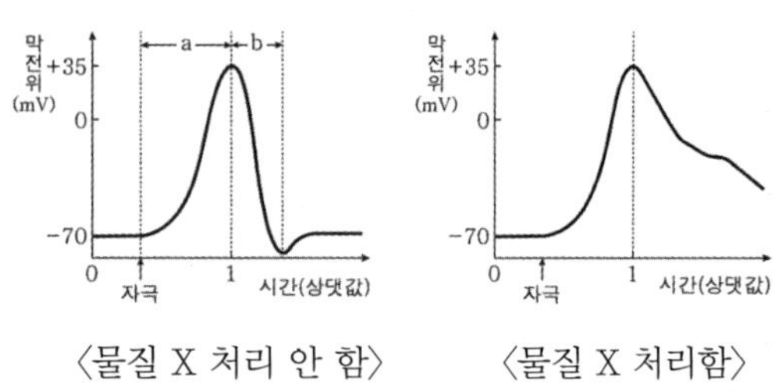

〈물질 X 처리 안 함〉 〈물질 X 처리함〉

이에 대한 옳은 설명만을 〈보기〉에서 있는 대로 고른 것은?

〈보 기〉

ㄱ. a 구간에서 Na^+은 세포 내로 유입된다.
ㄴ. b 구간에서 K^+ 통로는 모두 닫혀있다.
ㄷ. 물질 X는 Na^+의 이동을 억제한다.

① ㄱ ② ㄴ ③ ㄷ ④ ㄱ, ㄷ ⑤ ㄴ, ㄷ

28. 다음은 뉴런을 통한 흥분의 이동에 대한 실험이다.

[실험 과정]
(가) 그림과 같이 뉴런의 특정 부위에 역치 이상의 자극을 1회 주고, 세 지점(A~C)에서 시간에 따른 막전위를 측정한다.

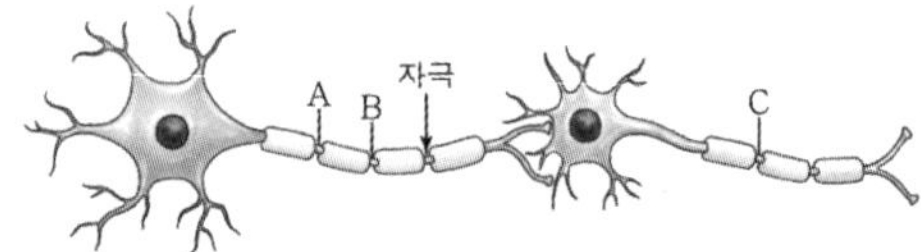

(나) 물질 X를 뉴런 전체에 처리한 후 (가)와 동일한 실험을 진행한다.

[실험 결과]
그림은 (가)와 (나)의 결과를 나타낸 것이며, ㉠~㉢은 각각 A~C의 막전위 변화 중 하나이다.

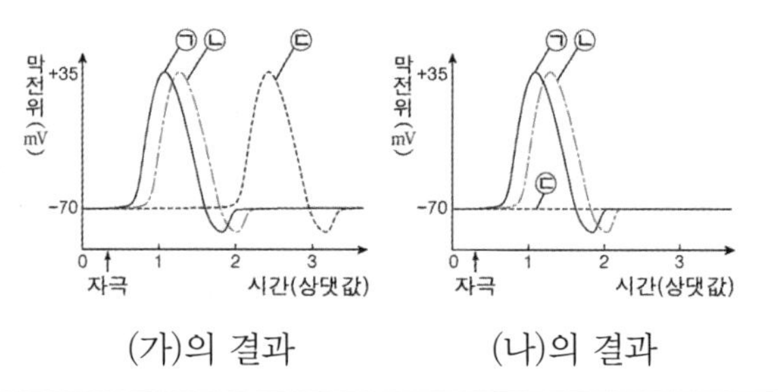

(가)의 결과 (나)의 결과

이 실험에 대한 옳은 설명만을 〈보기〉에서 있는 대로 고른 것은? (단, (가)와 (나)에서 흥분의 전도는 각각 1회씩만 일어났다.)

〈보 기〉

ㄱ. ㉠은 A의 막전위 변화이다.
ㄴ. (가)에서 B가 탈분극 상태일 때 C는 분극 상태이다.
ㄷ. (나)에서 X에 의해 흥분 전달이 일어나지 않았다.

① ㄱ ② ㄴ ③ ㄱ, ㄷ ④ ㄴ, ㄷ ⑤ ㄱ, ㄴ, ㄷ

14학년도 수능 15번

29. 그림은 어떤 뉴런에 역치 이상의 자극을 주었을 때, 이 뉴런 세포막에서의 이온 A와 B의 막 투과도를 나타낸 것이다. A와 B는 각각 Na^+과 K^+ 중 하나이다.

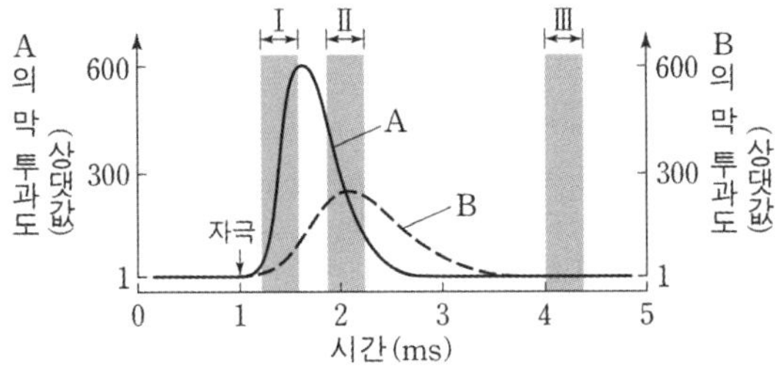

이에 대한 설명으로 옳은 것만을 〈보기〉에서 있는 대로 고른 것은? (단, 흥분의 전도는 1회 일어났다.)

〈보 기〉

ㄱ. 구간 Ⅰ에서 A가 세포 밖으로 확산된다.
ㄴ. 구간 Ⅱ에서 B의 농도는 세포 밖에서보다 세포 안에서 높다.
ㄷ. 구간 Ⅲ에서 세포 안의 A 농도 유지에 ATP가 사용된다.

① ㄱ ② ㄴ ③ ㄷ ④ ㄴ, ㄷ ⑤ ㄱ, ㄴ, ㄷ

15학년도 6월 8번

30. 그림 (가)는 활동 전위가 발생한 신경 세포의 축삭 돌기 한 지점 X에서 측정한 막전위 변화를, (나)는 t_2일 때 X에서 K^+ 통로를 통한 K^+ 의 이동을 나타낸 것이다.

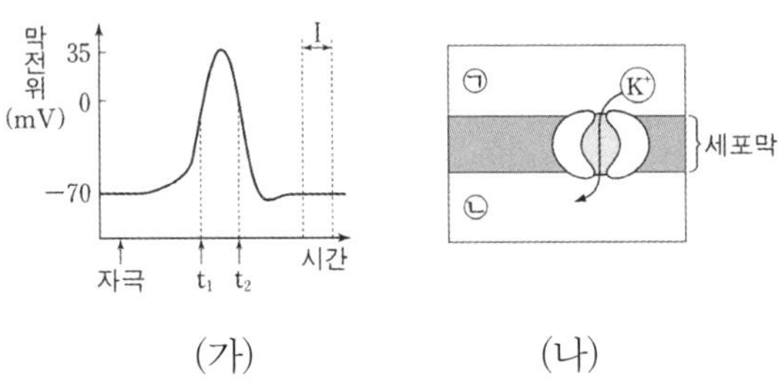

(가) (나)

이에 대한 설명으로 옳은 것만을 〈보기〉에서 있는 대로 고른 것은? (단, 흥분의 전도는 1회 일어났다.)

〈보 기〉

ㄱ. 구간 Ⅰ에서 세포막을 통한 Na^+의 이동이 없다.
ㄴ. (나)에서 K^+의 이동 방식은 확산이다.
ㄷ. t_1일 때 X에서 Na^+은 Na^+ 통로를 통해 ㉠에서 ㉡으로 이동한다.

① ㄱ ② ㄴ ③ ㄷ ④ ㄱ, ㄴ ⑤ ㄴ, ㄷ

31. 그림 (가)는 시냅스로 연결된 두 뉴런을, (나)는 Ⅰ~Ⅲ의 조건일 때 ㉣에서의 막전위 변화를 나타낸 것이다.

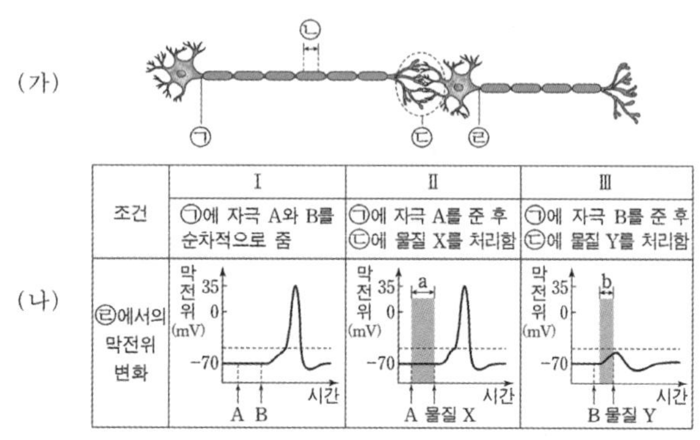

이에 대한 설명으로 옳은 것만을 〈보기〉에서 있는 대로 고른 것은? (단, 자극 A는 활동 전위를 발생시키지 않는다.)

〈보 기〉

ㄱ. Ⅰ에서 자극 B에 의해 ㉡에서 활동 전위가 발생한다.
ㄴ. Ⅱ에서 구간 a동안 ㉣에서 Na^+-K^+ 펌프가 작동한다.
ㄷ. Ⅲ에서 구간 b동안 자극 B에 의해 시냅스 이전 뉴런의 축삭 돌기 말단에서 신경 전달 물질이 분비된다.

① ㄱ ② ㄴ ③ ㄱ, ㄴ ④ ㄱ, ㄷ ⑤ ㄴ, ㄷ

32. 그림 (가)는 신경 A~C를, (나)는 (가)의 P 지점에 역치 이상의 자극을 동시에 1회씩 준 후, Q 지점에서의 막전위 변화를 나타낸 것이다. (나)의 Ⅰ~Ⅲ은 각각 A~C의 막전위 변화 중 하나이다. t_1과 t_2는 Ⅰ~Ⅲ에서 같은 시점을 나타낸다.

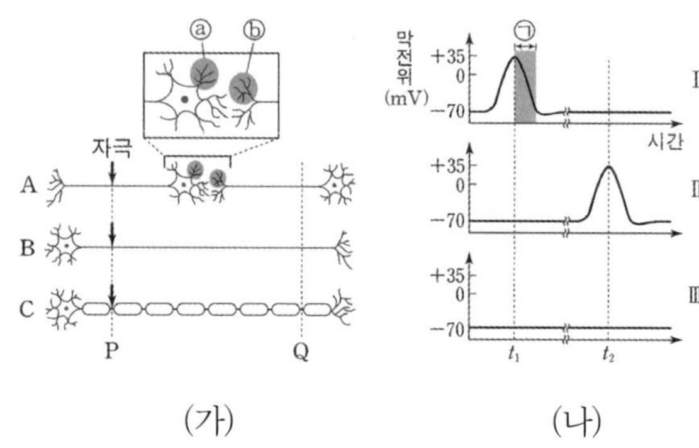

(가) (나)

이에 대한 설명으로 옳은 것만을 〈보기〉에서 있는 대로 고른 것은? (단, A~C에서 흥분의 전도는 각각 1회 일어났다.)

〈보 기〉

ㄱ. 시냅스 소포는 ⓐ보다 ⓑ에 많다.
ㄴ. 구간 ㉠에서 K^+의 농도는 세포 안보다 세포 밖이 높다.
ㄷ. C의 막전위 변화는 (나)의 Ⅱ에 해당한다.

① ㄱ ② ㄴ ③ ㄱ, ㄷ ④ ㄴ, ㄷ ⑤ ㄱ, ㄴ, ㄷ

15학년도 7월 12번

33. 그림 (가)는 분극 상태인 뉴런의 축삭 돌기 막에서 Na^+–K^+ 펌프를 통한 이온의 이동 방향을, (나)는 ATP와 ADP 사이의 전환을 나타낸 것이다.

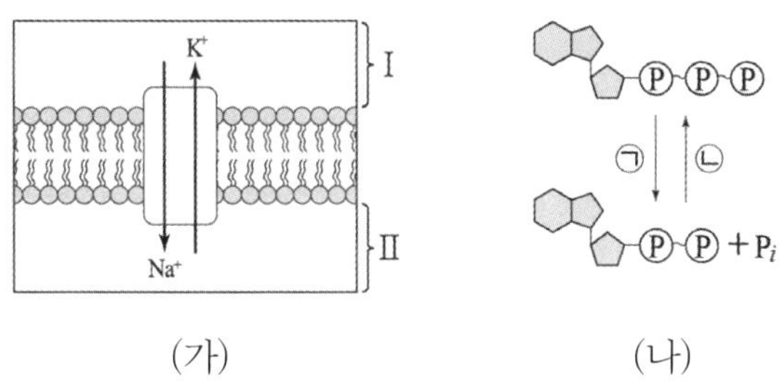

(가)

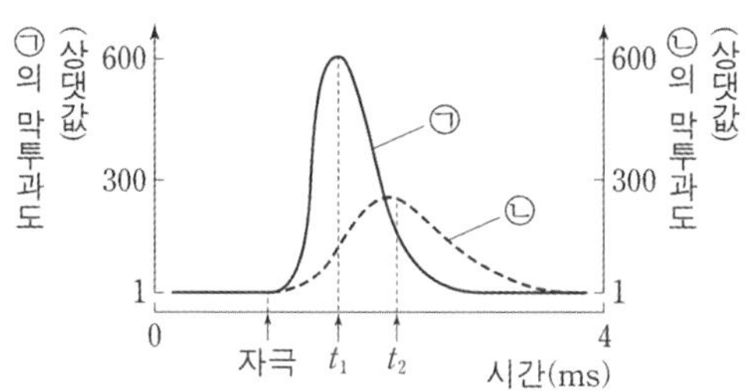

(나)

이에 대한 설명으로 옳은 것만을 〈보기〉에서 있는 대로 고른 것은?

〈보 기〉

ㄱ. Ⅰ은 Ⅱ보다 상대적으로 음전하를 띤다.
ㄴ. (가)의 Na^+–K^+ 펌프를 통한 이온 이동에는 ㉠에서 방출된 에너지가 사용된다.
ㄷ. 세포 호흡을 통해 ㉡이 일어난다.

① ㄱ ② ㄴ ③ ㄱ, ㄷ ④ ㄴ, ㄷ ⑤ ㄱ, ㄴ, ㄷ

16학년도 9월 14번

34. 그림은 어떤 뉴런에 역치 이상의 자극을 주었을 때, 이 뉴런 세포막의 한 지점에서 이온 ㉠과 ㉡의 막투과도를 시간에 따라 나타낸 것이다. ㉠과 ㉡은 각각 Na^+과 K^+ 중 하나이다.

이에 대한 설명으로 옳은 것만을 〈보기〉에서 있는 대로 고른 것은? (단, 흥분의 전도는 1회 일어났다.)

〈보 기〉

ㄱ. t_1일 때 이온의 $\frac{\text{세포 안의 농도}}{\text{세포 밖의 농도}}$는 ㉠보다 ㉡이 크다.
ㄴ. $\frac{K^+\text{의 막투과도}}{Na^+\text{의 막투과도}}$ t_1일 때보다 t_2일 때가 크다.
ㄷ. t_2일 때 이온 통로를 통한 ㉡의 이동에 ATP가 사용된다.

① ㄱ ② ㄴ ③ ㄱ, ㄴ ④ ㄱ, ㄷ ⑤ ㄴ, ㄷ

15학년도 10월 20번

35. 그림은 뉴런 (가)~(라)의 연결 상태를, 표는 이 뉴런 중 2개의 뉴런에 역치 이상의 자극을 동시에 주었을 때 활동 전위 발생 여부를 나타낸 것이다. 뉴런 A~D는 각각 (가)~(라) 중 하나이다.

(가)
(나)
(다)
(라)

자극을 준 뉴런 \ 뉴런	(가)	(나)	(다)	(라)
A와 B	−	−	+	+
A와 D	−	+	+	+
B와 D	㉠	+	−	+

(+: 발생함, −: 발생 안 함)

이에 대한 옳은 설명만을 〈보기〉에서 있는 대로 고른 것은? (단, 흥분의 전도는 1회 일어났다.)

〈보 기〉

ㄱ. (가)는 C이다.
ㄴ. ㉠은 +이다.
ㄷ. A에 역치 이상의 자극을 가하면 C와 D에서 활동 전위가 발생한다.

① ㄱ ② ㄴ ③ ㄱ, ㄴ ④ ㄱ, ㄷ ⑤ ㄴ, ㄷ

18학년도 9월 9번

36. 그림 (가)는 운동 신경 X에 역치 이상의 자극을 주었을 때 X의 축삭 돌기 한 지점 P에서 측정한 막전위 변화를, (나)는 P에서 발생한 흥분이 X의 축삭 돌기 말단 방향 각 지점에 도달하는 데 경과된 시간을 P로부터의 거리에 따라 나타낸 것이다. Ⅰ과 Ⅱ는 X의 축삭 돌기에서 말이집으로 싸여 있는 부분과 말이집으로 싸여 있지 않은 부분을 순서 없이 나타낸 것이다.

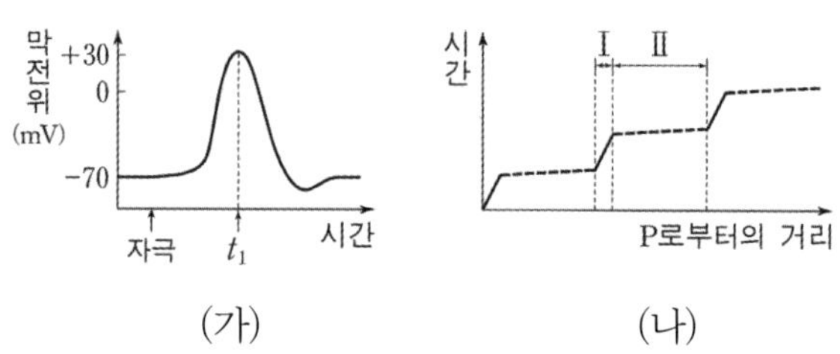

(가) (나)

이에 대한 설명으로 옳은 것만을 〈보기〉에서 있는 대로 고른 것은? (단, 흥분의 전도는 1회 일어났다.)

〈보 기〉

ㄱ. t_1일 때 이온의 $\frac{\text{세포 안의 농도}}{\text{세포 밖의 농도}}$는 K^+이 Na^+보다 크다.
ㄴ. Ⅰ에서 활동 전위가 발생했다.
ㄷ. Ⅱ에는 슈반 세포가 존재하지 않는다.

① ㄴ ② ㄷ ③ ㄱ, ㄴ ④ ㄱ, ㄷ ⑤ ㄱ, ㄴ, ㄷ

21학년도 수능 11번

37. 그림은 어떤 뉴런에 역치 이상의 자극을 주었을 때, 이 뉴런 세포막의 한 지점 P에서 측정한 이온 ㉠과 ㉡의 막 투과도를 시간에 따라 나타낸 것이다. ㉠과 ㉡은 각각 Na^+과 K^+ 중 하나이다.

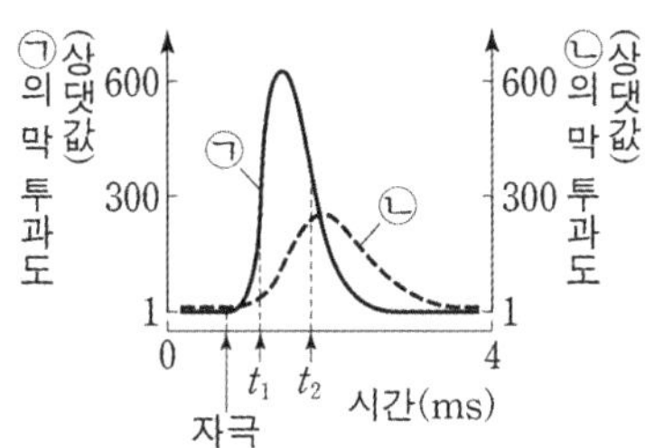

이에 대한 설명으로 옳은 것만을 〈보기〉에서 있는 대로 고른 것은?

〈보 기〉

ㄱ. t_1일 때, P에서 탈분극이 일어나고 있다.
ㄴ. t_2일 때, ㉡의 농도는 세포 안에서가 세포 밖에서보다 높다.
ㄷ. 뉴런 세포막의 이온 통로를 통한 ㉠의 이동을 차단하고 역치 이상의 자극을 주었을 때, 활동 전위가 생성되지 않는다.

① ㄱ ② ㄴ ③ ㄱ, ㄷ ④ ㄴ, ㄷ ⑤ ㄱ, ㄴ, ㄷ

14학년도 예비시행 5번

38. 다음은 골격근의 수축 기작을 알아보기 위한 실험이다.

[실험 과정]
(가) 개구리 뒷다리의 동일한 부분에서 두 개의 근육을 분리한다.
(나) 한 근육에 일정한 힘을 가하여 이완시킨다.
(다) 나머지 근육에 전기 자극을 주어 수축시킨다.
(라) 이완된 근육 ㉠과 수축된 근육 ㉡의 전자 현미경 사진을 촬영한다.

[실험 결과]

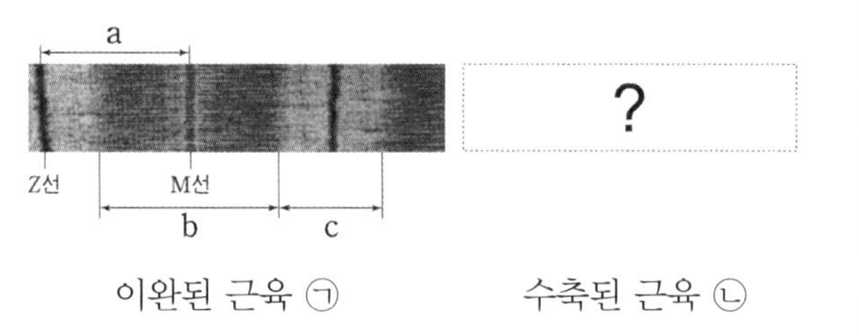

이완된 근육 ㉠의 사진과 비교하여 수축된 근육 ㉡에서 a~c의 길이 변화로 옳은 것은?

	a	b	c
①	감소	감소	감소
②	감소	감소	불변
③	감소	불변	감소
④	불변	감소	불변
⑤	불변	불변	감소

13학년도 4월 12번

39. 그림은 근육이 수축할 때와 이완할 때 근육 원섬유 마디의 변화를 나타낸 것이다.

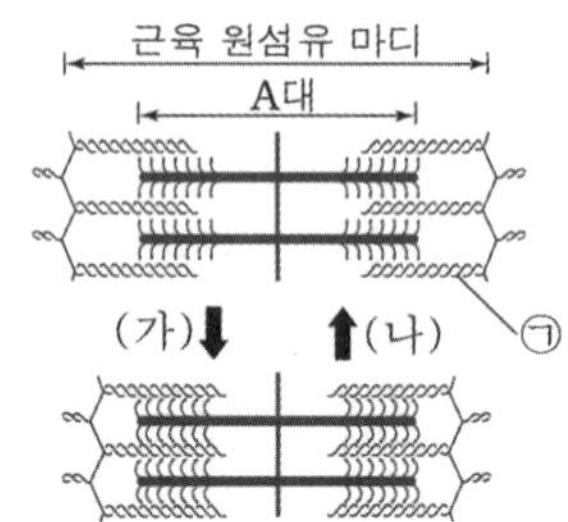

이에 대한 설명으로 옳은 것만을 〈보기〉에서 있는 대로 고른 것은?

〈보 기〉

ㄱ. ㉠은 마이오신 필라멘트이다.
ㄴ. 근육이 수축할 때 (가)와 같은 변화가 일어난다.
ㄷ. 근육이 이완할 때 A대 길이가 길어진다.

① ㄱ　② ㄴ　③ ㄷ　④ ㄱ, ㄴ　⑤ ㄴ, ㄷ

14학년도 9월 8번

40. 표는 근육 원섬유 마디 X가 수축 또는 이완했을 때의 길이를, 그림 (가)~(다)는 X의 서로 다른 세 지점의 단면에서 관찰되는 액틴 필라멘트와 마이오신 필라멘트의 분포를 나타낸 것이다.

구분	X의 길이(μm)
㉠	1.7
㉡	2.0

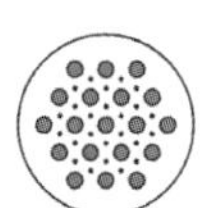
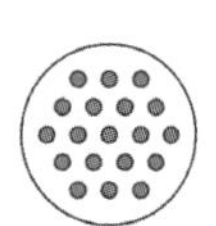
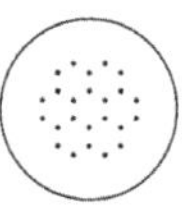

(가)　(나)　(다)

이에 대한 설명으로 옳은 것만을 〈보기〉에서 있는 대로 고른 것은?

〈보 기〉

ㄱ. ㉡에서 ㉠으로 될 때 ATP가 소모된다.
ㄴ. (가)는 H대의 단면에 해당한다.
ㄷ. (나)의 필라멘트 길이는 ㉡에서보다 ㉠에서 짧다.

① ㄱ　② ㄷ　③ ㄱ, ㄴ　④ ㄱ, ㄷ　⑤ ㄴ, ㄷ

13학년도 10월 7번

41. 그림은 사람의 골격근을 구성하는 근육 원섬유의 구조를 나타낸 것이다.

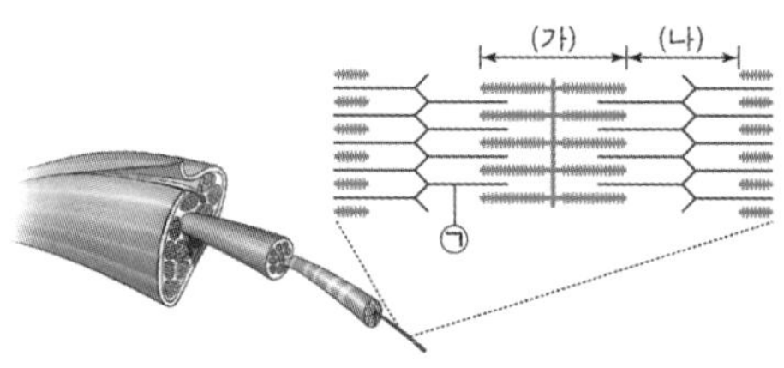

이에 대한 옳은 설명만을 〈보기〉에서 있는 대로 고른 것은?

〈보 기〉

ㄱ. ㉠은 액틴 필라멘트이다.
ㄴ. 골격근이 수축할 때 $\frac{\text{(나)의 길이}}{\text{(가)의 길이}}$의 값은 증가한다.
ㄷ. 근육 원섬유를 관찰하면 (가)보다 (나)가 어둡게 보인다.

① ㄱ　② ㄴ　③ ㄷ　④ ㄱ, ㄴ　⑤ ㄱ, ㄷ

14학년도 6월 7번

42. 그림 (가)는 팔을 구부렸을 때와 폈을 때를, (나)는 근육 ㉠의 근육 원섬유를 나타낸 것이다.

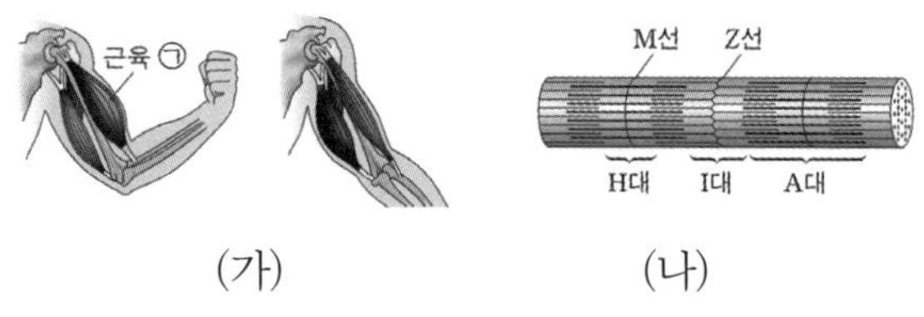

(가)　(나)

이에 대한 설명으로 옳은 것만을 〈보기〉에서 있는 대로 고른 것은?

〈보 기〉

ㄱ. 근육 ㉠의 길이는 팔을 구부렸을 때가 폈을 때보다 짧다.
ㄴ. 팔을 구부리는 동안 (나)의 액틴 필라멘트 길이는 짧아진다.
ㄷ. (나)의 H대 길이는 팔을 구부렸을 때와 폈을 때가 동일하다.

① ㄱ　② ㄴ　③ ㄱ, ㄴ　④ ㄱ, ㄷ　⑤ ㄴ, ㄷ

14학년도 4월 11번

43. 그림은 골격근을 구성하는 근육 섬유와 근육 원섬유의 구조를 나타낸 것이다.

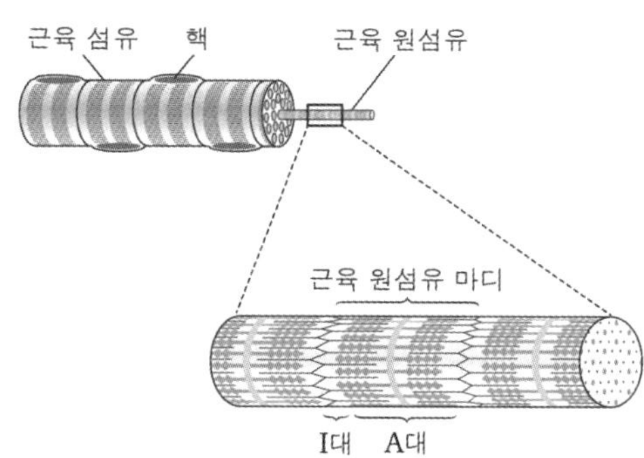

이에 대한 설명으로 옳은 것만을 〈보기〉에서 있는 대로 고른 것은?

〈보 기〉

ㄱ. 골격근의 근육 섬유는 다핵 세포이다.
ㄴ. 근육 원섬유는 밝고 어두운 부분이 반복되어 나타난다.
ㄷ. 골격근이 수축할 때 $\frac{\text{A대의 길이}}{\text{근육 원섬유 마디의 길이}}$ 값은 감소한다.

① ㄱ ② ㄷ ③ ㄱ, ㄴ ④ ㄴ, ㄷ ⑤ ㄱ, ㄴ, ㄷ

14학년도 예비시행 13번

44. 그림은 무릎 반사가 일어날 때 수용기와 반응기 사이의 흥분 전달 경로를 나타낸 것이다.

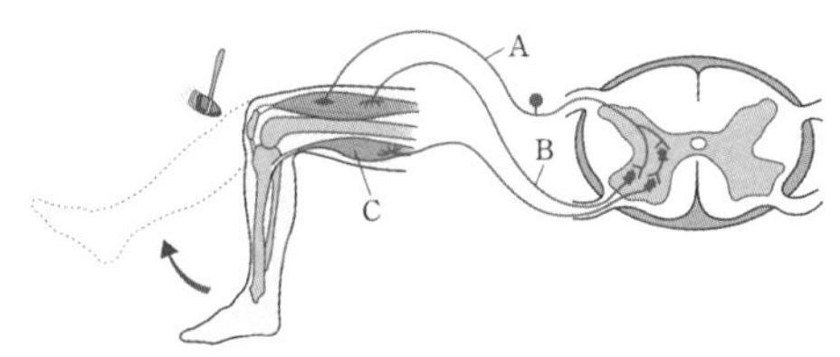

이에 대한 설명으로 옳은 것만을 〈보기〉에서 있는 대로 고른 것은?

〈보 기〉

ㄱ. A는 민말이집 신경이다.
ㄴ. 망치의 자극에 의한 흥분의 전달은 A에서 B로 일어난다.
ㄷ. C가 수축되어 다리가 올라간다.

① ㄱ ② ㄴ ③ ㄷ ④ ㄱ, ㄴ ⑤ ㄴ, ㄷ

14학년도 6월 5번

45. 그림은 사람 대뇌의 좌반구 운동령, 우반구 감각령 각각의 단면과 여기에 연결된 사람의 신체 부분을 대뇌 겉질 표면에 나타낸 것이다. A, B, C는 각각 입술, 손가락, 무릎에 연결된 대뇌 겉질 부위이다.

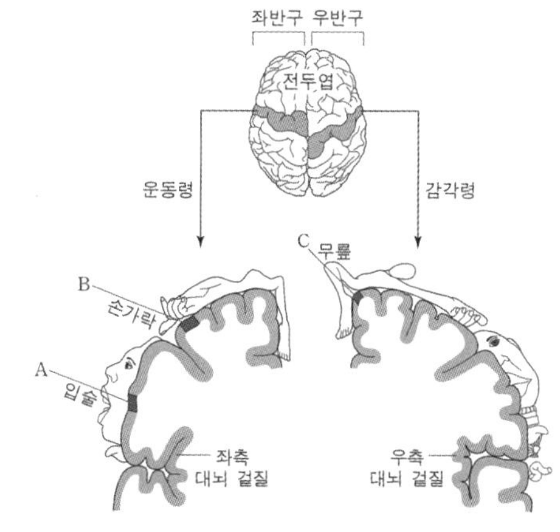

이에 대한 설명으로 옳은 것만을 〈보기〉에서 있는 대로 고른 것은?

〈보 기〉

ㄱ. A가 손상되면 입술의 감각이 없어진다.
ㄴ. B에 역치 이상의 자극을 주면 오른손의 손가락이 움직인다.
ㄷ. C에 역치 이상의 자극을 주면 무릎 반사에 의해 다리가 올라간다.

① ㄱ ② ㄴ ③ ㄷ ④ ㄱ, ㄴ ⑤ ㄴ, ㄷ

13학년도 7월 6번

46. 그림은 사람의 중추 신경계에 연결된 신경 A~C를 통한 흥분의 전달 경로를 나타낸 것이다.

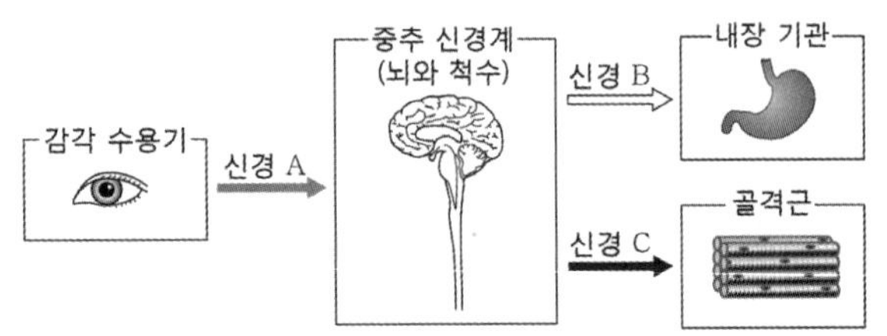

이에 대한 설명으로 옳은 것만을 〈보기〉에서 있는 대로 고른 것은?

〈보 기〉

ㄱ. A는 체성 신경이다.
ㄴ. B는 대뇌의 영향을 직접 받지 않는다.
ㄷ. C는 중추 신경계로부터 받은 명령을 반응기에 전달한다.

① ㄱ　② ㄷ　③ ㄱ, ㄴ　④ ㄴ, ㄷ　⑤ ㄱ, ㄴ, ㄷ

15학년도 수능 14번

47. 그림은 심장 박동을 조절하는 신경 경로 A와 B를, 표는 어떤 사람에서의 평상시와 운동 시의 심장 박출량과 호흡수를 나타낸 것이다. 심장 박출량은 심장에서 1분 동안 방출되는 혈액량이며, ㉠과 ㉡은 각각 평상시와 운동 시 중 하나이다.

중추 신경계
A　B
심장

구분	심장 박출량 (L/분)	호흡수 (회/분)
㉠	5.8	17
㉡	25.6	63

이에 대한 설명으로 옳은 것만을 〈보기〉에서 있는 대로 고른 것은?

〈보 기〉

ㄱ. 단위 시간당 A의 신경절 이후 뉴런의 활동 전위 발생 횟수는 ㉠이 ㉡보다 적다.
ㄴ. B의 신경절 이전 뉴런의 신경 세포체는 연수에 있다.
ㄷ. 폐포의 모세 혈관에서 폐포로의 이산화 탄소 이동 속도는 ㉡이 ㉠보다 느리다.

① ㄱ　② ㄴ　③ ㄱ, ㄴ　④ ㄱ, ㄷ　⑤ ㄴ, ㄷ

15학년도 4월 4번

48. 그림은 중추 신경계와 반응기 사이에 연결된 신경 A~C를 나타낸 것이다.

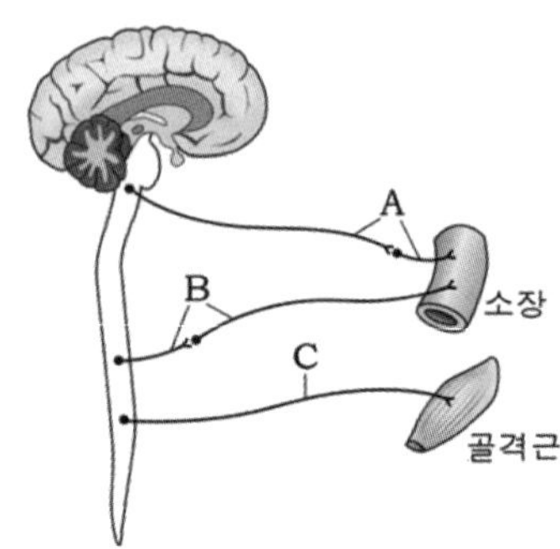

이에 대한 설명으로 옳은 것만을 〈보기〉에서 있는 대로 고른 것은?

〈보 기〉

ㄱ. A는 대뇌의 영향을 직접 받지 않는다.
ㄴ. B는 소장에서 소화액 분비를 촉진한다.
ㄷ. C는 체성 신경이다.

① ㄱ　② ㄴ　③ ㄷ　④ ㄱ, ㄷ　⑤ ㄱ, ㄴ, ㄷ

15학년도 7월 17번

49. 그림 (가)는 어떤 사람 대뇌의 좌반구 운동령의 단면과 여기에 연결된 신체 부분을 대뇌 겉질 표면에 나타낸 것이며, ㉠은 무릎에 연결된 대뇌 겉질 부위이다. (나)는 왼쪽 다리에서 무릎 반사가 일어날 때 흥분 전달 경로를 나타낸 것이다.

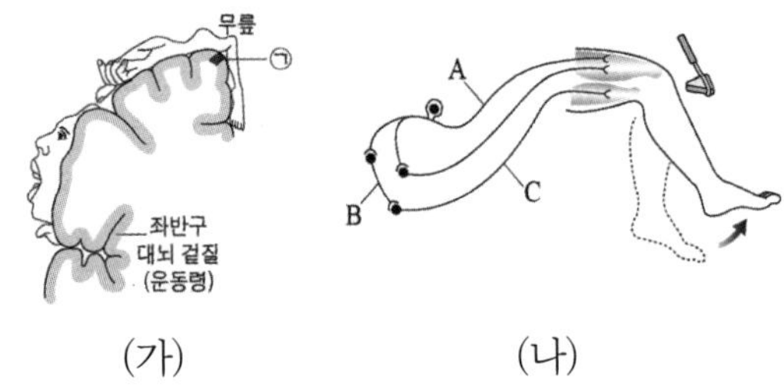

(가)　(나)

이에 대한 설명으로 옳은 것만을 〈보기〉에서 있는 대로 고른 것은?

〈보 기〉

ㄱ. ㉠이 손상되면 왼쪽 다리에서 무릎 반사가 일어나지 못한다.
ㄴ. A와 C는 모두 말초 신경계에 속한다.
ㄷ. B는 척수에 존재한다.

① ㄱ　② ㄷ　③ ㄱ, ㄴ　④ ㄴ, ㄷ　⑤ ㄱ, ㄴ, ㄷ

16학년도 수능 13번

50. 그림은 중추 신경계에 속한 A~C로부터 자율 신경을 통해 각 기관에 연결된 경로를 나타낸 것이다. A~C는 각각 연수, 중뇌(중간뇌), 척수 중 하나이다.

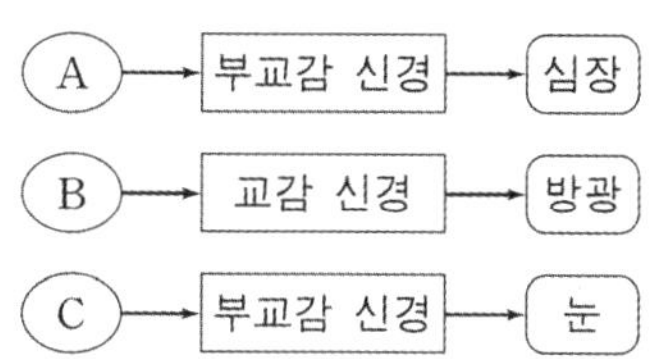

이에 대한 설명으로 옳은 것만을 〈보기〉에서 있는 대로 고른 것은?

〈보 기〉

ㄱ. A는 항이뇨 호르몬의 분비 조절 중추이다.
ㄴ. B의 속질에는 신경 세포체가 모여 있다.
ㄷ. C는 중뇌이다.

① ㄱ ② ㄴ ③ ㄱ, ㄷ ④ ㄴ, ㄷ ⑤ ㄱ, ㄴ, ㄷ

17학년도 6월 6번

51. 그림은 무릎 반사가 일어나는 과정에서 흥분 전달 경로를 나타낸 것이다.

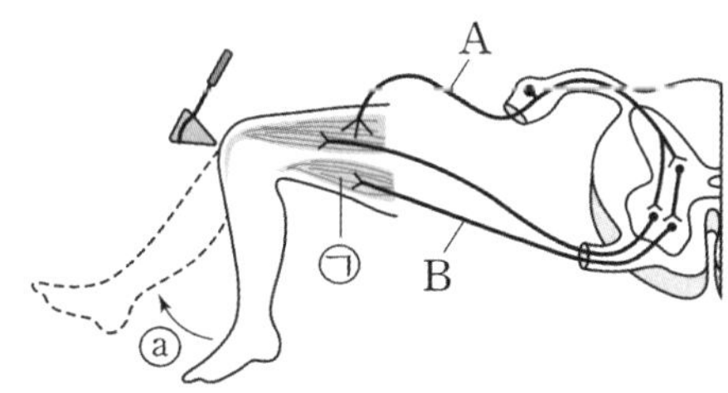

이에 대한 설명으로 옳은 것만을 〈보기〉에서 있는 대로 고른 것은?

〈보 기〉

ㄱ. A는 자율 신경계에 속한다.
ㄴ. B의 신경 세포체는 척수의 회색질(회백질)에 존재한다.
ㄷ. ⓐ가 일어나는 동안 ㉠의 근육 원섬유 마디에서 액틴 필라멘트의 길이는 길어진다.

① ㄱ ② ㄴ ③ ㄷ ④ ㄱ, ㄴ ⑤ ㄴ, ㄷ

16학년도 7월 12번

52. 그림 (가)는 중추 신경계에 속하는 Ⅰ, Ⅱ와 소장이 자율 신경으로 연결된 모습을, (나)는 A와 B 중 하나의 뉴런을 자극했을 때 소장 근육의 수축력(운동 정도) 변화를 나타낸 것이다.

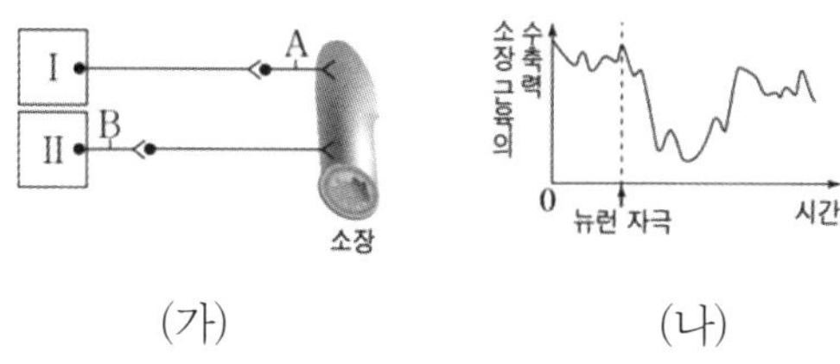

(가) (나)

이에 대한 설명으로 옳은 것만을 〈보기〉에서 있는 대로 고른 것은?

〈보 기〉

ㄱ. (나)에서 자극을 준 뉴런은 A이다.
ㄴ. B의 신경 세포체는 척수의 회색질(회백질)에 존재한다.
ㄷ. A와 B의 축삭돌기 말단에서는 동일한 종류의 신경 전달 물질이 분비된다.

① ㄱ ② ㄷ ③ ㄱ, ㄴ ④ ㄴ, ㄷ ⑤ ㄱ, ㄴ, ㄷ

17학년도 9월 10번

53. 표 (가)는 중추 신경계를 구성하는 구조 A~D에서 특징 ㉠~㉢의 유무를, (나)는 ㉠~㉢을 순서 없이 나타낸 것이다. A~D는 각각 소뇌, 연수, 중뇌(중간뇌), 척수 중 하나이다.

구조 \ 특징	㉠	㉡	㉢
A	×	○	×
B	?	○	○
C	×	?	×
D	○	○	×

(○: 있음, ×: 없음)

특징 (㉠~㉢)
• 부교감 신경이 나온다. • 뇌줄기를 구성한다. • 동공 반사의 중추이다.

(가) (나)

이에 대한 설명으로 옳은 것만을 〈보기〉에서 있는 대로 고른 것은?

〈보 기〉

ㄱ. ㉠은 '뇌줄기를 구성한다.'이다.
ㄴ. A는 연수이다.
ㄷ. C는 배뇨 반사의 중추이다.

① ㄱ ② ㄷ ③ ㄱ, ㄴ ④ ㄱ, ㄷ ⑤ ㄴ, ㄷ

17학년도 수능 6번

54. 그림은 중추 신경계의 구조를 나타낸 것이다. A~E는 각각 간뇌, 대뇌, 연수, 중뇌(중간뇌), 척수 중 하나이다.

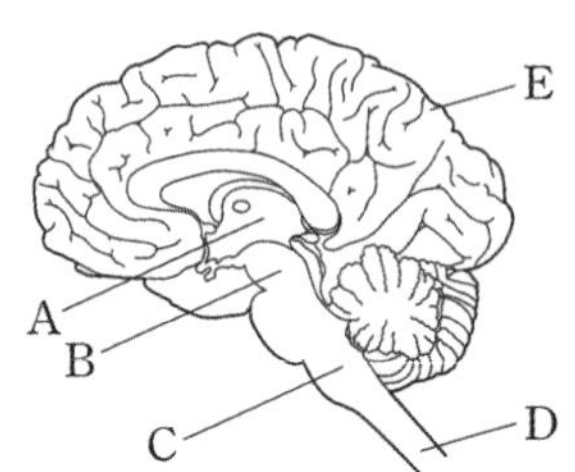

이에 대한 설명으로 옳지 않은 것은?

① A에는 시상이 존재한다.
② B는 동공 반사의 중추이다.
③ C는 뇌줄기에 속한다.
④ D에서 나온 운동 신경 다발이 후근을 이룬다.
⑤ E의 겉질에 신경 세포체가 존재한다.

17학년도 4월 12번

55. 그림은 중추 신경계를 구성하는 연수, 중뇌, 척수를 구분하는 과정을 나타낸 것이다.

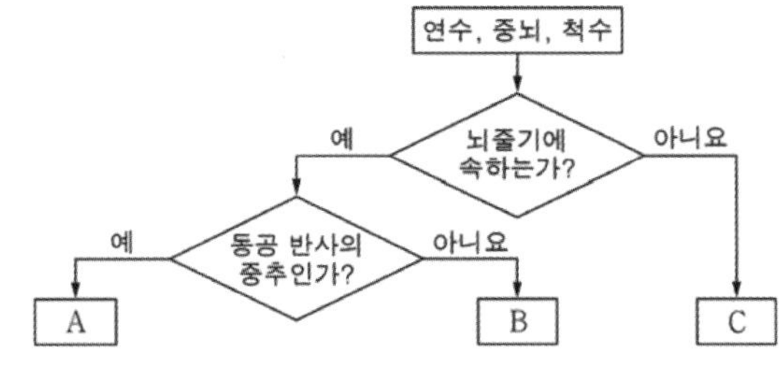

다음 중 A~C로 옳은 것은?

	A	B	C
①	연수	중뇌	척수
②	중뇌	연수	척수
③	중뇌	척수	연수
④	척수	연수	중뇌
⑤	척수	중뇌	연수

18학년도 6월 9번

56. 그림은 사람의 소화계의 일부를 나타낸 것이다. A~C는 각각 간, 소장, 위 중 하나이다.

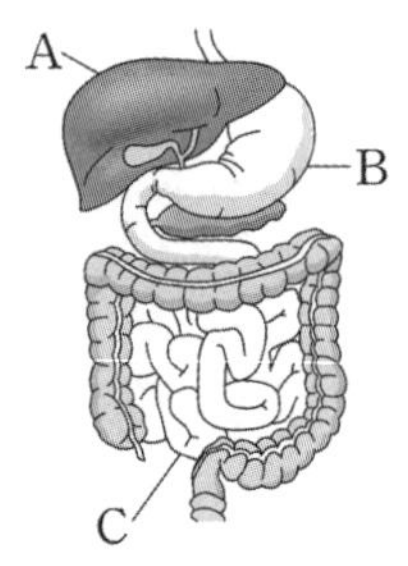

이에 대한 설명으로 옳은 것만을 〈보기〉에서 있는 대로 고른 것은?

〈보 기〉

ㄱ. A에서 요소가 생성된다.
ㄴ. B에 부교감 신경이 연결되어 있다.
ㄷ. C에서 지방산이 흡수된다.

① ㄱ ② ㄴ ③ ㄱ, ㄷ ④ ㄴ, ㄷ ⑤ ㄱ, ㄴ, ㄷ

17학년도 10월 7번

57. 그림은 서로 길항 작용을 하는 자율 신경 A와 B가 홍채에 연결된 것을 나타낸 것이다. ⓐ와 ⓑ 각각에 하나의 시냅스가 있고, ㉠과 ㉣의 말단에서 분비되는 신경 전달 물질은 서로 같다.

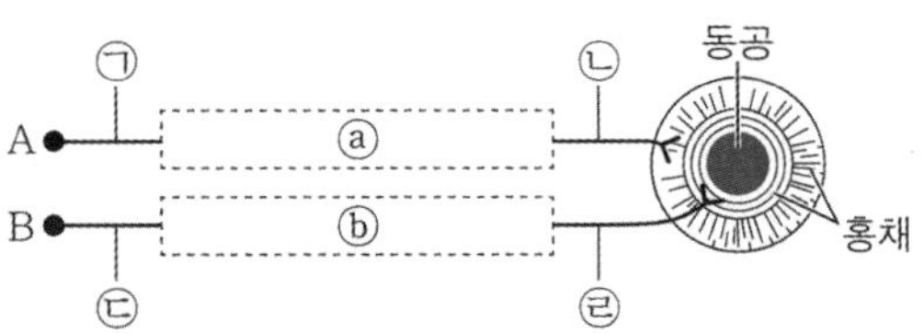

이에 대한 옳은 설명만을 〈보기〉에서 있는 대로 고른 것은?

〈보 기〉

ㄱ. ㉡이 흥분하면 동공이 확장된다.
ㄴ. ㉢의 신경 세포체는 연수에 있다.
ㄷ. ㉢의 길이는 ㉣의 길이보다 짧다.

① ㄱ ② ㄴ ③ ㄷ ④ ㄱ, ㄷ ⑤ ㄴ, ㄷ

18학년도 수능 13번

58. 그림은 중추 신경계로부터 말초 신경을 통해 심장과 다리 골격근에 연결된 경로를 나타낸 것이다.

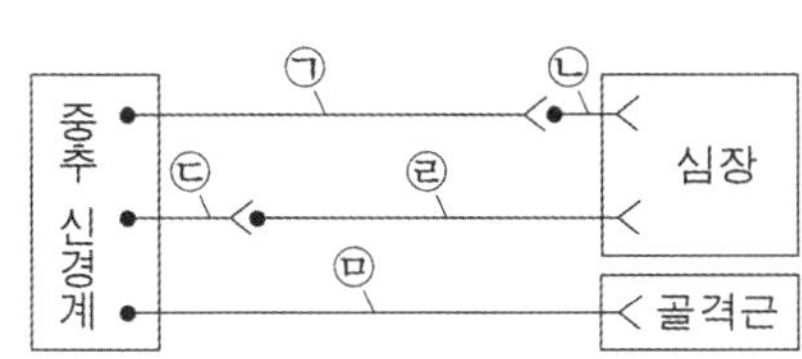

이에 대한 설명으로 옳은 것만을 〈보기〉에서 있는 대로 고른 것은?

〈보 기〉

ㄱ. ㉠의 신경 세포체는 연수에 있다.
ㄴ. ㉡과 ㉢의 말단에서 분비되는 신경 전달 물질은 같다.
ㄷ. ㉤은 후근을 통해 나온다.

① ㄱ ② ㄴ ③ ㄷ ④ ㄱ, ㄴ ⑤ ㄴ, ㄷ

19학년도 6월 13번

59. 그림은 중추 신경계로부터 자율 신경을 통해 심장, 이자, 방광에 연결된 경로를 나타낸 것이다.

이에 대한 설명으로 옳은 것만을 〈보기〉에서 있는 대로 고른 것은?

〈보 기〉

ㄱ. ㉠은 신경절 이전 뉴런이 신경절 이후 뉴런보다 길다.
ㄴ. ㉡의 신경절 이후 뉴런의 축삭 돌기 말단에서 분비되는 신경 전달 물질은 아세틸콜린이다.
ㄷ. ㉡과 ㉢의 신경절 이전 뉴런의 신경 세포체는 모두 척수에 존재한다.

① ㄱ ② ㄴ ③ ㄱ, ㄷ ④ ㄴ, ㄷ ⑤ ㄱ, ㄴ, ㄷ

19학년도 4월 6번

60. 그림은 자극에 의한 반사가 일어날 때 흥분 전달 경로를 나타낸 것이다. ㉠은 골격근이다.

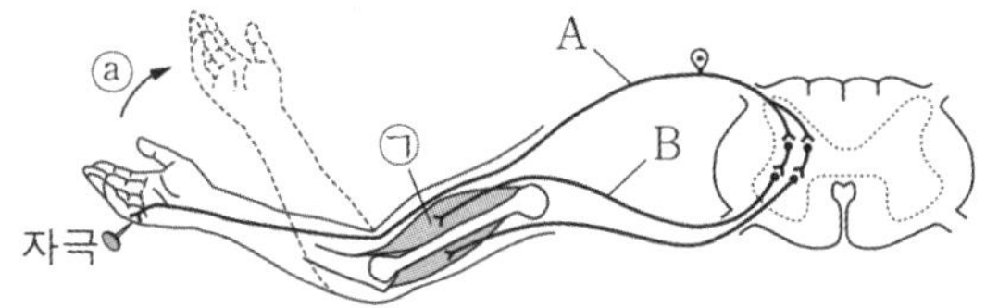

이에 대한 설명으로 옳은 것만을 〈보기〉에서 있는 대로 고른 것은?

〈보 기〉

ㄱ. A는 척수의 후근을 이룬다.
ㄴ. B는 자율 신경에 속한다.
ㄷ. ⓐ가 일어나는 동안 ㉠은 이완한다.

① ㄱ ② ㄴ ③ ㄱ, ㄷ ④ ㄴ, ㄷ ⑤ ㄱ, ㄴ, ㄷ

20학년도 6월 11번

61. 그림 (가)는 심장 박동을 조절하는 자율 신경 A와 B를, (나)는 A와 B 중 하나를 자극했을 때 심장 세포에서 활동 전위가 발생하는 빈도의 변화를 나타낸 것이다.

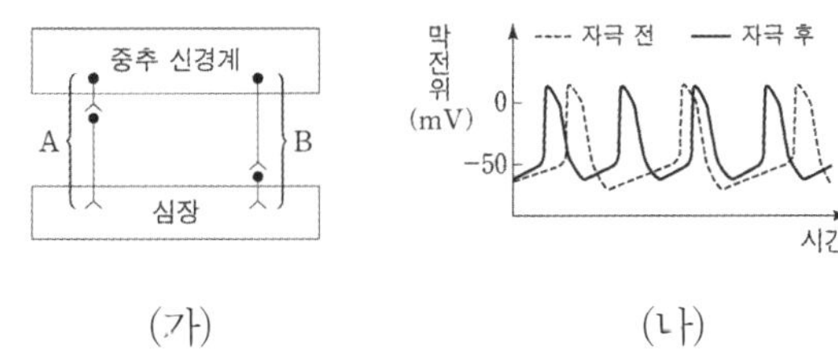

(가) (나)

이에 대한 설명으로 옳은 것만을 〈보기〉에서 있는 대로 고른 것은?

〈보 기〉

ㄱ. A는 말초 신경계에 속한다.
ㄴ. B의 신경절 이전 뉴런의 신경 세포체는 척수에 존재한다.
ㄷ. (나)는 A를 자극했을 때의 변화를 나타낸 것이다.

① ㄱ ② ㄴ ③ ㄱ, ㄷ ④ ㄴ, ㄷ ⑤ ㄱ, ㄴ, ㄷ

20학년도 9월 8번

62. 다음은 사람의 신경계를 구성하는 구조에 대한 학생 A~C의 발표 내용이다.

제시한 내용이 옳은 학생만을 있는 대로 고른 것은?

① B ② C ③ A, B ④ A, C ⑤ A, B, C

20학년도 수능 9번

63. 그림은 무릎 반사가 일어날 때 흥분 전달 경로를 나타낸 것이다.

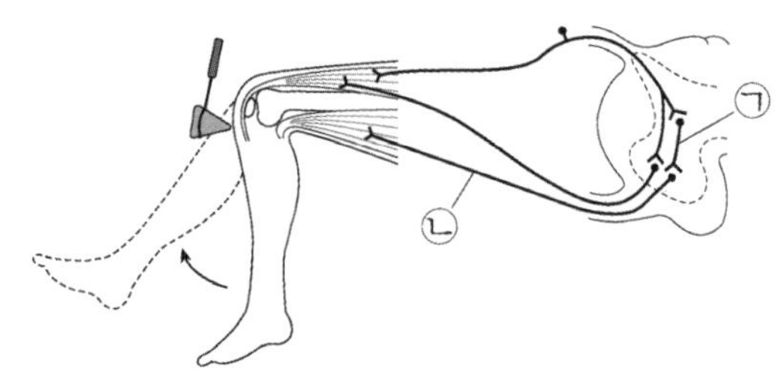

이에 대한 설명으로 옳은 것만을 〈보기〉에서 있는 대로 고른 것은?

〈보 기〉

ㄱ. ㉠은 연합 뉴런이다.
ㄴ. ㉡은 후근을 통해 나온다.
ㄷ. 이 반사의 조절 중추는 척수이다.

① ㄱ ② ㄴ ③ ㄱ, ㄷ ④ ㄴ, ㄷ ⑤ ㄱ, ㄴ, ㄷ

21학년도 6월 3번

64. 그림은 중추 신경계로부터 자율 신경을 통해 심장과 위에 연결된 경로를, 표는 ㉠이 심장에, ㉡이 위에 각각 작용할 때 나타나는 기관의 반응을 나타낸 것이다. ⓐ는 '억제됨'과 '촉진됨' 중 하나이다.

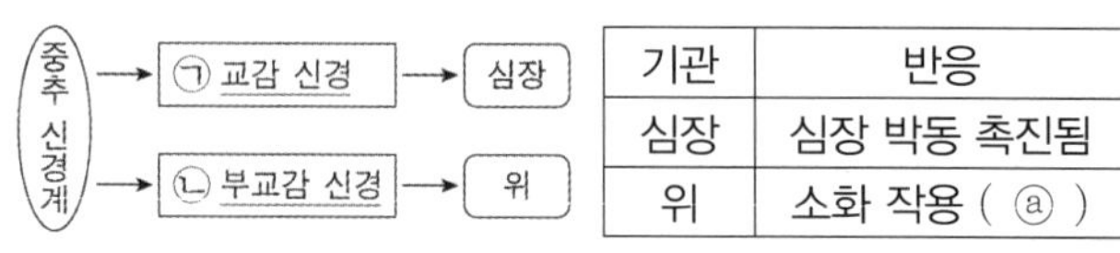

기관	반응
심장	심장 박동 촉진됨
위	소화 작용 (ⓐ)

이에 대한 설명으로 옳은 것만을 〈보기〉에서 있는 대로 고른 것은?

〈보 기〉

ㄱ. ㉠은 신경절 이전 뉴런이 신경절 이후 뉴런보다 짧다.
ㄴ. ㉡은 감각 신경이다.
ㄷ. ⓐ는 '억제됨'이다.

① ㄱ ② ㄴ ③ ㄷ ④ ㄱ, ㄴ ⑤ ㄱ, ㄷ

20학년도 7월 16번

65. 그림 (가)는 중추 신경계의 구조를, (나)는 중추 신경계와 심장이 자율 신경으로 연결된 모습을 나타낸 것이다. A~C는 각각 척수, 연수, 대뇌 중 하나이다

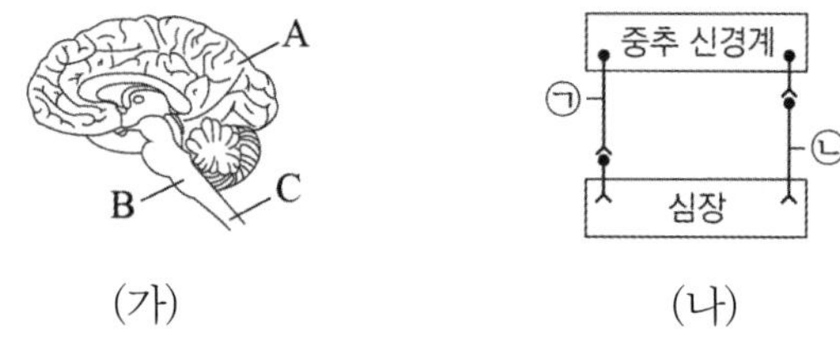

(가) (나)

이에 대한 설명으로 옳은 것만을 〈보기〉에서 있는 대로 고른 것은?

〈보 기〉

ㄱ. A의 겉질은 회색질이다.
ㄴ. ㉠의 신경 세포체는 C에 존재한다.
ㄷ. ㉡에서 흥분 발생 빈도가 증가하면 심장 박동이 촉진된다.

① ㄱ ② ㄴ ③ ㄱ, ㄷ ④ ㄴ, ㄷ ⑤ ㄱ, ㄴ, ㄷ

66. 그림 (가)는 동공의 크기 조절에 관여하는 교감 신경과 부교감 신경이 중추 신경계에 연결된 경로를, (나)는 빛의 세기에 따른 동공의 크기를 나타낸 것이다. ⓐ와 ⓑ에 각각 하나의 신경절이 있으며, ㉠과 ㉣의 말단에서 분비되는 신경 전달 물질은 같다.

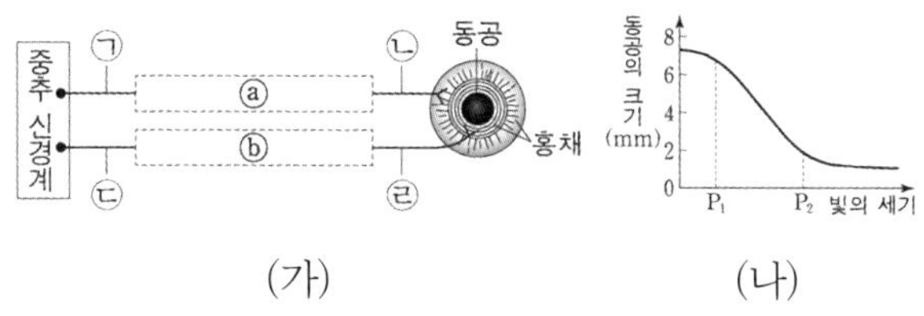

(가) (나)

이에 대한 설명으로 옳은 것만을 〈보기〉에서 있는 대로 고른 것은?

〈보 기〉

ㄱ. ㉠의 신경 세포체는 척수의 회색질에 있다.
ㄴ. ㉡의 말단에서 분비되는 신경 전달 물질의 양은 P_2일 때가 P_1일 때보다 많다.
ㄷ. ㉣의 말단에서 분비되는 신경 전달 물질은 노르에피네프린이다.

① ㄱ ② ㄷ ③ ㄱ, ㄴ ④ ㄴ, ㄷ ⑤ ㄱ, ㄴ, ㄷ

67. 그림 (가)는 심장 박동을 조절하는 자율 신경 A와 B 중 A를 자극했을 때 심장 세포에서 활동 전위가 발생하는 빈도의 변화를, (나)는 물질 ㉠의 주사량에 따른 심장 박동 수를 나타낸 것이다. ㉠은 심장 세포에서의 활동 전위 발생 빈도를 변화시키는 물질이며, A와 B는 교감 신경과 부교감 신경을 순서 없이 나타낸 것이다.

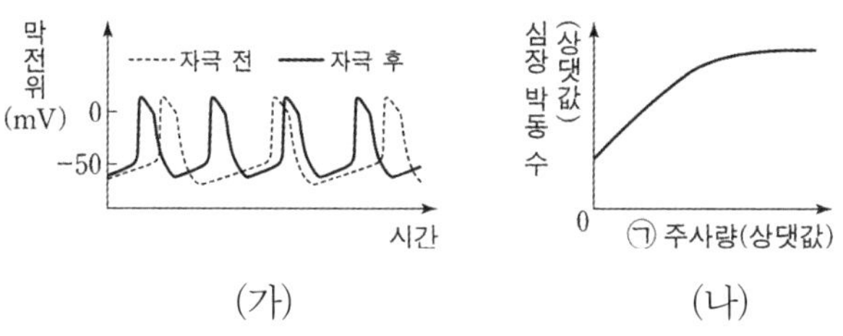

(가) (나)

이에 대한 설명으로 옳은 것만을 〈보기〉에서 있는 대로 고른 것은?

〈보 기〉

ㄱ. A의 신경절 이후 뉴런의 축삭 돌기 말단에서 분비되는 신경 전달 물질은 아세틸콜린이다.
ㄴ. ㉠이 작용하면 심장 세포에서의 활동 전위 발생 빈도가 감소한다.
ㄷ. A와 B는 심장 박동 조절에 길항적으로 작용한다.

① ㄱ ② ㄴ ③ ㄷ ④ ㄱ, ㄷ ⑤ ㄴ, ㄷ

22학년도 10월 7번

68. 그림은 중추 신경계와 심장을 연결하는 자율 신경을 나타낸 것이다. ⓐ에 하나의 신경절이 있으며, 뉴런 ㉠과 ㉡의 말단에서 분비되는 신경 전달 물질은 다르다.

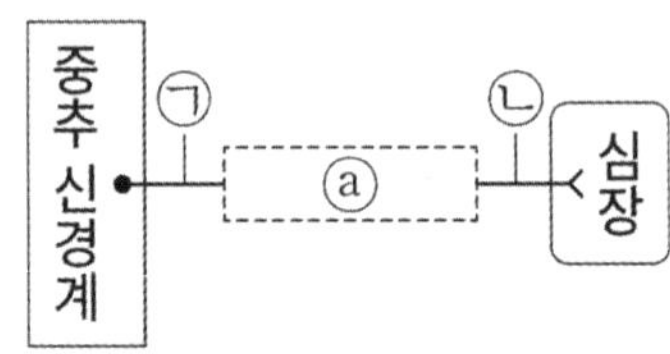

이에 대한 옳은 설명만을 <보기>에서 있는 대로 고른 것은?

〈보 기〉

ㄱ. ㉠의 신경 세포체는 연수에 있다.
ㄴ. ㉠의 길이는 ㉡의 길이보다 길다.
ㄷ. ㉡의 말단에서 분비되는 신경 전달 물질은 노르에피네프린이다.

① ㄱ ② ㄷ ③ ㄱ, ㄴ ④ ㄴ, ㄷ ⑤ ㄱ, ㄴ, ㄷ

22학년도 수능 10번

69. 그림은 중추 신경계의 구조를 나타낸 것이다. ㉠~㉣은 간뇌, 대뇌, 소뇌, 중간뇌를 순서 없이 나타낸 것이다.

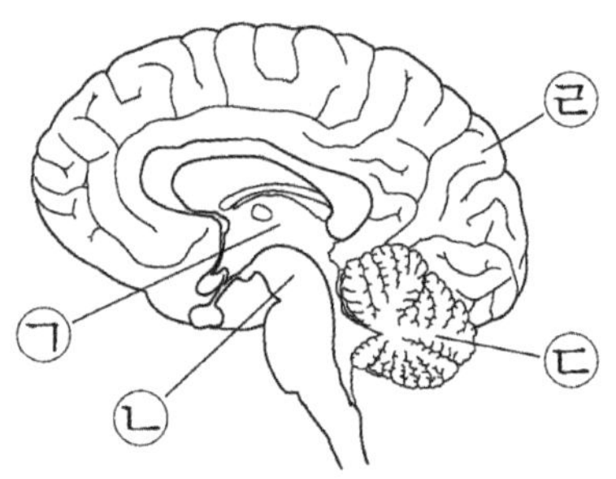

이에 대한 설명으로 옳은 것만을 <보기>에서 있는 대로 고른 것은?

〈보 기〉

ㄱ. ㉠은 중간뇌이다.
ㄴ. ㉢은 몸의 평형(균형) 유지에 관여한다.
ㄷ. ㉣에는 시각 기관으로부터 오는 정보를 받아들이는 영역이 있다.

① ㄱ ② ㄴ ③ ㄱ, ㄷ ④ ㄴ, ㄷ ⑤ ㄱ, ㄴ, ㄷ

23학년도 6월 8번

70. 표는 사람의 중추 신경계에 속하는 A~C의 특징을 나타낸 것이다. A~C는 간뇌, 연수, 척수를 순서 없이 나타낸 것이다.

구분	특징
A	뇌줄기를 구성한다.
B	㉠체온 조절 중추가 있다.
C	교감 신경의 신경절 이전 뉴런의 신경 세포체가 있다.

이에 대한 옳은 설명만을 <보기>에서 있는 대로 고른 것은?

〈보 기〉

ㄱ. A는 호흡 운동을 조절한다.
ㄴ. ㉠은 시상 하부이다.
ㄷ. C는 척수이다.

① ㄱ ② ㄴ ③ ㄱ, ㄷ ④ ㄴ, ㄷ ⑤ ㄱ, ㄴ, ㄷ

22학년도 7월 12번

71. 그림 (가)는 중추 신경계로부터 나온 자율 신경이 방광에 연결된 경로를, (나)는 뉴런 ㉠에 역치 이상의 자극을 주었을 때와 주지 않았을 때 방광의 부피를 나타낸 것이다. ㉠은 ⓑ와 ⓓ 중 하나이다.

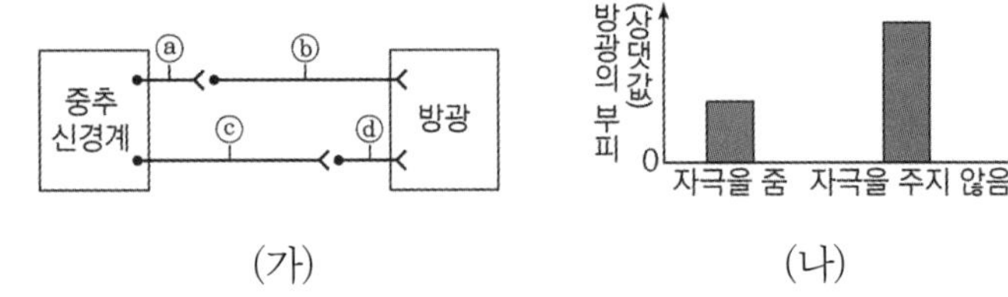

(가) (나)

이에 대한 설명으로 옳은 것만을 <보기>에서 있는 대로 고른 것은?

〈보 기〉

ㄱ. ㉠은 ⓓ이다.
ㄴ. ⓐ는 척수의 후근을 이룬다.
ㄷ. ⓑ와 ⓒ의 축삭 돌기 말단에서 분비되는 신경 전달 물질은 같다.

① ㄱ ② ㄴ ③ ㄷ ④ ㄱ, ㄴ ⑤ ㄴ, ㄷ

23학년도 9월 13번

72. 다음은 자율 신경 A에 의한 심장 박동 조절 실험이다.

[실험 과정]

(가) 같은 종의 동물로부터 심장 Ⅰ과 Ⅱ를 준비 하고, Ⅱ에서만 자율 신경을 제거한다.

(나) Ⅰ과 Ⅱ를 각각 생리식염수가 담긴 용기 ㉠과 ㉡에 넣고, ㉠에서 ㉡으로 용액이 흐르도록 두 용기를 연결한다.

(다) Ⅰ에 연결된 A에 자극을 주고 Ⅰ과 Ⅱ의 세포에서 활동 전위 발생 빈도를 측정한다. A는 교감 신경과 부교감 신경 중 하나이다.

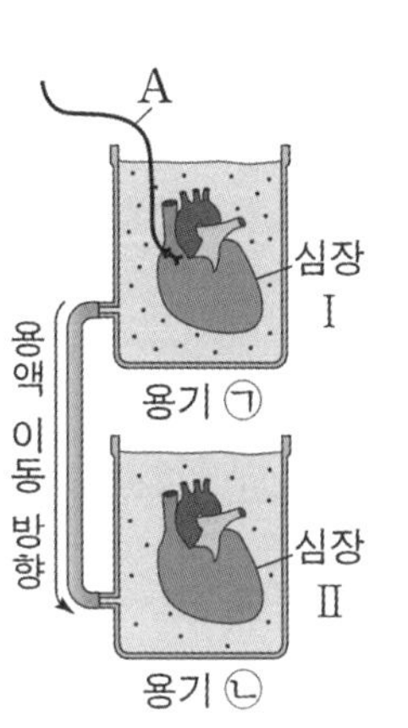

[실험 결과]

○ A의 신경절 이후 뉴런의 축삭 돌기 말단에서 물질 ㉮가 분비되었다. ㉮는 아세틸콜린과 노르에피네프린 중 하나이다.

○ Ⅰ과 Ⅱ의 세포에서 측정한 활동 전위 발생 빈도는 그림과 같다.

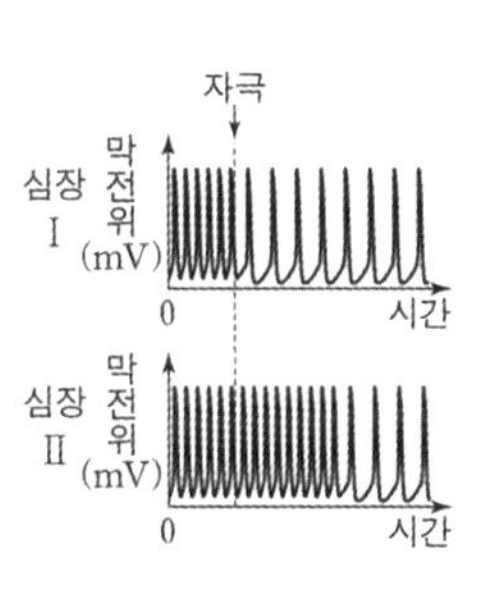

이 자료에 대한 설명으로 옳은 것만을 〈보기〉에서 있는 대로 고른 것은? (단, 제시된 조건 이외는 고려하지 않는다.)

〈보 기〉

ㄱ. A는 말초 신경계에 속한다.
ㄴ. ㉮는 노르에피네프린이다.
ㄷ. (나)의 ㉡에 아세틸콜린을 처리하면 Ⅱ의 세포에서 활동 전위 발생 빈도가 증가한다.

① ㄱ ② ㄴ ③ ㄱ, ㄴ ④ ㄱ, ㄷ ⑤ ㄴ, ㄷ

22학년도 10월 13번

73. 그림은 무릎 반사가 일어날 때 흥분 전달 경로를 나타낸 것이다.

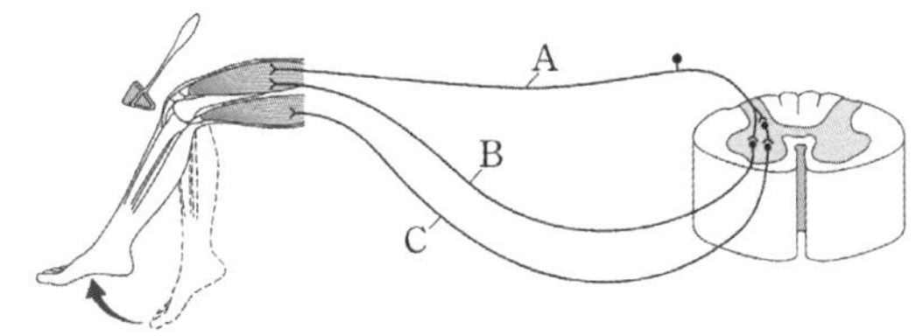

이에 대한 옳은 설명만을 〈보기〉에서 있는 대로 고른 것은?

〈보 기〉

ㄱ. A와 B는 모두 척수 신경이다.
ㄴ. B는 자율 신경계에 속한다.
ㄷ. C는 후근을 이룬다.

① ㄱ ② ㄴ ③ ㄱ, ㄴ ④ ㄱ, ㄷ ⑤ ㄴ, ㄷ

23학년도 수능 5번

74. 그림은 자극에 의한 반사가 일어날 때 흥분 전달 경로를 나타낸 것이다.

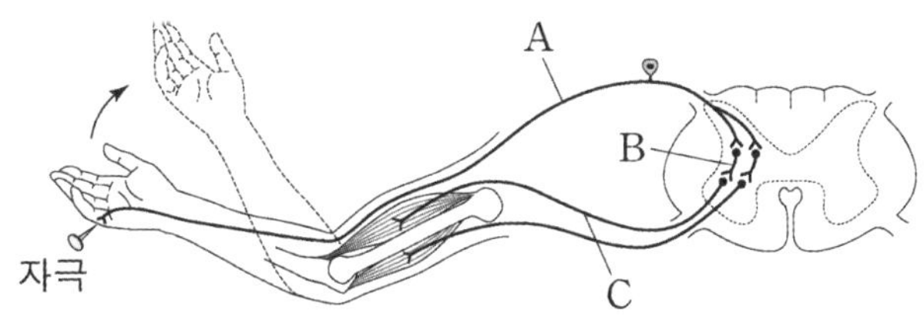

이에 대한 설명으로 옳은 것만을 〈보기〉에서 있는 대로 고른 것은?

〈보 기〉

ㄱ. A는 운동 뉴런이다.
ㄴ. C의 신경 세포체는 척수에 있다.
ㄷ. 이 반사 과정에서 A에서 B로 흥분의 전달이 일어난다.

① ㄱ ② ㄴ ③ ㄱ, ㄷ ④ ㄴ, ㄷ ⑤ ㄱ, ㄴ, ㄷ

16학년도 6월 2번

75. 그림은 사람의 소화계와 배설계의 일부를 각각 나타낸 것이다. A~C 는 각각 간, 이자, 콩팥 중 하나이다.

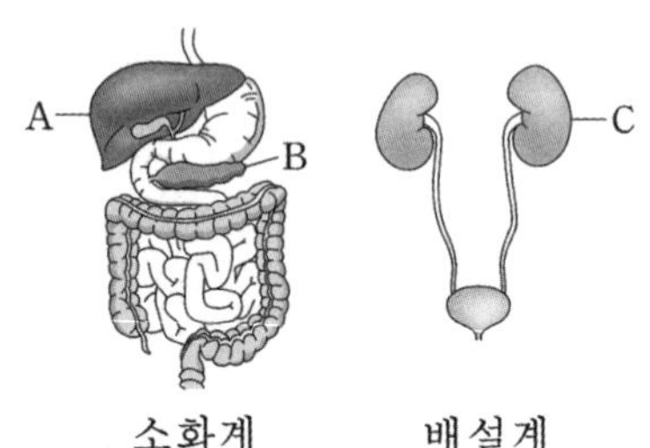

이에 대한 설명으로 옳은 것만을 〈보기〉에서 있는 대로 고른 것은?

〈보 기〉

ㄱ. A에서 요소가 생성된다.
ㄴ. B는 이자이다.
ㄷ. C는 항이뇨 호르몬의 표적 기관이다.

① ㄱ ② ㄷ ③ ㄱ, ㄴ ④ ㄴ, ㄷ ⑤ ㄱ, ㄴ, ㄷ

17학년도 9월 3번

76. 그림은 사람 몸에 있는 각 기관계의 통합적 작용을 나타낸 것이다. (가)와 (나)는 각각 소화계와 호흡계 중 하나이다.

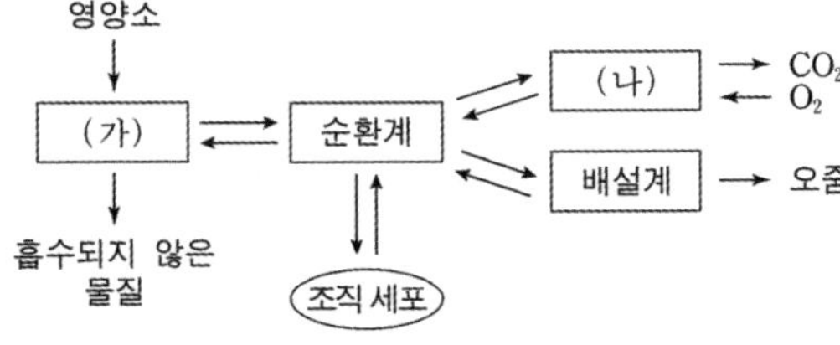

이에 대한 설명으로 옳은 것만을 〈보기〉에서 있는 대로 고른 것은?

〈보 기〉

ㄱ. (가)에서 이화 작용이 일어난다.
ㄴ. 기관지는 (나)에 속한다.
ㄷ. 티록신은 순환계를 통해 표적 기관으로 운반된다.

① ㄴ ② ㄷ ③ ㄱ, ㄴ ④ ㄱ, ㄷ ⑤ ㄱ, ㄴ, ㄷ

18학년도 9월 14번

77. 표 (가)는 사람 몸을 구성하는 기관 A~C에서 특징 ㉠~㉢의 유무를, (나)는 ㉠~㉢을 순서 없이 나타낸 것이다. A~C는 간, 위, 부신을 순서 없이 나타낸 것이다.

기관 \ 특징	㉠	㉡	㉢
A	?	○	×
B	○	?	○
C	○	×	?

(○: 있음, ×: 없음)

(가)

특징 (㉠~㉢)
• 소화계에 속한다. • 교감 신경의 조절을 받는다. • 암모니아가 요소로 전환되는 기관이다.

(나)

이에 대한 설명으로 옳은 것만을 〈보기〉에서 있는 대로 고른 것은?

〈보 기〉

ㄱ. ㉠은 '소화계에 속한다.'이다.
ㄴ. B는 글루카곤의 표적 기관이다.
ㄷ. C는 코르티코이드를 분비한다.

① ㄱ ② ㄷ ③ ㄱ, ㄴ ④ ㄴ, ㄷ ⑤ ㄱ, ㄴ, ㄷ

18학년도 수능 9번

78. 표 (가)는 사람 몸에서 분비되는 호르몬 A~C에서 특징 ㉠~㉢의 유무를, (나)는 ㉠~㉢을 순서 없이 나타낸 것이다. A~C는 인슐린, 글루카곤, 에피네프린(아드레날린)을 순서 없이 나타낸 것이다.

호르몬 \ 특징	㉠	㉡	㉢
A	?	×	○
B	○	?	○
C	○	○	?

(○: 있음, ×: 없음)

(가)

특징 (㉠~㉢)
• 부신에서 분비된다. • 혈당량을 증가시킨다. • 순환계를 통해 표적 기관으로 운반된다.

(나)

이에 대한 설명으로 옳은 것만을 〈보기〉에서 있는 대로 고른 것은?

〈보 기〉

ㄱ. ㉠은 '혈당량을 증가시킨다.'이다.
ㄴ. B는 간에서 글리코젠 분해를 촉진한다.
ㄷ. C는 에피네프린(아드레날린)이다.

① ㄱ ② ㄷ ③ ㄱ, ㄴ ④ ㄴ, ㄷ ⑤ ㄱ, ㄴ, ㄷ

20학년도 9월 9번

79. 그림 (가)는 사람에서 시상 하부 온도에 따른 ㉠을, (나)는 저온 자극이 주어졌을 때, 시상 하부로부터 교감 신경 A를 통해 피부 근처 혈관의 수축이 일어나는 과정을 나타낸 것이다. ㉠은 근육에서의 열 발생량(열 생산량)과 피부에서의 열 발산량(열 방출량) 중 하나이다.

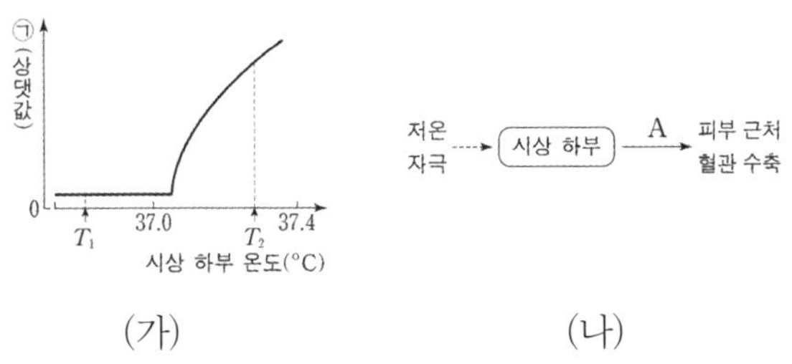

(가) (나)

이에 대한 설명으로 옳은 것만을 〈보기〉에서 있는 대로 고른 것은?

〈보 기〉

ㄱ. ㉠은 피부에서의 열 발산량이다.

ㄴ. A의 신경절 이후 뉴런의 축삭 돌기 말단에서 분비되는 신경 전달 물질은 아세틸콜린이다.

ㄷ. 피부 근처 모세 혈관으로 흐르는 단위 시간당 혈액량은 T_2일 때가 T_1일 때보다 많다.

① ㄱ ② ㄴ ③ ㄷ ④ ㄱ, ㄴ ⑤ ㄱ, ㄷ

19학년도 10월 5번

80. 그림은 사람의 몸에서 일어나는 기관계의 통합적 작용을 나타낸 것이다. A와 B는 각각 배설계와 소화계 중 하나이다.

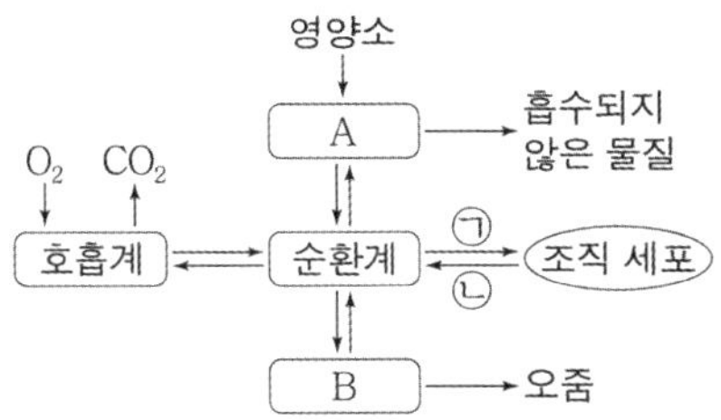

이에 대한 옳은 설명만을 〈보기〉에서 있는 대로 고른 것은?

〈보 기〉

ㄱ. A는 소화계이다.

ㄴ. B에서 물의 재흡수가 일어난다.

ㄷ. 단위 부피당 O_2의 양은 ㉠ 방향으로 이동하는 혈액에서가 ㉡ 방향으로 이동하는 혈액에서보다 많다.

① ㄱ ② ㄴ ③ ㄱ, ㄷ ④ ㄴ, ㄷ ⑤ ㄱ, ㄴ, ㄷ

21학년도 6월 5번

81. 그림은 정상인에게 저온 자극과 고온 자극을 주었을 때 ㉠의 변화를 나타낸 것이다. ㉠은 근육에서의 열 발생량(열 생산량)과 피부 근처 모세 혈관을 흐르는 단위 시간당 혈액량 중 하나이다.

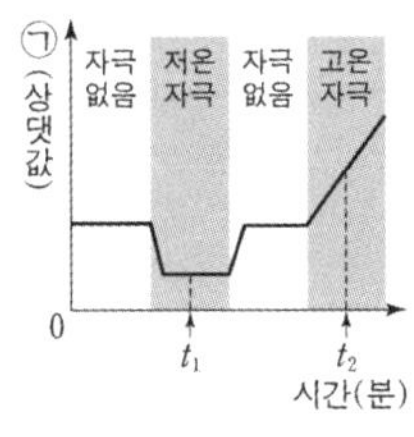

이에 대한 설명으로 옳은 것만을 〈보기〉에서 있는 대로 고른 것은?

〈보 기〉

ㄱ. ㉠은 근육에서의 열 발생량이다.

ㄴ. 피부 근처 모세 혈관을 흐르는 단위 시간당 혈액량은 t_2일 때가 t_1일 때보다 많다.

ㄷ. 체온 조절 중추는 시상 하부이다.

① ㄱ ② ㄴ ③ ㄷ ④ ㄱ, ㄷ ⑤ ㄴ, ㄷ

21학년도 6월 8번

82. 그림 (가)와 (나)는 탄수화물을 섭취한 후 시간에 따른 A와 B의 혈중 포도당 농도와 혈중 X 농도를 각각 나타낸 것이다. A와 B는 정상인과 당뇨병 환자를 순서 없이 나타낸 것이고, X는 인슐린과 글루카곤 중 하나이다.

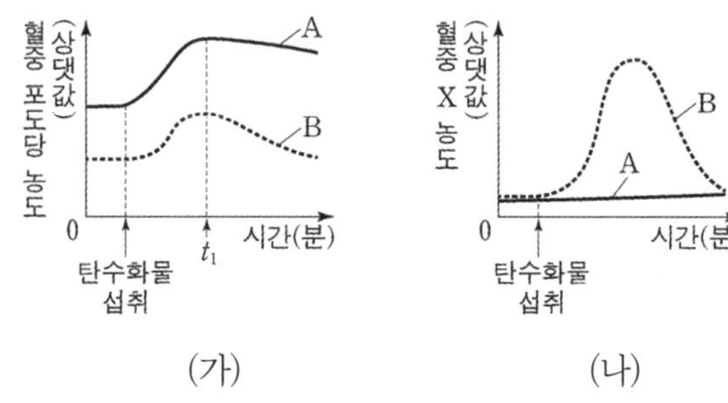

(가) (나)

이에 대한 설명으로 옳은 것만을 〈보기〉에서 있는 대로 고른 것은? (단, 제시된 조건 이외는 고려하지 않는다.)

〈보 기〉

ㄱ. B는 당뇨병 환자이다.
ㄴ. X는 이자의 β 세포에서 분비된다.
ㄷ. 정상인에서 혈중 글루카곤의 농도는 탄수화물 섭취 시점에서가 t_1에서보다 낮다.

① ㄱ ② ㄴ ③ ㄷ ④ ㄱ, ㄷ ⑤ ㄴ, ㄷ

21학년도 9월 3번

83. 그림은 티록신 분비 조절 과정의 일부를 나타낸 것이다. ㉠과 ㉡은 각각 TRH와 TSH 중 하나이다.

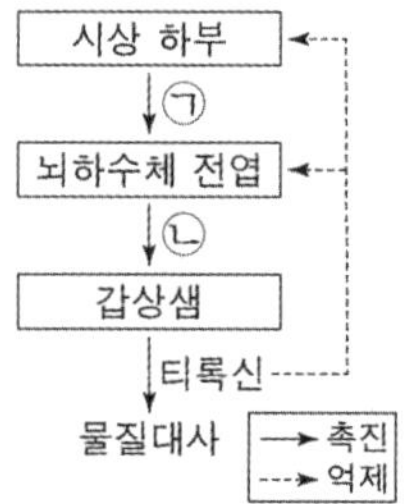

이에 대한 설명으로 옳은 것만을 〈보기〉에서 있는 대로 고른 것은?

〈보 기〉

ㄱ. ㉠은 혈액을 통해 표적 세포로 이동한다.
ㄴ. ㉡은 TRH이다.
ㄷ. 티록신의 분비는 음성 피드백에 의해 조절된다.

① ㄱ ② ㄴ ③ ㄷ ④ ㄱ, ㄷ ⑤ ㄴ, ㄷ

21학년도 9월 7번

84. 그림 (가)는 자율 신경 X에 의한 체온 조절 과정을, (나)는 항이뇨 호르몬(ADH)에 의한 체내 삼투압 조절 과정을 나타낸 것이다. ㉠은 '피부 근처 혈관 수축'과 '피부 근처 혈관 확장' 중 하나이다.

(가) 저온 자극 ----→ 조절 중추 ──X──→ ㉠

(나) 정상 범위보다 높은 혈장 삼투압 ----→ 조절 중추 ──→ 내분비샘 ──ADH──→ 콩팥에서의 수분 재흡수량 증가

이에 대한 설명으로 옳은 것만을 〈보기〉에서 있는 대로 고른 것은?

〈보 기〉

ㄱ. ㉠은 '피부 근처 혈관 수축'이다.
ㄴ. 혈중 ADH의 농도가 증가하면, 생성되는 오줌의 삼투압이 감소한다.
ㄷ. (가)와 (나)에서 조절 중추는 모두 연수이다.

① ㄱ ② ㄴ ③ ㄷ ④ ㄱ, ㄴ ⑤ ㄱ, ㄷ

85. 그림은 정상인과 당뇨병 환자 A가 탄수화물을 섭취한 후 시간에 따른 혈중 인슐린 농도를, 표는 당뇨병 (가)와 (나)의 원인을 나타낸 것이다. A의 당뇨병은 (가)와 (나) 중 하나에 해당한다.

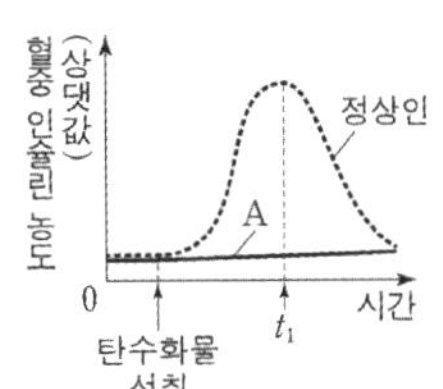

당뇨병	원인
(가)	이자의 β 세포가 파괴되어 인슐린이 정상적으로 생성되지 못함
(나)	인슐린은 정상적으로 분비되나 표적 세포가 인슐린에 반응하지 못함

이에 대한 설명으로 옳은 것만을 〈보기〉에서 있는 대로 고른 것은? (단, 제시된 조건 이외는 고려하지 않는다.)

〈보 기〉

ㄱ. A의 당뇨병은 (가)에 해당한다.
ㄴ. 인슐린은 세포로의 포도당 흡수를 촉진한다.
ㄷ. t_1일 때 혈중 포도당 농도는 A가 정상인보다 낮다.

① ㄱ ② ㄷ ③ ㄱ, ㄴ ④ ㄴ, ㄷ ⑤ ㄱ, ㄴ, ㄷ

86. 그림은 당뇨병 환자 A와 B가 탄수화물을 섭취한 후 인슐린을 주사하였을 때 시간에 따른 혈중 포도당 농도를, 표는 당뇨병 (가)와 (나)의 원인을 나타낸 것이다. A와 B의 당뇨병은 각각 (가)와 (나) 중 하나에 해당한다. ㉠은 α 세포와 β 세포 중 하나이다.

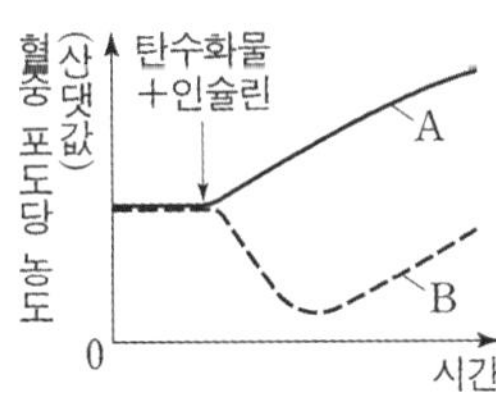

당뇨병	원인
(가)	이자의 ㉠이 파괴되어 인슐린이 생성되지 못함
(나)	인슐린의 표적 세포가 인슐린에 반응하지 못함

이에 대한 설명으로 옳은 것만을 〈보기〉에서 있는 대로 고른 것은? (단, 제시된 조건 이외는 고려하지 않는다.)

〈보 기〉

ㄱ. ㉠은 β 세포이다.
ㄴ. B의 당뇨병은 (나)에 해당한다.
ㄷ. 정상인에서 혈중 포도당 농도가 증가하면 인슐린의 분비가 억제된다.

① ㄱ ② ㄴ ③ ㄷ ④ ㄱ, ㄴ ⑤ ㄴ, ㄷ

87. 다음은 티록신의 분비 조절 과정에 대한 실험이다.

○ ㉠과 ㉡은 각각 티록신과 TSH 중 하나이다.

[실험 과정 및 결과]
(가) 유전적으로 동일한 생쥐 A, B, C를 준비한다.
(나) B와 C의 갑상샘을 각각 제거한 후, A~C에서 혈중 ㉠의 농도를 측정한다.
(다) (나)의 B와 C 중 한 생쥐에만 ㉠을 주사한 후, A~C에서 혈중 ㉡의 농도를 측정한다.
(라) (나)와 (다)에서 측정한 결과는 그림과 같다.

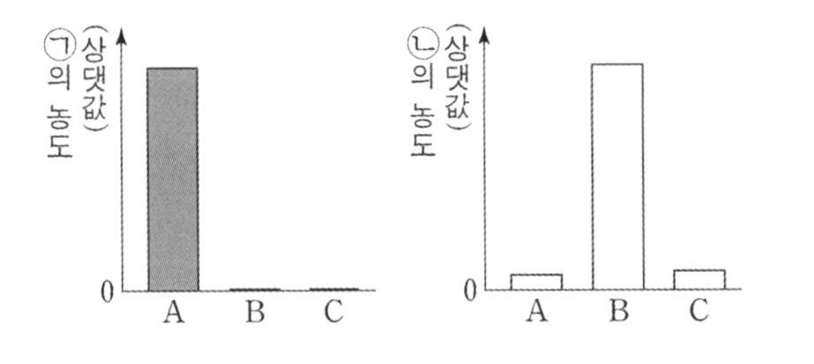

이에 대한 설명으로 옳은 것만을 〈보기〉에서 있는 대로 고른 것은? (단, 제시된 조건 이외는 고려하지 않는다.)

〈보 기〉

ㄱ. 갑상샘은 ㉡의 표적 기관이다.
ㄴ. (다)에서 ㉠을 주사한 생쥐는 B이다.
ㄷ. 티록신의 분비는 음성 피드백에 의해 조절된다.

① ㄱ ② ㄴ ③ ㄱ, ㄷ ④ ㄴ, ㄷ ⑤ ㄱ, ㄴ, ㄷ

21학년도 3월 7번

88. 그림은 정상인이 온도 T_1과 T_2에 각각 노출되었을 때, 피부 혈관의 일부를 나타낸 것이다. T_1과 T_2는 각각 20℃와 40℃ 중 하나이고, T_1과 T_2중 하나의 온도에 노출되었을 때만 골격근의 떨림이 발생하였다.

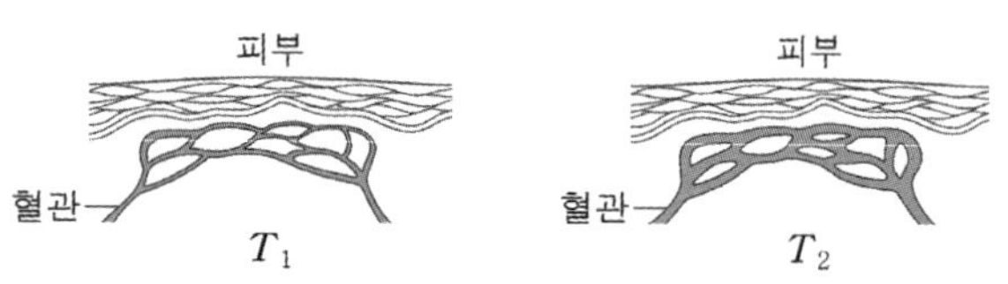

이에 대한 옳은 설명만을 〈보기〉에서 있는 대로 고른 것은?

〈보 기〉

ㄱ. T_1은 40℃이다.
ㄴ. 골격근의 떨림이 발생한 온도는 T_2이다.
ㄷ. 피부 혈관이 수축하는 데 교감 신경이 관여한다.

① ㄴ ② ㄷ ③ ㄱ, ㄴ ④ ㄱ, ㄷ ⑤ ㄴ, ㄷ

21학년도 3월 13번

89. 그림은 정상인이 포도당 용액을 섭취한 후 시간에 따른 혈중 포도당의 농도와 호르몬 ㉠의 농도를 나타낸 것이다. ㉠은 글루카곤과 인슐린 중 하나이다.

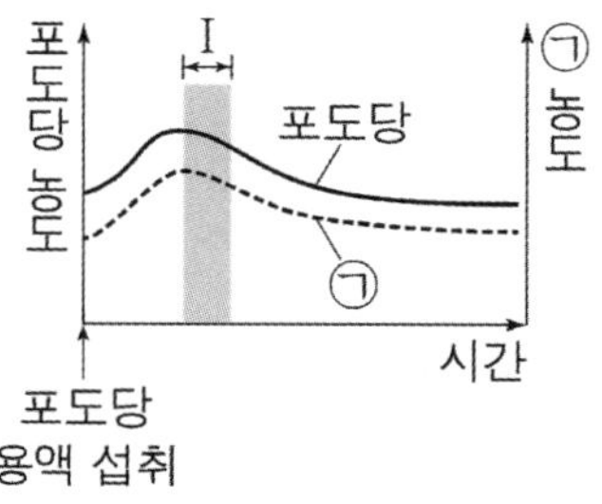

이에 대한 옳은 설명만을 〈보기〉에서 있는 대로 고른 것은?

〈보 기〉

ㄱ. ㉠은 글루카곤이다.
ㄴ. 이자의 β 세포에서 ㉠이 분비된다.
ㄷ. 구간 Ⅰ에서 글리코젠의 합성이 일어난다.

① ㄱ ② ㄴ ③ ㄱ, ㄷ ④ ㄴ, ㄷ ⑤ ㄱ, ㄴ, ㄷ

21학년도 4월 5번

90. 표는 사람의 내분비샘의 특징을 나타낸 것이다. A와 B는 갑상샘과 뇌하수체를 순서 없이 나타낸 것이다.

내분비샘	특징
A	㉠ TSH를 분비한다.
B	㉡ 티록신을 분비한다.

이에 대한 설명으로 옳은 것만을 〈보기〉에서 있는 대로 고른 것은?

〈보 기〉

ㄱ. A는 뇌하수체이다.
ㄴ. ㉡의 분비는 음성 피드백에 의해 조절된다.
ㄷ. ㉠과 ㉡은 모두 순환계를 통해 표적 세포로 이동한다.

① ㄱ ② ㄷ ③ ㄱ, ㄴ ④ ㄴ, ㄷ ⑤ ㄱ, ㄴ, ㄷ

22학년도 6월 12번

91. 그림은 어떤 동물의 체온 조절 중추에 ㉠ 자극과 ㉡ 자극을 주었을 때 시간에 따른 체온을 나타낸 것이다. ㉠과 ㉡은 고온과 저온을 순서 없이 나타낸 것이다.

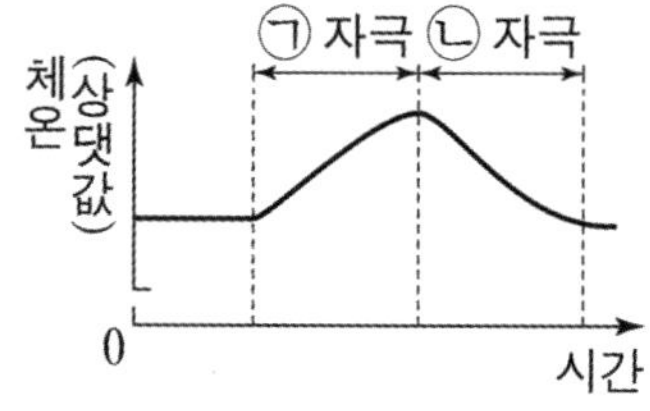

이에 대한 설명으로 옳은 것만을 〈보기〉에서 있는 대로 고른 것은?

〈보 기〉

ㄱ. ㉠은 고온이다.
ㄴ. 사람의 체온 조절 중추에 ㉡ 자극을 주면 피부 근처 혈관이 수축된다.
ㄷ. 사람의 체온 조절 중추는 시상 하부이다.

① ㄱ ② ㄴ ③ ㄷ ④ ㄱ, ㄴ ⑤ ㄱ, ㄷ

92. 그림 (가)는 호르몬 A와 B에 의해 촉진되는 글리코젠과 포도당 사이의 전환 과정을, (나)는 어떤 세포에 ㉠을 처리했을 때와 처리하지 않았을 때 세포 밖 포도당 농도에 따른 세포 안 포도당 농도를 나타낸 것이다. A와 B는 각각 인슐린과 글루카곤 중 하나이며, ㉠은 A와 B 중 하나이다.

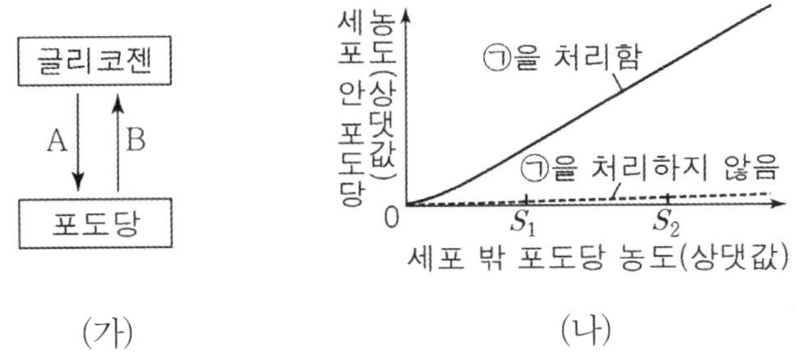

(가) (나)

이에 대한 설명으로 옳은 것만을 〈보기〉에서 있는 대로 고른 것은? (단, 제시된 조건 이외는 고려하지 않는다.)

〈보 기〉

ㄱ. ㉠은 B이다.
ㄴ. A는 이자의 α 세포에서 분비된다.
ㄷ. ㉠을 처리했을 때 세포 밖에서 세포 안으로 이동하는 포도당의 양은 S_1일 때가 S_2일 때보다 많다.

① ㄱ ② ㄴ ③ ㄷ ④ ㄱ, ㄴ ⑤ ㄴ, ㄷ

93. 그림은 사람의 시상 하부에 설정된 온도가 변화함에 따른 체온 변화를 나타낸 것이다. 시상 하부에 설정된 온도는 열 발산량(열 방출량)과 열 발생량(열 생산량)을 변화시켜 체온을 조절하는 데 기준이 되는 온도이다.

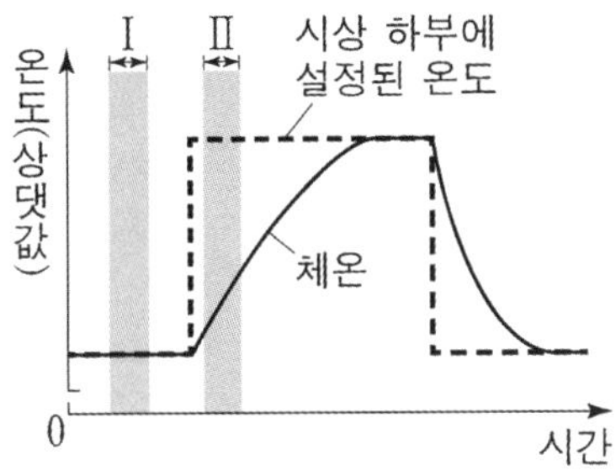

이에 대한 설명으로 옳은 것만을 〈보기〉에서 있는 대로 고른 것은?

〈보 기〉

ㄱ. 시상 하부에 설정된 온도가 체온보다 낮아지면 체온이 내려간다.
ㄴ. $\frac{\text{열 발생량}}{\text{열 발산량}}$은 구간 Ⅱ에서가 구간 Ⅰ에서보다 크다.
ㄷ. 피부 근처 혈관을 흐르는 단위 시간당 혈액량이 증가하면 열 발산량이 감소한다.

① ㄱ ② ㄴ ③ ㄷ ④ ㄱ, ㄴ ⑤ ㄴ, ㄷ

21학년도 10월 3번

94. 그림은 사람의 배설계와 소화계를 나타낸 것이다. A~C는 각각 간, 소장, 콩팥 중 하나이다.

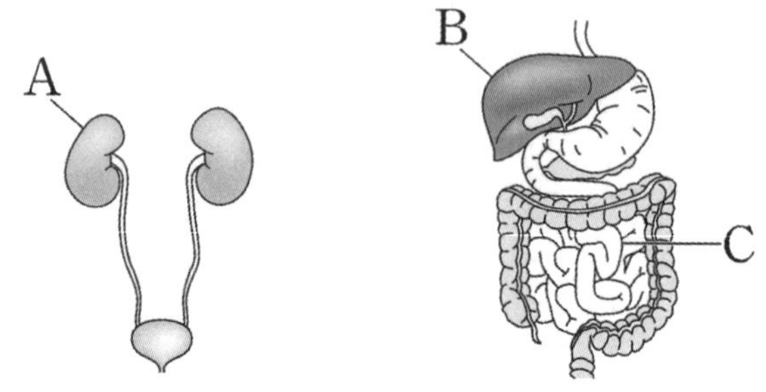

이에 대한 옳은 설명만을 〈보기〉에서 있는 대로 고른 것은?

〈보 기〉

ㄱ. B에서 생성된 요소의 일부는 A를 통해 체외로 배출된다.
ㄴ. B는 글루카곤의 표적 기관이다.
ㄷ. C에서 흡수된 포도당의 일부는 순환계를 통해 B로 이동한다.

① ㄱ ② ㄴ ③ ㄱ, ㄷ ④ ㄴ, ㄷ ⑤ ㄱ, ㄴ, ㄷ

21학년도 10월 16번

95. 그림은 정상인에게 자극 ㉠이 주어졌을 때, 이에 대한 중추 신경계의 명령이 골격근과 피부 근처 혈관에 전달되는 경로를 나타낸 것이다. ㉠은 고온 자극과 저온 자극 중 하나이며, ㉠이 주어지면 피부 근처 혈관이 수축한다.

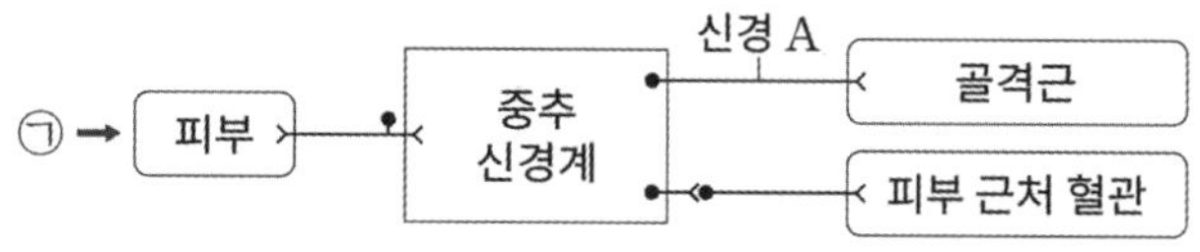

이에 대한 옳은 설명만을 〈보기〉에서 있는 대로 고른 것은?

〈보 기〉

ㄱ. ㉠은 저온 자극이다.
ㄴ. 피부 근처 혈관이 수축하면 열 발산량이 증가한다.
ㄷ. ㉠이 주어지면 A에서 분비되는 신경 전달 물질의 양이 감소한다.

① ㄱ ② ㄴ ③ ㄱ, ㄴ ④ ㄱ, ㄷ ⑤ ㄴ, ㄷ

23학년도 6월 6번

96. 표는 사람의 호르몬과 이 호르몬이 분비되는 내분비샘을 나타낸 것이다. A와 B는 티록신과 항이뇨 호르몬(ADH)을 순서 없이 나타낸 것이다.

호르몬	내분비샘
A	갑상샘
B	뇌하수체 후엽
갑상샘 자극 호르몬(TSH)	㉠

이에 대한 옳은 설명만을 〈보기〉에서 있는 대로 고른 것은?

〈보 기〉

ㄱ. A는 티록신이다.
ㄴ. B는 콩팥에서 물의 재흡수를 촉진한다.
ㄷ. ㉠은 뇌하수체 전엽이다.

① ㄱ ② ㄷ ③ ㄱ, ㄴ ④ ㄴ, ㄷ ⑤ ㄱ, ㄴ, ㄷ

23학년도 6월 16번

97. 그림 (가)는 정상인이 탄수화물을 섭취한 후 시간에 따른 혈중 호르몬 ㉠과 ㉡의 농도를, (나)는 이자의 세포 X와 Y에서 분비되는 ㉠과 ㉡을 나타낸 것이다. ㉠과 ㉡은 글루카곤과 인슐린을 순서 없이 나타낸 것이고, X와 Y는 α 세포와 β 세포를 순서 없이 나타낸 것이다.

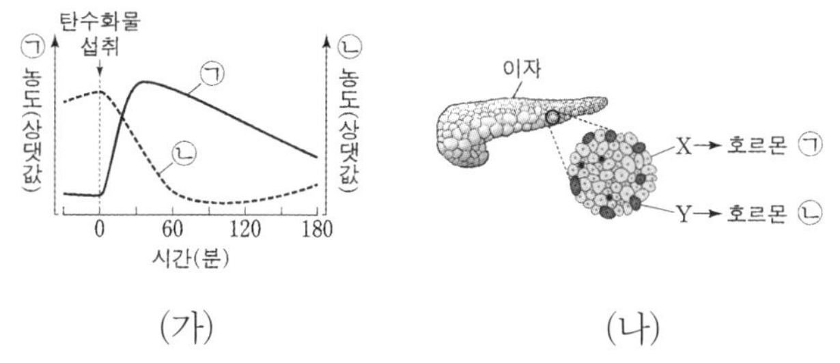

(가) (나)

이에 대한 설명으로 옳은 것만을 〈보기〉에서 있는 대로 고른 것은?

〈보 기〉

ㄱ. ㉠과 ㉡은 혈중 포도당 농도 조절에 길항적으로 작용한다.

ㄴ. ㉡은 간에서 포도당이 글리코젠으로 전환되는 과정을 촉진한다.

ㄷ. X는 α 세포이다.

① ㄱ ② ㄴ ③ ㄱ, ㄷ ④ ㄴ, ㄷ ⑤ ㄱ, ㄴ, ㄷ

23학년도 9월 7번

98. 다음은 사람의 항상성에 대한 자료이다.

(가) 티록신은 음성 피드백으로 ㉠에서의 TSH 분비를 조절한다.

(나) ㉡ 체온 조절 중추에 ⓐ를 주면 피부 근처 혈관이 수축된다. ⓐ는 고온 자극과 저온 자극 중 하나이다.

이에 대한 설명으로 옳은 것만을 〈보기〉에서 있는 대로 고른 것은?

〈보 기〉

ㄱ. 티록신은 혈액을 통해 표적 세포로 이동한다.

ㄴ. ㉠과 ㉡은 모두 뇌줄기에 속한다.

ㄷ. ⓐ는 고온 자극이다.

① ㄱ ② ㄴ ③ ㄱ, ㄴ ④ ㄱ, ㄷ ⑤ ㄴ, ㄷ

23학년도 9월 10번

99. 그림은 정상인이 Ⅰ과 Ⅱ일 때 혈중 글루카곤 농도의 변화를 나타낸 것이다. Ⅰ과 Ⅱ는 '혈중 포도당 농도가 높은 상태'와 '혈중 포도당 농도가 낮은 상태'를 순서 없이 나타낸 것이다.

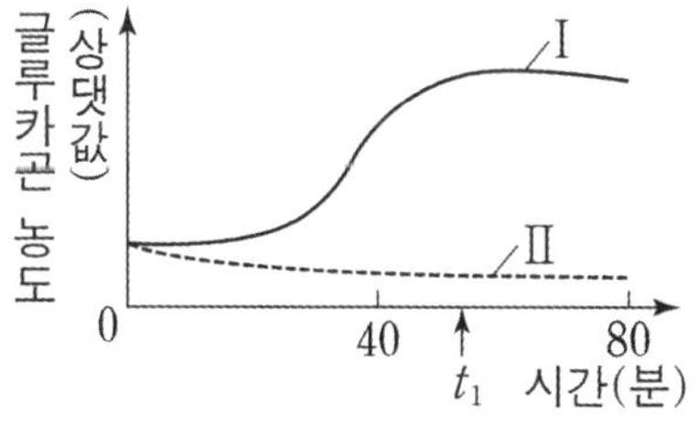

이에 대한 옳은 설명만을 〈보기〉에서 있는 대로 고른 것은? (단, 제시된 조건 이외는 고려하지 않는다.)

〈보 기〉

ㄱ. Ⅰ은 '혈중 포도당 농도가 높은 상태'이다.

ㄴ. 이자의 α 세포에서 글루카곤이 분비된다.

ㄷ. t_1일 때 $\frac{\text{혈중 인슐린 농도}}{\text{혈중 글루카곤 농도}}$는 Ⅰ에서가 Ⅱ에서보다 크다.

① ㄱ ② ㄴ ③ ㄷ ④ ㄱ, ㄴ ⑤ ㄴ, ㄷ

23학년도 수능 10번

100. 그림 (가)와 (나)는 정상인 Ⅰ과 Ⅱ에서 ㉠과 ㉡의 변화를 각각 나타낸 것이다. t_1일 때 Ⅰ과 Ⅱ 중 한 사람에게만 인슐린을 투여하였다. ㉠과 ㉡은 각각 혈중 글루카곤 농도와 혈중 포도당 농도 중 하나이다.

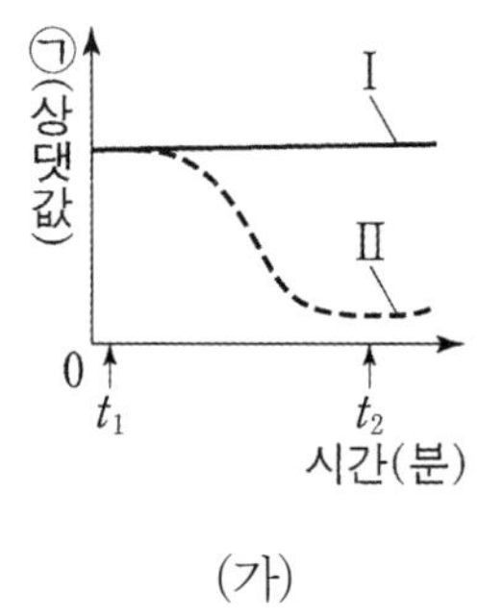

(가)

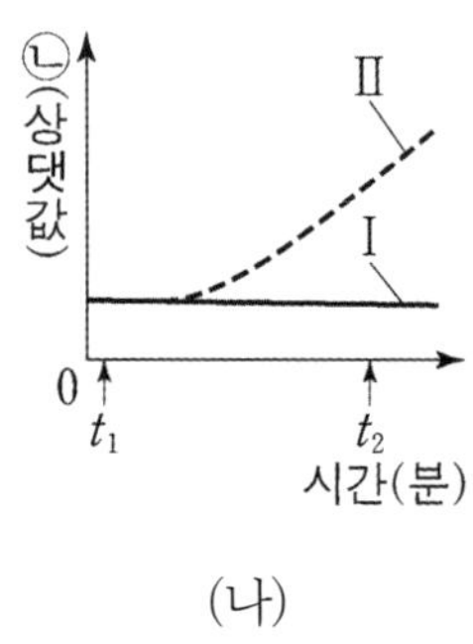

(나)

이에 대한 설명으로 옳은 것만을 〈보기〉에서 있는 대로 고른 것은? (단, 제시된 조건 이외는 고려하지 않는다.)

〈보 기〉

ㄱ. 인슐린은 세포로의 포도당 흡수를 촉진한다.
ㄴ. ㉡은 혈중 포도당 농도이다.
ㄷ. $\frac{\text{Ⅰ의 혈중 글루카곤 농도}}{\text{Ⅱ의 혈중 글루카곤 농도}}$는 t_2일 때가 t_1일 때보다 크다.

① ㄱ ② ㄴ ③ ㄷ ④ ㄱ, ㄴ ⑤ ㄱ, ㄷ

22학년도 수능 15번

101. 그림 (가)와 (나)는 정상인이 서로 다른 온도의 물에 들어갔을 때 체온의 변화와 A, B의 변화를 각각 나타낸 것이다. A와 B는 땀 분비량과 열 발생량(열 생산량)을 순서 없이 나타낸 것이고, ㉠과 ㉡은 '체온보다 낮은 온도의 물에 들어갔을 때'와 '체온보다 높은 온도의 물에 들어갔을 때'를 순서 없이 나타낸 것이다.

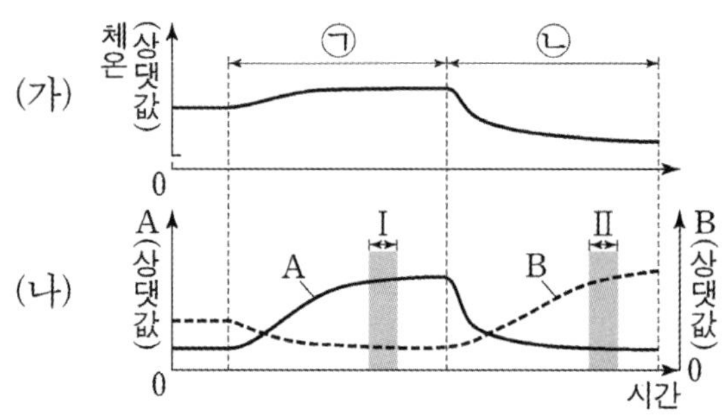

이에 대한 설명으로 옳은 것만을 〈보기〉에서 있는 대로 고른 것은?

〈보 기〉

ㄱ. ㉠은 '체온보다 낮은 온도의 물에 들어갔을 때'이다.
ㄴ. 열 발생량은 구간 Ⅰ에서가 구간 Ⅱ에서보다 많다.
ㄷ. 시상 하부가 체온보다 높은 온도를 감지하면 땀 분비량은 증가한다.

① ㄱ ② ㄷ ③ ㄱ, ㄴ ④ ㄴ, ㄷ ⑤ ㄱ, ㄴ, ㄷ

14학년도 수능 14번

102. 그림 (가)는 정상인의 혈장 삼투압에 따른 호르몬 X의 혈중 농도를, (나)는 이 사람이 1L의 물을 섭취한 후 시간에 따른 혈장과 오줌의 삼투압을 나타낸 것이다. X는 뇌하수체 후엽에서 분비된다.

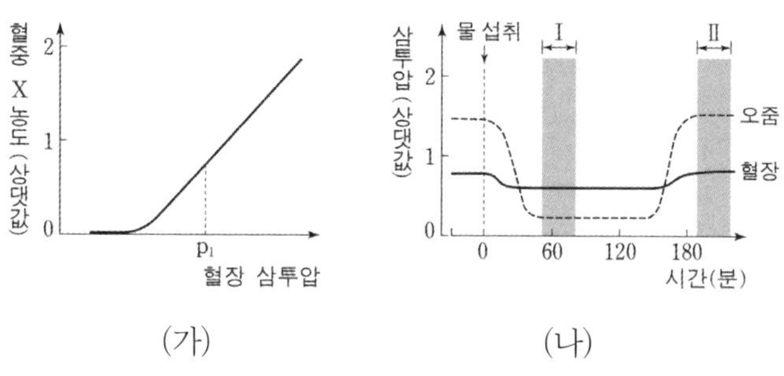

(가) (나)

이에 대한 설명으로 옳은 것만을 〈보기〉에서 있는 대로 고른 것은? (단, 제시된 조건 이외에 체내 수분량에 영향을 미치는 요인은 없다.)

〈보 기〉

ㄱ. 시상 하부는 X의 분비를 조절한다.
ㄴ. p_1일 때 땀을 많이 흘리면 혈중 X 농도는 감소한다.
ㄷ. 생성되는 오줌의 양은 구간 Ⅰ에서보다 구간 Ⅱ에서 많다.

① ㄱ ② ㄷ ③ ㄱ, ㄴ ④ ㄱ, ㄷ ⑤ ㄴ, ㄷ

14학년도 3월 20번

103. 그림 (가)는 뇌하수체에서 분비되는 호르몬 ㉠, ㉡과 각각의 표적 기관을, (나)는 혈장 삼투압에 따른 ㉠의 혈중 농도를 나타낸 것이다. ㉠과 ㉡은 각각 항이뇨 호르몬과 갑상샘 자극 호르몬 중 하나이다.

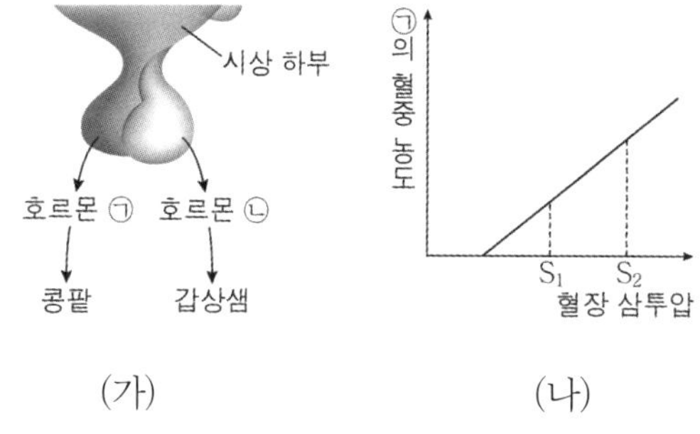

(가) (나)

이에 대한 옳은 설명만을 〈보기〉에서 있는 대로 고른 것은? (단, 제시된 조건 이외에 체내 수분량에 영향을 미치는 요인은 없다.)

〈보 기〉

ㄱ. ㉠은 뇌하수체 후엽에서 분비된다.
ㄴ. 콩팥에서 재흡수되는 물의 양은 S_1에서보다 S_2에서 많다.
ㄷ. 갑상샘을 제거하면 ㉡의 분비량은 제거 전보다 감소한다.

① ㄴ ② ㄷ ③ ㄱ, ㄴ ④ ㄱ, ㄷ ⑤ ㄱ, ㄴ, ㄷ

15학년도 9월 10번

104. 그림 (가)는 건강한 사람의 혈장 삼투압에 따른 호르몬 X의 혈중 농도를, (나)는 이 사람이 물 1L를 섭취한 후 시간에 따른 혈장과 오줌의 삼투압을 나타낸 것이다. X는 뇌하수체 후엽에서 분비된다.

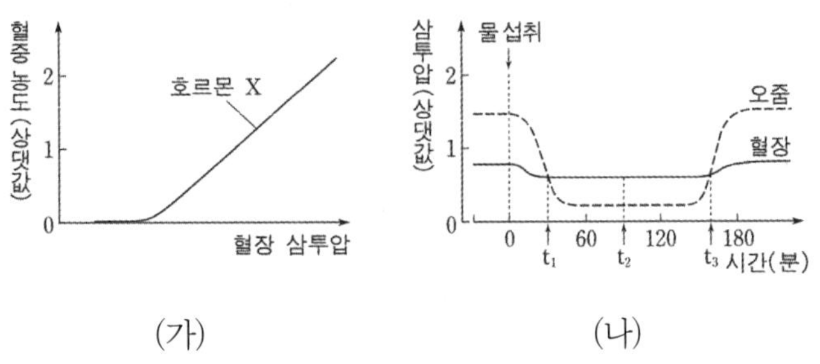

(가) (나)

이에 대한 설명으로 옳은 것만을 〈보기〉에서 있는 대로 고른 것은? (단, (나)에서 오줌량 외에 체내 수분량에 영향을 미치는 요인은 없다.)

〈보 기〉

ㄱ. X는 항이뇨 호르몬(ADH)이다.
ㄴ. 체내 수분량은 t_1에서가 t_3에서와 같다.
ㄷ. 콩팥에서 단위 시간당 수분 재흡수량은 t_2에서가 물 섭취 시점에서보다 많다.

① ㄱ ② ㄷ ③ ㄱ, ㄴ ④ ㄱ, ㄷ ⑤ ㄴ, ㄷ

15학년도 수능 5번

105. 그림 (가)와 (나)는 건강한 사람에서 각각 ㉠과 ㉡이 변할 때 혈중 ADH의 농도 변화를 나타낸 것이다. ㉠과 ㉡은 각각 혈장 삼투압과 전체 혈액량 중 하나이다.

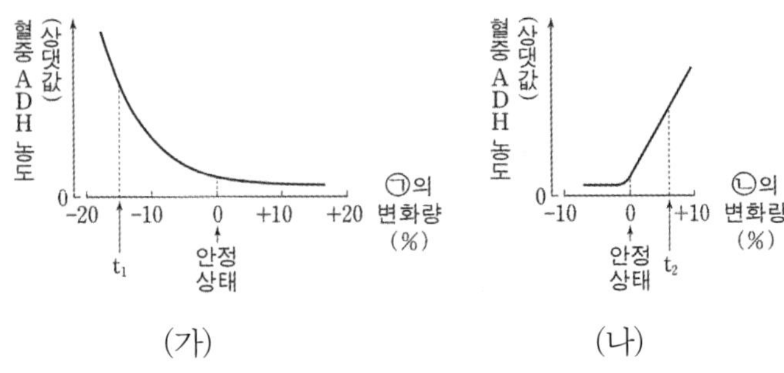

(가) (나)

이에 대한 설명으로 옳은 것만을 〈보기〉에서 있는 대로 고른 것은? (단, 오줌양 외에 체내 수분량에 영향을 미치는 요인은 없다.)

〈보 기〉

ㄱ. ㉠은 전체 혈액량이다.
ㄴ. (가)에서 오줌의 삼투압은 t_1일 때가 안정 상태일 때보다 낮다.
ㄷ. (나)에서 콩팥의 단위 시간당 수분 재흡수량은 t_2일 때가 안정 상태일 때보다 적다.

① ㄱ ② ㄷ ③ ㄱ, ㄴ ④ ㄱ, ㄷ ⑤ ㄴ, ㄷ

106. 그림 (가)는 정상인의 혈장 삼투압에 따른 혈중 ADH 농도를, (나)는 이 사람이 1L의 물을 섭취한 후 단위 시간당 오줌 생성량을 시간에 따라 나타낸 것이다.

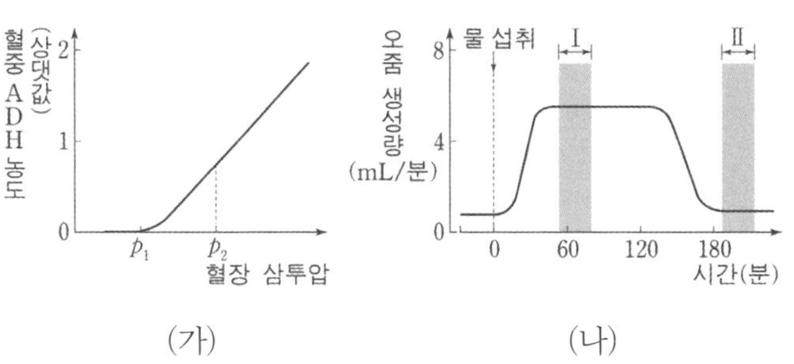

(가) (나)

이에 대한 설명으로 옳은 것만을 〈보기〉에서 있는 대로 고른 것은? (단, (나)에서 오줌양 외에 체내 수분량에 영향을 미치는 요인은 없다.)

〈보 기〉

ㄱ. ADH는 뇌하수체 후엽에서 분비된다.
ㄴ. (가)에서 오줌의 삼투압은 p_2일 때보다 p_1일 때가 높다.
ㄷ. (나)에서 혈장 삼투압은 구간 Ⅱ에서보다 구간 Ⅰ에서가 높다.

① ㄱ ② ㄴ ③ ㄱ, ㄴ ④ ㄱ, ㄷ ⑤ ㄴ, ㄷ

107. 다음은 어떤 동물의 혈장 삼투압 조절에 대한 자료이다.

○ 어떤 정상 동물에게 다량의 물을 섭취시키고 일정 시간이 지난 후 호르몬 X를 혈관에 투여한다. X는 뇌하수체 후엽에서 분비되는 호르몬이다.
○ 그림은 이 동물의 단위 시간당 오줌 생성량을 시간에 따라 나타낸 것이다.

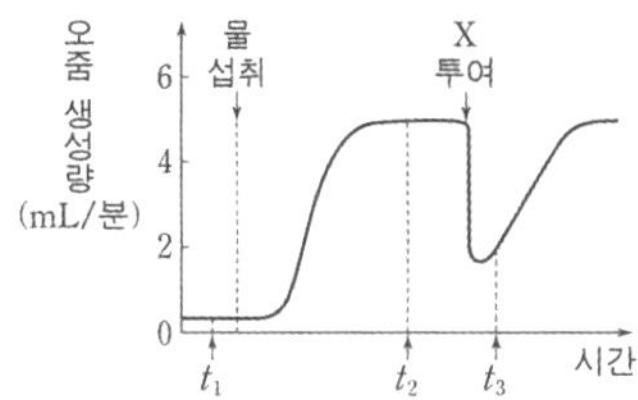

이에 대한 설명으로 옳은 것만을 〈보기〉에서 있는 대로 고른 것은? (단, 제시된 자료 이외에 체내 수분량에 영향을 미치는 요인은 없다.)

〈보 기〉

ㄱ. X의 표적 기관은 콩팥이다.
ㄴ. 혈장 삼투압은 t_1일 때보다 t_2일 때가 높다.
ㄷ. 생성되는 오줌의 삼투압은 t_3일 때보다 t_2일 때가 높다.

① ㄱ ② ㄴ ③ ㄱ, ㄴ ④ ㄱ, ㄷ ⑤ ㄴ, ㄷ

16학년도 10월 8번

108. 그림은 생쥐에 각기 다른 액체를 주입 하였을 때 시간에 따른 오줌 생성량을 나타낸 것이다. A와 B는 각각 소금물과 증류수 중 하나를 주입한 것이고, C는 뇌하수체 호르몬 X가 포함된 액체를 주입한 것이다.

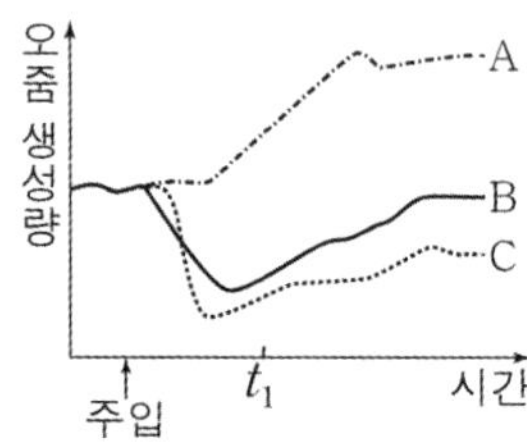

이에 대한 옳은 설명만을 〈보기〉에서 있는 대로 고른 것은? (단, 생쥐의 실험 전 체내 혈장 삼투압은 A~C에서 모두 동일하고, 제시된 자료 이외에 체내 수분량에 영향을 미치는 요인은 없다.)

〈보 기〉

ㄱ. A에서 혈액 내 ADH 농도는 t_1일 때가 주입 전보다 높다.
ㄴ. t_1일 때 혈장 삼투압은 A에서가 B에서보다 높다.
ㄷ. X는 뇌하수체 후엽에서 분비된다.

① ㄴ ② ㄷ ③ ㄱ, ㄴ ④ ㄱ, ㄷ ⑤ ㄱ, ㄴ, ㄷ

17학년도 수능 10번

109. 그림 (가)는 혈중 ADH 농도에 따른 ㉡의 삼투압에 대한 ㉠의 삼투압 비를, (나)는 정상인이 1L의 물을 섭취한 후 시간에 따른 혈장과 오줌의 삼투압을 나타낸 것이다. ㉠과 ㉡은 각각 혈장과 오줌 중 하나이다.

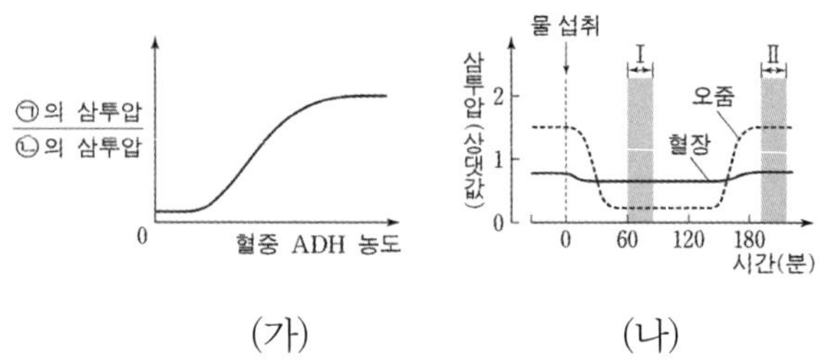

(가) (나)

이에 대한 설명으로 옳은 것만을 〈보기〉에서 있는 대로 고른 것은? (단, 제시된 자료 이외에 체내 수분량에 영향을 미치는 요인은 없다.)

〈보 기〉

ㄱ. 시상 하부는 ADH의 분비를 조절한다.
ㄴ. ㉡은 오줌이다.
ㄷ. $\dfrac{\text{혈중 ADH 농도}}{\text{오줌 생성량}}$는 구간 Ⅰ에서가 구간 Ⅱ에서보다 크다.

① ㄱ ② ㄴ ③ ㄱ, ㄴ ④ ㄱ, ㄷ ⑤ ㄴ, ㄷ

18학년도 9월 16번

110. 그림 (가)는 어떤 동물에서 전체 혈액량이 정상 상태일 때와 ㉠일 때 혈장 삼투압에 따른 호르몬 X의 혈중 농도를, (나)는 정상 상태인 이 동물에게 물과 소금물을 순서대로 투여하였을 때 단위 시간당 오줌 생성량을 시간에 따라 나타낸 것이다. X는 뇌하수체 후엽에서 분비되고, ㉠은 정상 상태일 때보다 전체 혈액량이 증가한 상태와 감소한 상태 중 하나이다.

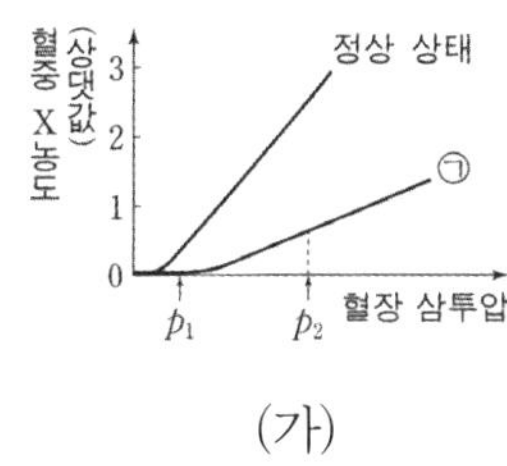

(가)

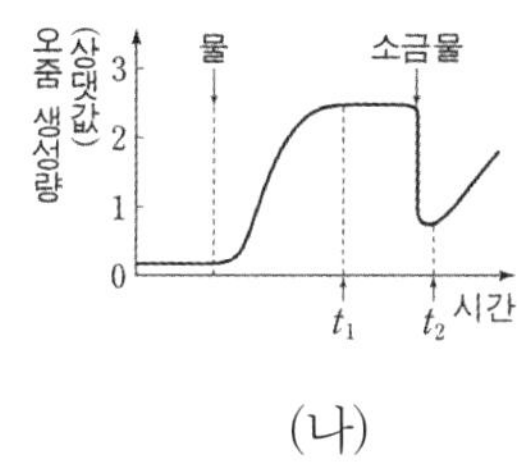

(나)

이에 대한 설명으로 옳은 것만을 〈보기〉에서 있는 대로 고른 것은? (단, 제시된 자료 이외에 체내 수분량에 영향을 미치는 요인은 없다.)

〈보 기〉

ㄱ. ㉠은 정상 상태일 때보다 전체 혈액량이 증가한 상태이다.

ㄴ. ㉠일 때 단위 시간당 오줌 생성량은 p_1일 때가 p_2일 때보다 많다.

ㄷ. 호르몬 X의 혈중 농도는 t_2일 때가 t_1일 때보다 높다.

① ㄴ ② ㄷ ③ ㄱ, ㄴ ④ ㄱ, ㄷ ⑤ ㄱ, ㄴ, ㄷ

19학년도 6월 14번

111. 그림은 정상인이 1L의 물을 섭취한 후 단위 시간당 오줌 생성량을 시간에 따라 나타낸 것이다.

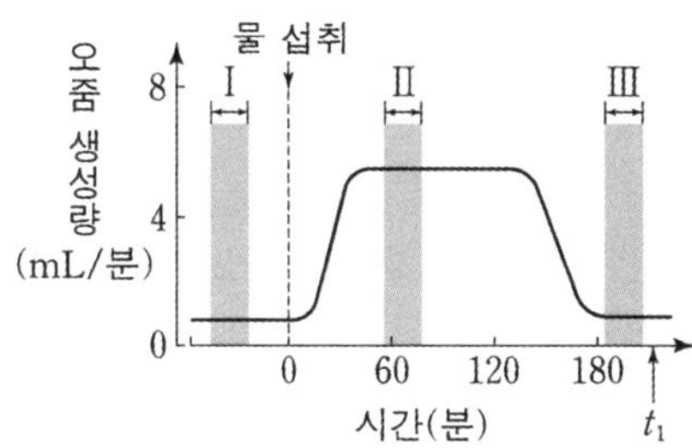

이에 대한 설명으로 옳은 것만을 〈보기〉에서 있는 대로 고른 것은? (단, 제시된 조건 이외에 체내 수분량에 영향을 미치는 요인은 없다.)

〈보 기〉

ㄱ. 혈중 항이뇨 호르몬 농도는 구간 Ⅰ에서가 구간 Ⅱ에서보다 높다.

ㄴ. 혈장 삼투압은 구간 Ⅱ에서가 구간 Ⅲ에서보다 높다.

ㄷ. t_1일 때 땀을 많이 흘리면, 생성되는 오줌의 삼투압이 감소한다.

① ㄱ ② ㄴ ③ ㄱ, ㄴ ④ ㄱ, ㄷ ⑤ ㄴ, ㄷ

18학년도 7월 5번

112. 그림은 정상인 사람 (가)와 ADH(항이뇨 호르몬)의 분비에 이상이 있는 환자 (나)에 각각 수분 공급을 중단했을 때 혈장 삼투압에 따른 오줌의 삼투압을 나타낸 것이다.

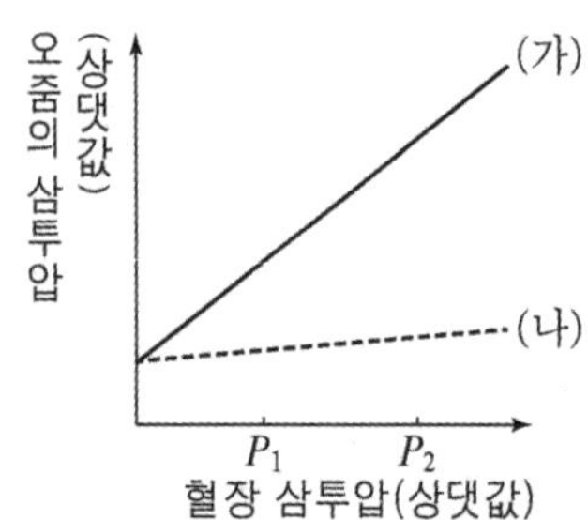

이에 대한 설명으로 옳은 것만을 〈보기〉에서 있는 대로 고른 것은? (단, 혈장 삼투압 이외의 다른 조건은 고려하지 않는다.)

〈보 기〉

ㄱ. ADH의 분비 조절 중추는 간뇌의 시상 하부이다.
ㄴ. (가)에서 단위 시간당 오줌 생성량은 P_2일 때가 P_1일 때보다 많다.
ㄷ. 혈장 삼투압이 P_1일 때 ADH 분비량은 (가)에서가 (나)에서보다 많다.

① ㄱ ② ㄴ ③ ㄱ, ㄷ ④ ㄴ, ㄷ ⑤ ㄱ, ㄴ, ㄷ

18학년도 10월 6번

113. 그림은 건강한 사람에서 혈장 삼투압에 따른 혈중 호르몬 X의 농도와 갈증의 강도를 나타낸 것이다. X는 뇌하수체 후엽에서 분비된다.

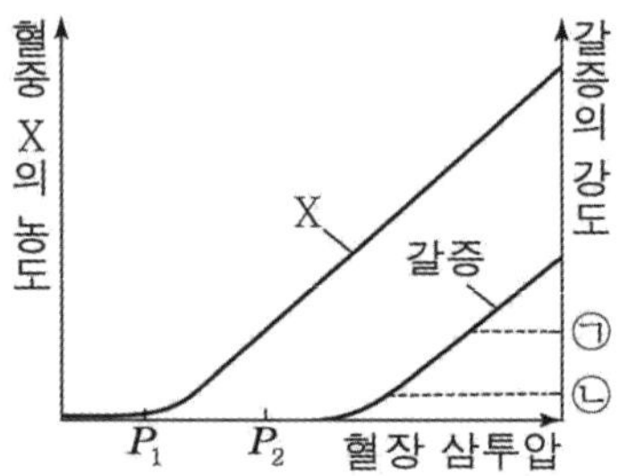

이에 대한 옳은 설명만을 〈보기〉에서 있는 대로 고른 것은? (단, 제시된 자료 이외에 체내 수분량에 영향을 미치는 요인은 고려하지 않는다.)

〈보 기〉

ㄱ. X는 항이뇨 호르몬(ADH)이다.
ㄴ. 오줌 삼투압은 P_1일 때가 P_2일 때보다 낮다.
ㄷ. 콩팥에서 단위 시간당 수분 재흡수량은 갈증의 강도가 ㉠일 때가 ㉡일 때보다 많다.

① ㄴ ② ㄷ ③ ㄱ, ㄴ ④ ㄱ, ㄷ ⑤ ㄱ, ㄴ, ㄷ

20학년도 9월 7번

114. 그림은 사람에서 전체 혈액량이 정상 상태일 때와 ㉠일 때 혈장 삼투압에 따른 혈중 ADH 농도를 나타낸 것이다. ㉠은 전체 혈액량이 정상보다 증가한 상태와 정상보다 감소한 상태 중 하나이다.

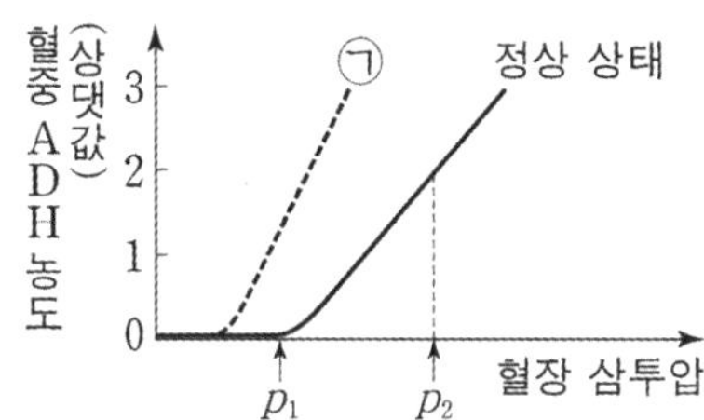

이에 대한 설명으로 옳은 것만을 〈보기〉에서 있는 대로 고른 것은? (단, 제시된 자료 이외에 체내 수분량에 영향을 미치는 요인은 없다.)

〈보 기〉

ㄱ. ADH는 뇌하수체 후엽에서 분비된다.
ㄴ. ㉠은 전체 혈액량이 정상보다 증가한 상태이다.
ㄷ. 정상 상태일 때 콩팥에서 단위 시간당 수분 재흡수량은 p_1일 때가 p_2일 때보다 많다.

① ㄱ ② ㄷ ③ ㄱ, ㄴ ④ ㄴ, ㄷ ⑤ ㄱ, ㄴ, ㄷ

20학년도 10월 9번

115. 그림은 어떤 정상인이 1L의 물을 섭취했을 때 단위 시간당 오줌 생성량의 변화를 나타낸 것이다.

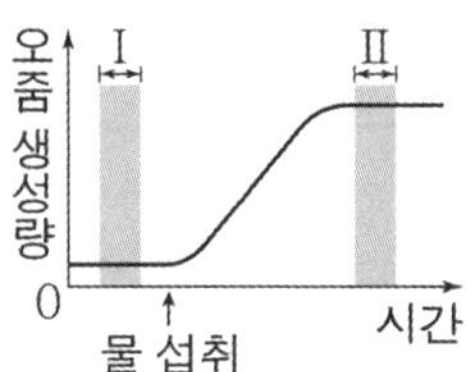

구간 Ⅰ에서가 구간 Ⅱ에서보다 높은 것만을 〈보기〉에서 있는 대로 고른 것은? (단, 제시된 조건 이외는 고려하지 않는다.)

〈보 기〉

ㄱ. 혈장 삼투압
ㄴ. 오줌 삼투압
ㄷ. 혈중 항이뇨 호르몬 농도

① ㄱ ② ㄴ ③ ㄱ, ㄷ ④ ㄴ, ㄷ ⑤ ㄱ, ㄴ, ㄷ

21학년도 수능 8번

116. 그림 (가)와 (나)는 정상인에서 ㉠의 변화량에 따른 혈중 항이뇨 호르몬(ADH) 농도와 갈증을 느끼는 정도를 각각 나타낸 것이다. ㉠은 혈장 삼투압과 전체 혈액량 중 하나이다.

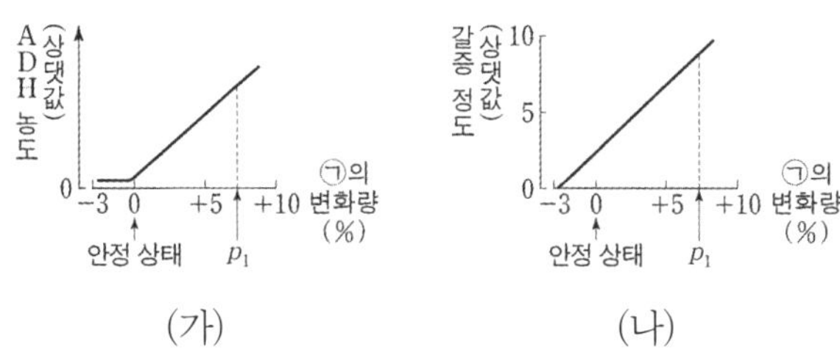

이에 대한 설명으로 옳은 것만을 〈보기〉에서 있는 대로 고른 것은? (단, 제시된 자료 이외에 체내 수분량에 영향을 미치는 요인은 없다.)

〈보 기〉

ㄱ. ㉠은 혈장 삼투압이다.
ㄴ. 생성되는 오줌의 삼투압은 안정 상태일 때가 p_1일 때보다 크다.
ㄷ. 갈증을 느끼는 정도는 안정 상태일 때가 p_1일 때보다 크다.

① ㄱ ② ㄴ ③ ㄷ ④ ㄱ, ㄴ ⑤ ㄱ, ㄷ

23학년도 9월 5번

117. 그림은 어떤 동물 종에서 ㉠이 제거된 개체 Ⅰ과 정상 개체 Ⅱ에 각각 자극 ⓐ를 주고 측정한 단위 시간당 오줌 생성량을 시간에 따라 나타낸 것이다. ㉠은 뇌하수체 전엽과 뇌하수체 후엽 중 하나이고, ⓐ는 ㉠에서 호르몬 X의 분비를 촉진한다.

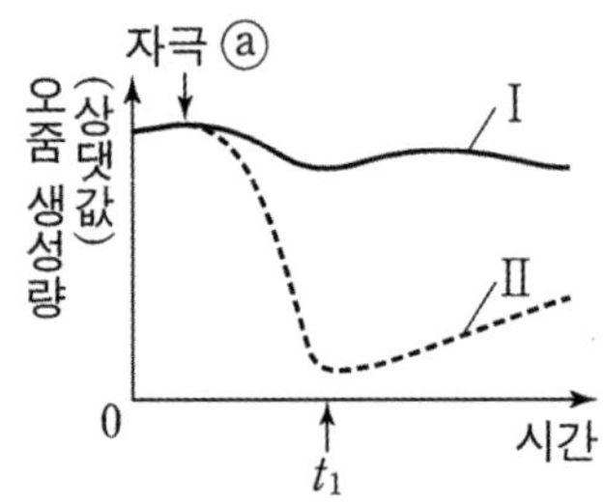

이에 대한 옳은 설명만을 〈보기〉에서 있는 대로 고른 것은? (단, 제시된 조건 이외는 고려하지 않는다.)

〈보 기〉

ㄱ. ㉠은 뇌하수체 후엽이다.

ㄴ. t_1일 때 콩팥에서의 단위 시간당 수분 재흡수량은 Ⅰ에서가 Ⅱ에서보다 많다.

ㄷ. t_1일 때 Ⅰ에게 항이뇨 호르몬(ADH)을 주사하면 생성되는 오줌의 삼투압이 감소한다.

① ㄱ ② ㄴ ③ ㄷ ④ ㄱ, ㄴ ⑤ ㄴ, ㄷ

23학년도 수능 8번

118. 그림은 사람 Ⅰ과 Ⅱ에서 전체 혈액량의 변화량에 따른 혈중 항이뇨 호르몬(ADH) 농도를 나타낸 것이다. Ⅰ과 Ⅱ는 'ADH가 정상적으로 분비되는 사람'과 'ADH가 과다하게 분비되는 사람'을 순서 없이 나타낸 것이다.

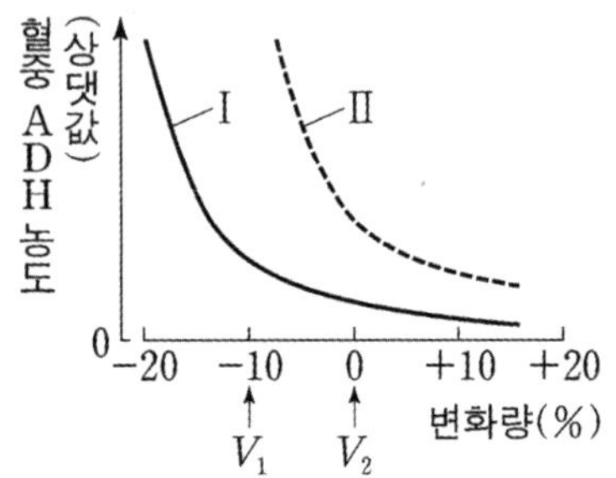

이에 대한 설명으로 옳은 것만을 〈보기〉에서 있는 대로 고른 것은? (단, 제시된 조건 이외는 고려하지 않는다.)

〈보 기〉

ㄱ. ADH는 혈액을 통해 표적 세포로 이동한다.

ㄴ. Ⅱ는 'ADH가 정상적으로 분비되는 사람'이다.

ㄷ. Ⅰ에서 단위 시간당 오줌 생성량은 V_1일 때가 V_2일 때보다 많다.

① ㄱ ② ㄴ ③ ㄱ, ㄷ ④ ㄴ, ㄷ ⑤ ㄱ, ㄴ, ㄷ

14학년도 3월 17번

119. 그림은 세 가지 질병을 분류하는 과정을 나타낸 것이다.

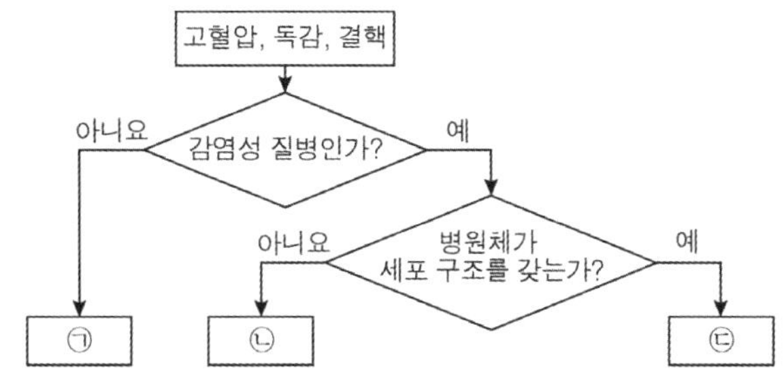

이에 대한 옳은 설명만을 〈보기〉에서 있는 대로 고른 것은?

〈보 기〉

ㄱ. ㉠은 결핵이다.
ㄴ. ㉡을 일으키는 병원체는 단백질을 갖지 않는다.
ㄷ. ㉢의 치료에 항생제를 사용한다.

① ㄱ ② ㄷ ③ ㄱ, ㄴ ④ ㄱ, ㄷ ⑤ ㄴ, ㄷ

14학년도 수능 11번

120. 그림 (가)와 (나)는 결핵과 독감의 원인이 되는 병원체를 각각 나타낸 것이다.

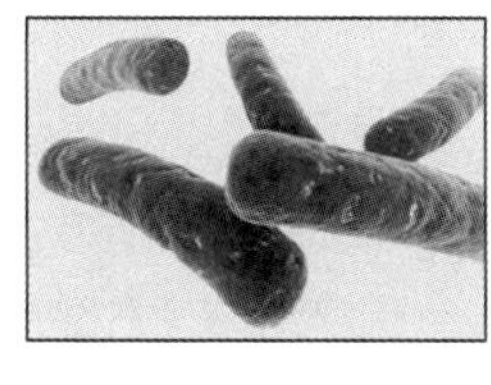
(가)

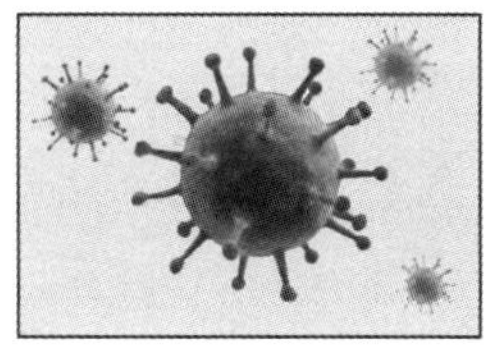
(나)

이에 대한 설명으로 옳은 것만을 〈보기〉에서 있는 대로 고른 것은?

〈보 기〉

ㄱ. (가)에서는 물질대사가 일어난다.
ㄴ. (나)는 핵막이 있는 세포이다.
ㄷ. (가)와 (나)는 모두 핵산을 가지고 있다.

① ㄱ ② ㄷ ③ ㄱ, ㄴ ④ ㄱ, ㄷ ⑤ ㄴ, ㄷ

14학년도 7월 4번

121. 표는 사람의 3가지 질병 (가)~(다)의 특징을 나타낸 것이다. (가)~(다)는 각각 결핵, 독감, 당뇨병 중 하나이다.

질병	병원체	병원체의 특징	
		핵산	세포막
(가)	없음	–	–
(나)	있음	있음	있음
(다)	있음	있음	없음

이에 대한 설명으로 옳은 것만을 〈보기〉에서 있는 대로 고른 것은?

〈보 기〉

ㄱ. (가)는 감염성 질병이다.
ㄴ. (나)를 일으키는 병원체에 감염되면 비특이적 방어 작용이 일어난다.
ㄷ. (다)를 일으키는 병원체는 유전 물질을 가지고 있어서 스스로 분열하여 증식한다.

① ㄱ ② ㄴ ③ ㄷ ④ ㄱ, ㄴ ⑤ ㄴ, ㄷ

15학년도 9월 13번

122. 그림은 구분 기준 (가)~(다)를 이용하여 4가지 질병을 구분하는 과정을 나타낸 것이다. A~C는 각각 혈우병, 결핵, 독감 중 하나이다.

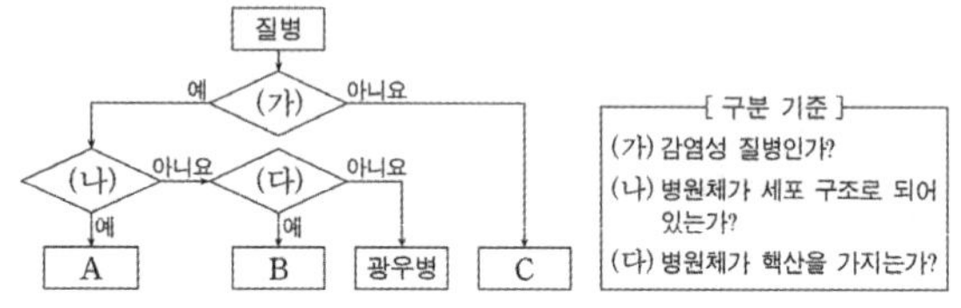

A~C에 해당하는 것으로 옳은 것은?

	A	B	C
①	혈우병	독감	결핵
②	결핵	독감	혈우병
③	결핵	혈우병	독감
④	독감	혈우병	결핵
⑤	독감	결핵	혈우병

15학년도 수능 19번

123. 그림은 독감을 유발하는 병원체 A와 결핵을 유발하는 병원체 B의 공통점과 차이점을 나타낸 것이다.

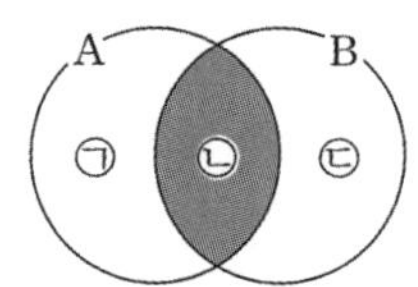

이에 대한 설명으로 옳은 것만을 〈보기〉에서 있는 대로 고른 것은?

〈보 기〉

ㄱ. '세포로 되어 있다.'는 ㉠에 해당한다.
ㄴ. '유전 물질을 가지고 있다.'는 ㉡에 해당한다.
ㄷ. '분열에 의해 스스로 증식한다.'는 ㉢에 해당한다.

① ㄱ　② ㄴ　③ ㄱ, ㄷ　④ ㄴ, ㄷ　⑤ ㄱ, ㄴ, ㄷ

16학년도 6월 14번

124. 그림은 구분 기준 A와 B에 따라 사람의 여러 질병을 구분하는 과정을 나타낸 것이다.

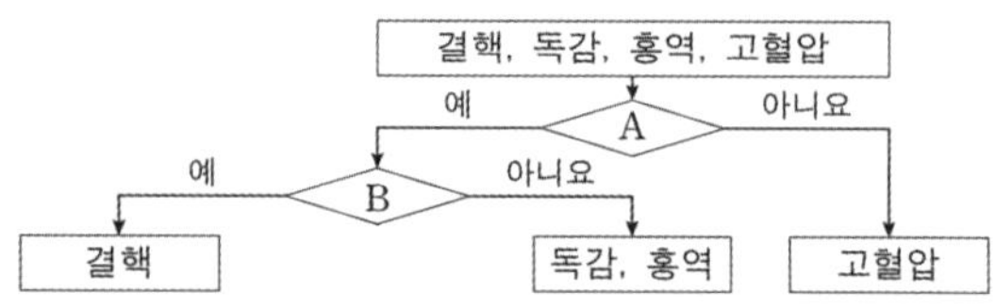

이에 대한 설명으로 옳은 것만을 〈보기〉에서 있는 대로 고른 것은?

〈보 기〉

ㄱ. '감염성 질병인가?'는 A에 해당한다.
ㄴ. '병원체는 독립적으로 물질대사를 하는가?'는 B에 해당한다.
ㄷ. 결핵 치료 시에는 항생제를 사용한다.

① ㄱ　② ㄷ　③ ㄱ, ㄴ　④ ㄴ, ㄷ　⑤ ㄱ, ㄴ, ㄷ

15학년도 7월 4번

125. 그림은 폐결핵을 일으키는 병원체 A, 후천성 면역 결핍증을 일으키는 병원체 B, 독감을 일으키는 병원체 C의 공통점과 차이점을 나타낸 것이다.

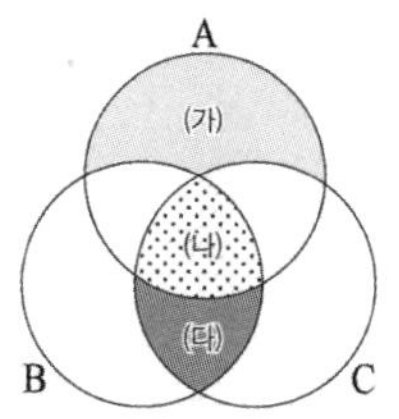

이에 대한 설명으로 옳은 것만을 〈보기〉에서 있는 대로 고른 것은?

〈보 기〉

ㄱ. '핵 있음'은 (가)에 해당한다.
ㄴ. '단백질 있음'은 (나)에 해당한다.
ㄷ. '스스로 물질대사를 함'은 (다)에 해당한다.

① ㄱ　② ㄴ　③ ㄷ　④ ㄱ, ㄴ　⑤ ㄴ, ㄷ

15학년도 10월 15번

126. 표는 질병 A~C의 특징을 나타낸 것이다. A~C는 각각 결핵, 낫 모양 적혈구 빈혈증, 후천성 면역 결핍 증후군 중 하나이다.

특징	A	B	C
다른 사람에게 전염될 수 있다.	○	○	×
병원체가 핵산을 가지고 있다.	○	○	
질병의 원인이 세포성 병원체이다.	×	○	×

(○ : 있음, × : 없음)

이에 대한 옳은 설명만을 〈보기〉에서 있는 대로 고른 것은?

〈보 기〉

ㄱ. A는 후천성 면역 결핍 증후군이다.
ㄴ. B의 치료에 항생제가 사용된다.
ㄷ. C는 염색체 돌연변이에 의해 나타난다.

① ㄱ ② ㄷ ③ ㄱ, ㄴ ④ ㄴ, ㄷ ⑤ ㄱ, ㄴ, ㄷ

17학년도 9월 14번

127. 표는 사람의 6가지 질병을 A~C로 구분하여 나타낸 것이다.

구분	질병
A	고혈압, 혈우병
B	탄저병, 파상풍
C	광견병, 독감

이에 대한 설명으로 옳은 것만을 〈보기〉에서 있는 대로 고른 것은?

〈보 기〉

ㄱ. A는 비감염성 질병이다.
ㄴ. B의 병원체는 세포 분열을 통해 증식한다.
ㄷ. C의 병원체는 독립적으로 물질대사를 한다.

① ㄱ ② ㄷ ③ ㄱ, ㄴ ④ ㄴ, ㄷ ⑤ ㄱ, ㄴ, ㄷ

17학년도 10월 14번

128. 표는 결핵을 일으키는 병원체 A, 후천성 면역 결핍증을 일으키는 병원체 B, 무좀을 일으키는 병원체 C에서 각각 특징 (가)~(다)의 유무를 나타낸 것이다. (가)~(다)는 각각 '세포 구조이다.', '핵막이 있다.', '핵산이 있다.' 중 하나이다.

특징 \ 병원체	A	B	C
(가)	○	○	㉠
(나)	○	×	○
(다)	×	?	○

(○ : 있음, × : 없음)

이에 대한 옳은 설명만을 〈보기〉에서 있는 대로 고른 것은?

〈보 기〉

ㄱ. ㉠은 '○'이다.
ㄴ. (나)는 '핵막이 있다.'이다.
ㄷ. A~C는 모두 세포 분열로 증식한다.

① ㄱ ② ㄴ ③ ㄷ ④ ㄱ, ㄴ ⑤ ㄴ, ㄷ

19학년도 6월 3번

129. 다음은 푸른곰팡이와 인플루엔자 바이러스에 대한 자료이다.

- 플레밍은 세균을 배양하던 접시에서 ㉠ 푸른곰팡이 주위에 세균이 자라지 못하는 것을 관찰하였다.
- 독감은 ㉡ 인플루엔자 바이러스에 의하여 발병하며 백신을 접종하여 예방할 수 있다.

이에 대한 설명으로 옳은 것만을 〈보기〉에서 있는 대로 고른 것은?

〈보 기〉

ㄱ. ㉠으로부터 페니실린이 발견되었다.
ㄴ. ㉡은 스스로 물질대사를 하지 못한다.
ㄷ. ㉠과 ㉡은 모두 유전 물질을 가진다.

① ㄱ ② ㄷ ③ ㄱ, ㄴ ④ ㄴ, ㄷ ⑤ ㄱ, ㄴ, ㄷ

18학년도 7월 3번

130. 표는 질병 (가)~(다)의 치료에 각각 이용되는 물질 A~C의 기능을 나타낸 것이다. (가)~(다)는 독감, 결핵, 당뇨병을 순서 없이 나타낸 것이다.

질병	물질	기능
(가)	A	병원체의 세포벽 형성을 억제한다.
(나)	B	병원체의 유전 물질 복제를 방해한다.
(다)	C	혈액에서 간세포로 포도당의 이동을 촉진한다.

이에 대한 설명으로 옳은 것만을 〈보기〉에서 있는 대로 고른 것은?

〈보 기〉

ㄱ. (가)의 병원체는 핵막을 갖는다.
ㄴ. (가)와 (나)의 병원체는 모두 단백질을 갖는다.
ㄷ. (다)는 비감염성 질병이다.

① ㄱ ② ㄷ ③ ㄱ, ㄴ ④ ㄴ, ㄷ ⑤ ㄱ, ㄴ, ㄷ

21학년도 6월 6번

131. 다음은 사람의 질병에 대한 학생 A~C의 대화 내용이다.

제시한 내용이 옳은 학생만을 있는 대로 고른 것은?

① A ② C ③ A, B ④ B, C ⑤ A, B, C

20학년도 10월 12번

132. 표는 사람의 3가지 질병이 갖는 특징을 나타낸 것이다. A와 B는 각각 말라리아와 헌팅턴 무도병 중 하나이다.

질병	특징
A	비감염성 질병이다.
B	병원체는 세포로 이루어져 있다.
후천성 면역 결핍증	㉠

이에 대한 설명으로 옳은 것만을 〈보기〉에서 있는 대로 고른 것은?

〈보 기〉

ㄱ. A는 유전병이다.
ㄴ. B는 모기를 매개로 전염된다.
ㄷ. '병원체는 스스로 물질대사를 하지 못한다.'는 ㉠에 해당한다.

① ㄱ ② ㄴ ③ ㄱ, ㄷ ④ ㄴ, ㄷ ⑤ ㄱ, ㄴ, ㄷ

14학년도 예비시행 15번

133. 그림은 바이러스 X에 처음으로 감염된 쥐에서 바이러스 X, 항 바이러스 X 항체, 면역 단백질 Y의 농도를 시간에 따라 나타낸 것이다.

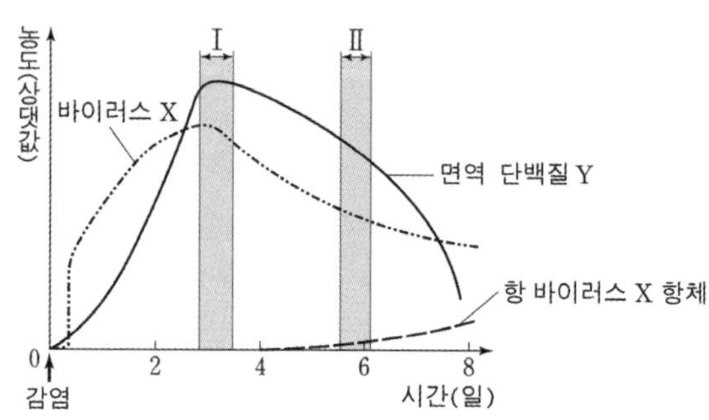

이 자료에 대한 설명으로 옳은 것만을 〈보기〉에서 있는 대로 고른 것은?

〈보 기〉

ㄱ. 구간 Ⅰ에서 비특이적 방어 작용에 의해 X의 수가 감소된다.
ㄴ. 구간 Ⅱ에는 X에 대한 형질 세포가 없다.
ㄷ. Y는 X에만 특이적으로 작용한다.

① ㄱ ② ㄴ ③ ㄷ ④ ㄱ, ㄷ ⑤ ㄱ, ㄴ, ㄷ

14학년도 예비시행 17번

134. 그림 (가)는 어떤 병원체 X_1과 X_2를, (나)는 사람이 동시에 X_1과 X_2에 감염되었을 때 생성되는 항체의 구조를 나타낸 것이다.

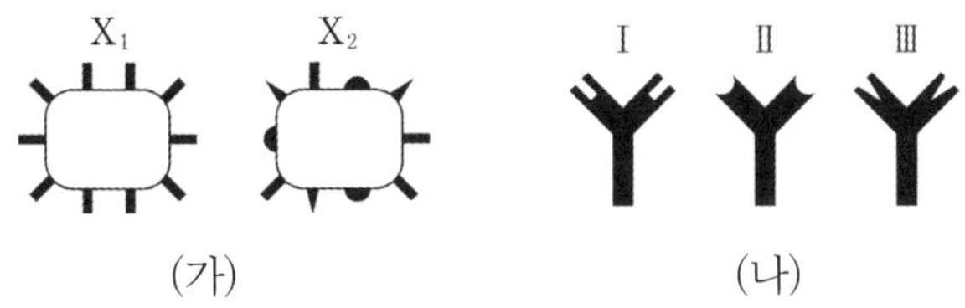

이에 대한 설명으로 옳은 것만을 〈보기〉에서 있는 대로 고른 것은?

〈보 기〉

ㄱ. 병원체의 표면 물질은 항원으로 작용한다.
ㄴ. 항체 Ⅰ과 항체 Ⅲ은 X_2에 결합한다.
ㄷ. X_1을 이용하여 만든 백신은 항체 Ⅱ를 생산하는 기억 세포의 형성을 유도한다.

① ㄱ ② ㄷ ③ ㄱ, ㄴ ④ ㄴ, ㄷ ⑤ ㄱ, ㄴ, ㄷ

13학년도 3월 20번

135. 그림은 어떤 꽃가루에 의해 알레르기 증상이 나타나기까지의 과정을 나타낸 것이다.

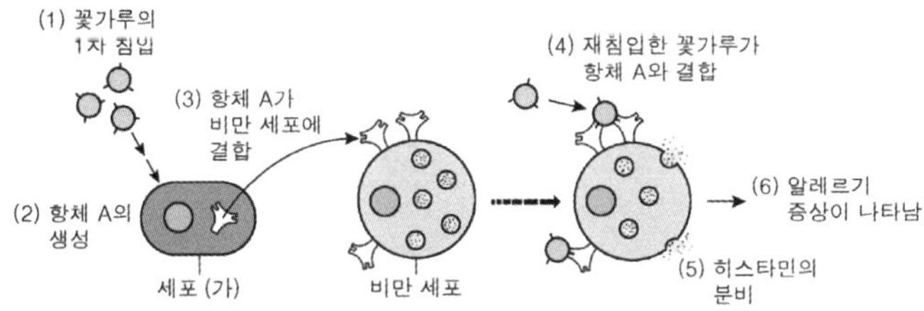

이 자료에 대한 옳은 설명만을 〈보기〉에서 있는 대로 고른 것은?

〈보 기〉

ㄱ. 세포 (가)는 T 림프구이다.
ㄴ. 항체 A는 이 꽃가루와 항원 항체 반응을 한다.
ㄷ. 꽃가루의 1차 침입 시에는 알레르기 증상이 나타나지 않는다.

① ㄱ ② ㄷ ③ ㄱ, ㄴ ④ ㄴ, ㄷ ⑤ ㄱ, ㄴ, ㄷ

14학년도 9월 16번

136. 그림은 세균 X에 처음으로 감염된 생쥐 A~C에서 시간에 따른 세균 X의 수를 나타낸 것이다. A~C는 각각 정상 생쥐, 대식 세포가 결핍된 생쥐, 림프구가 결핍된 생쥐 중 하나이다.

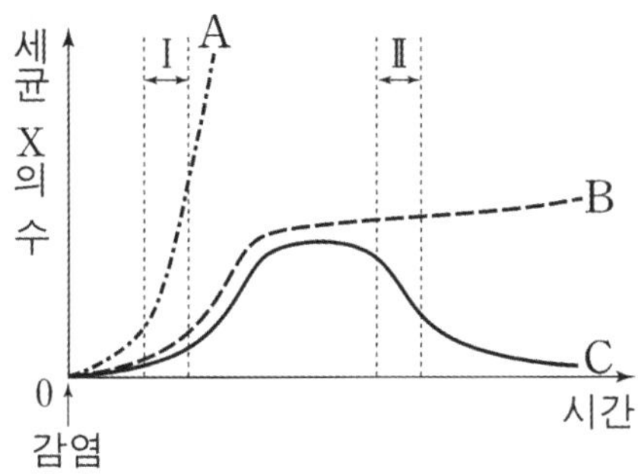

이에 대한 설명으로 옳은 것만을 〈보기〉에서 있는 대로 고른 것은?

〈보 기〉

ㄱ. A는 림프구가 결핍된 생쥐이다.
ㄴ. 구간 Ⅰ에서 X에 대한 식균 작용은 A에서보다 B에서 활발하다.
ㄷ. 구간 Ⅱ에서 X에 대한 항체 농도는 B에서보다 C에서 높다.

① ㄱ ② ㄴ ③ ㄱ, ㄷ ④ ㄴ, ㄷ ⑤ ㄱ, ㄴ, ㄷ

13학년도 10월 10번

137. 다음은 사람에게 사용하는 독감 백신을 만드는 과정을 나타낸 것이다.

(가) 독감 바이러스를 숙주 세포에 감염시킨다.
(나) 숙주 세포에서 증식한 바이러스를 채취하여 농축하고 정제한다.
(다) 정제한 바이러스에서 ㉠ 특정 단백질을 분리하여 백신으로 만든다.

이에 대한 옳은 설명만을 〈보기〉에서 있는 대로 고른 것은?

〈보 기〉

ㄱ. (나)에서 바이러스는 스스로 분열하여 증식한다.
ㄴ. ㉠은 사람의 체내에서 항원으로 작용한다.
ㄷ. (다)에서 만들어진 백신은 독감에 걸린 환자를 치료하는데 사용된다.

① ㄴ ② ㄷ ③ ㄱ, ㄴ ④ ㄱ, ㄷ ⑤ ㄴ, ㄷ

13학년도 10월 18번

138. 그림 (가)는 인체에 항원 X가 1차 침입하였을 때, (나)는 항원 X가 2차 침입하였을 때 혈중 항체 X의 농도 변화를 나타낸 것이다.

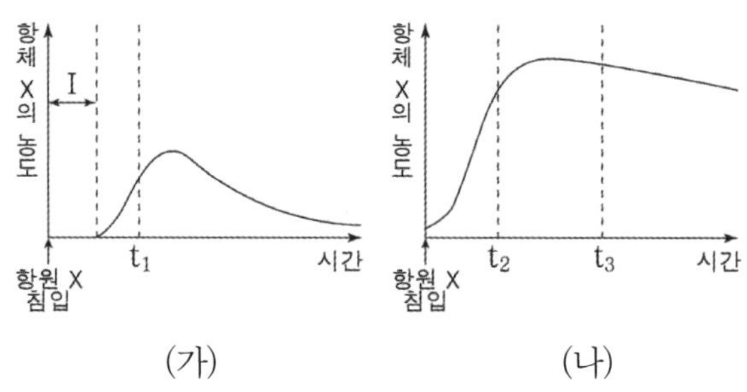

(가) (나)

이에 대한 옳은 설명만을 〈보기〉에서 있는 대로 고른 것은?

〈보 기〉

ㄱ. 구간 Ⅰ에서 보조 T 림프구가 활성화된다.
ㄴ. 항원 X에 대한 형질 세포의 수는 t_1보다 t_2에서 많다.
ㄷ. t_3에서 항원 X에 대한 기억 세포가 존재한다.

① ㄱ ② ㄷ ③ ㄱ, ㄴ ④ ㄴ, ㄷ ⑤ ㄱ, ㄴ, ㄷ

14학년도 수능 13번

139. 그림은 체내에 병원체 X가 1차 침입할 때 일어나는 방어 작용의 일부를 나타낸 것이다. ㉠은 B 림프구와 T 림프구 중 하나이다.

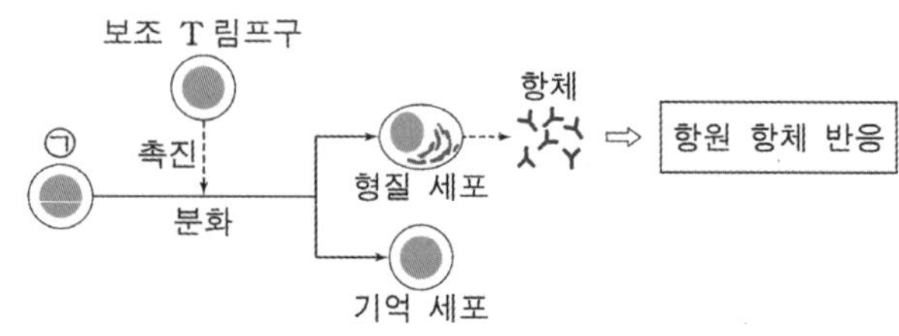

이에 대한 설명으로 옳은 것만을 〈보기〉에서 있는 대로 고른 것은?

〈보 기〉

ㄱ. 이 방어 작용에서 체액성 면역 반응이 일어난다.
ㄴ. ㉠은 가슴샘(흉선)에서 성숙된다.
ㄷ. X가 2차 침입할 때 보조 T 림프구에서 항체가 생성된다.

① ㄱ ② ㄴ ③ ㄱ, ㄴ ④ ㄱ, ㄷ ⑤ ㄴ, ㄷ

14학년도 3월 15번

140. 그림 (가)는 백신 X에 들어 있는 항원 A~C를, (나)는 X를 어떤 사람에게 주사했을 때 체내의 항체 a~c의 농도 변화를 나타낸 것이다. a, b, c는 각각 항원 A, B, C에 대한 항체이다.

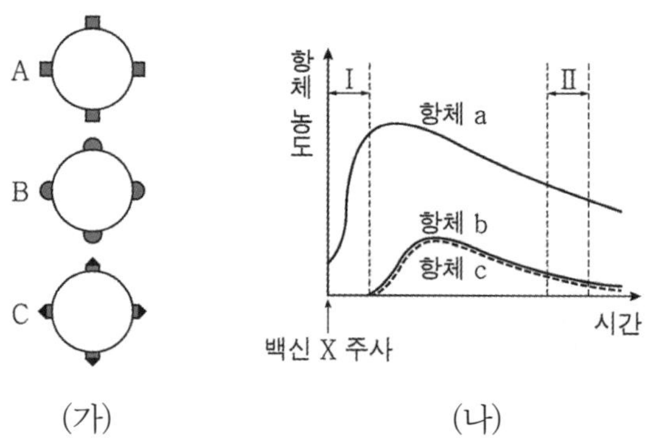

(가) (나)

이 사람에 대한 옳은 설명만을 〈보기〉에서 있는 대로 고른 것은?

〈보 기〉

ㄱ. X를 주사하기 전 항원 A에 노출된 적이 있다.
ㄴ. 구간 Ⅰ에서 항원 B에 대한 대식 세포의 식균 작용이 일어난다.
ㄷ. 구간 Ⅱ에서 항원 C에 대한 기억 세포가 있다.

① ㄱ ② ㄷ ③ ㄱ, ㄴ ④ ㄴ, ㄷ ⑤ ㄱ, ㄴ, ㄷ

141. 그림 (가)는 어떤 동물에 항원 X가 처음 침입했을 때 시간에 따른 항원 X와 물질 ㉠, ㉡의 농도를, (나)는 (가)의 구간 Ⅰ과 Ⅱ 중 한 구간에서 일어나는 반응을 나타낸 것이다. ㉠과 ㉡은 각각 X에 대한 항체와 면역 단백질 Y 중 하나이다.

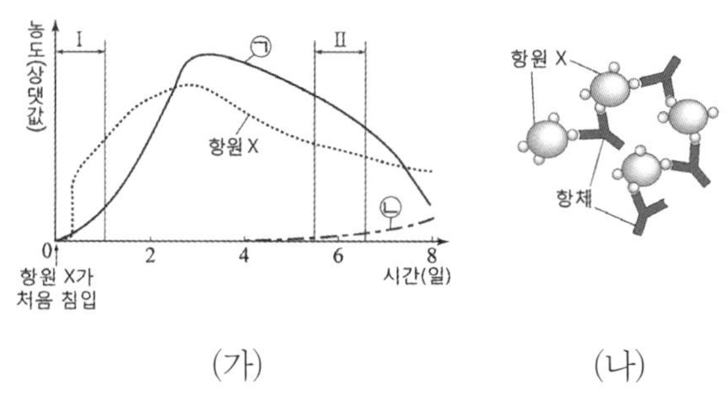

(가) (나)

이에 대한 설명으로 옳은 것만을 〈보기〉에서 있는 대로 고른 것은?

〈보 기〉

ㄱ. ㉠은 면역 단백질 Y이다.
ㄴ. (나) 반응은 구간 Ⅰ에서 일어난다.
ㄷ. 구간 Ⅱ에서 X에 대한 2차 면역 반응이 일어난다.

① ㄱ ② ㄴ ③ ㄷ ④ ㄱ, ㄴ ⑤ ㄴ, ㄷ

142. 다음은 쥐를 이용한 면역 반응 실험이다.

[실험 과정]

(가) 질병 P를 일으키는 세균 p에 감염된 적이 있는 쥐의 혈청 X와, 세균 p에 감염된 적이 없는 쥐의 혈청 Y를 준비한다.

(나) B 림프구가 형질 세포로 분화되는 기능이 상실된 5마리의 쥐에 실험 Ⅰ ~ Ⅴ와 같이 주사액의 조성을 달리하여 주사한 후 질병 P의 발병 여부를 조사한다. 실험 Ⅰ ~ Ⅴ에서 사용한 X의 양, Y의 양, p의 양은 각각 동일하다.

[실험 결과]

실험	실험 과정 (나)에서 쥐에게 주사한 주사액의 조성	질병 P의 발병 여부
Ⅰ	열처리 안 한 X + 세균 p	발병 안 함
Ⅱ	열처리한 X + 세균 p	발병함
Ⅲ	열처리 안 한 Y + 세균 p	발병함
Ⅳ	열처리한 X + 열처리 안 한 Y + 세균 p	㉠
Ⅴ	열처리 안 한 X + 열처리한 Y + 세균 p	㉡

이에 대한 설명으로 옳은 것만을 〈보기〉에서 있는 대로 고른 것은? (단, 실험 Ⅰ ~ Ⅴ에서 주사한 주사액의 조성 외에 모든 실험 조건은 동일하다.)

〈보 기〉

ㄱ. 혈청 X에는 세균 p에 대한 항체가 있다.
ㄴ. ㉠과 ㉡의 발병 여부 결과는 동일하다.
ㄷ. Ⅳ의 쥐에서 세균 p에 대한 체액성 면역이 일어난다.

① ㄱ ② ㄷ ③ ㄱ, ㄴ ④ ㄱ, ㄷ ⑤ ㄴ, ㄷ

15학년도 수능 8번

143. 그림 (가)는 어떤 사람 P가 세균 X에 감염된 후 순차적으로 나타나는 면역 반응 Ⅰ과 Ⅱ를, (나)는 P의 혈액에서 세균 X에 대한 항체의 농도를 시간에 따라 나타낸 것이다.

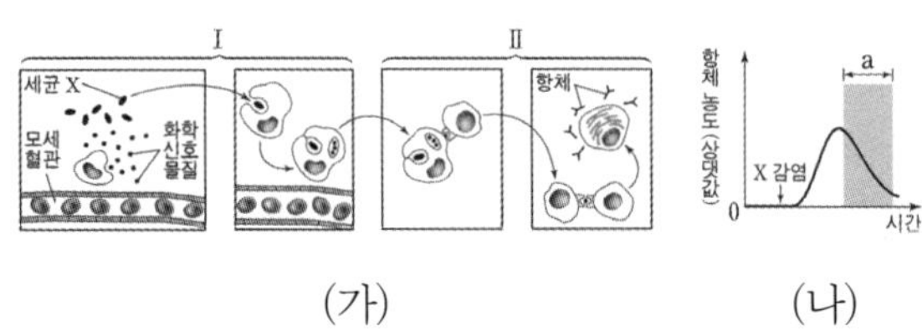

(가) (나)

이에 대한 설명으로 옳은 것만을 〈보기〉에서 있는 대로 고른 것은?

〈보 기〉

ㄱ. X에 감염된 후 Ⅰ에서 염증 반응이 일어난다.
ㄴ. Ⅱ의 세포는 모두 B 림프구이다.
ㄷ. (나)의 구간 a에서 X에 대한 형질 세포가 기억 세포로 분화 된다.

① ㄱ ② ㄷ ③ ㄱ, ㄴ ④ ㄱ, ㄷ ⑤ ㄴ, ㄷ

18학년도 6월 6번

144. 그림은 사람에서 일어나는 물질대사 Ⅰ과 Ⅱ를 나타낸 것이다.

아미노산 —Ⅰ→ 단백질

글리코젠 —Ⅱ→ 포도당

이에 대한 설명으로 옳은 것만을 〈보기〉에서 있는 대로 고른 것은?

〈보 기〉

ㄱ. Ⅰ은 동화 작용이다.
ㄴ. 형질 세포에서 Ⅰ이 일어난다.
ㄷ. 인슐린은 간에서 Ⅱ를 촉진한다.

① ㄱ ② ㄷ ③ ㄱ, ㄴ ④ ㄴ, ㄷ ⑤ ㄱ, ㄴ, ㄷ

19학년도 6월 16번

145. 다음은 항원 A와 B의 면역학적 특성을 알아보기 위한 자료이다.

- 항원 A와 B에 노출된 적이 없는 생쥐 ㉠에게 A와 B를 함께 주사하고, 4주 후 ㉠에게 동일한 양의 A와 B를 다시 주사하였다.
- 그림은 ㉠에서 A와 B에 대한 혈중 항체 농도의 변화를, 표는 t_1 시점에 ㉠으로부터 혈청을 분리하여 A와 B에 각각 섞었을 때의 항원 항체 반응 여부를 나타낸 것이다.

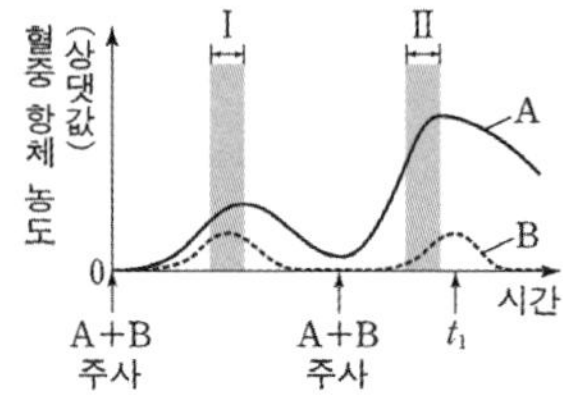

항원	반응 여부
A	○
B	ⓐ

(○ : 일어남, × : 일어나지 않음)

- ㉠에서 A에 대한 기억 세포는 형성되었고, B에 대한 기억 세포는 형성되지 않았다.

이에 대한 설명으로 옳은 것만을 〈보기〉에서 있는 대로 고른 것은?

〈보 기〉

ㄱ. ⓐ는 '×'이다.
ㄴ. 구간 Ⅰ에서 B에 대한 특이적 면역(방어) 작용이 일어났다.
ㄷ. 구간 Ⅱ에서 A에 대한 항체가 형질 세포로부터 생성되었다.

① ㄱ ② ㄴ ③ ㄱ, ㄷ ④ ㄴ, ㄷ ⑤ ㄱ, ㄴ, ㄷ

146. 다음은 항원 X에 대한 생쥐의 방어 작용 실험이다.

[실험 과정]

(가) 유전적으로 동일하고 X에 노출된 적이 없는 생쥐 ㉠, ㉡, ㉢을 준비한다.

(나) ㉠에게 X를 2회에 걸쳐 주사한다.

(다) 1주 후, (나)의 ㉠에서 ⓐ와 ⓑ를 각각 분리한다. ⓐ와 ⓑ는 혈청과 X에 대한 기억 세포를 순서 없이 나타낸 것이다.

(라) ㉡에게 ⓐ를, ㉢에게 ⓑ를 각각 주사한다.

(마) 일정 시간이 지난 후, ㉡과 ㉢에게 X를 각각 주사한다.

[실험 결과]

㉡과 ㉢의 X에 대한 혈중 항체 농도 변화는 그림과 같다.

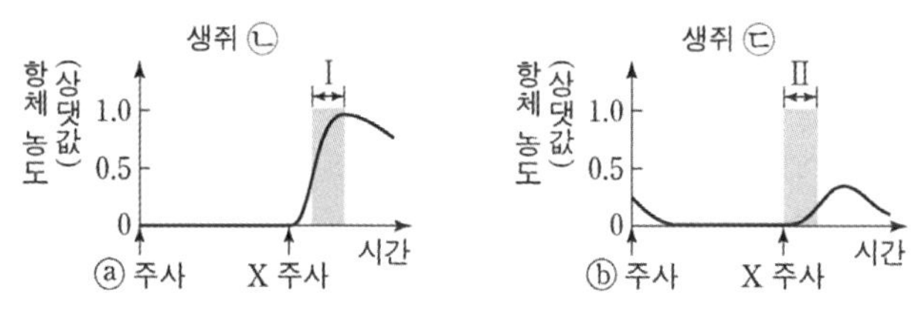

이에 대한 설명으로 옳은 것만을 〈보기〉에서 있는 대로 고른 것은?

〈보 기〉

ㄱ. ⓐ는 혈청이다.

ㄴ. 구간 Ⅰ에서 X에 대한 체액성 면역 반응이 일어났다.

ㄷ. 구간 Ⅱ에서 X에 대한 B 림프구가 형질 세포로 분화한다.

① ㄱ ② ㄴ ③ ㄱ, ㄷ ④ ㄴ, ㄷ ⑤ ㄱ, ㄴ, ㄷ

147. 다음은 병원체 X~Z를 이용한 실험이다.

[실험 과정 및 결과]

(가) 유전적으로 동일하고 X~Z에 노출된 적이 없는 생쥐 A~C를 준비하여, 생쥐 A에는 X를, 생쥐 B에는 Y를, 생쥐 C에는 Z를 주사한다.

(나) 1주 후 A~C에 각각 (가)에서와 동일한 병원체를 주사하였더니 모두 2차 면역 반응이 일어났다.

(다) (나)의 A에서 혈청 ⓐ를, B에서 혈청 ⓑ를, C에서 혈청 ⓒ를 분리하여 각각 X~Z와 섞는다.

(라) 그림은 병원체 ㉠~㉢에 존재하는 항원의 종류를, 표는 ⓐ~ⓒ와 X~Z의 항원 항체 반응 결과를 나타낸 것이다. ㉠~㉢은 X~Z를 순서 없이 나타낸 것이다.

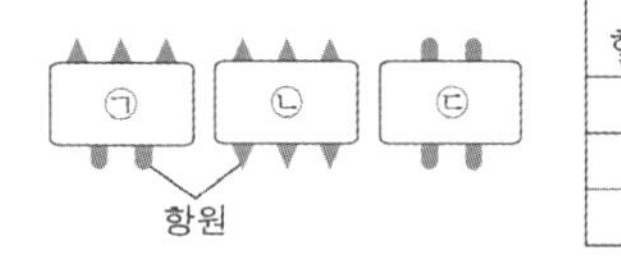

혈청 \ 병원체	X	Y	Z
ⓐ	+	+	−
ⓑ	+	+	+
ⓒ	−	+	+

(+: 반응함, −: 반응 안 함)

이에 대한 옳은 설명만을 〈보기〉에서 있는 대로 고른 것은?

〈보 기〉

ㄱ. ㉠은 Y이다.

ㄴ. ⓑ와 ⓒ를 섞으면 항원 항체 반응이 일어난다.

ㄷ. (나)의 B에 ㉢을 주사하면 기억 세포가 형질 세포로 분화된다.

① ㄱ ② ㄴ ③ ㄷ ④ ㄱ, ㄷ ⑤ ㄴ, ㄷ

19학년도 수능 10번

148. 다음은 병원성 세균 A에 대한 백신을 개발하기 위한 실험이다.

[실험 과정 및 결과]

(가) A로부터 두 종류의 물질 ㉠과 ㉡을 얻는다.

(나) 유전적으로 동일하고 A, ㉠, ㉡에 노출된 적이 없는 생쥐 Ⅰ~Ⅴ를 준비한다.

(다) 표와 같이 주사액을 Ⅰ~Ⅲ에게 주사하고 일정 시간이 지난 후, 생쥐의 생존 여부와 A에 대한 항체 생성 여부를 확인한다.

생쥐	주사액의 조성	생존 여부	항체 생성 여부
Ⅰ	물질 ㉠	산다	?
Ⅱ	물질 ㉡	산다	생성됨
Ⅲ	세균 A	죽는다	?

(라) 2주 후 (다)의 Ⅰ에서 혈청 ⓐ를, Ⅱ에서 혈청 ⓑ를 얻는다.

(마) 표와 같이 주사액을 Ⅳ와 Ⅴ에게 주사하고 1일 후 생쥐의 생존 여부를 확인한다.

생쥐	주사액의 조성	생존 여부
Ⅳ	혈청 ⓐ+세균 A	죽는다
Ⅴ	혈청 ⓑ+세균 A	산다

이에 대한 설명으로 옳은 것만을 〈보기〉에서 있는 대로 고른 것은? (단, 제시된 조건 이외는 고려하지 않는다.)

〈보 기〉

ㄱ. ⓑ에는 형질 세포가 들어 있다.
ㄴ. (다)의 Ⅱ에서 체액성 면역 반응이 일어났다.
ㄷ. (마)의 Ⅴ에서 A에 대한 2차 면역 반응이 일어났다.

① ㄱ ② ㄴ ③ ㄷ ④ ㄱ, ㄷ ⑤ ㄴ, ㄷ

20학년도 6월 9번

149. 그림 (가)와 (나)는 어떤 사람이 세균 X에 처음 감염된 후 나타나는 면역 반응을 순차적으로 나타낸 것이다. ㉠과 ㉡은 B 림프구와 보조 T 림프구를 순서 없이 나타낸 것이다.

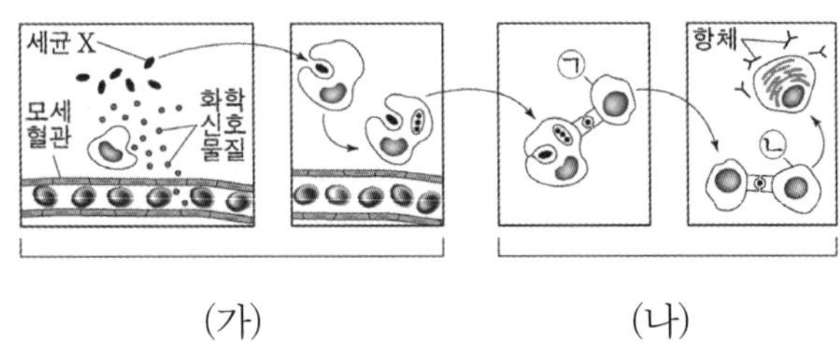

(가) (나)

이에 대한 설명으로 옳은 것만을 〈보기〉에서 있는 대로 고른 것은?

〈보 기〉

ㄱ. (가)에서 X에 대한 비특이적 면역 반응이 일어났다.
ㄴ. ㉡은 가슴샘(흉선)에서 성숙되었다.
ㄷ. (나)에서 X에 대한 2차 면역 반응이 일어났다.

① ㄱ ② ㄴ ③ ㄷ ④ ㄱ, ㄷ ⑤ ㄴ, ㄷ

20학년도 9월 10번

150. 다음은 항원 A~C에 대한 생쥐의 방어 작용 실험이다.

[실험 과정]

(가) 유전적으로 동일하고 A, B, C에 노출된 적이 없는 생쥐 Ⅰ~Ⅳ를 준비한다.

(나) Ⅰ에 A를, Ⅱ에 ㉠을, Ⅲ에 ㉡을, Ⅳ에 생리 식염수를 1회 주사한다. ㉠과 ㉡은 B와 C를 순서 없이 나타낸 것이다.

(다) 2주 후, (나)의 Ⅰ에서 기억 세포를 분리하여 Ⅱ에, (나)의 Ⅲ에서 기억 세포를 분리하여 Ⅳ에 주사한다.

(라) 1주 후, (다)의 Ⅱ와 Ⅳ에 일정 시간 간격으로 A, B, C를 주사한다.

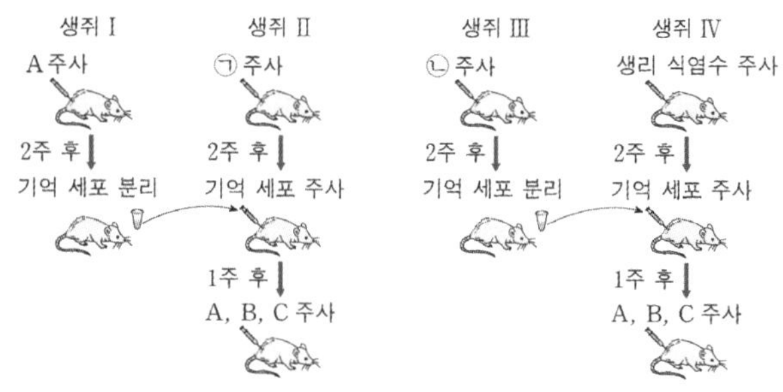

[실험 결과]

Ⅱ와 Ⅳ에서 A, B, C에 대한 혈중 항체 농도 변화는 그림과 같다.

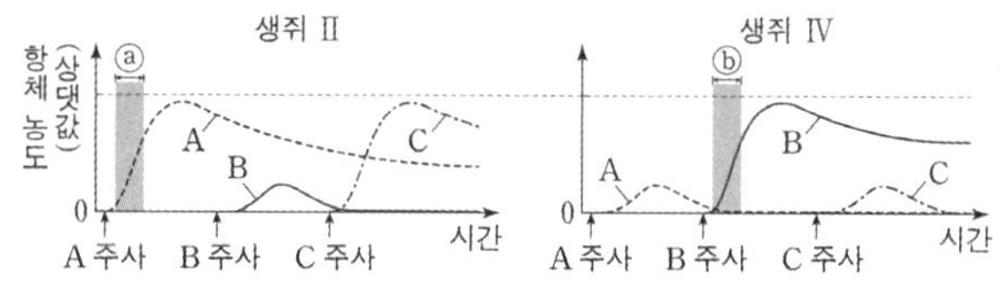

이에 대한 설명으로 옳은 것만을 〈보기〉에서 있는 대로 고른 것은?

〈보 기〉

ㄱ. ㉠은 C이다.

ㄴ. 구간 ⓐ에서 A에 대한 체액성 면역 반응이 일어났다.

ㄷ. 구간 ⓑ에서 B에 대한 형질 세포가 기억 세포로 분화되었다.

① ㄱ ② ㄴ ③ ㄷ ④ ㄱ, ㄴ ⑤ ㄴ, ㄷ

19학년도 10월 9번

151. 다음은 병원체 A~C를 이용한 생쥐의 방어 작용 실험이다.

○ A~C에 있는 항원은 그림과 같으며, A를 약화시켜 만든 백신 X에 A의 모든 항원이 포함되어 있다.

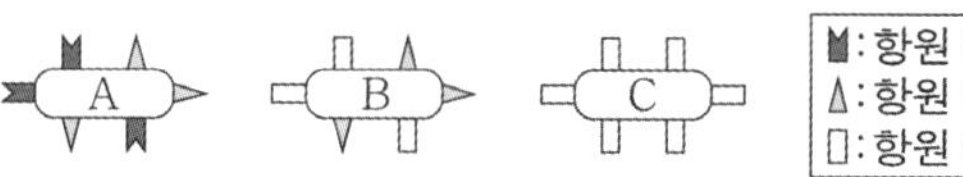

○ 병원체 Ⓟ와 Ⓡ는 각각 B와 C 중 하나이다.

[실험 과정 및 결과]

(가) A~C에 노출된 적이 없고, 유전적으로 동일한 생쥐 1과 생쥐 2에 각각 X를 주사한다.

(나) 일정 시간 후 생쥐 1에 Ⓟ를, 생쥐 2에 Ⓡ를 주사한다.

(다) 생쥐 1과 생쥐 2에서 혈중 항체 농도 변화는 그림과 같다.

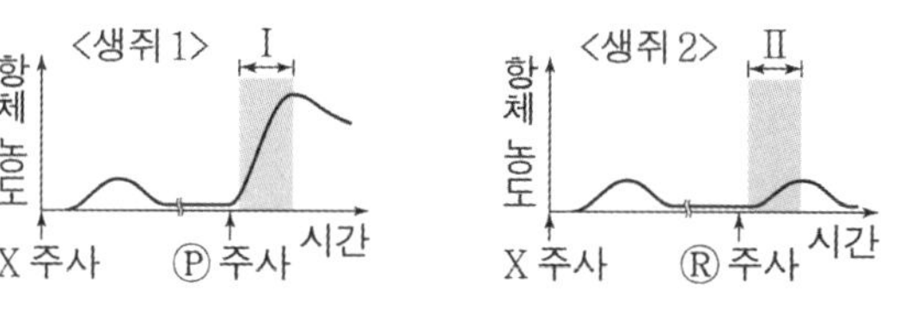

이에 대한 옳은 설명만을 〈보기〉에서 있는 대로 고른 것은? (단, 제시한 항원과 조건 이외는 고려하지 않는다.)

〈보 기〉

ㄱ. Ⓡ에 ㉠~㉢ 중 2가지 항원이 있다.

ㄴ. 구간 Ⅰ의 생쥐 1에서 ㉡에 대한 기억 세포가 형질 세포로 분화되었다.

ㄷ. 구간 Ⅱ의 생쥐 2에서 특이적 방어 작용이 일어났다.

① ㄱ ② ㄴ ③ ㄱ, ㄷ ④ ㄴ, ㄷ ⑤ ㄱ, ㄴ, ㄷ

21학년도 6월 15번

152. 표 (가)는 세포 Ⅰ~Ⅲ에서 특징 ㉠~㉢의 유무를 나타낸 것이고, (나)는 ㉠~㉢을 순서 없이 나타낸 것이다. Ⅰ~Ⅲ은 각각 보조 T 림프구, 세포독성 T 림프구, 형질 세포 중 하나이다.

세포＼특징	㉠	㉡	㉢
Ⅰ	○	○	○
Ⅱ	×	○	×
Ⅲ	○	○	×

(○: 있음, ×: 없음)

(가)

특징 (㉠~㉢)
• 특이적 방어 작용에 관여한다. • 가슴샘에서 성숙된다. • 병원체에 감염된 세포를 직접 파괴한다.

(나)

이에 대한 설명으로 옳은 것만을 〈보기〉에서 있는 대로 고른 것은?

〈보 기〉

ㄱ. Ⅰ은 보조 T 림프구이다.
ㄴ. Ⅱ에서 항체가 분비된다.
ㄷ. ㉢은 '병원체에 감염된 세포를 직접 파괴한다.'이다.

① ㄱ ② ㄴ ③ ㄱ, ㄷ ④ ㄴ, ㄷ ⑤ ㄱ, ㄴ, ㄷ

22학년도 6월 10번

153. 다음은 항원 X에 대한 생쥐의 방어 작용 실험이다

[실험 과정 및 결과]

(가) 유전적으로 동일하고 X에 노출된 적이 없는 생쥐 A~D를 준비한다.

(나) A와 B에 X를 각각 2회에 걸쳐 주사한 후, A와 B에서 특이적 방어 작용이 일어났는 지 확인한다.

생쥐	특이적 방어 작용
A	○
B	ⓐ

(다) 일정 시간이 지난 후, (나)의 A에서 ㉠을 분리하여 C에, (나)의 B에서 ㉡을 분리하여 D에 주사한다. ㉠과 ㉡은 혈장과 기억 세포를 순서 없이 나타낸 것이다.

(라) 일정 시간이 지난 후, C와 D에 X를 각각 주사한다. C와 D에서 X에 대한 혈중 항체 농도 변화는 그림과 같다.

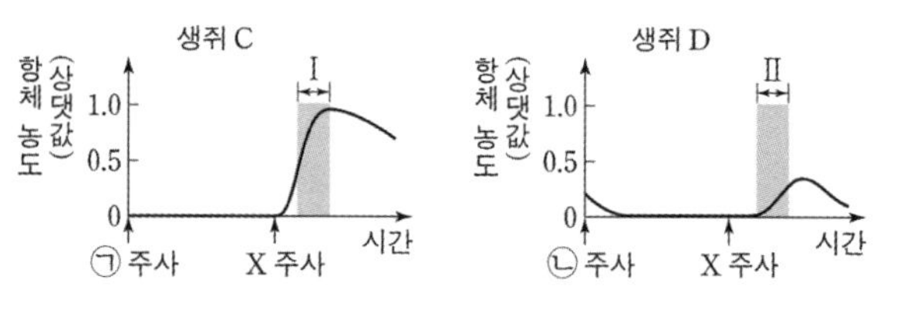

이에 대한 설명으로 옳은 것만을 〈보기〉에서 있는 대로 고른 것은?

〈보 기〉

ㄱ. ⓐ는 '○'이다.
ㄴ. 구간 Ⅰ에서 X에 대한 항체가 형질 세포로부터 생성되었다.
ㄷ. 구간 Ⅱ에서 X에 대한 1차 면역 반응이 일어났다.

① ㄱ ② ㄷ ③ ㄱ, ㄴ ④ ㄴ, ㄷ ⑤ ㄱ, ㄴ, ㄷ

154. 그림 (가)와 (나)는 결핵의 병원체와 후천성 면역 결핍증(AIDS)의 병원체를 순서 없이 나타낸 것이다. (나)는 세포 구조로 되어 있다.

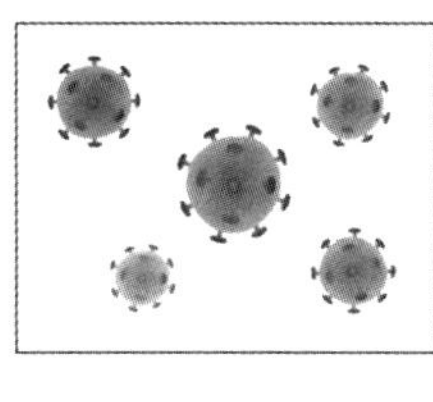
(가)

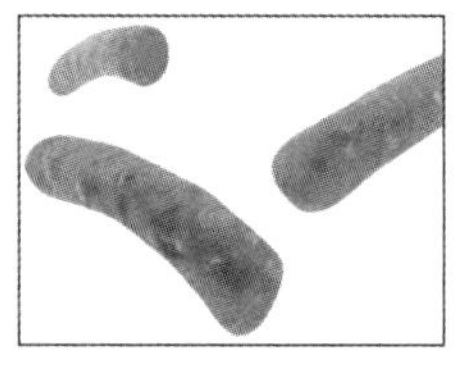
(나)

이에 대한 설명으로 옳은 것만을 〈보기〉에서 있는 대로 고른 것은?

〈보 기〉

ㄱ. (가)는 결핵의 병원체이다.
ㄴ. (나)는 원생생물이다.
ㄷ. (가)와 (나)는 모두 단백질을 갖는다.

① ㄱ ② ㄷ ③ ㄱ, ㄴ ④ ㄴ, ㄷ ⑤ ㄱ, ㄴ, ㄷ

155. 다음은 병원체 P에 대한 백신을 개발하기 위한 실험이다.

[실험 과정 및 결과]
(가) P로부터 두 종류의 백신 후보 물질 ㉠과 ㉡을 얻는다.
(나) P, ㉠, ㉡에 노출된 적이 없고, 유전적으로 동일한 생쥐 Ⅰ~Ⅴ를 준비한다.
(다) 표와 같이 주사액을 Ⅰ~Ⅳ에게 주사하고 일정 시간이 지난 후, 생쥐의 생존 여부를 확인한다.

생쥐	주사액 조성	생존 여부
Ⅰ	㉠	산다
Ⅱ, Ⅲ	㉡	산다
Ⅳ	P	죽는다

(라) (다)의 Ⅲ에서 ㉡에 대한 B 림프구가 분화한 기억 세포를 분리하여 Ⅴ에게 주사한다.
(마) (다)의 Ⅰ과 Ⅱ, (라)의 Ⅴ에게 각각 P를 주사하고 일정 시간이 지난 후, 생쥐의 생존 여부를 확인한다.

생쥐	생존 여부
Ⅰ	죽는다
Ⅱ	산다
Ⅴ	산다

이에 대한 설명으로 옳은 것만을 〈보기〉에서 있는 대로 고른 것은? (단, 제시된 조건 이외는 고려하지 않는다.)

〈보 기〉

ㄱ. P에 대한 백신으로 ㉠이 ㉡보다 적합하다.
ㄴ. (다)의 Ⅱ에서 ㉡에 대한 1차 면역 반응이 일어났다.
ㄷ. (마)의 Ⅴ에서 기억 세포로부터 형질 세포로의 분화가 일어났다.

① ㄱ ② ㄴ ③ ㄱ, ㄷ ④ ㄴ, ㄷ ⑤ ㄱ, ㄴ, ㄷ

22학년도 7월 2번

156. (가)는 질병 A~C에서 특징 ㉠~㉢의 유무를, (나)는 ㉠~㉢을 순서 없이 나타낸 것이다. A~C는 결핵, 말라리아, 헌팅턴 무도병을 순서 없이 나타낸 것이다.

질병 \ 특징	㉠	㉡	㉢
A	○	×	?
B	○	?	×
C	?	○	×

(○: 있음, ×: 없음)

특징(㉠~㉢)
○ 비감염성 질병이다. ○ 병원체가 원생생물이다. ○ 병원체가 세포 구조로 되어 있다.

이에 대한 옳은 설명만을 〈보기〉에서 있는 대로 고른 것은?

〈보 기〉

ㄱ. A는 모기를 매개로 전염된다.
ㄴ. B의 치료에는 항생제가 사용된다.
ㄷ. C는 헌팅턴 무도병이다.

① ㄱ ② ㄷ ③ ㄱ, ㄴ ④ ㄴ, ㄷ ⑤ ㄱ, ㄴ, ㄷ

23학년도 9월 14번

157. 다음은 검사 키트를 이용하여 병원체 X의 감염 여부를 확인하기 위한 실험이다.

○ 사람으로부터 채취한 시료를 검사 시트에 떨어뜨리면 시료는 물질 ⓐ와 함께 이동한다. ⓐ는 X에 결합할 수 있고, 색소가 있다.

○ 검사 키트의 Ⅰ에는 ㉠이, Ⅱ에는 ㉡이 각각 부착되어 있다. ㉠과 ㉡ 중 하나는 'X에 대한 항체'이고, 나머지 하나는 'ⓐ에 대한 항체'이다.

○ ㉠과 ㉡에 각각 항원이 결합하면, ⓐ의 색소에 의해 띠가 나타난다.

[실험 과정 및 결과]

(가) 사람 A와 B로부터 시료를 각각 준비한 후, 검사 키트에 각 시료를 떨어뜨린다.

(나) 일정 시간이 지난 후 검사 키트를 확인한 결과는 그림과 같고, A와 B 중 한 사람만 X에 감염되었다.

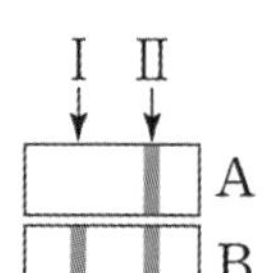

이 자료에 대한 설명으로 옳은 것만을 〈보기〉에서 있는 대로 고른 것은? (단, 제시된 조건 이외는 고려하지 않는다.)

〈보 기〉

ㄱ. ㉡은 'ⓐ에 대한 항체'이다.
ㄴ. B는 X에 감염되었다.
ㄷ. 검사 키트에는 항원 항체 반응의 원리가 이용된다.

① ㄱ ② ㄴ ③ ㄱ, ㄷ ④ ㄴ, ㄷ ⑤ ㄱ, ㄴ, ㄷ

158. 다음은 병원체 X와 Y에 대한 생쥐의 방어 작용 실험이다.

○ X와 Y에 모두 항원 ㉮가 있다.

[실험 과정 및 결과]

(가) 유전적으로 동일하고 X와 Y에 노출된 적이 없는 생쥐 Ⅰ~Ⅳ를 준비한다.

(나) Ⅰ에게 X를, Ⅱ에게 Y를 주사하고 일정 시간이 지난 후, 생쥐의 생존 여부를 확인한다.

생쥐	생존 여부
Ⅰ	산다
Ⅱ	죽는다

(다) (나)의 Ⅰ에서 ㉮에 대한 B 림프구가 분화한 기억 세포를 분리한다.

(라) Ⅲ에게 X를, Ⅳ에게 (다)의 기억 세포를 주사한다.

(마) 일정 시간이 지난 후, Ⅲ과 Ⅳ에게 Y를 각각 주사한다. Ⅲ과 Ⅳ에서 ㉮에 대한 혈중 항체 농도 변화는 그림과 같다.

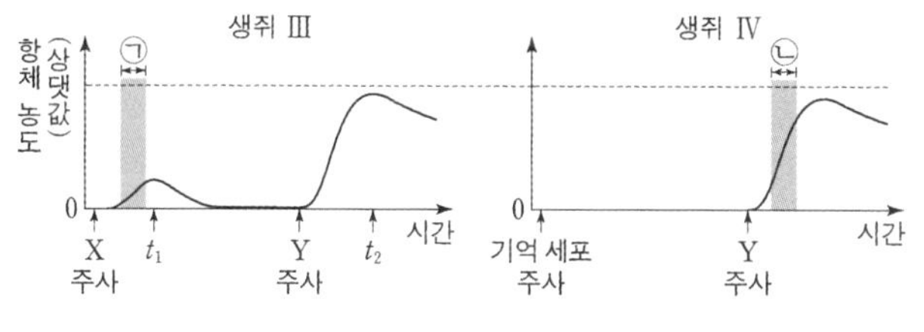

이에 대한 설명으로 옳은 것만을 〈보기〉에서 있는 대로 고른 것은? (단, 제시된 조건 이외는 고려하지 않는다.)

〈보 기〉

ㄱ. Ⅲ에서 ㉮에 대한 혈중 항체 농도는 t_1일 때가 t_2일 때보다 높다.

ㄴ. 구간 ㉠에서 ㉮에 대한 특이적 방어 작용이 일어났다.

ㄷ. 구간 ㉡에서 형질 세포가 기억 세포로 분화되었다.

① ㄱ ② ㄴ ③ ㄱ, ㄷ ④ ㄴ, ㄷ ⑤ ㄱ, ㄴ, ㄷ

159. 그림은 어느 가족의 가계도를, 표는 이 가계도 구성원의 ABO식 혈액형에 대한 응집원 ㉠과 응집소 ㉡의 유무를 조사한 것이다. 1~4의 ABO식 혈액형은 모두 다르며, 2의 ABO식 혈액형의 유전자형은 이형 접합성이다.

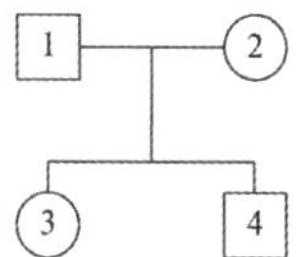

구성원	1	2	3	4
응집원 ㉠	있음	?	있음	?
응집소 ㉡	없음	?	없음	?

이에 대한 설명으로 옳은 것만을 〈보기〉에서 있는 대로 고른 것은? (단, ABO식 혈액형만 고려하며, 돌연변이는 없다.)

〈보 기〉

ㄱ. 2의 혈장과 4의 혈구를 섞으면 응집 반응이 일어난다.

ㄴ. 3은 응집원 A를 갖는다.

ㄷ. 4의 동생이 한 명 태어날 때, 이 아이가 응집원 ㉠을 가질 확률은 $\frac{1}{2}$이다.

① ㄱ ② ㄴ ③ ㄷ ④ ㄱ, ㄴ ⑤ ㄴ, ㄷ

16학년도 10월 14번

160. 표는 부모와 두 자녀 (가)~(라)의 혈액을 혈장 ㉠~㉢과 섞었을 때의 ABO식 혈액형에 대한 응집 여부를 나타낸 것이다. (가)~(라)의 ABO식 혈액형은 모두 다르며, 아버지의 혈장과 어머니의 혈장은 각각 ㉠~㉢ 중 하나이다.

구분	(가)	(나)	(다)	(라)
㉠	−	−	+	+
㉡	−	+	+	ⓐ
㉢	ⓑ	+	−	+

(+ : 응집함, − : 응집 안 함)

이에 대한 옳은 설명만을 〈보기〉에서 있는 대로 고른 것은? (단, ABO식 혈액형만 고려한다.)

〈보 기〉

ㄱ. ⓐ와 ⓑ는 모두 '+'이다.
ㄴ. 부모는 (나)와 (다)이다.
ㄷ. (가)의 혈장과 (라)의 적혈구를 섞으면 응집 반응이 일어난다.

① ㄱ ② ㄷ ③ ㄱ, ㄴ ④ ㄴ, ㄷ ⑤ ㄱ, ㄴ, ㄷ

19학년도 4월 18번

161. 표는 사람 (가)~(라) 사이의 ABO식 혈액형에 대한 혈액 응집 반응 결과를, 그림은 (가)의 혈액과 (나)의 혈장을 섞은 결과를 나타낸 것이다. (가)~(라)의 ABO식 혈액형은 모두 다르다.

구분	(다)의 혈장	(라)의 혈장
(가)의 적혈구	㉠	−
(나)의 적혈구	+	?

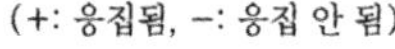
(+: 응집됨, −: 응집 안 됨)

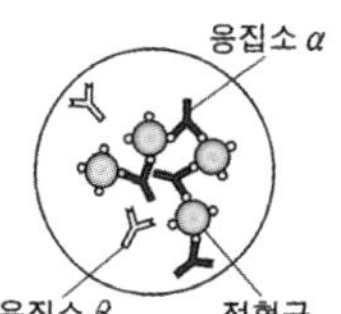

이에 대한 설명으로 옳은 것만을 〈보기〉에서 있는 대로 고른 것은? (단, ABO식 혈액형만 고려한다.)

〈보 기〉

ㄱ. ㉠은 '−'이다.
ㄴ. (나)의 혈액형은 B형이다.
ㄷ. (다)의 혈장과 (라)의 적혈구를 섞으면 응집 반응이 일어난다.

① ㄱ ② ㄴ ③ ㄱ, ㄷ ④ ㄴ, ㄷ ⑤ ㄱ, ㄴ, ㄷ

19학년도 7월 17번

162. 다음은 사람 (가)~(다)의 ABO식 혈액형에 대한 자료이다.

- (가)~(다)의 ABO식 혈액형은 모두 다르다.
- (나)는 응집원 A를 갖는다.
- (다)의 혈구를 (가)의 혈장과 섞으면 응집 반응이 일어나지 않고, (나)의 혈장과 섞으면 응집 반응이 일어난다.
- 표는 (가)와 (나)의 혈액에서 ㉠~㉣의 유무를 나타낸 것이다. ㉠~㉣은 응집원 A, 응집원 B, 응집소 α, 응집소 β를 순서 없이 나타낸 것이다.

구분	㉠	㉡	㉢	㉣
(가)	○	×	○	×
(나)	○	○	×	×

(○ : 있음, × : 없음)

이에 대한 설명으로 옳은 것만을 〈보기〉에서 있는 대로 고른 것은? (단, ABO식 혈액형만 고려한다.)

〈보 기〉

ㄱ. (가)의 혈액과 항 A혈청을 섞으면 응집 반응이 일어난다.
ㄴ. (다)의 혈액에는 ㉢이 있다.
ㄷ. ㉣은 응집소 β이다.

① ㄱ ② ㄴ ③ ㄷ ④ ㄱ, ㄴ ⑤ ㄴ, ㄷ

20학년도 7월 19번

163. 다음은 철수 가족의 ABO식 혈액형에 관한 자료이다.

○ 철수 가족의 ABO식 혈액형은 서로 다르다.
○ 표는 아버지, 어머니, 철수의 혈액을 각각 혈구와 혈장으로부터 분리하여 서로 섞었을 때 응집 여부를 나타낸 것이다.

구분	어머니의 혈장	철수의 혈장
아버지의 혈구	응집됨	응집 안 됨

이에 대한 설명으로 옳은 것만을 〈보기〉에서 있는 대로 고른 것은? (단, ABO식 혈액형만 고려한다.)

〈보 기〉

ㄱ. 어머니는 O형이다.
ㄴ. 철수의 혈구와 어머니의 혈장을 섞으면 응집된다.
ㄷ. 아버지와 철수의 혈장에는 동일한 종류의 응집소가 있다.

① ㄴ ② ㄷ ③ ㄱ, ㄴ ④ ㄱ, ㄷ ⑤ ㄱ, ㄴ, ㄷ

20학년도 10월 10번

164. 표 (가)는 사람 Ⅰ~Ⅲ의 혈액에서 응집원 B와 응집소 β의 유무를, (나)는 Ⅰ~Ⅲ의 혈액을 혈청 ㉠~㉢과 각각 섞었을 때의 ABO식 혈액형에 대한 응집 반응 결과를 나타낸 것이다. Ⅰ~Ⅲ의 ABO식 혈액형은 모두 다르며, ㉠~㉢은 Ⅰ의 혈청, Ⅱ의 혈청, 항 B 혈청을 순서 없이 나타낸 것이다.

구분	응집원 B	응집소 β
Ⅰ	○	?
Ⅱ	?	×
Ⅲ	?	○

(○: 있음, ×: 없음)

(가)

구분	㉠	㉡	㉢
Ⅰ의 혈액	−	?	?
Ⅱ의 혈액	?	+	+
Ⅲ의 혈액	?	+	−

(+: 응집됨, −: 응집 안 됨)

(나)

이에 대한 설명으로 옳은 것만을 〈보기〉에서 있는 대로 고른 것은? (단, ABO식 혈액형만 고려한다.)

〈보 기〉

ㄱ. ㉢은 항B 혈청이다.
ㄴ. Ⅰ의 ABO식 혈액형은 B형이다.
ㄷ. Ⅱ의 혈액에는 응집소 α가 있다.

① ㄱ ② ㄴ ③ ㄷ ④ ㄱ, ㄴ ⑤ ㄴ, ㄷ

13학년도 7월 15번

165. 그림은 ABO식 혈액형이 A형인 영희의 혈액을 철수의 혈액과 섞었을 때 응집 반응 결과를, 표는 영희의 혈액을 혈구와 혈장으로 분리 하여 학생 30명의 혈액과 반응시킨 결과를 나타낸 것이다.

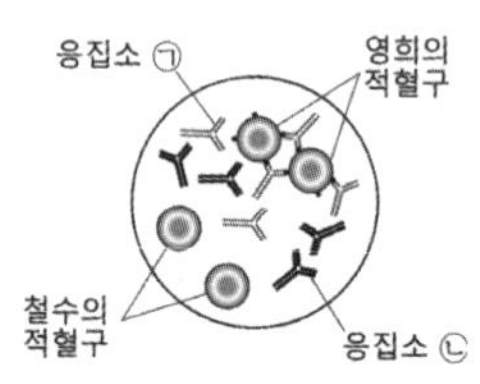

ABO식 혈액형	영희의 혈액		인원(명)
	혈구	혈장	
(가)	+	+	9
(나)	+	−	7
(다)	−	+	3
(라)	−	−	11

(+ : 응집함, − : 응집 안 함)

이에 대한 설명으로 옳은 것만을 〈보기〉에서 있는 대로 고른 것은? (단, ABO식 혈액형에 대한 응집 반응만을 고려한다.)

〈보 기〉

ㄱ. 철수의 혈액형은 (가)이다.
ㄴ. 30명의 학생 중 ㉡을 가진 학생은 18명이다.
ㄷ. 영희의 응집원과 ㉠의 반응은 항원 항체 반응이다.

① ㄱ ② ㄷ ③ ㄱ, ㄴ ④ ㄴ, ㄷ ⑤ ㄱ, ㄴ, ㄷ

14학년도 9월 13번

166. 표는 100명의 학생 집단을 대상으로 ABO식 혈액형에 대한 응집원 ㉠과 응집소 ㉡의 유무를 조사한 것이다. 이 집단에는 A형, B형, AB형, O형이 모두 있다.

구분	학생 수
응집원 ㉠을 가진 학생	38
응집소 ㉡을 가진 학생	55
응집원 ㉠과 응집소 ㉡을 모두 가진 학생	27

이 집단에 대한 설명으로 옳은 것만을 〈보기〉에서 있는 대로 고른 것은?

〈보 기〉

ㄱ. O형의 학생이 가장 많다.
ㄴ. 항 A 혈청과 항 B 혈청 모두에 응집되는 혈액을 가진 학생은 11명이다.
ㄷ. 항 B 혈청에 응집되는 혈액을 가진 학생보다 응집되지 않는 혈액을 가진 학생이 많다.

① ㄱ ② ㄴ ③ ㄷ ④ ㄱ, ㄴ ⑤ ㄴ, ㄷ

16학년도 9월 15번

167. 그림은 철수의 혈액 응집 반응 결과를 나타낸 것이고, 표는 200명의 학생으로 구성된 집단을 대상으로 ABO식 혈액형에 대한 응집원 ㉠ 과 응집소 ㉡의 유무를 조사한 것이다. 이 집단에는 철수가 포함되지 않으며, A형, B형, AB형, O형이 모두 있다.

항 A 혈청	항 B 혈청
응집됨	응집됨

구분	사람 수
응집원 ㉠이 있는 사람	79
응집소 ㉡이 있는 사람	111
응집원 ㉠과 응집소 ㉡이 모두 있는 사람	57

이 집단에서 ABO식 혈액형이 철수와 같은 사람의 수는?

17학년도 4월 10번

168. 그림은 철수의 혈액과 혈액형이 A형인 영희의 혈액을 섞은 결과를 나타낸 것이고, 표는 30명의 학생으로 구성된 집단을 대상으로 ㉠과 ㉡에 대한 응집 반응 여부를 조사한 것이다. ㉠과 ㉡은 각각 응집소 α 와 응집소 β 중 하나이다.

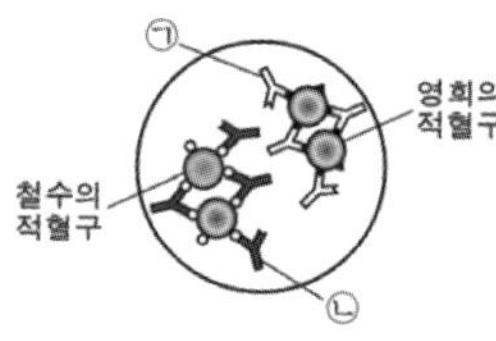

구분	학생 수
㉠과 응집 반응이 일어남	17
㉡과 응집 반응이 일어남	15
㉠, ㉡과 모두 응집 반응이 일어남	10

이에 대한 설명으로 옳은 것만을 〈보기〉에서 있는 대로 고른 것은? (단, 이 집단에는 철수와 영희가 포함되지 않고, ABO식 혈액형만 고려한다.)

〈보 기〉

ㄱ. 철수는 B형이다.
ㄴ. 이 집단에서 A형인 학생은 7명이다.
ㄷ. 이 집단에서 ㉠을 가진 학생은 15명이다.

① ㄱ ② ㄷ ③ ㄱ, ㄴ ④ ㄴ, ㄷ ⑤ ㄱ, ㄴ, ㄷ

17학년도 6월 17번

169. 다음은 Rh식 혈액형 판정에 대한 실험이다.

[실험 과정]

(가) 붉은털원숭이의 혈액에서 ⓐ 적혈구를 분리하여 토끼에게 주사한다.

(나) 1주 후, (가)의 토끼에서 혈액을 채취하여 ⓑ 적혈구와 ⓒ 혈청을 각각 분리하여 얻는다.

(다) (나)에서 얻은 [㉠]을/를 사람 Ⅰ, Ⅱ의 혈액에 각각 섞었을 때의 응집 여부에 따라 Rh식 혈액형을 판정한다.

[실험 결과]

구분	응집 여부	Rh식 혈액형
사람 Ⅰ	응집됨	Rh^+형
사람 Ⅱ	응집 안 됨	Rh^-형

이에 대한 설명으로 옳은 것만을 〈보기〉에서 있는 대로 고른 것은?

〈보 기〉

ㄱ. ㉠은 ⓑ이다.

ㄴ. ⓐ와 ⓒ를 섞으면 응집 반응이 일어난다.

ㄷ. Ⅰ의 혈액에는 Rh 응집원이 존재한다.

① ㄱ ② ㄴ ③ ㄷ ④ ㄱ, ㄴ ⑤ ㄴ, ㄷ

18학년도 6월 16번

170. 표는 200명의 학생 집단을 대상으로 ABO식 혈액형에 대한 응집원 ㉠, ㉡과 응집소 ㉢, ㉣의 유무와 Rh식 혈액형에 대한 응집원의 유무를 조사한 것이다. 이 집단에는 A형, B형, AB형, O형이 모두 있고, A형인 학생 수가 O형인 학생 수보다 많다. Rh^-형인 학생들 중 A형인 학생과 AB형인 학생은 각각 1명이다.

구분	학생 수
응집원 ㉠을 가진 학생	74
응집소 ㉢을 가진 학생	110
응집원 ㉡과 응집소 ㉣을 모두 가진 학생	70
Rh 응집원을 가진 학생	198

이 집단에 대한 설명으로 옳은 것만을 〈보기〉에서 있는 대로 고른 것은?

〈보 기〉

ㄱ. O형인 학생 수가 B형인 학생 수보다 많다.

ㄴ. Rh^+형인 학생들 중 AB형인 학생 수는 20이다.

ㄷ. 항 A 혈청에 응집되는 혈액을 가진 학생 수가 항 A 혈청에 응집되지 않는 혈액을 가진 학생 수보다 많다.

① ㄱ ② ㄴ ③ ㄱ, ㄷ ④ ㄴ, ㄷ ⑤ ㄱ, ㄴ, ㄷ

18학년도 7월 18번

171. 표는 ABO식 혈액형이 모두 다른 사람 ㉠~㉣의 혈구와 혈장을 각각 섞었을 때의 응집 여부를, 그림은 ㉠과 ㉡의 혈액형 판정 결과를 나타낸 것이다. Ⅰ과 Ⅱ는 각각 항 B 혈청과 항 Rh 혈청 중 하나이다.

혈장 \ 혈구	㉠	㉡	㉢	㉣
㉠		?	?	○
㉡	○		?	?
㉢	?	×		?
㉣	?	?	×	

(○: 응집됨, ×: 응집 안 됨)

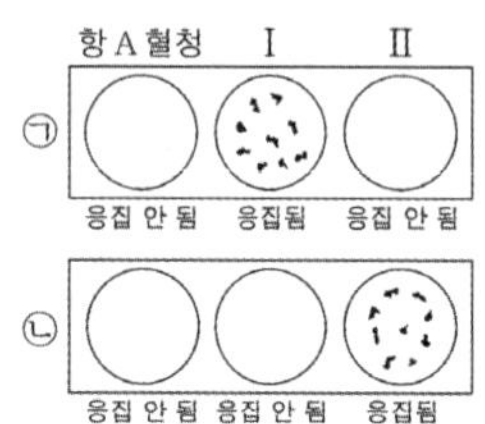

이에 대한 설명으로 옳은 것만을 〈보기〉에서 있는 대로 고른 것은? (단, ABO식 혈액형과 Rh식 혈액형만 고려하며, ㉠~㉣ 중 Rh^-형인 사람의 혈장에는 Rh 응집소가 없다.)

〈보 기〉

ㄱ. ㉠은 Rh 응집원을 갖는다.
ㄴ. ㉡과 ㉢의 혈장에는 동일한 종류의 응집소가 있다.
ㄷ. ㉣의 혈액을 Ⅰ과 섞으면 응집 반응이 일어난다.

① ㄱ ② ㄴ ③ ㄷ ④ ㄴ, ㄷ ⑤ ㄱ, ㄴ, ㄷ

14학년도 9월 7번

172. 그림 (가)와 (나)는 세포 주기에 따른 염색체의 응축 정도를, (다)는 염색체의 구성 성분을 나타낸 것이다.

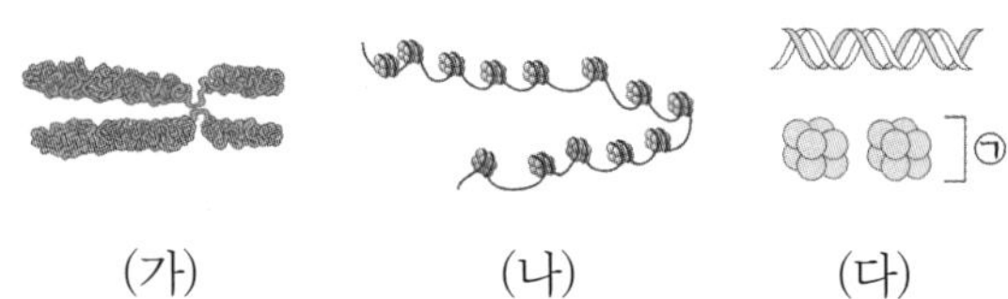

이에 대한 설명으로 옳은 것만을 〈보기〉에서 있는 대로 고른 것은?

〈보 기〉

ㄱ. 세포 주기의 G_1기에 (나)가 관찰된다.
ㄴ. 세포 주기의 S기에 (나)가 (가)로 응축된다.
ㄷ. (다)의 ㉠은 뉴클레오솜이다.

① ㄱ ② ㄷ ③ ㄱ, ㄴ ④ ㄴ, ㄷ ⑤ ㄱ, ㄴ, ㄷ

15학년도 4월 3번

173. 표는 서로 다른 세포 (가)~(다)의 세포 주기에서 각 시기별 소요 시간을 나타낸 것이다.

(단위 : 시간)

구분	(가)	(나)	(다)
G_1기	1	12	8
S기	10.5	6	7
G_2기	2.5	8	4
분열기	3	2	1

이에 대한 설명으로 옳은 것만을 〈보기〉에서 있는 대로 고른 것은?

〈보 기〉

ㄱ. S기는 DNA 복제가 일어나는 시기이다.
ㄴ. 간기의 소요 시간은 (나)보다 (가)가 길다.
ㄷ. 세포 주기는 (가)~(다) 중 (다)가 가장 짧다.

① ㄱ ② ㄷ ③ ㄱ, ㄴ ④ ㄱ, ㄷ ⑤ ㄴ, ㄷ

15학년도 7월 10번

174. 다음은 어떤 동물 조직의 세포 주기에 대한 자료이다.

○ 그림은 배양 중인 이 동물의 조직에서 세포당 DNA 상대량에 따른 세포 수를 나타낸 것이다.

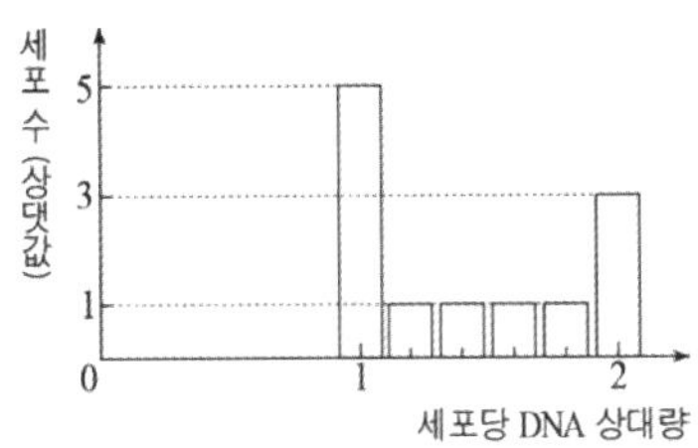

○ 표는 이 조직의 세포 주기 중 각 시기에 나타나는 특징의 일부를 나타낸 것이다. (가)~(라)는 각각 G_1기, G_2기, M기, S기 중 하나이다.

시기	특징
(가)	DNA가 복제된다.
(나)	세포의 생장이 가장 활발하다.
(다)	염색체가 관찰된다.
(라)	방추사를 구성하는 단백질이 합성된다.

○ 이 조직의 세포 주기에서 (가) 시기에 해당하는 시간은 M기에 해당하는 시간의 4배이다.

다음 중 이 동물 조직의 세포 주기를 나타낸 것으로 가장 적절한 것은?

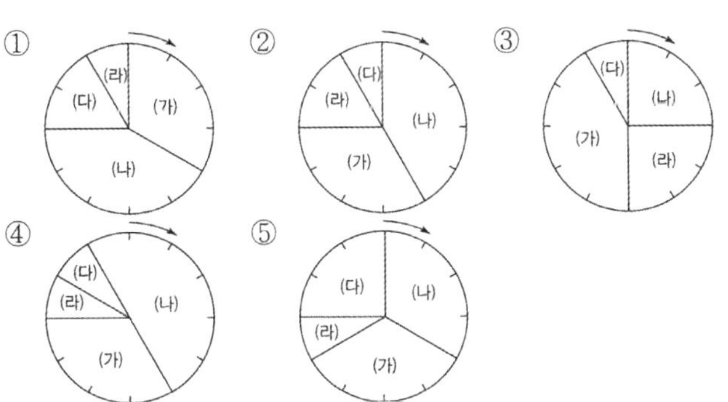

16학년도 수능 3번

175. 그림 (가)는 핵상이 2n인 식물 P에서 체세포의 세포 주기를, (나)는 P의 체세포 분열 과정 중에 있는 세포들을 나타낸 것이다. P의 특정 형질에 대한 유전자형은 Tt이며, T는 t와 대립유전자이다.

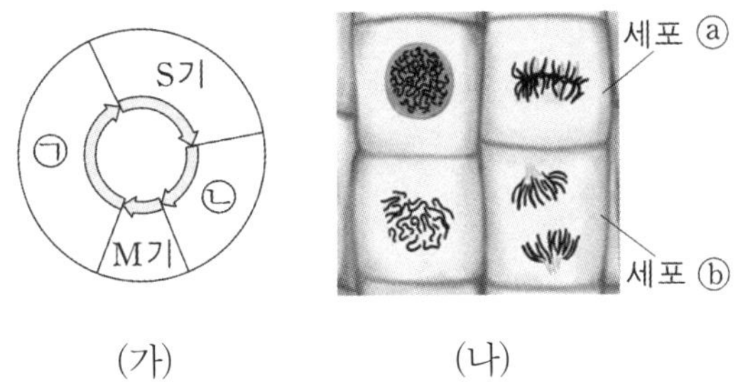

(가) (나)

이에 대한 설명으로 옳은 것만을 〈보기〉에서 있는 대로 고른 것은? (단, 돌연변이는 고려하지 않는다.)

〈보 기〉

ㄱ. ㉡ 시기에서 염색 분체가 관찰된다.
ㄴ. ⓑ는 염색 분체가 분리된 상태이다.
ㄷ. 세포 1개당 T의 수는 ㉠ 시기의 세포와 ⓐ가 같다.

① ㄱ ② ㄴ ③ ㄷ ④ ㄱ, ㄷ ⑤ ㄴ, ㄷ

17학년도 9월 5번

176. 그림은 사람의 체세포에 있는 염색체의 구조를 나타낸 것이다.

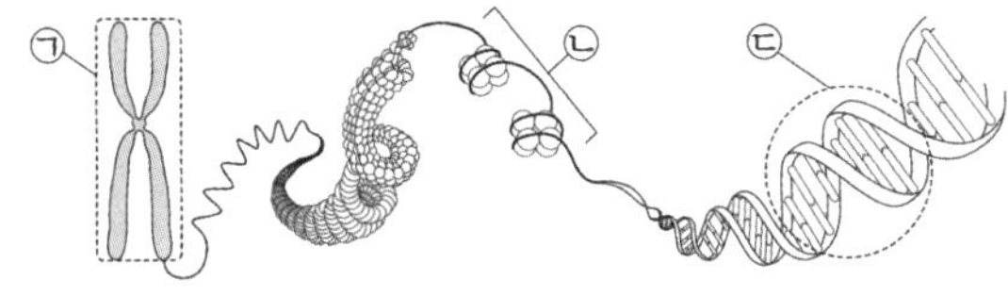

이에 대한 설명으로 옳은 것만을 〈보기〉에서 있는 대로 고른 것은?

〈보 기〉

ㄱ. ㉠은 2가 염색체이다.
ㄴ. 세포 주기의 S기에 ㉡이 ㉠으로 응축된다.
ㄷ. ㉢의 기본 단위는 뉴클레오타이드이다.

① ㄴ ② ㄷ ③ ㄱ, ㄴ ④ ㄱ, ㄷ ⑤ ㄴ, ㄷ

16학년도 10월 5번

177. 그림 (가)는 어떤 동물(2n=8)의 G_1기 세포 ㉠으로부터 정자가 형성 되는 과정의 일부와 이 정자가 난자와 수정되어 만들어진 수정란을, (나)는 세포 ㉠~㉤ 중 하나를 나타낸 것이다. ㉠의 유전자형은 Tt, ㉤의 유전자형은 tt이며, T와 t는 서로 대립유전자이다. ㉡, ㉢, ㉤ 은 모두 세포 분열 중기의 세포이다.

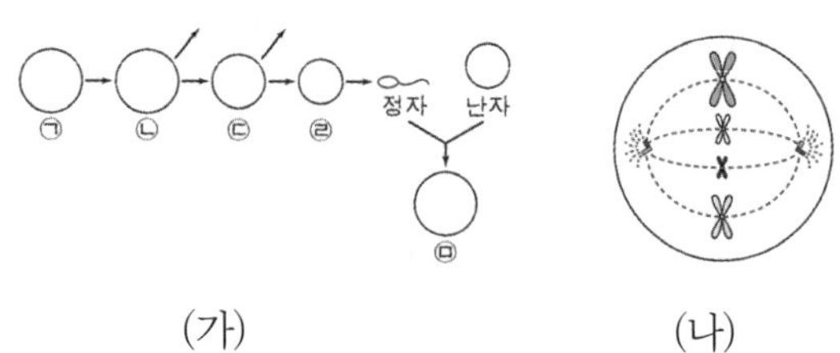

(가) (나)

이에 대한 설명으로 옳은 것만을 〈보기〉에서 있는 대로 고른 것은? (단, 돌연변이와 교차는 고려하지 않는다.)

〈보 기〉

ㄱ. (나)는 ㉢을 나타낸 것이다.

ㄴ. 세포 1개당 염색체 수는 ㉤이 ㉢의 2배이다.

ㄷ. $\frac{\text{㉠에 있는 t의 수}}{\text{㉢에 있는 t의 수}}$와 $\frac{\text{㉣에 있는 t의 수}}{\text{㉡에 있는 t의 수}}$는 서로 같다.

① ㄱ ② ㄷ ③ ㄱ, ㄴ ④ ㄴ, ㄷ ⑤ ㄱ, ㄴ, ㄷ

18학년도 9월 12번

178. 그림 (가)는 핵상이 2n인 식물 P에서 체세포가 분열하는 동안 핵 1개당 DNA 양을, (나)는 P의 체세포 분열 과정 중에 있는 세포들을 나타낸 것이다. P의 특정 형질에 대한 유전자형은 Rr이며, R와 R은 대립유전자이다.

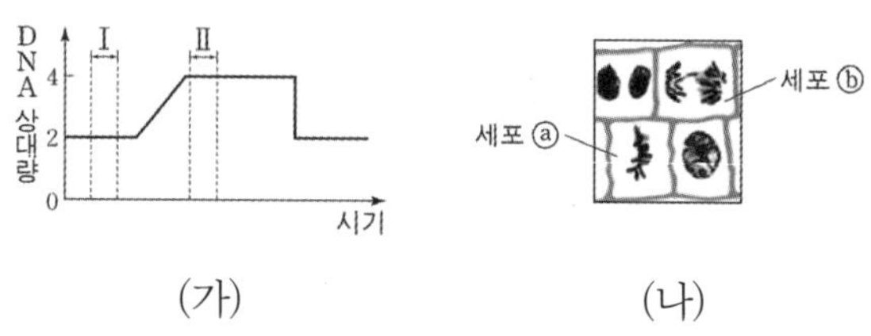

(가) (나)

이에 대한 설명으로 옳은 것만을 〈보기〉에서 있는 대로 고른 것은? (단, 돌연변이는 고려하지 않는다.)

〈보 기〉

ㄱ. 세포 1개당 R의 수는 Ⅰ 시기의 세포와 ⓑ가 같다.

ㄴ. Ⅱ 시기에서 핵상이 2n인 세포가 관찰된다.

ㄷ. ⓐ에는 2가 염색체가 있다.

① ㄱ ② ㄴ ③ ㄷ ④ ㄱ, ㄴ ⑤ ㄴ, ㄷ

17학년도 10월 8번

179. 그림은 유전자형이 Hh인 어떤 동물의 세포 분열 과정과 수정 과정에서 세포 1개당 DNA 양 변화를 나타낸 것이다. t_2는 중기에 해당한다.

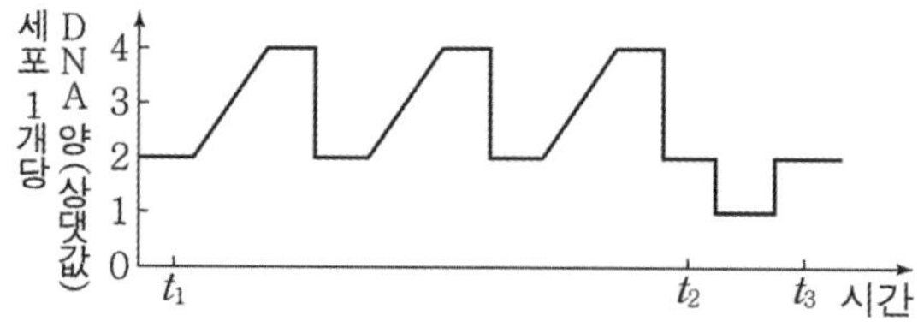

이에 대한 설명으로 옳은 것만을 〈보기〉에서 있는 대로 고른 것은? (단, 돌연변이와 교차는 고려하지 않는다.)

〈보 기〉

ㄱ. t_1~t_3에서 체세포 분열이 3회 일어났다.

ㄴ. 세포의 핵상은 t_2일 때와 t_3일 때가 서로 다르다.

ㄷ. 세포 1개당 H의 수는 t_1일 때와 t_2일 때가 서로 같다.

① ㄱ ② ㄴ ③ ㄷ ④ ㄱ, ㄷ ⑤ ㄴ, ㄷ

180. 다음은 세포 주기에 대한 실험이다.

[실험 과정]

(가) 어떤 동물의 체세포를 배양하여 집단 A~C로 나눈다.

(나) B에는 방추사 형성을 저해하는 물질을, C에는 DNA 합성을 저해하는 물질을 각각 처리하고, A~C를 동일한 조건에서 일정 시간 동안 배양한다.

(다) 세 집단의 세포를 동시에 고정한 후, 각 집단의 DNA 양에 따른 세포 수를 측정한다.

[실험 결과]

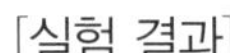

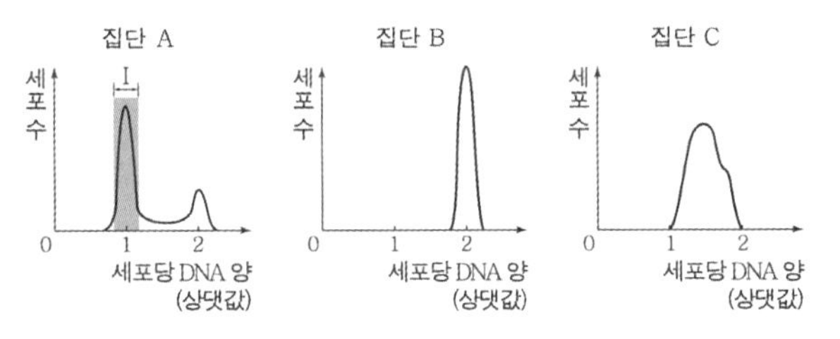

이 실험 결과에 대한 옳은 설명만을 〈보기〉에서 있는 대로 고른 것은? (단, 돌연변이는 고려하지 않는다.)

〈보 기〉

ㄱ. 구간 I 의 세포에는 핵막이 있다.

ㄴ. B의 세포는 G_1기에서 S기로의 전환이 억제되었다.

ㄷ. C의 세포는 모두 M기에 있다.

① ㄱ ② ㄴ ③ ㄷ ④ ㄱ, ㄴ ⑤ ㄴ, ㄷ

181. 그림은 사람의 염색체 ㉠~㉢의 상대적인 크기를, 표는 사람의 세포 A~C에서 ㉠~㉢의 유무를 나타낸 것이다. ㉠~㉢은 각각 15번 염색체, X 염색체, Y 염색체 중 하나이며, A~C는 정자, 남자의 체세포, 여자의 체세포를 순서 없이 나타낸 것이다.

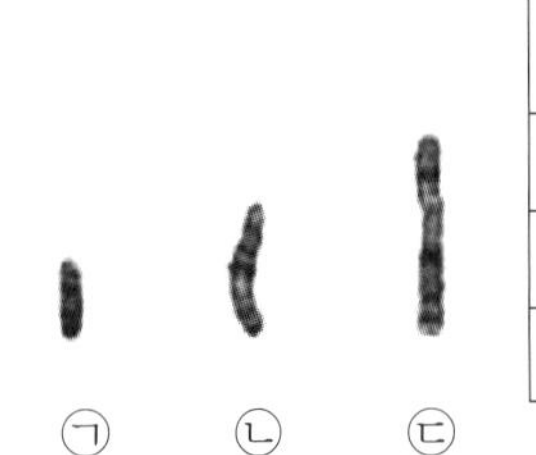

세포 \ 염색체	㉠	㉡	㉢
A	×	○	○
B	○	○	×
C	○	○	○

(○ : 있음, × : 없음)

이에 대한 설명으로 옳은 것만을 〈보기〉에서 있는 대로 고른 것은? (단, 돌연변이는 고려하지 않는다.)

〈보 기〉

ㄱ. ㉠은 Y 염색체이다.

ㄴ. 세포의 염색체 수는 A가 B의 2배이다.

ㄷ. C에는 ㉡과 ㉢이 각각 2개씩 있다.

① ㄱ ② ㄷ ③ ㄱ, ㄴ ④ ㄴ, ㄷ ⑤ ㄱ, ㄴ, ㄷ

19학년도 수능 8번

182. 그림 (가)는 어떤 동물(2n=4)의 체세포 Q를 배양한 후 세포당 DNA 양에 따른 세포 수를, (나)는 Q의 체세포 분열 과정 중 ㉠ 시기에서 관찰되는 세포를 나타낸 것이다. 이 동물의 특정 형질에 대한 유전자형은 Rr이며, R와 R은 대립유전자이다.

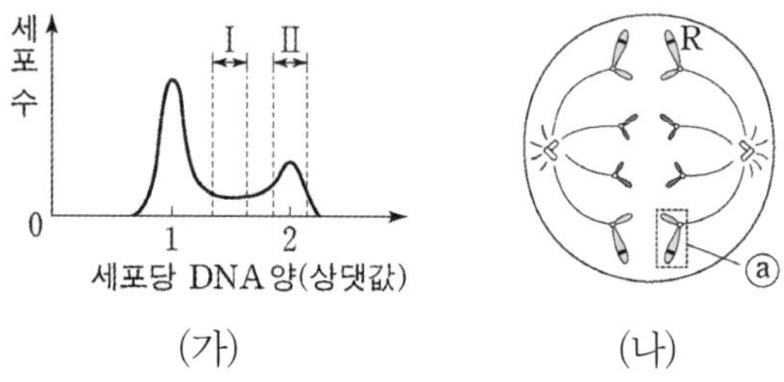

(가) (나)

이에 대한 설명으로 옳은 것만을 〈보기〉에서 있는 대로 고른 것은? (단, 돌연변이와 교차는 고려하지 않는다.)

〈보 기〉

ㄱ. 구간 Ⅰ에는 간기의 세포가 있다.
ㄴ. 구간 Ⅱ에는 ㉠ 시기의 세포가 있다.
ㄷ. ⓐ에는 대립유전자 R이 있다.

① ㄱ ② ㄷ ③ ㄱ, ㄴ ④ ㄴ, ㄷ ⑤ ㄱ, ㄴ, ㄷ

21학년도 10월 5번

183. 그림은 어떤 동물의 체세포 (가)를 일정 시간 동안 배양한 세포 집단에서 세포당 DNA 양에 따른 세포 수를 나타낸 것이다.

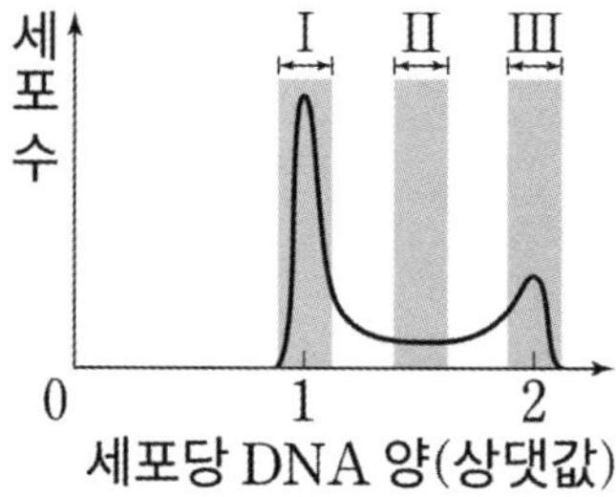

이에 대한 옳은 설명만을 〈보기〉에서 있는 대로 고른 것은?

〈보 기〉

ㄱ. 구간 Ⅰ에 핵막을 갖는 세포가 있다.
ㄴ. (가)의 세포 주기에서 G_2기가 G_1기보다 길다.
ㄷ. 동원체에 방추사가 결합한 세포 수는 구간 Ⅱ에서가 구간 Ⅲ에서보다 많다.

① ㄱ ② ㄴ ③ ㄱ, ㄷ ④ ㄴ, ㄷ ⑤ ㄱ, ㄴ, ㄷ

22학년도 수능 3번

184. 그림 (가)는 식물 P(2n)의 체세포가 분열하는 동안 핵 1개당 DNA 양을, (나)는 P의 체세포 분열 과정에서 관찰되는 세포 ⓐ와 ⓑ를 나타낸 것이다. ⓐ와 ⓑ는 분열기의 전기 세포와 중기 세포를 순서 없이 나타낸 것이다.

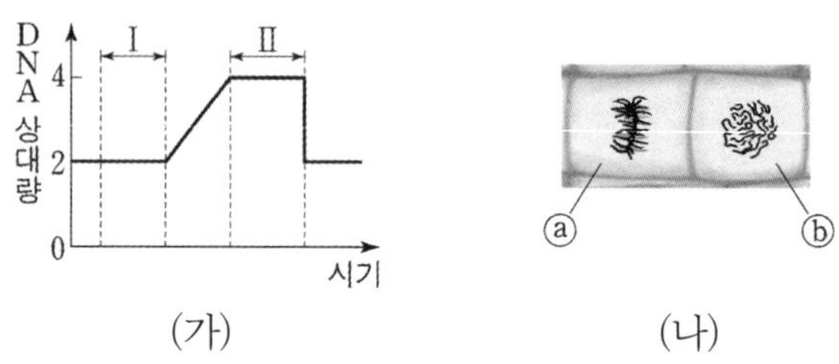

(가) (나)

이에 대한 설명으로 옳은 것만을 〈보기〉에서 있는 대로 고른 것은?

〈보 기〉

ㄱ. Ⅰ과 Ⅱ 시기의 세포에는 모두 뉴클레오솜이 있다.
ㄴ. ⓐ에서 상동 염색체의 접합이 일어났다.
ㄷ. ⓑ는 Ⅰ 시기에 관찰된다.

① ㄱ ② ㄷ ③ ㄱ, ㄴ ④ ㄴ, ㄷ ⑤ ㄱ, ㄴ, ㄷ

23학년도 6월 4번

185. 그림 (가)는 동물 P(2n=4)의 체세포가 분열하는 동안 핵 1개당 DNA 양을, (나)는 P의 체세포 분열 과정의 어느 한 시기에서 관찰되는 세포를 나타낸 것이다.

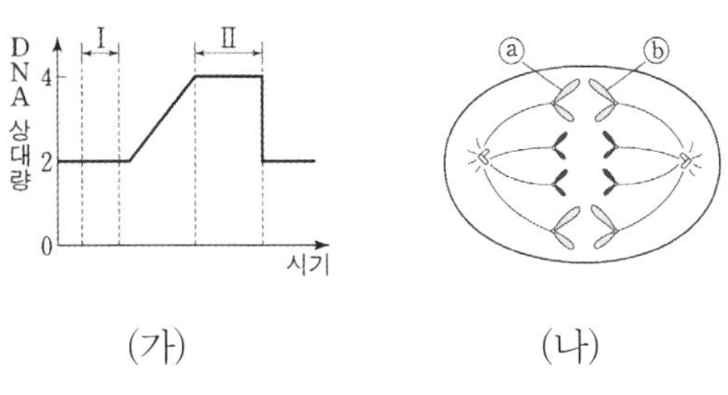

(가) (나)

이에 대한 옳은 설명만을 〈보기〉에서 있는 대로 고른 것은? (단, 돌연변이는 고려하지 않는다.)

〈보 기〉

ㄱ. 구간 Ⅰ에는 2개의 염색 분체로 구성된 염색체가 있다.
ㄴ. 구간 Ⅱ에는 (나)가 관찰되는 시기가 있다.
ㄷ. ⓐ와 ⓑ는 부모에게서 각각 하나씩 물려받은 것이다.

① ㄱ ② ㄴ ③ ㄱ, ㄷ ④ ㄴ, ㄷ ⑤ ㄱ, ㄴ, ㄷ

23학년도 9월 6번

186. 다음은 세포 주기에 대한 실험이다.

[실험 과정 및 결과]
(가) 어떤 동물의 체세포를 배양하여 집단 A와 B로 나눈다.
(나) A와 B 중 B에만 G_1기에서 S기로의 전환을 억제하는 물질을 처리하고, 두 집단을 동일한 조건에서 일정 시간 동안 배양한다.
(다) 두 집단에서 같은 수의 세포를 동시에 고정한 후, 각 집단의 세포당 DNA 양에 따른 세포 수를 나타낸 결과는 그림과 같다.

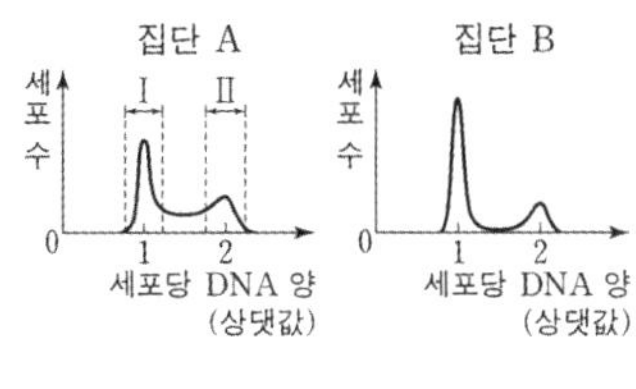

이에 대한 옳은 설명만을 〈보기〉에서 있는 대로 고른 것은?

〈보 기〉

ㄱ. (다)에서 $\frac{\text{S기 세포 수}}{G_1\text{기 세포 수}}$는 A에서가 B에서보다 작다.
ㄴ. 구간 Ⅰ에는 뉴클레오솜을 갖는 세포가 있다.
ㄷ. 구간 Ⅱ에는 핵막을 갖는 세포가 있다.

① ㄱ ② ㄷ ③ ㄱ, ㄴ ④ ㄴ, ㄷ ⑤ ㄱ, ㄴ, ㄷ

23학년도 수능 6번

187. 표 (가)는 사람의 체세포 세포 주기에서 나타나는 4가지 특징을, (나)는 (가)의 특징 중 사람의 체세포 세포 주기의 ㉠~㉣에서 나타나는 특징의 개수를 나타낸 것이다. ㉠~㉣은 G_1기, G_2기, M기(분열기), S기를 순서 없이 나타낸 것이다.

특징
○ 핵막이 소실된다. ○ 히스톤 단백질이 있다. ○ 방추사가 동원체에 부착된다. ○ ⓐ 핵에서 DNA 복제가 일어난다.

(가)

구분	특징의 개수
㉠	2
㉡	?
㉢	3
㉣	1

(나)

이에 대한 설명으로 옳은 것만을 〈보기〉에서 있는 대로 고른 것은?

〈보 기〉

ㄱ. ㉠ 시기에 특징 ⓐ가 나타난다.
ㄴ. ㉢ 시기에 염색 분체의 분리가 일어난다.
ㄷ. 핵 1개당 DNA 양은 ㉡ 시기의 세포와 ㉣ 시기의 세포가 서로 같다.

① ㄱ ② ㄷ ③ ㄱ, ㄴ ④ ㄴ, ㄷ ⑤ ㄱ, ㄴ, ㄷ

18학년도 9월 4번

188. 그림 (가)는 사람 A의, (나)는 사람 B의 핵형 분석 결과를 나타낸 것이다.

(가) 1 2 3 4 5 6 7 8 9 10 11 12 13 14 15 16 17 18 19 20 21 22 X

(나) 1 2 3 4 5 6 7 8 9 10 11 12 13 14 15 16 17 18 19 20 21 22 XY

이에 대한 설명으로 옳은 것만을 〈보기〉에서 있는 대로 고른 것은?

〈보 기〉

ㄱ. A는 터너 증후군의 염색체 이상을 보인다.
ㄴ. (나)에서 적록 색맹 여부를 알 수 있다.
ㄷ. $\frac{\text{(가)의 염색 분체 수}}{\text{(나)의 성염색체 수}}=45$이다.

① ㄱ ② ㄴ ③ ㄱ, ㄴ ④ ㄱ, ㄷ ⑤ ㄴ, ㄷ

21학년도 9월 6번

189. 그림은 어떤 사람의 핵형 분석 결과를 나타낸 것이다. ⓐ는 세포 분열 시 방추사가 부착되는 부분이다.

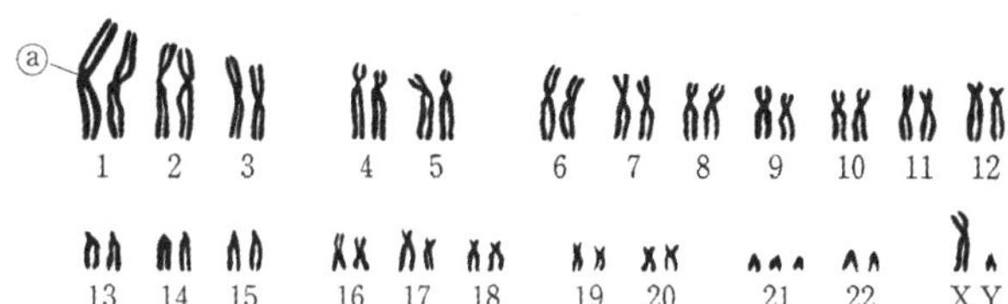

이에 대한 설명으로 옳은 것만을 〈보기〉에서 있는 대로 고른 것은?

〈보 기〉

ㄱ. ⓐ는 동원체이다.
ㄴ. 이 사람은 다운 증후군의 염색체 이상을 보인다.
ㄷ. 이 핵형 분석 결과에서 $\frac{\text{상염색체의 염색 분체 수}}{\text{성염색체 수}} = \frac{45}{2}$ 이다.

① ㄱ ② ㄷ ③ ㄱ, ㄴ ④ ㄴ, ㄷ ⑤ ㄱ, ㄴ, ㄷ

13학년도 10월 4번

190. 그림은 어떤 동물(2n=4)에서 정상 체세포와 염색체 이상이 일어난 체세포 (가), (나)를 나타낸 것이다.

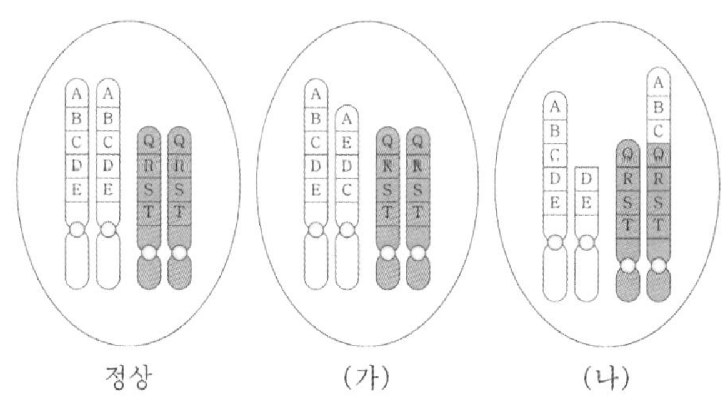

이에 대한 설명으로 옳은 것만을 〈보기〉에서 있는 대로 고른 것은?

〈보 기〉

ㄱ. (가)에는 결실과 역위가 모두 일어난 염색체가 있다.
ㄴ. (나)에는 전좌가 일어난 염색체가 있다.
ㄷ. (나)의 염색체 이상은 핵형 분석을 통해 알 수 있다.

① ㄱ ② ㄷ ③ ㄱ, ㄴ ④ ㄴ, ㄷ ⑤ ㄱ, ㄴ, ㄷ

14학년도 예비시행 16번

191. 그림은 어떤 동물에서 볼 수 있는 세포들의 염색체 일부를 나타낸 것이다. (가)는 체세포, (나)는 분열 중인 세포, (다)는 감수 2분열이 끝난 직후의 생식세포이다.

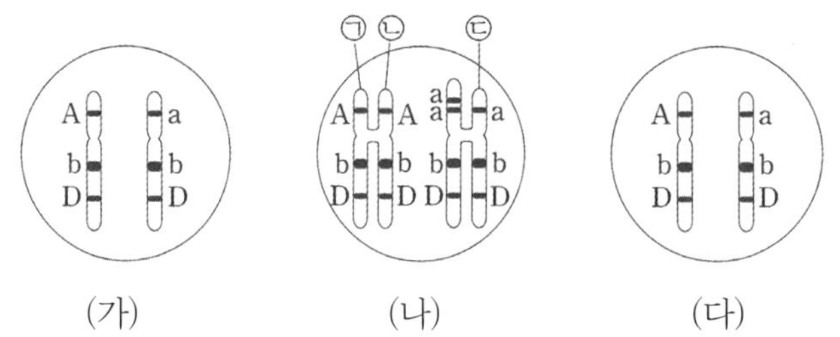

이에 대한 설명으로 옳은 것만을 〈보기〉에서 있는 대로 고른 것은? (단, (나)와 (다)가 형성되는 과정에서 돌연변이는 각각 1회씩 일어났으며, 교차는 고려하지 않는다.)

〈보 기〉

ㄱ. ㉠과 ㉡은 정상적으로 분열할 때 각각 딸세포로 나뉘어 들어간다.
ㄴ. ㉢은 결실이 일어난 염색 분체이다.
ㄷ. (다)는 감수 2분열에서 염색체 비분리가 일어났다.

① ㄱ ② ㄴ ③ ㄱ, ㄴ ④ ㄱ, ㄷ ⑤ ㄴ, ㄷ

14학년도 6월 9번

192. 그림 (가)는 어떤 생물(2n=4)의 정상 체세포를, (나)와 (다)는 이 생물에서 염색체 이상이 일어난 체세포를 나타낸 것이다.

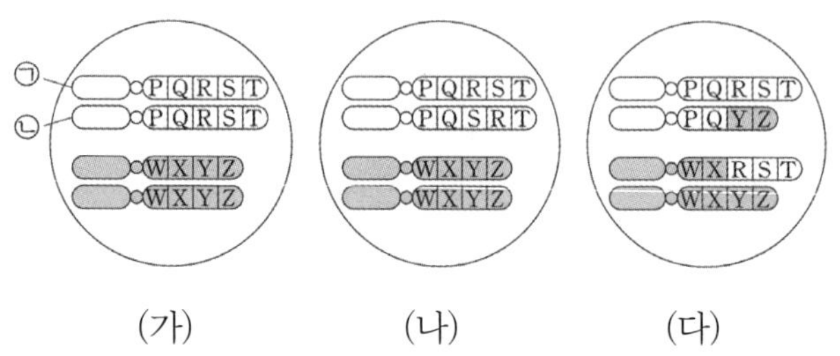

(가) (나) (다)

이에 대한 설명으로 옳은 것만을 〈보기〉에서 있는 대로 고른 것은?

〈보 기〉

ㄱ. ㉠은 ㉡의 염색 분체이다.
ㄴ. (나)에는 역위가 일어난 염색체가 있다.
ㄷ. (다)는 상동 염색체 사이에 전좌가 일어난 세포이다.

① ㄱ ② ㄴ ③ ㄱ, ㄷ ④ ㄴ, ㄷ ⑤ ㄱ, ㄴ, ㄷ

14학년도 3월 8번

193. 그림은 어떤 동물(2n=4)에 있는 세포들의 염색체를 나타낸 것이다. (가)는 정상 체세포, (나)와 (다)는 감수 2분열이 완료된 직후의 생식세포이다. A~G, a, g는 유전자이다.

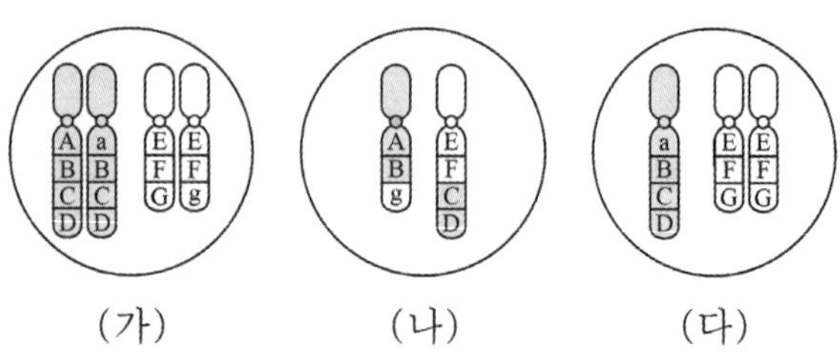

(가) (나) (다)

이에 대한 설명으로 옳은 것만을 〈보기〉에서 있는 대로 고른 것은? (단, (다)가 형성되는 과정에서 염색체 비분리는 1회만 일어났으며, 교차는 고려하지 않는다.)

〈보 기〉

ㄱ. (가)에서 a와 E는 서로 대립유전자이다.
ㄴ. (나)에는 전좌가 일어난 염색체가 있다.
ㄷ. (다)는 감수 2분열 과정에서 염색체 비분리가 일어나 형성되었다.

① ㄱ ② ㄴ ③ ㄱ, ㄷ ④ ㄴ, ㄷ ⑤ ㄱ, ㄴ, ㄷ

18학년도 10월 20번

194. 그림은 어떤 개체군의 생장 곡선을 나타낸 것이다.

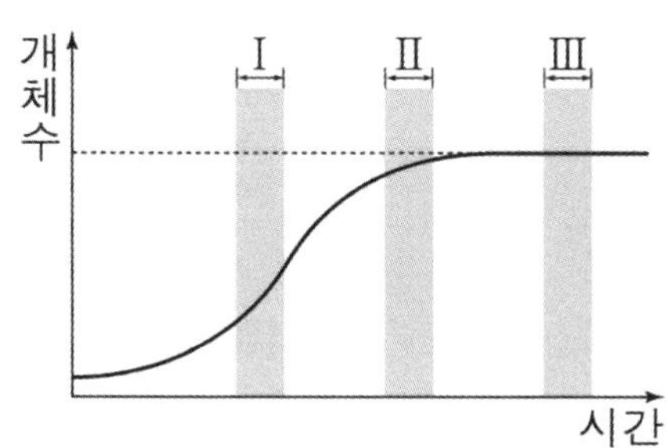

이에 대한 설명으로 옳은 것만을 〈보기〉에서 있는 대로 고른 것은? (단, 이입과 이출은 고려하지 않으며, 서식지의 크기는 일정하다.)

〈보 기〉

ㄱ. $\frac{\text{출생한 개체 수}}{\text{사망한 개체 수}}$는 구간 Ⅰ에서가 구간 Ⅱ에서보다 크다.

ㄴ. 개체군의 밀도는 구간 Ⅰ에서가 구간 Ⅲ에서보다 높다.

ㄷ. 구간 Ⅲ에서 환경 저항이 작용하지 않는다.

① ㄱ ② ㄴ ③ ㄱ, ㄷ ④ ㄴ, ㄷ ⑤ ㄱ, ㄴ, ㄷ

20학년도 6월 20번

195. 그림은 먹이의 양이 서로 다른 두 조건 A와 B에서 종 ⓐ를 각각 단독 배양했을 때 시간에 따른 개체 수를 나타낸 것이다. 먹이의 양은 A가 B보다 많다.

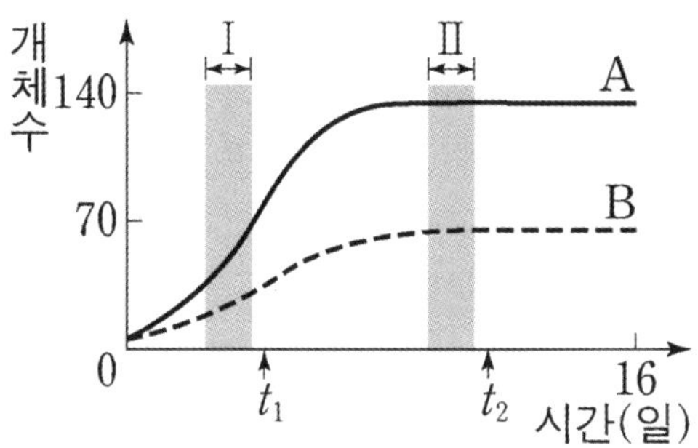

이 자료에 대한 설명으로 옳은 것만을 〈보기〉에서 있는 대로 고른 것은? (단, 제시된 조건 이외는 고려하지 않는다.)

〈보 기〉

ㄱ. 구간 Ⅰ에서 증가한 ⓐ의 개체 수는 A에서가 B에서보다 많다.

ㄴ. A의 구간 Ⅱ에서 ⓐ에게 환경 저항이 작용한다.

ㄷ. B의 개체 수는 t_2일 때가 t_1일 때보다 많다.

① ㄱ ② ㄴ ③ ㄱ, ㄷ ④ ㄴ, ㄷ ⑤ ㄱ, ㄴ, ㄷ

20학년도 9월 18번

196. 일조 시간이 식물의 개화에 미치는 영향을 알아보기 위하여, 식물 종 A의 개체 Ⅰ~Ⅴ에 빛 조건을 달리하여 개화 여부를 관찰하였다. 표는 Ⅰ~Ⅴ에 '빛 있음', '빛 없음', ⓐ, ⓑ 순으로 처리한 기간과 Ⅰ~Ⅴ의 개화 여부를 나타낸 것이다. ⓐ와 ⓑ는 각각 '빛 있음'과 '빛 없음' 중 하나이고, 이 식물이 개화하는 데 필요한 최소한의 '연속적인 빛 없음' 기간은 8시간이다.

0 24(시)

개체	처리 기간(시간)				개화 여부
	빛 있음	빛 없음	ⓐ	ⓑ	
Ⅰ	12	0	0	12	개화함
Ⅱ	12	4	1	7	개화 안 함
Ⅲ	14	4	1	5	개화 안 함
Ⅳ	7	1	4	12	개화함
Ⅴ	5	1	9	9	㉠

이 자료에 대한 설명으로 옳은 것만을 〈보기〉에서 있는 대로 고른 것은? (단, 제시된 조건 이외는 고려하지 않는다.)

〈보 기〉

ㄱ. ⓐ는 '빛 있음'이다.
ㄴ. ㉠은 '개화 안 함'이다.
ㄷ. 일조 시간은 비생물적 환경 요인이다.

① ㄱ ② ㄴ ③ ㄱ, ㄷ ④ ㄴ, ㄷ ⑤ ㄱ, ㄴ, ㄷ

20학년도 9월 20번

197. 표는 종 사이의 상호 작용을 나타낸 것이다. ㉠과 ㉡은 기생과 상리 공생을 순서 없이 나타낸 것이다.

상호 작용	종1	종2
㉠	손해	ⓐ
㉡	이익	?
포식과 피식	손해	이익

이에 대한 설명으로 옳은 것만을 〈보기〉에서 있는 대로 고른 것은?

〈보 기〉

ㄱ. ⓐ는 '손해'이다.
ㄴ. ㉡은 상리 공생이다.
ㄷ. 스라소니가 눈신토끼를 잡아먹는 것은 포식과 피식에 해당한다.

① ㄱ ② ㄴ ③ ㄷ ④ ㄱ, ㄷ ⑤ ㄴ, ㄷ

21학년도 9월 9번

198. 그림은 서로 다른 종으로 구성된 개체군 A와 B를 각각 단독 배양했을 때와 혼합 배양했을 때, A와 B가 서식하는 온도의 범위를 나타낸 것이다. 혼합 배양했을 때 온도의 범위가 $T_1 \sim T_2$인 구간에서 A와 B 사이의 경쟁이 일어났다.

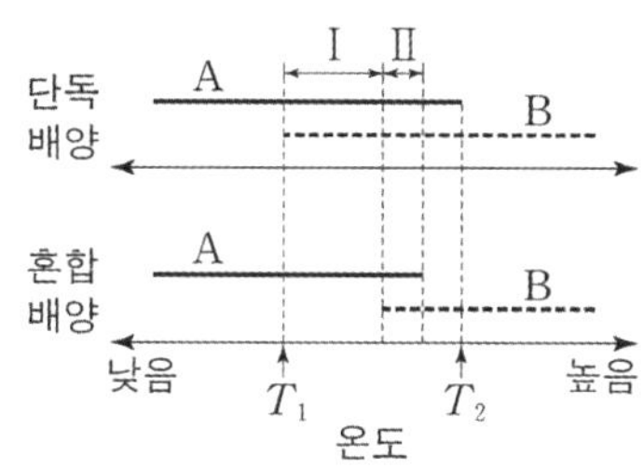

이에 대한 설명으로 옳은 것만을 〈보기〉에서 있는 대로 고른 것은? (단, 제시된 조건 이외는 고려하지 않는다.)

〈보 기〉

ㄱ. A가 서식하는 온도의 범위는 단독 배양했을 때가 혼합 배양했을 때보다 넓다.

ㄴ. 혼합 배양했을 때, 구간 Ⅰ에서 B가 생존하지 못한 것은 경쟁 배타의 결과이다.

ㄷ. 혼합 배양했을 때, 구간 Ⅱ에서 A는 B와 군집을 이룬다.

① ㄱ ② ㄷ ③ ㄱ, ㄴ ④ ㄴ, ㄷ ⑤ ㄱ, ㄴ, ㄷ

21학년도 9월 14번

199. 그림 (가)는 어떤 식물 군집의 천이 과정 일부를, (나)는 이 과정 중 ㉠에서 조사한 침엽수(양수)와 활엽수(음수)의 크기(높이)에 따른 개체 수를 나타낸 것이다. ㉠은 A와 B 중 하나이며, A와 B는 양수림과 음수림을 순서 없이 나타낸 것이다.

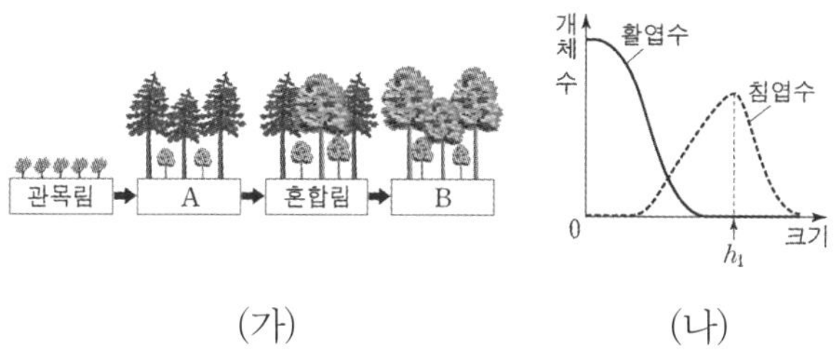

(가) (나)

이에 대한 설명으로 옳은 것만을 〈보기〉에서 있는 대로 고른 것은?

〈보 기〉

ㄱ. ㉠은 양수림이다.

ㄴ. ㉠에서 h_1보다 작은 활엽수는 없다.

ㄷ. 이 식물 군집은 혼합림에서 극상을 이룬다.

① ㄱ ② ㄴ ③ ㄷ ④ ㄱ, ㄴ ⑤ ㄱ, ㄷ

21학년도 4월 12번

200. 표는 서로 다른 지역 (가)와 (나)의 식물 군집을 조사한 결과를 나타낸 것이다. (가)의 면적은 (나)의 면적의 2배이다.

지역	종	개체 수	상대 빈도(%)	총 개체 수
(가)	A	?	29	100
	B	33	41	
	C	27	?	
(나)	A	25	32	100
	B	?	35	
	C	44	?	

이에 대한 설명으로 옳은 것만을 〈보기〉에서 있는 대로 고른 것은? (단, A~C 이외의 종은 고려하지 않는다.)

〈보 기〉

ㄱ. A의 개체군 밀도는 (가)에서가 (나)에서보다 크다.
ㄴ. (나)에서 B의 상대 밀도는 31%이다.
ㄷ. C의 상대 빈도는 (가)에서가 (나)에서보다 작다.

① ㄱ ② ㄷ ③ ㄱ, ㄴ ④ ㄴ, ㄷ ⑤ ㄱ, ㄴ, ㄷ

22학년도 6월 18번

201. 다음은 어떤 지역의 식물 군집에서 우점종을 알아보기 위한 탐구이다.

(가) 이 지역에 방형구를 설치하여 식물 종 A~E의 분포를 조사했다.
(나) 표는 조사한 자료를 바탕으로 각 식물 종의 상대 밀도, 상대 빈도, 상대 피도를 구한 결과를 나타낸 것이다.

종	상대 밀도(%)	상대 빈도(%)	상대 피도(%)
A	30	20	20
B	5	24	26
C	25	25	10
D	10	26	24
E	30	5	20

(다) 이 지역의 우점종이 A임을 확인했다.

이 자료에 대한 설명으로 옳은 것만을 〈보기〉에서 있는 대로 고른 것은? (단, A~E 이외의 종은 고려하지 않는다.)

〈보 기〉

ㄱ. 중요치(중요도)가 가장 큰 종은 A이다.
ㄴ. 지표를 덮고 있는 면적이 가장 큰 종은 B이다.
ㄷ. E가 출현한 방형구의 수는 D가 출현한 방형구의 수보다 많다.

① ㄱ ② ㄴ ③ ㄷ ④ ㄱ, ㄴ ⑤ ㄱ, ㄷ

21학년도 7월 6번

202. 그림은 어떤 지역의 식물 군집에 산불이 일어나기 전과 후 천이 과정의 일부를 나타낸 것이다. A~C는 초원(초본), 양수림, 음수림을 순서 없이 나타낸 것이다.

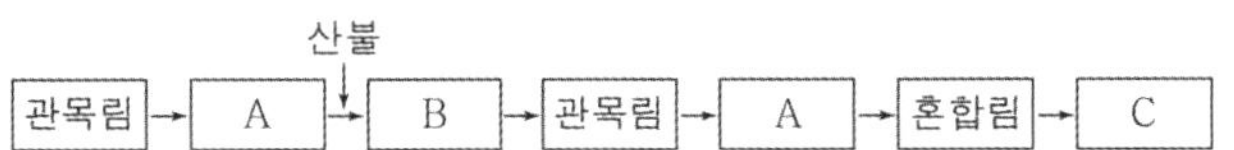

이에 대한 설명으로 옳은 것만을 〈보기〉에서 있는 대로 고른 것은?

〈보 기〉

ㄱ. B는 초원(초본)이다.
ㄴ. 이 지역의 식물 군집은 A에서 극상을 이룬다.
ㄷ. 산불이 일어난 후 진행되는 식물 군집의 천이 과정은 1차 천이이다.

① ㄱ ② ㄴ ③ ㄱ, ㄷ ④ ㄴ, ㄷ ⑤ ㄱ, ㄴ, ㄷ

22학년도 9월 6번

203. 다음은 생태계의 구성 요소에 대한 학생 A~C의 발표 내용이다.

제시한 내용이 옳은 학생만을 있는 대로 고른 것은?

① A ② C ③ A, B ④ B, C ⑤ A, B, C

22학년도 9월 11번

204. 다음은 어떤 섬에 서식하는 동물 종 A~C 사이의 상호 작용에 대한 자료이다.

- A와 B는 같은 먹이를 먹고, C는 A와 B의 천적이다.
- 그림은 Ⅰ~Ⅳ시기에 서로 다른 영역 (가)와 (나) 각각에 서식하는 종의 분포 변화를 나타낸 것이다.

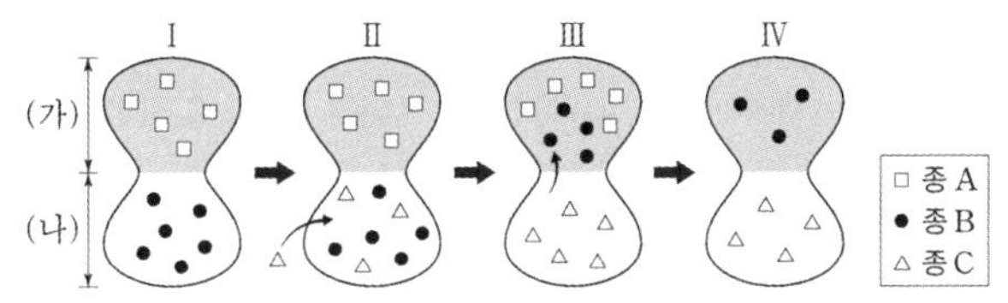

- Ⅰ시기에 ㉠ A와 B는 서로 경쟁을 피하기 위해 A는 (가)에, B는 (나)에 서식하였다.
- Ⅱ시기에 C가 (나)로 유입되었고, C가 B를 포식하였다.
- Ⅲ시기에 B는 C를 피해 (가)로 이주하였다.
- Ⅳ시기에 (가)에서 A와 B 사이의 경쟁의 결과로 A가 사라졌다.

이 자료에 대한 설명으로 옳은 것만을 〈보기〉에서 있는 대로 고른 것은? (단, 제시된 조건 이외는 고려하지 않는다.)

〈보 기〉

ㄱ. ㉠에서 A와 B 사이의 상호 작용은 분서에 해당한다.
ㄴ. Ⅱ시기에 (나)에서 C는 B와 한 개체군을 이루었다.
ㄷ. Ⅳ시기에 (가)에서 A와 B 사이에 경쟁 배타가 일어났다.

① ㄱ ② ㄴ ③ ㄱ, ㄷ ④ ㄴ, ㄷ ⑤ ㄱ, ㄴ, ㄷ

22학년도 9월 20번

205.

그림은 생존 곡선 Ⅰ형, Ⅱ형, Ⅲ형을, 표는 동물 종 ㉠의 특징을 나타낸 것이다. 특정 시기의 사망률은 그 시기 동안 사망한 개체 수를 그 시기가 시작된 시점의 총 개체 수로 나눈 값이다.

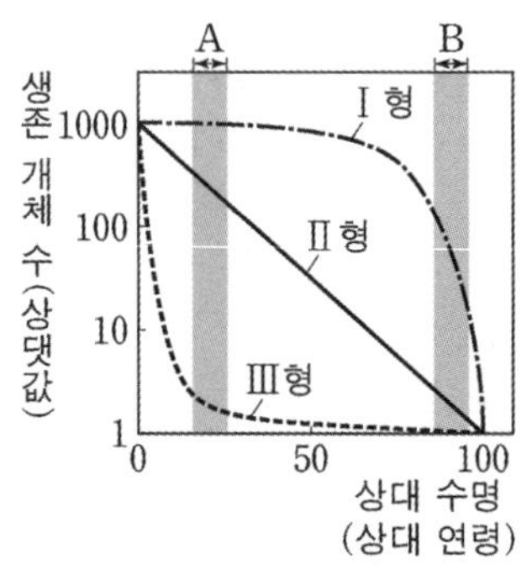

○ ㉠은 한 번에 많은 수의 자손을 낳으며, 초기 사망률이 후기 사망률보다 높다. ○ ㉠의 생존 곡선은 Ⅰ형, Ⅱ형, Ⅲ형 중 하나에 해당한다.

이에 대한 설명으로 옳은 것만을 〈보기〉에서 있는 대로 고른 것은?

〈보 기〉

ㄱ. Ⅰ형의 생존 곡선을 나타내는 종에서 A시기의 사망률은 B시기의 사망률보다 높다.
ㄴ. Ⅱ형의 생존 곡선을 나타내는 종에서 A시기 동안 사망한 개체 수는 B시기 동안 사망한 개체 수와 같다.
ㄷ. ㉠의 생존 곡선은 Ⅲ형에 해당한다.

① ㄱ ② ㄴ ③ ㄷ ④ ㄱ, ㄴ ⑤ ㄱ, ㄷ

23학년도 6월 14번

206.

그림은 생태계를 구성하는 요소 사이의 상호 관계를 나타낸 것이다.

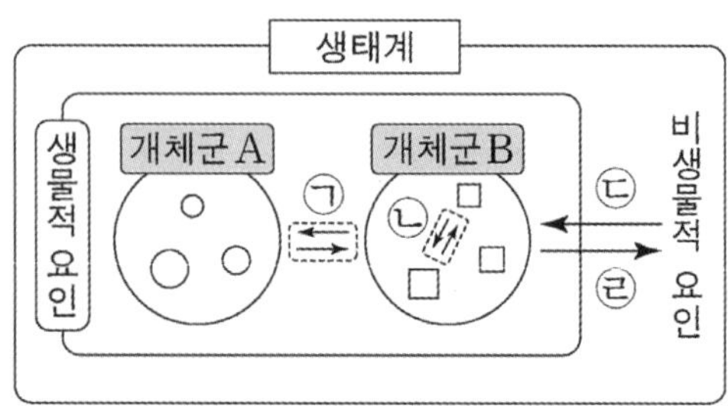

이에 대한 설명으로 옳은 것만을 〈보기〉에서 있는 대로 고른 것은?

〈보 기〉

ㄱ. 같은 종의 기러기가 무리를 지어 이동할 때 리더를 따라 이동하는 것은 ㉠에 해당한다.
ㄴ. 빛의 세기가 소나무의 생장에 영향을 미치는 것은 ㉢에 해당한다.
ㄷ. 군집에는 비생물적 요인이 포함된다.

① ㄱ ② ㄴ ③ ㄷ ④ ㄱ, ㄴ ⑤ ㄱ, ㄷ

207. 표는 종 사이의 상호 작용과 예를 나타낸 것이다. (가)와 (나)는 기생과 상리 공생을 순서 없이 나타낸 것이다.

상호 작용	종 1	종 2	예
(가)	손해	?	촌충은 숙주의 소화관에 서식하며 영양분을 흡수한다.
(나)	이익	이익	?
경쟁	㉠	손해	캥거루쥐와 주머니쥐는 같은 종류의 먹이를 두고 서로 다툰다.

이에 대한 설명으로 옳은 것만을 〈보기〉에서 있는 대로 고른 것은?

〈보 기〉

ㄱ. (가)는 상리 공생이다.
ㄴ. ㉠은 '이익'이다.
ㄷ. '꽃은 벌새에게 꿀을 제공하고, 벌새는 꽃의 수분을 돕는다.'는 (나)의 예에 해당한다.

① ㄱ ② ㄷ ③ ㄱ, ㄴ ④ ㄴ, ㄷ ⑤ ㄱ, ㄴ, ㄷ

208. 그림 (가)는 산불이 난 지역의 식물 군집에서 천이 과정을, (나)는 식물 군집의 시간에 따른 총생산량과 호흡량을 나타낸 것이다. A~C는 음수림, 양수림, 초원을 순서 없이 나타낸 것이다.

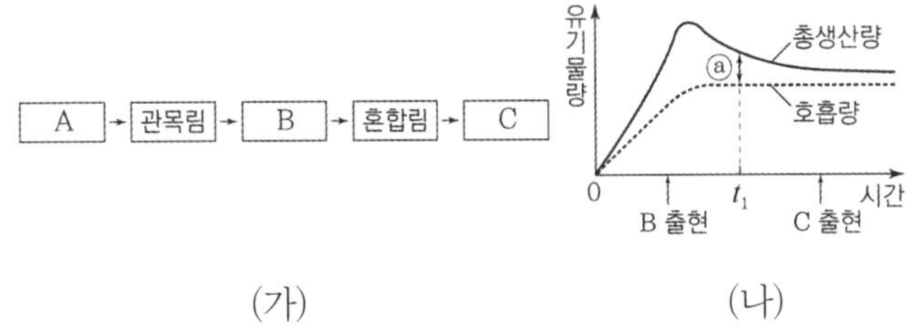

이 자료에 대한 설명으로 옳은 것만을 〈보기〉에서 있는 대로 고른 것은?

〈보 기〉

ㄱ. (가)는 2차 천이를 나타낸 것이다.
ㄴ. t_1일 때 ⓐ는 순생산량이다.
ㄷ. 이 식물 군집의 호흡량은 양수림이 출현했을 때가 음수림이 출현했을 때보다 크다.

① ㄱ ② ㄷ ③ ㄱ, ㄴ ④ ㄴ, ㄷ ⑤ ㄱ, ㄴ, ㄷ

23학년도 9월 3번

209. 그림은 생태계를 구성하는 요소 사이의 상호 관계를, 표는 상호 관계 (가)~(다)의 예를 나타낸 것이다. (가)~(다)는 ㉠~㉢을 순서 없이 나타낸 것이다.

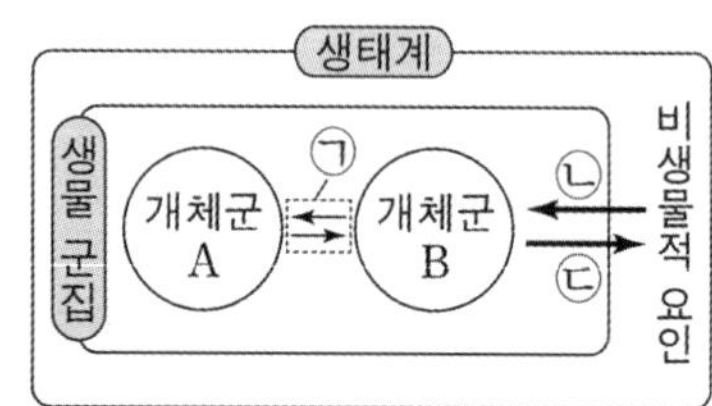

상호 관계	예
(가)	식물의 광합성으로 대기의 산소 농도가 증가한다.
(나)	ⓐ 영양염류의 유입으로 식물성 플랑크톤의 개체 수가 증가한다.
(다)	?

이에 대한 옳은 설명만을 〈보기〉에서 있는 대로 고른 것은?

〈보 기〉

ㄱ. (가)는 ㉡이다.
ㄴ. ⓐ는 비생물적 요인에 해당한다.
ㄷ. 생태적 지위가 비슷한 서로 다른 종의 새가 경쟁을 피해 활동 영역을 나누어 살아가는 것은 (다)의 예에 해당한다.

① ㄱ ② ㄷ ③ ㄱ, ㄴ ④ ㄴ, ㄷ ⑤ ㄱ, ㄴ, ㄷ

23학년도 9월 12번

210. 표는 방형구법을 이용하여 어떤 지역의 식물 군집을 조사한 결과를 나타낸 것이다.

종	개체 수	상대 밀도(%)	빈도	상대 빈도(%)	상대 피도(%)
A	?	20	0.4	20	16
B	36	30	0.7	?	24
C	12	?	0.2	10	?
D	㉠	?	?	?	30

이 자료에 대한 설명으로 옳은 것만을 〈보기〉에서 있는 대로 고른 것은? (단, A~D 이외의 종은 고려하지 않는다.)

〈보 기〉

ㄱ. ㉠은 24 이다.
ㄴ. 지표를 덮고 있는 면적이 가장 작은 종은 A이다.
ㄷ. 우점종은 B이다.

① ㄱ ② ㄴ ③ ㄷ ④ ㄱ, ㄴ ⑤ ㄴ, ㄷ

23학년도 수능 11번

211. 표는 방형구법을 이용하여 어떤 지역의 식물 군집을 두 시점 t_1과 t_2일 때 조사한 결과를 나타낸 것이다.

시점	종	개체 수	상대 빈도(%)	상대 피도(%)	중요치 (중요도)
t_1	A	9	?	30	68
	B	19	20	20	?
	C	?	20	15	49
	D	15	40	?	?
t_2	A	0	?	?	?
	B	33	?	39	?
	C	?	20	24	?
	D	21	40	?	112

이 자료에 대한 설명으로 옳은 것만을 〈보기〉에서 있는 대로 고른 것은? (단, A~D 이외의 종은 고려하지 않는다.)

〈보 기〉

ㄱ. t_1일 때 우점종은 D이다.
ㄴ. t_2일 때 지표를 덮고 있는 면적이 가장 큰 종은 B이다.
ㄷ. C의 상대 밀도는 t_1일 때가 t_2일 때보다 작다.

① ㄱ ② ㄷ ③ ㄱ, ㄴ ④ ㄴ, ㄷ ⑤ ㄱ, ㄴ, ㄷ

14학년도 예비시행 10번

212. 그림은 1987년부터 1989년까지 자원의 유입과 유출이 일정한 네 지역에 서식하는 갈색 송어 개체군의 밀도와 평균 질량의 관계를 나타낸 것이다.

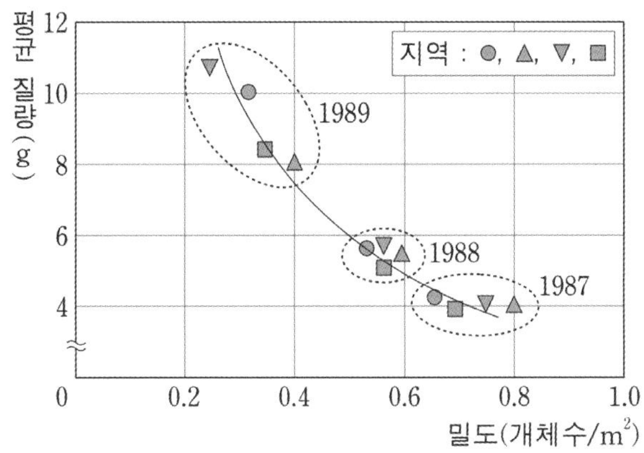

이 자료에 대한 설명으로 옳은 것만을 〈보기〉에서 있는 대로 고른 것은?

〈보 기〉

ㄱ. 종내 경쟁은 1989년보다 1987년에 심하다.
ㄴ. 밀도가 감소할 때 개체들의 평균 질량이 감소한다.
ㄷ. ▲ 지역에서 1989년과 1987년에 갈색 송어 개체군의 생체량은 동일하다.

① ㄱ ② ㄴ ③ ㄷ ④ ㄱ, ㄷ ⑤ ㄴ, ㄷ

14학년도 예비시행 20번

213. 그림은 어떤 종의 개체군 크기에 따른 유전자 변이의 수를 나타낸 것이다.

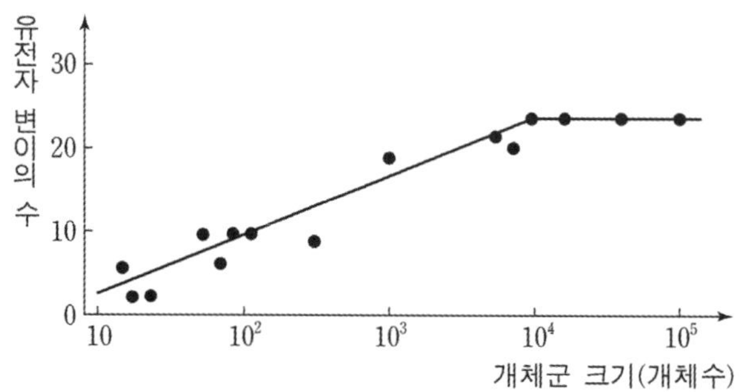

이에 대한 설명으로 옳은 것만을 〈보기〉에서 있는 대로 고른 것은?

〈보 기〉

ㄱ. 이 종 내에서 유전적 다양성을 보전하기 위한 개체군의 최소 크기는 약 10^4이다.
ㄴ. 개체군 크기가 10^3보다 10^5일 때 환경 변화에 대한 적응력이 높다.
ㄷ. 생물 다양성 중 생태계 다양성에 해당된다.

① ㄱ ② ㄴ ③ ㄷ ④ ㄱ, ㄴ ⑤ ㄱ, ㄴ, ㄷ

16학년도 6월 10번

214. 그림은 생태계에서 일어나는 질소 순환 과정의 일부를 나타낸 것이다.

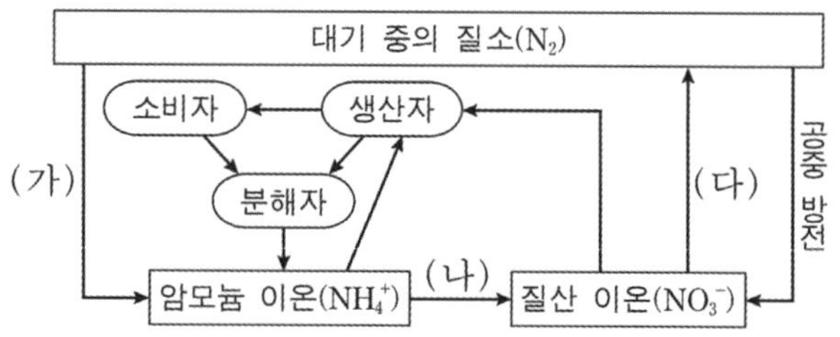

이에 대한 설명으로 옳은 것만을 〈보기〉에서 있는 대로 고른 것은?

〈보 기〉

ㄱ. 뿌리혹박테리아는 과정 (가)에 작용한다.
ㄴ. 과정 (나)는 질소 동화 작용을 나타낸다.
ㄷ. 과정 (다)에서 탈질산화 세균(질산 분해 세균)이 작용한다.

① ㄱ ② ㄴ ③ ㄱ, ㄴ ④ ㄱ, ㄷ ⑤ ㄴ, ㄷ

215. 그림 (가)는 어떤 식물 군집에서 총생산량, 순생산량, 생장량의 관계를, (나)는 이 식물 군집에서 시간에 따른 총생산량과 순생산량을 나타낸 것이다.

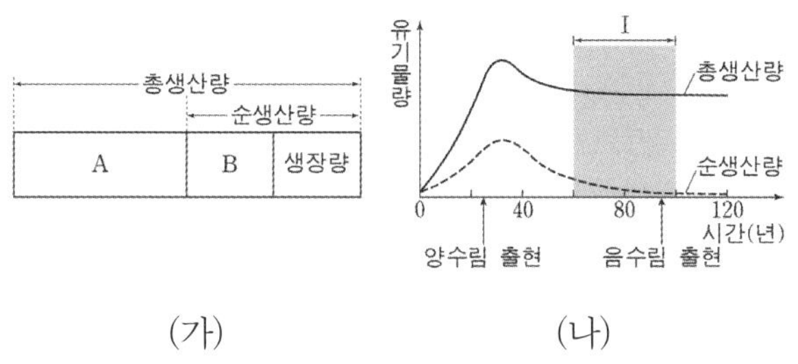

(가) (나)

이 자료에 대한 설명으로 옳은 것만을 〈보기〉에서 있는 대로 고른 것은?

〈보 기〉

ㄱ. 초식 동물의 호흡량은 A에 포함된다.
ㄴ. 낙엽의 유기물량은 B에 포함된다.
ㄷ. 천이가 진행됨에 따라 구간 I 에서 $\frac{A}{순생산량}$는 증가한다.

① ㄱ ② ㄴ ③ ㄱ, ㄷ ④ ㄴ, ㄷ ⑤ ㄱ, ㄴ, ㄷ

216. 그림은 어떤 생태계에서 A~D의 에너지양을 상댓값으로 나타낸 생태 피라미드이다. A~D는 각각 생산자, 1차 소비자, 2차 소비자, 3차 소비자 중 하나이며, 2차 소비자의 에너지 효율은 15%이다.

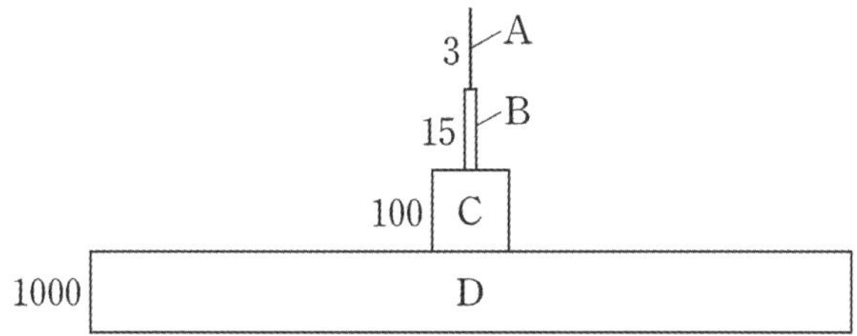

이 자료에 대한 설명으로 옳은 것만을 〈보기〉에서 있는 대로 고른 것은? (단, 에너지 효율은 전 영양 단계의 에너지양에 대한 현 영양 단계의 에너지양을 백분율로 나타낸 것이다.)

〈보 기〉

ㄱ. C는 2차 소비자이다.
ㄴ. 에너지 효율은 A가 C의 3배이다.
ㄷ. 상위 영양 단계로 갈수록 에너지양은 감소한다.

① ㄱ ② ㄷ ③ ㄱ, ㄴ ④ ㄱ, ㄷ ⑤ ㄴ, ㄷ

17학년도 3월 14번

217. 표는 어떤 안정된 생태계에서 영양 단계 A~D의 생물량, 에너지양, 에너지 효율을 나타낸 것이다. A~D는 각각 생산자, 1차 소비자, 2차 소비자, 3차 소비자 중 하나이다.

영양 단계	생물량 (상댓값)	에너지양 (상댓값)	에너지 효율 (%)
A	1.5	6	20
B	809	2000	1
C	11	30	㉠
D	37	200	10

이에 대한 설명으로 옳은 것만을 〈보기〉에서 있는 대로 고른 것은?

〈보 기〉

ㄱ. ㉠은 5이다.
ㄴ. A는 3차 소비자이다.
ㄷ. 상위 영양 단계로 갈수록 생물량은 증가한다.

① ㄱ ② ㄴ ③ ㄷ ④ ㄱ, ㄴ ⑤ ㄴ, ㄷ

18학년도 6월 11번

218. 표는 동일한 면적을 차지하고 있는 식물 군집 Ⅰ과 Ⅱ에서 1년 동안 조사한 총생산량에 대한 호흡량, 고사량, 낙엽량, 생장량, 피식량의 백분율을 나타낸 것이다. Ⅰ의 총생산량은 Ⅱ의 총생산량의 2배이다.

(단위 : %)

구분	식물 군집	
	Ⅰ	Ⅱ
호흡량	74.0	67.1
고사량, 낙엽량	19.7	24.7
생장량	6.0	8.0
피식량	0.3	0.2
합계	100.0	100.0

이 자료에 대한 설명으로 옳은 것만을 〈보기〉에서 있는 대로 고른 것은?

〈보 기〉

ㄱ. Ⅰ과 Ⅱ의 호흡량에는 초식 동물의 호흡량이 포함된다.
ㄴ. Ⅱ에서 총생산량에 대한 순생산량의 백분율은 32.9%이다.
ㄷ. 생장량은 Ⅰ에서가 Ⅱ에서보다 크다.

① ㄱ ② ㄴ ③ ㄷ ④ ㄱ, ㄴ ⑤ ㄴ, ㄷ

17학년도 10월 6번

219. 그림은 질소 순환의 일부를 나타낸 것이다. 생물 ⓐ~ⓒ는 각각 버섯, 뿌리혹박테리아, 완두 중 하나이며, 물질 ㉠과 ㉡은 각각 단백질과 NH_4^+ 중 하나이다.

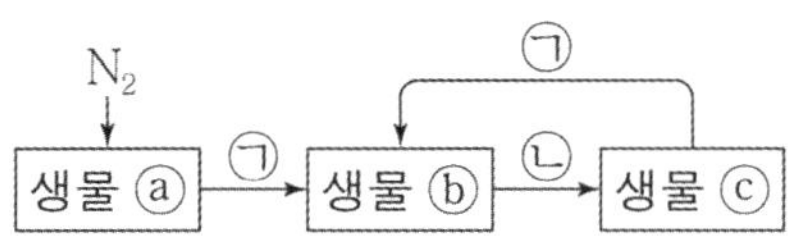

이에 대한 옳은 설명만을 〈보기〉에서 있는 대로 고른 것은?

〈보 기〉

ㄱ. ⓐ는 뿌리혹박테리아이다.
ㄴ. ⓑ에서 질산화 작용을 통해 ㉠이 ㉡으로 전환된다.
ㄷ. ⓑ와 ⓒ는 모두 유기물을 무기물로 분해한다.

① ㄱ ② ㄴ ③ ㄱ, ㄴ ④ ㄱ, ㄷ ⑤ ㄴ, ㄷ

18학년도 수능 20번

220. 그림은 어떤 식물 군집의 시간에 따른 총생산량과 호흡량을 나타낸 것이다. A와 B는 각각 총생산량과 호흡량 중 하나이다.

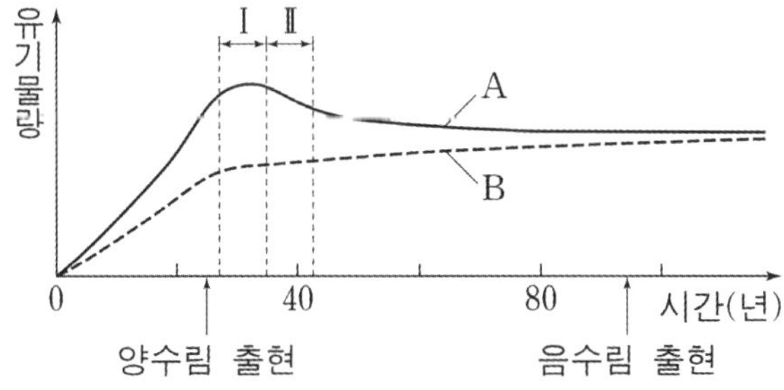

이 자료에 대한 설명으로 옳은 것만을 〈보기〉에서 있는 대로 고른 것은?

〈보 기〉

ㄱ. A는 총생산량이다.
ㄴ. 구간 Ⅰ에서 이 식물 군집은 극상을 이룬다.
ㄷ. 구간 Ⅱ에서 $\frac{\text{B}}{\text{순생산량}}$는 시간에 따라 증가한다.

① ㄱ ② ㄴ ③ ㄱ, ㄷ ④ ㄴ, ㄷ ⑤ ㄱ, ㄴ, ㄷ

19학년도 수능 18번

221. 그림은 영양 염류가 유입된 호수의 식물성 플랑크톤 군집에서 전체 개체 수, 종 수, 종 다양성과 영양 염류 농도를 시간에 따라 나타낸 것이며, 표는 종 다양성에 대한 자료이다.

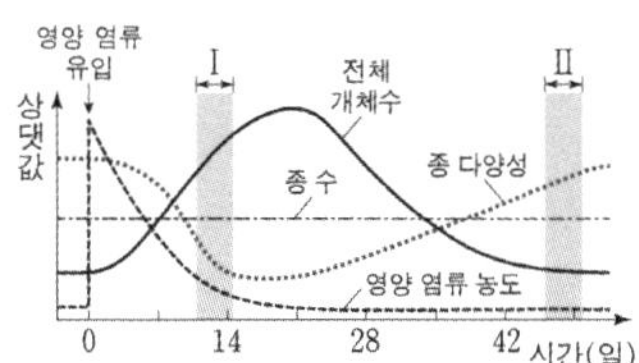

○ 종 다양성은 종 수가 많을수록 높아진다.
○ 종 다양성은 전체 개체수에서 각 종이 차지하는 비율이 균등할수록 높아진다.

이에 대한 설명으로 옳은 것만을 〈보기〉에서 있는 대로 고른 것은? (단, 식물성 플랑크톤 군집은 여러 종의 식물성 플랑크톤으로만 구성되며, 제시된 조건 이외는 고려하지 않는다.)

〈보 기〉

ㄱ. 구간 Ⅰ에서 개체 수가 증가하는 종이 있다.
ㄴ. 전체 개체 수에서 각 종이 차지하는 비율은 구간 Ⅰ에서가 구간 Ⅱ에서보다 균등하다.
ㄷ. 종 다양성은 동일한 생물 종이라도 형질이 각 개체 간에 다르게 나타나는 것을 의미한다.

① ㄱ ② ㄴ ③ ㄷ ④ ㄱ, ㄴ ⑤ ㄱ, ㄷ

20학년도 6월 18번

222. 그림 (가)와 (나)는 각각 서로 다른 생태계에서 생산자, 1차 소비자, 2차 소비자, 3차 소비자의 에너지양을 상댓값으로 나타낸 생태 피라미드이다. (가)에서 2차 소비자의 에너지 효율은 15%이고, (나)에서 1차 소비자의 에너지 효율은 10%이다.

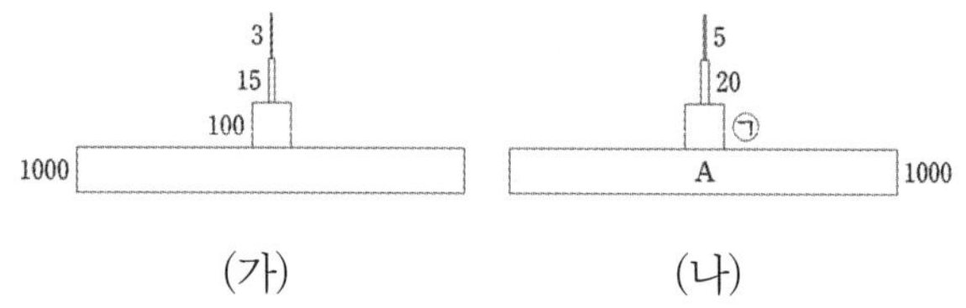

(가) (나)

이 자료에 대한 설명으로 옳은 것만을 〈보기〉에서 있는 대로 고른 것은? (단, 에너지 효율은 전 영양 단계의 에너지양에 대한 현 영양 단계의 에너지양을 백분율로 나타낸 것이다.)

〈보 기〉

ㄱ. A는 3차 소비자이다.
ㄴ. ㉠은 100이다.
ㄷ. (가)에서 에너지 효율은 상위 영양 단계로 갈수록 증가한다.

① ㄱ ② ㄷ ③ ㄱ, ㄴ ④ ㄴ, ㄷ ⑤ ㄱ, ㄴ, ㄷ

20학년도 수능 16번

223. 그림은 서로 다른 지역 (가)~(다)에 서식하는 식물 종 A~C를 나타낸 것이고, 표는 종 다양성에 대한 자료이다. (가)~(다)의 면적은 모두 같다.

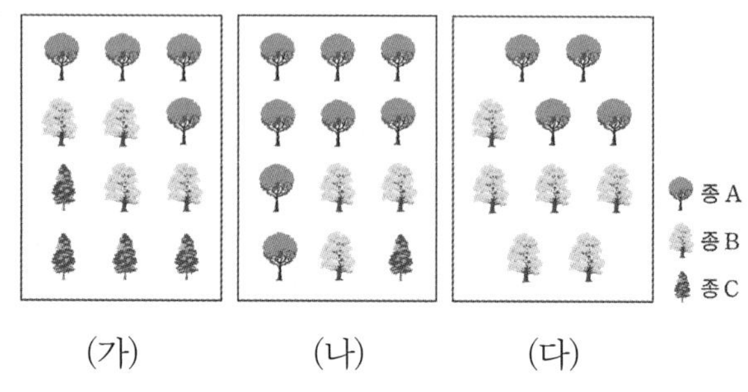

(가) (나) (다)

○ 어떤 지역의 종 다양성은 종 수가 많을수록, 전체 개체 수에서 각 종이 차지하는 비율이 균등할수록 높아진다.

이 자료에 대한 설명으로 옳은 것만을 〈보기〉에서 있는 대로 고른 것은? (단, A~C 이외의 종은 고려하지 않는다.)

〈보 기〉

ㄱ. 식물의 종 다양성은 (가)에서가 (나)에서보다 높다.
ㄴ. A의 개체군 밀도는 (가)에서가 (다)에서보다 낮다.
ㄷ. (다)에서 A는 B와 한 개체군을 이룬다.

① ㄱ ② ㄷ ③ ㄱ, ㄴ ④ ㄴ, ㄷ ⑤ ㄱ, ㄴ, ㄷ

20학년도 4월 14번

224. 그림은 어떤 생태계에서 생산자와 A~C의 에너지양을 나타낸 생태 피라미드이고, 표는 이 생태계를 구성하는 영양단계에서 에너지양과 에너지 효율을 나타낸 것이다. A~C는 각각 1차 소비자, 2차 소비자, 3차 소비자 중 하나이고, Ⅰ~Ⅲ은 A~C를 순서 없이 나타낸 것이다. 에너지 효율은 C가 A의 2배이다.

C
B
A
생산자

영양 단계	에너지양 (상댓값)	에너지 효율(%)
Ⅰ	3	?
Ⅱ	?	10
Ⅲ	㉠	15
생산자	1000	?

이에 대한 설명으로 옳은 것만을 〈보기〉에서 있는 대로 고른 것은?

〈보 기〉

ㄱ. Ⅱ는 A이다.
ㄴ. ㉠은 150이다.
ㄷ. C의 에너지 효율은 30%이다.

① ㄱ ② ㄴ ③ ㄷ ④ ㄱ, ㄷ ⑤ ㄴ, ㄷ

21학년도 수능 20번

225. 표 (가)는 면적이 동일한 서로 다른 지역 Ⅰ과 Ⅱ의 식물 군집을 조사한 결과를 나타낸 것이고, (나)는 우점종에 대한 자료이다.

지역	종	상대 밀도(%)	상대 빈도(%)	상대 피도(%)	총 개체 수
Ⅰ	A	30	?	19	100
	B	?	24	22	
	C	29	31	?	
Ⅱ	A	5	?	13	120
	B	?	13	25	
	C	70	42	?	

(가)

○ 어떤 군집의 우점종은 중요치가 가장 높아 그 군집을 대표할 수 있는 종을 의미하며, 각 종의 중요치는 상대 밀도, 상대 빈도, 상대 피도를 더한 값이다.

(나)

이에 대한 설명으로 옳은 것만을 〈보기〉에서 있는 대로 고른 것은? (단, A~C 이외의 종은 고려하지 않는다.)

〈보 기〉

ㄱ. Ⅰ의 식물 군집에서 우점종은 C이다.
ㄴ. 개체군 밀도는 Ⅰ의 A가 Ⅱ의 B보다 크다.
ㄷ. 종 다양성은 Ⅰ에서가 Ⅱ에서보다 높다.

① ㄱ ② ㄴ ③ ㄱ, ㄷ ④ ㄴ, ㄷ ⑤ ㄱ, ㄴ, ㄷ

23학년도 수능 12번

226. 그림은 어떤 생태계를 구성하는 생물 군집의 단위 면적당 생물량(생체량)의 변화를 나타낸 것이다. t_1일 때 이 군집에 산불에 의한 교란이 일어났고, t_2일 때 이 생태계의 평형이 회복되었다. ㉠은 1차 천이와 2차 천이 중 하나이다.

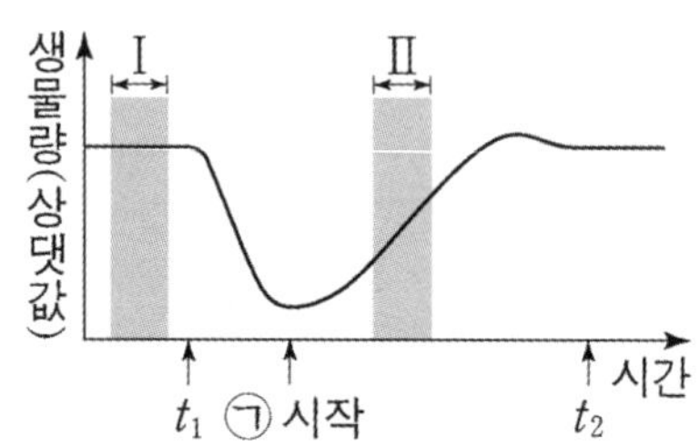

이 자료에 대한 설명으로 옳은 것만을 〈보기〉에서 있는 대로 고른 것은?

〈보 기〉

ㄱ. ㉠은 1차 천이다.
ㄴ. Ⅰ 시기에 이 생물 군집의 호흡량은 0이다.
ㄷ. Ⅱ 시기에 생산자의 총생산량은 순생산량보다 크다.

① ㄱ ② ㄷ ③ ㄱ, ㄴ ④ ㄴ, ㄷ ⑤ ㄱ, ㄴ, ㄷ

23학년도 4월 8번

227. 표 (가)는 사람 신경의 3가지 특징을, (나)는 (가)의 특징 중 방광에 연결된 신경 A~C가 갖는 특징의 개수를 나타낸 것이다. A~C는 각각 신경, 교감 신경, 부교감 신경을 순서 없이 나타낸 것이다.

특징
• 원심성 신경이다. • 자율 신경계에 속한다. • 신경절 이후 뉴런의 말단에서 노르에피네프린이 분비된다.

(가)

구분	특징의 개수
A	0
B	㉠
C	3

(나)

이에 대한 설명으로 옳은 것만을 〈보기〉에서 있는 대로 고른 것은?

〈보 기〉

ㄱ. ㉠은 1이다.
ㄴ. A는 말초 신경계에 속한다.
ㄷ. C의 신경절 이전 뉴런의 신경 세포체는 척수에 있다.

① ㄱ ② ㄴ ③ ㄷ ④ ㄱ, ㄴ ⑤ ㄴ, ㄷ

23학년도 4월 12번

228. 그림 (가)는 정상인에서 시상 하부 온도에 따른 ㉠을, (나)는 이 사람의 체온 변화에 따른 털세움근과 피부 근처 혈관을 나타낸 것이다. ㉠은 '근육에서의 열 발생량'과 '피부에서의 열 발산량' 중 하나이다.

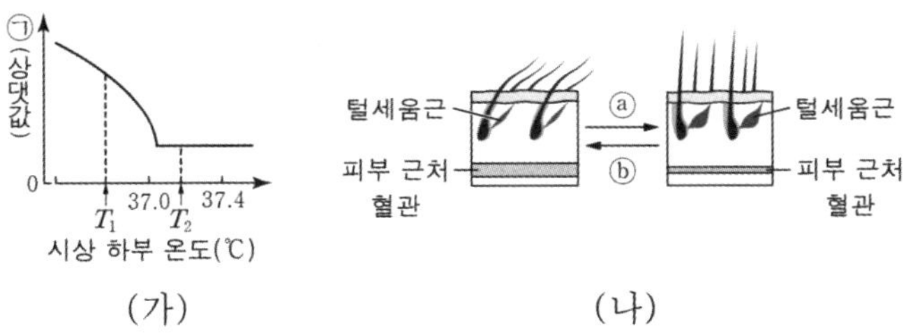

이에 대한 설명으로 옳은 것만을 〈보기〉에서 있는 대로 고른 것은?

〈보 기〉

ㄱ. ㉠은 '근육에서의 열 발생량'이다.
ㄴ. 과정 ⓐ에 교감 신경이 작용한다.
ㄷ. 시상 하부 온도가 T_1에서 T_2로 변하면 과정 ⓑ가 일어난다.

① ㄱ ② ㄷ ③ ㄱ, ㄴ ④ ㄴ, ㄷ ⑤ ㄱ, ㄴ, ㄷ

23학년도 4월 20번

229. 표는 어떤 지역에 면적이 $1m^2$인 방형구를 10개 설치한 후 식물 군집을 조사한 결과를 나타낸 것이다.

종	개체 수	출현한 방형구 수	점유한 면적(m^2)
A	30	5	0.5
B	20	6	1.5
C	40	4	2.0
D	10	5	1.0

이에 대한 설명으로 옳은 것만을 〈보기〉에서 있는 대로 고른 것은? (단, A~D 이외의 종은 고려하지 않는다.)

〈보 기〉

ㄱ. B의 빈도는 0.6이다.
ㄴ. A는 D와 한 개체군을 이룬다.
ㄷ. 중요치가 가장 큰 종은 C이다.

① ㄱ ② ㄴ ③ ㄷ ④ ㄱ, ㄷ ⑤ ㄴ, ㄷ

24학년도 6월 5번

230. 그림은 조건 Ⅰ~Ⅲ에서 뉴런 P의 한 지점에 역치 이상의 자극을 주고 측정한 시간에 따른 막전위를 나타낸 것이고, 표는 Ⅰ~Ⅲ에 대한 자료이다. ㉠과 ㉡은 Na^+과 K^+을 순서 없이 나타낸 것이다.

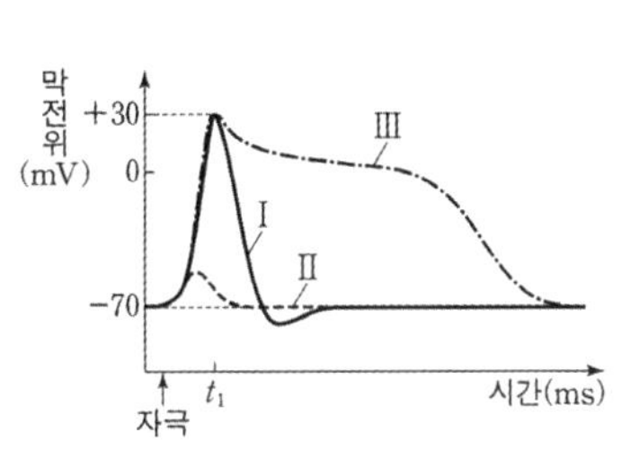

구분	조건
Ⅰ	물질 A와 B를 처리하지 않음
Ⅱ	물질 A를 처리하여 세포막에 있는 이온 통로를 통한 ㉠의 이동을 억제함
Ⅲ	물질 B를 처리하여 세포막에 있는 이온 통로를 통한 ㉡의 이동을 억제함

이에 대한 설명으로 옳은 것만을 〈보기〉에서 있는 대로 고른 것은? (단, 제시된 조건 이외는 고려하지 않는다.)

〈보 기〉

ㄱ. ㉠은 Na^+이다.
ㄴ. t_1일 때, Ⅰ에서 ㉡의 $\frac{\text{세포 안의 농도}}{\text{세포 밖의 농도}}$는 1보다 작다.
ㄷ. 막전위가 +30mV에서 −70mV가 되는 데 걸리는 시간은 Ⅲ에서가 Ⅰ에서보다 짧다.

① ㄱ ② ㄴ ③ ㄷ ④ ㄱ, ㄴ ⑤ ㄴ, ㄷ

24학년도 6월 8번

231. 표는 특정 형질에 대한 유전자형이 RR인 어떤 사람의 세포 (가)~(라)에서 핵막 소실 여부, 핵상, R의 DNA 상대량을 나타낸 것이다. (가)~(라)는 G_1기 세포, G_2기 세포, 감수 1분열 중기 세포, 감수 2분열 중기 세포를 순서 없이 나타낸 것이다. ㉠은 '소실됨'과 '소실 안 됨' 중 하나이다.

세포	핵막 소실 여부	핵상	R의 DNA 상대량
(가)	소실됨	n	2
(나)	소실 안 됨	2n	?
(다)	?	2n	2
(라)	㉠	?	4

이에 대한 설명으로 옳은 것만을 〈보기〉에서 있는 대로 고른 것은? (단, 돌연변이는 고려하지 않으며, R의 1개당 DNA 상대량은 1이다.)

〈보 기〉

ㄱ. (가)에서 2가 염색체가 관찰된다.
ㄴ. (나)는 G_2기 세포이다.
ㄷ. ㉠은 '소실됨'이다.

① ㄱ ② ㄴ ③ ㄱ, ㄷ ④ ㄴ, ㄷ ⑤ ㄱ, ㄴ, ㄷ

24학년도 6월 9번

232. 그림은 어떤 지역의 식물 군집에서 산불이 난 후의 천이 과정 일부를, 표는 이 과정 중 ㉠에서 방형구법을 이용하여 식물 군집을 조사한 결과를 나타낸 것이다. ㉠은 A와 B 중 하나이고, A와 B는 양수림과 음수림을 순서 없이 나타낸 것이다. 종 Ⅰ과 Ⅱ는 침엽수(양수)에 속하고, 종 Ⅲ과 Ⅳ는 활엽수(음수)에 속한다.

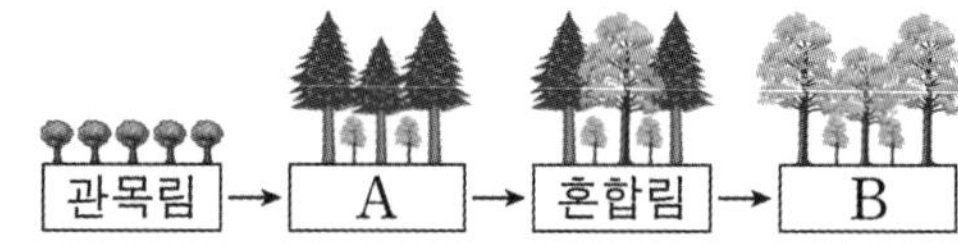

구분	침엽수		활엽수	
	Ⅰ	Ⅱ	Ⅲ	Ⅳ
상대 밀도(%)	30	42	12	16
상대 빈도(%)	32	38	16	14
상대 피도(%)	34	38	17	11

이에 대한 설명으로 옳은 것만을 〈보기〉에서 있는 대로 고른 것은? (단, Ⅰ~Ⅳ 이외의 종은 고려하지 않는다.)

〈보 기〉

ㄱ. ㉠은 B이다.
ㄴ. 이 지역에서 일어난 천이는 2차 천이이다.
ㄷ. 이 식물 군집은 혼합림에서 극상을 이룬다.

① ㄱ ② ㄴ ③ ㄷ ④ ㄱ, ㄴ ⑤ ㄱ, ㄷ

24학년도 6월 10번

233. 그림은 중추 신경계의 구조를 나타낸 것이다. ㉠~㉣은 간뇌, 소뇌, 연수, 중간뇌를 순서 없이 나타낸 것이다.

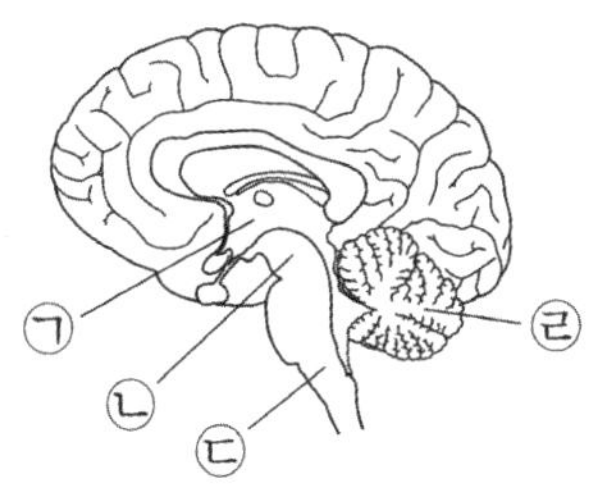

이에 대한 설명으로 옳은 것만을 〈보기〉에서 있는 대로 고른 것은?

〈보 기〉

ㄱ. ㉠에 시상 하부가 있다.
ㄴ. ㉡과 ㉣은 모두 뇌줄기에 속한다.
ㄷ. ㉢은 호흡 운동을 조절한다.

① ㄱ ② ㄴ ③ ㄱ, ㄷ ④ ㄴ, ㄷ ⑤ ㄱ, ㄴ, ㄷ

24학년도 6월 11번

234. 그림 (가)는 정상인의 혈중 항이뇨 호르몬(ADH) 농도에 따른 ㉠을, (나)는 정상인 A와 B 중 한 사람에게만 수분 공급을 중단하고 측정한 시간에 따른 ㉠을 나타낸 것이다. ㉠은 오줌 삼투압과 단위 시간당 오줌 생성량 중 하나이다.

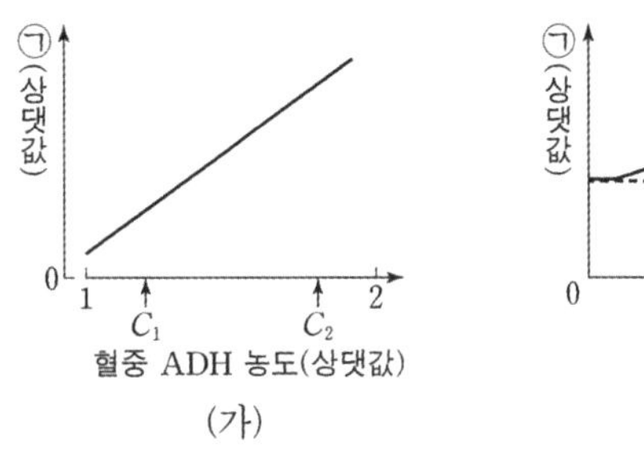

이에 대한 설명으로 옳은 것만을 〈보기〉에서 있는 대로 고른 것은? (단, 제시된 조건 이외는 고려하지 않는다.)

〈보 기〉

ㄱ. 단위 시간당 오줌 생성량은 C_2일 때가 C_1일 때보다 많다.
ㄴ. t_1일 때 $\frac{\text{B의 혈중 ADH 농도}}{\text{A의 혈중 ADH 농도}}$는 1보다 크다.
ㄷ. 콩팥은 ADH의 표적 기관이다.

① ㄱ ② ㄷ ③ ㄱ, ㄴ ④ ㄴ, ㄷ ⑤ ㄱ, ㄴ, ㄷ

24학년도 6월 12번

235. 그림은 생존 곡선 Ⅰ형, Ⅱ형, Ⅲ형을, 표는 동물 종 ㉠, ㉡, ㉢의 특징과 생존 곡선 유형을 나타낸 것이다. ⓐ와 ⓑ는 Ⅰ형과 Ⅲ형을 순서 없이 나타낸 것이며, 특정 시기의 사망률은 그 시기 동안 사망한 개체 수를 그 시기가 시작된 시점의 총개체 수로 나눈 값이다.

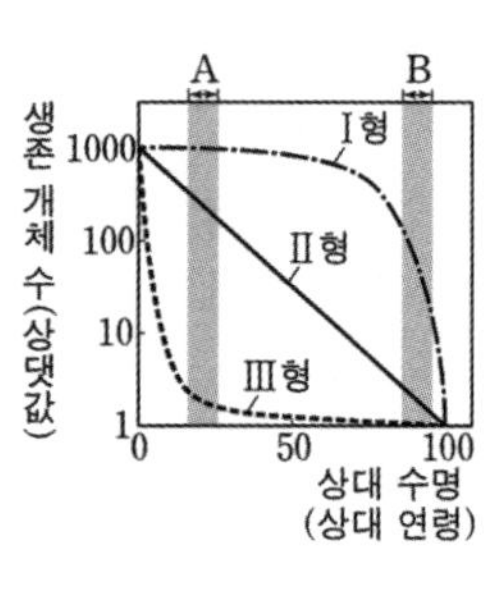

종	특징	유형
㉠	한 번에 많은 수의 자손을 낳으며 초기 사망률이 후기 사망률보다 높다.	ⓐ
㉡	한 번에 적은 수의 자손을 낳으며 초기 사망률이 후기 사망률보다 낮다.	ⓑ
㉢	?	Ⅱ형

이에 대한 설명으로 옳은 것만을 〈보기〉에서 있는 대로 고른 것은?

〈보 기〉

ㄱ. ⓑ는 Ⅰ형이다.

ㄴ. ㉢에서 $\frac{\text{A 시기 동안 사망한 개체 수}}{\text{B 시기 동안 사망한 개체 수}}$는 1이다.

ㄷ. 대형 포유류와 같이 대부분의 개체가 생리적 수명을 다하고 죽는 종의 생존 곡선 유형은 Ⅲ형에 해당한다.

① ㄱ ② ㄴ ③ ㄷ ④ ㄱ, ㄴ ⑤ ㄴ, ㄷ

24학년도 6월 13번

236. 다음은 검사 키트를 이용하여 병원체 P와 Q의 감염 여부를 확인하기 위한 실험이다.

○ 사람으로부터 채취한 시료를 검사 키트에 떨어뜨리면 시료는 물질 ⓐ와 함께 이동한다. ⓐ는 P와 Q에 각각 결합할 수 있고, 색소가 있다.

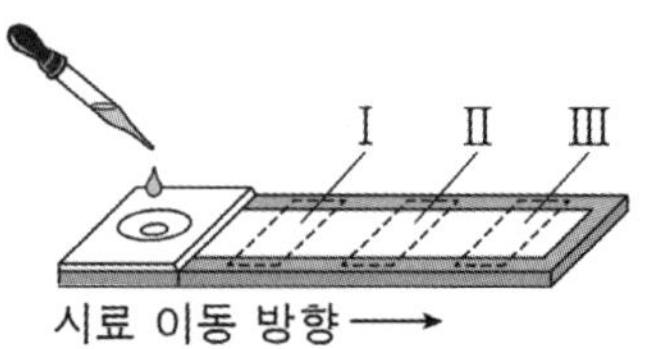

○ 검사 키트의 Ⅰ에는 'P에 대한 항체'가, Ⅱ에는 'Q에 대한 항체'가, Ⅲ에는 'ⓐ에 대한 항체'가 각각 부착되어 있다. Ⅰ~Ⅲ의 항체에 각각 항원이 결합하면, ⓐ의 색소에 의해 띠가 나타난다.

[실험 과정 및 결과]

(가) 사람 A와 B로부터 시료를 각각 준비한 후, 검사 키트에 각 시료를 떨어뜨린다.

(나) 일정 시간이 지난 후 검사 키트를 확인한 결과는 표와 같다.

사람	검사 결과
A	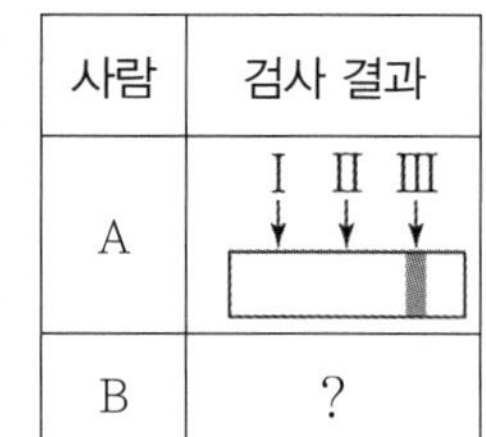
B	?

(다) A는 P와 Q에 모두 감염되지 않았고, B는 Q에만 감염되었다.

B의 검사 결과로 가장 적절한 것은? (단, 제시된 조건 이외는 고려하지 않는다.)

① 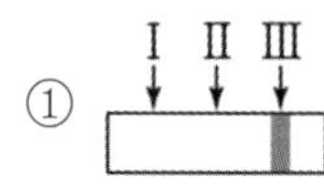
② 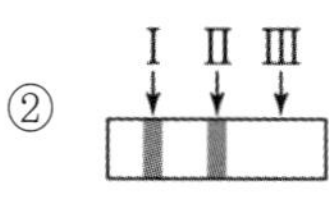
③ 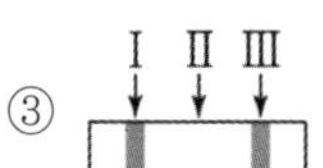
④ 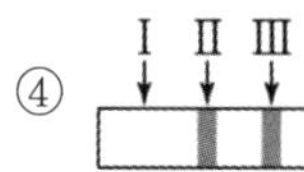
⑤ 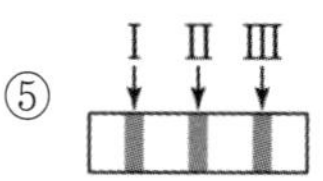

23학년도 7월 11번

237. 그림은 생태계에서 일어나는 질소 순환 과정 일부를 나타낸 것이다. ㉠~㉢은 암모늄 이온(NH_4^+), 질소 기체(N_2), 질산 이온(NO_3^-)을 순서 없이 나타낸 것이고, 과정 Ⅰ과 Ⅱ는 각각 질소 고정 작용과 탈질산화 작용 중 하나이다.

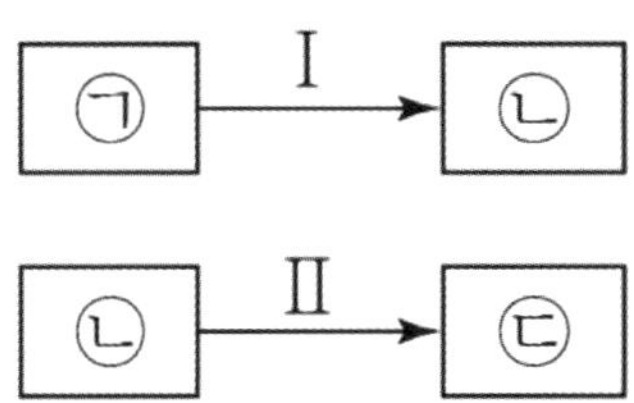

이에 대한 설명으로 옳은 것만을 〈보기〉에서 있는 대로 고른 것은?

〈보 기〉

ㄱ. ㉡은 암모늄 이온(NH_4^+)이다.
ㄴ. 뿌리혹박테리아에 의해 Ⅱ가 일어난다.
ㄷ. 식물은 ㉠을 이용하여 단백질과 같은 질소 화합물을 합성할 수 있다.

① ㄱ ② ㄴ ③ ㄱ, ㄷ ④ ㄴ, ㄷ ⑤ ㄱ, ㄴ, ㄷ

23학년도 7월 12번

238. 표는 방형구법을 이용하여 어떤 지역의 식물 군집을 조사한 결과를 나타낸 것이다. A~C의 개체 수의 합은 100이고, 순위 1, 2, 3은 값이 큰 것부터 순서대로 나타낸 것이다.

종	상대 밀도(%)		상대 빈도(%)		상대 피도(%)		중요치(중요도)	
	값	순위	값	순위	값	순위	값	순위
A	32	2	38	1	?	?	?	?
B	㉠	1	?	3	?	?	97	?
C	?	3	㉠	2	26	?	?	?

이에 대한 설명으로 옳은 것만을 〈보기〉에서 있는 대로 고른 것은? (단, A~C 이외의 종은 고려하지 않는다.)

〈보 기〉

ㄱ. 지표를 덮고 있는 면적이 가장 큰 종은 A이다.
ㄴ. B의 상대 빈도 값은 26이다.
ㄷ. C의 중요치(중요도) 값은 96이다.

① ㄱ ② ㄴ ③ ㄷ ④ ㄱ, ㄴ ⑤ ㄴ, ㄷ

23학년도 7월 17번

239. 그림은 중추 신경계에 속한 A와 B로부터 다리 골격근과 심장에 연결된 말초 신경을 나타낸 것이다. A와 B는 연수와 척수를 순서 없이 나타낸 것이고, ⓐ와 ⓑ 중 한 곳에 신경절이 있다.

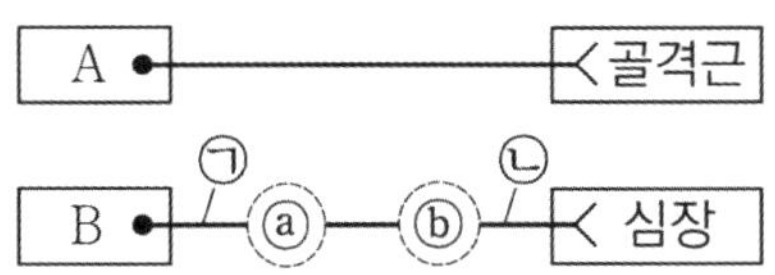

이에 대한 설명으로 옳은 것만을 〈보기〉에서 있는 대로 고른 것은?

〈보 기〉

ㄱ. A는 척수이다.
ㄴ. ⓑ에 신경절이 있다.
ㄷ. ㉠과 ㉡의 말단에는 모두 아세틸콜린이 분비된다.

① ㄱ ② ㄷ ③ ㄱ, ㄴ ④ ㄴ, ㄷ ⑤ ㄱ, ㄴ, ㄷ

24학년도 9월 6번

240. 그림은 어떤 동물 종의 개체 A와 B를 고온 환경에 노출시켜 같은 양의 땀을 흘리게 하면서 측정한 혈장 삼투압을 시간에 따라 나타낸 것이다. A와 B는 '항이뇨 호르몬(ADH)이 정상적으로 분비되는 개체'와 '항이뇨 호르몬(ADH)이 정상보다 적게 분비되는 개체'를 순서 없이 나타낸 것이다.

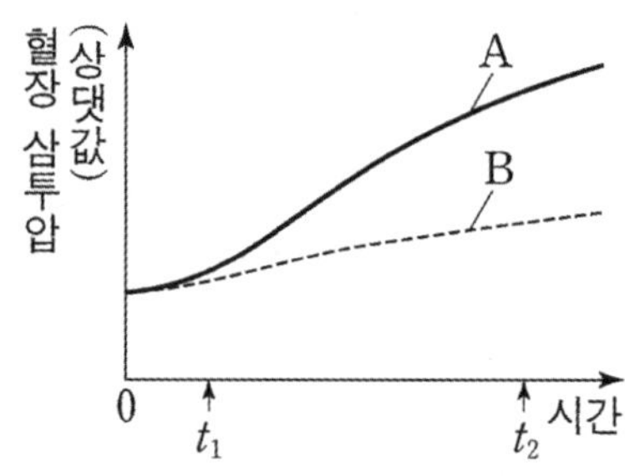

이에 대한 설명으로 옳은 것만을 〈보기〉에서 있는 대로 고른 것은? (단, 제시된 조건 이외는 고려하지 않는다.)

〈보 기〉

ㄱ. ADH는 콩팥에서 물의 재흡수를 촉진한다.
ㄴ. A는 'ADH가 정상적으로 분비되는 개체'이다.
ㄷ. B에서 생성되는 오줌의 삼투압은 t_1일 때가 t_2일 때보다 높다.

① ㄱ ② ㄴ ③ ㄷ ④ ㄱ, ㄴ ⑤ ㄱ, ㄷ

24학년도 9월 8번

241. 사람 A와 B는 모두 혈중 티록신 농도가 정상보다 낮다. 표 (가)는 A와 B의 혈중 티록신 농도가 정상보다 낮은 원인을, (나)는 사람 ㉠과 ㉡의 TSH 투여 전과 후의 혈중 티록신 농도를 나타낸 것이다. ㉠과 ㉡은 A와 B를 순서 없이 나타낸 것이다.

사람	원인
A	TSH가 분비되지 않음
B	TSH의 표적 세포가 TSH에 반응하지 못함

(가)

사람	티록신 농도	
	TSH 투여 전	TSH 투여 후
㉠	정상보다 낮음	정상
㉡	정상보다 낮음	정상보다 낮음

(나)

이에 대한 설명으로 옳은 것만을 〈보기〉에서 있는 대로 고른 것은? (단, 제시된 조건 이외는 고려하지 않는다.)

〈보 기〉

ㄱ. ㉠은 B이다.
ㄴ. TSH 투여 후, A의 갑상샘에서 티록신이 분비된다.
ㄷ. 정상인에서 혈중 티록신 농도가 증가하면 TSH의 분비가 촉진된다.

① ㄱ ② ㄴ ③ ㄷ ④ ㄱ, ㄴ ⑤ ㄱ, ㄷ

24학년도 9월 16번

242. 표는 생태계의 질소 순환 과정에서 일어나는 물질의 전환을 나타낸 것이다. Ⅰ과Ⅱ는 탈질산화 작용과 질소 고정 작용을 순서 없이 나타낸 것이고, ㉠과 ㉡은 질산 이온(NO_3^-)과 암모늄 이온(NH_4^+)을 순서 없이 나타낸 것이다.

구분	물질의 전환
질산화 작용	㉠→㉡
Ⅰ	대기 중의 질소(N_2)→㉠
Ⅱ	㉡→대기 중의 질소(N_2)

이에 대한 설명으로 옳은 것만을 〈보기〉에서 있는 대로 고른 것은?

〈보 기〉

ㄱ. ㉠은 질산 이온(NO_3^-)이다.
ㄴ. Ⅰ은 질소 고정 작용이다.
ㄷ. 탈질산화 세균은 Ⅱ에 관여한다.

① ㄱ ② ㄴ ③ ㄱ, ㄷ ④ ㄴ, ㄷ ⑤ ㄱ, ㄴ, ㄷ

24학년도 9월 18번

243. 다음은 어떤 지역의 식물 군집에서 우점종을 알아보기 위한 탐구이다.

○ (가) 이 지역에 방형구를 설치하여 식물 종 A~E의 분포를 조사했다. 표는 조사한 자료 중 A~E의 개체 수와 A~E가 출현한 방형구 수를 나타낸 것이다.

구분	A	B	C	D	E
개체 수	96	48	18	48	30
출현한 방형구 수	22	20	10	16	12

○ (나) 표는 A~E의 분포를 조사한 자료를 바탕으로 각 식물 종의 ㉠~㉢을 구한 결과를 나타낸 것이다. ㉠~㉢은 상대 밀도, 상대 빈도, 상대 피도를 순서 없이 나타낸 것이다.

구분	A	B	C	D	E
㉠(%)	27.5	?	ⓐ	20	15
㉡(%)	40	?	7.5	20	12.5
㉢(%)	36	17	13	?	10

이 자료에 대한 설명으로 옳은 것만을 〈보기〉에서 있는 대로 고른 것은? (단, A~E 이외의 종은 고려하지 않는다.)

〈보 기〉

ㄱ. ⓐ는 12.5이다.
ㄴ. 지표를 덮고 있는 면적이 가장 작은 종은 E이다.
ㄷ. 우점종은 A이다.

① ㄱ ② ㄴ ③ ㄱ, ㄷ ④ ㄴ, ㄷ ⑤ ㄱ, ㄴ, ㄷ

23학년도 10월 11번

244. 다음은 생태계에서 일어나는 탄소 순환 과정에 대한 자료이다. ㉠과 ㉡은 생산자와 소비자를 순서 없이 나타낸 것이고, ⓐ와 ⓑ는 유기물과 CO_2를 순서 없이 나타낸 것이다.

> ○ 탄소는 먹이 사슬을 따라 ㉠에서 ㉡으로 이동한다.
> ○ 식물은 광합성을 통해 대기 중 ⓐ로부터 ⓑ를 합성한다.

이에 대한 옳은 설명만을 〈보기〉에서 있는 대로 고른 것은?

〈보 기〉

ㄱ. 식물은 ㉠에 해당한다.
ㄴ. 대기에서 탄소는 주로 ⓐ의 형태로 존재한다.
ㄷ. 분해자는 사체나 배설물에 포함된 ⓑ를 분해한다.

① ㄱ ② ㄷ ③ ㄱ, ㄴ ④ ㄴ, ㄷ ⑤ ㄱ, ㄴ, ㄷ

23학년도 10월 19번

245. 그림은 정상인이 운동할 때 체온의 변화와 ㉠, ㉡의 변화를 나타낸 것이다. ㉠과 ㉡은 각각 열 발산량(열 방출량)과 열 발생량(열 생산량) 중 하나이다.

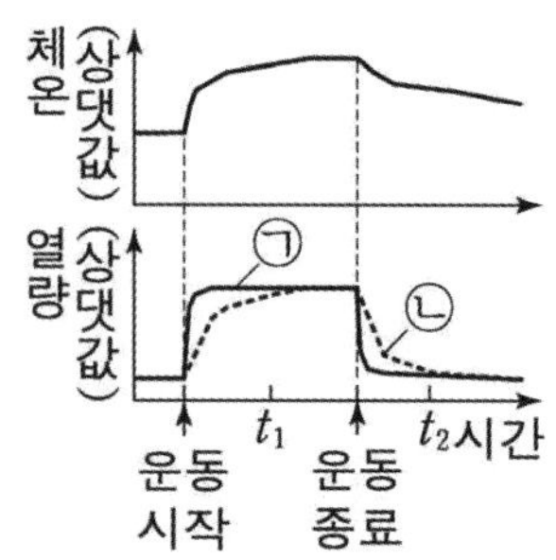

이에 대한 옳은 설명만을 〈보기〉에서 있는 대로 고른 것은?

〈보 기〉

ㄱ. ㉠은 열 발산량(열 방출량)이다.
ㄴ. 체온 조절 중추는 간뇌의 시상 하부이다
ㄷ. 피부 근처 혈관을 흐르는 단위 시간당 혈액량은 t_1일 때가 t_2일 때보다 적다.

① ㄱ ② ㄴ ③ ㄷ ④ ㄱ, ㄴ ⑤ ㄴ, ㄷ

24학년도 수능 3번

246. 다음은 플랑크톤에서 분비되는 독소 ㉠과 세균 S에 대해 어떤 과학자가 수행한 탐구이다.

> (가) S의 밀도가 낮은 호수에서보다 높은 호수에서 ㉠의 농도가 낮은 것을 관찰하고, S가 ㉠을 분해할 것이라고 생각했다.
> (나) 같은 농도의 ㉠이 들어 있는 수조 Ⅰ과 Ⅱ를 준비하고 한 수조에만 S를 넣었다. 일정 시간이 지난 후 Ⅰ과 Ⅱ 각각에 남아 있는 ㉠의 농도를 측정했다.
> (다) 수조에 남아 있는 ㉠의 농도는 Ⅰ에서가 Ⅱ에서보다 높았다.
> (라) S가 ㉠을 분해한다는 결론을 내렸다.

이 자료에 대한 설명으로 옳은 것만을 〈보기〉에서 있는 대로 고른 것은?

〈보 기〉

ㄱ. (나)에서 대조 실험이 수행되었다.
ㄴ. 조작 변인은 수조에 남아 있는 ㉠의 농도이다.
ㄷ. S를 넣은 수조는 Ⅰ이다.

① ㄱ ② ㄴ ③ ㄱ, ㄷ ④ ㄴ, ㄷ ⑤ ㄱ, ㄴ, ㄷ

247. 표는 사람의 자율 신경 Ⅰ~Ⅲ의 특징을 나타낸 것이다. (가)와 (나)는 척수와 뇌줄기를 순서 없이 나타낸 것이고, ㉠은 아세틸콜린과 노르에피네프린 중 하나이다.

자율 신경	신경절 이전 뉴런의 신경 세포체 위치	신경절 이후 뉴런의 축삭 돌기 말단에서 분비되는 신경 전달 물질	연결된 기관
Ⅰ	(가)	아세틸콜린	위
Ⅱ	(가)	㉠	심장
Ⅲ	(나)	㉠	방광

이에 대한 설명으로 옳은 것만을 〈보기〉에서 있는 대로 고른 것은?

〈보 기〉

ㄱ. (가)는 뇌줄기이다.
ㄴ. ㉠은 노르에피네프린이다.
ㄷ. Ⅲ은 부교감 신경이다.

① ㄱ ② ㄴ ③ ㄷ ④ ㄱ, ㄴ ⑤ ㄱ, ㄷ

248. 사람 A~C는 모두 혈중 티록신 농도가 정상적이지 않다. 표 (가)는 A~C의 혈중 티록신 농도가 정상적이지 않은 원인을, (나)는 사람 ㉠~㉢의 혈중 티록신과 TSH의 농도를 나타낸 것이다. ㉠~㉢은 A~C를 순서 없이 나타낸 것이고, ⓐ는 '+'와 '−' 중 하나이다.

사람	원인
A	뇌하수체 전엽에 이상이 생겨 TSH 분비량이 정상보다 적음
B	갑상샘에 이상이 생겨 티록신 분비량이 정상보다 많음
C	갑상샘에 이상이 생겨 티록신 분비량이 정상보다 적음

(가)

사람	혈중 농도	
	티록신	TSH
㉠	−	+
㉡	+	ⓐ
㉢	−	−

(+: 정상보다 높음, −: 정상보다 낮음)

(나)

이에 대한 설명으로 옳은 것만을 〈보기〉에서 있는 대로 고른 것은? (단, 제시된 조건 이외는 고려하지 않는다.)

〈보 기〉

ㄱ. ⓐ는 '−'이다.
ㄴ. ㉠에게 티록신을 투여하면 투여 전보다 TSH의 분비가 촉진된다.
ㄷ. 정상인에게 뇌하수체 전엽에 TRH의 표적 세포가 있다.

① ㄱ ② ㄴ ③ ㄷ ④ ㄱ, ㄷ ⑤ ㄴ, ㄷ

24학년도 수능 16번

249. 표는 사람 Ⅰ~Ⅲ 사이의 ABO식 혈액형에 대한 응집 반응 결과를 나타낸 것이다. ㉠~㉢은 Ⅰ~Ⅲ의 혈장을 순서 없이 나타낸 것이다. Ⅰ~Ⅲ의 ABO식 혈액형은 각각 서로 다르며, A형, AB형, O형 중 하나이다.

적혈구 \ 혈장	㉠	㉡	㉢
Ⅰ의 적혈구	?	−	+
Ⅱ의 적혈구	−	?	−
Ⅲ의 적혈구	?	+	?

(+: 응집됨, −: 응집 안 됨)

이에 대한 설명으로 옳은 것만을 〈보기〉에서 있는 대로 고른 것은?

〈보 기〉

ㄱ. Ⅰ의 ABO식 혈액형은 A형이다.
ㄴ. ㉡은 Ⅱ의 혈장이다.
ㄷ. Ⅲ의 적혈구와 ㉢을 섞으면 항원 항체 반응이 일어난다.

① ㄱ ② ㄴ ③ ㄱ, ㄷ ④ ㄴ, ㄷ ⑤ ㄱ, ㄴ, ㄷ

24학년도 수능 18번

250. 다음은 바이러스 X에 대한 생쥐의 방어 작용 실험이다.

[실험 과정 및 결과]

(가) 유전적으로 동일하고 X에 노출된 적이 없는 생쥐 A~D를 준비한다. A와 B는 ㉠이고, C와 D는 ㉡이다. ㉠과 ㉡은 '정상 생쥐'와 '가슴샘이 없는 생쥐'를 순서 없이 나타낸 것이다.

(나) A~D 중 B와 D에 X를 각각 주사한 후 A~D에서 ⓐ X에 감염된 세포의 유무를 확인한 결과, B와 D에서만 ⓐ가 있었다.

(다) 일정 시간이 지난 후, 각 생쥐에 대해 조사한 결과는 표와 같다.

구분	㉠		㉡	
	A	B	C	D
X에 대한 세포성 면역 반응 여부	일어나지 않음	일어남	일어나지 않음	일어나지 않음
생존 여부	산다	산다	산다	죽는다

이에 대한 설명으로 옳은 것만을 〈보기〉에서 있는 대로 고른 것은? (단, 제시된 조건 이외는 고려하지 않는다.)

〈보 기〉

ㄱ. X는 유전 물질을 갖는다.
ㄴ. ㉡은 '가슴샘이 없는 생쥐'이다.
ㄷ. (다)의 B에서 세포독성 T 림프구가 ⓐ를 파괴하는 면역 반응이 일어났다.

① ㄱ ② ㄷ ③ ㄱ, ㄴ ④ ㄴ, ㄷ ⑤ ㄱ, ㄴ, ㄷ

세포분열

Part 1) 기출 문제

Part 2) 고난도 N제

그녀는 두 눈을 끔뻑거리며 눈치를 보는가 싶더니 돌연 웃기 시작했다.
이렇게 크게 웃는 모습은 처음이다.

"아 ㅋㅋㅋㅋ 너무 크게 웃었죠??"
새빨간 얼굴에 웃음이 가득했다.
그 모습을 은근한 눈빛으로 바라보고 있는 '오빠'라는 새끼가 싫다.

"그럼 다음에 봬요."
그렇게 말하고 그녀가 내렸다. 내 눈은 그 뒷모습을 쫓았다.
그녀도 나를 바라봤고, 난 그녀의 눈동자에 비친 내 모습을 보았다.
난 뭔가에 홀린 사람처럼 그녀를 따라 버스를 내렸다.

마음이 서로 달라도 상관없었다.
이대로 헤어지면, 한 주를 더 기다릴 수 없을 것 같았다.

"오늘 저녁에 뭐 하세요? 같이 벚꽃 보러 가지 않을래요?
'그냥 버스 같이 타는 사람'은 그만하고 싶은데."

세포 분열 파트에서 가장 중요한 건 세포의 핵상과 유전자의 위치 파악입니다.

이는 문제에서 제시된 조건에 따라 조금씩 달라질 수 있지만, 일반적으로는 아래의 방법을 통해 찾게 됩니다.

(* 돌연변이를 고려하지 않았을 때입니다.)

Ⅰ. 핵상이 2n인 경우

ⅰ. 대립유전자의 DNA 상대량이 (1, 1)이나 (2, 2)

→ 상동 염색체가 모두 있다는 뜻이므로 2n입니다.

ⅱ. 대립유전자의 DNA 상대량이 4

→ 일반적으로 대립유전자 1개당 DNA 상대량이 1인데, 4라면 염색 분체가 4개라는 뜻이므로 2n(G_2기)입니다.

ⅲ. 하나의 세포에 DNA 상대량이 1인 대립유전자와 2인 대립유전자가 같이 있음

→ 핵상이 n일 때, 복제된 세포는 DNA 상대량이 2나 0만 가능하고, 감수 2분열이 끝난 세포는 1이나 0만 가능합니다.

Ⅱ-1. 성염색체에 있는 유전자

ⅰ. G_1기일 때, 대립유전자를 1개만 갖고 있으면 해당 유전자는 성염색체에 있는 유전자이고 수컷의 세포

예를 들어, G_1기 세포에서 A/a의 DNA 상대량이 (1, 0)이라면 A/a는 성염색체에 있는 유전자이며 수컷이 세포입니다.

→ G_1기일 때 대립유전자가 1개려면 염색체가 1개 있다는 뜻입니다. 이는 남자에서 X 염색체나 Y 염색체에 있는 경우만 가능합니다. 완전히 같은 논리로, G_2기일 때는 2배를 하면 되겠죠?

ⅱ. 특정 유전자가 아예 없으면 성염색체에 있는 유전자

예를 들어, 특정 세포에서 A/a의 DNA 상대량이 (0, 0)이라면 A/a는 성염색체에 있는 유전자입니다.

→ 상염색체에 있는 대립유전자는 없을 수 없습니다.

Ⅱ-2. 상염색체에 있는 유전자

일반적으로 여자는 X 염색체가 2개이고, 상염색체도 2개가 1쌍으로 존재하므로 구분되지 않습니다.
남자는 X 염색체와 Y 염색체는 1개이고, 상염색체는 2개이므로 구분이 가능합니다.

따라서 특정 유전자가 상염색체에 있는 유전자임을 밝히려면, 남자가 염색체가 2개인 부분을 찾아야 합니다.
즉, 남자가 특정 유전자를 동형 접합성이나 이형 접합성으로 가질 경우 해당 유전자는 상염색체에 있는 유전자입니다.

(* 추가로, 위의 내용으로 인해 특정 성염색체가 X 염색체에 있는지, Y 염색체에 있는지를 알려면 일반적으로 여자를 통해서만 확인이 가능합니다.)

추가로 DNA 상대량 '1'은 분체가 1개밖에 없다는 뜻이므로 복제가 안 된 상태를 의미합니다.

따라서 DNA 상대량 '1'이 있을 경우 G_1기나 생식세포 시기만 가능함도 알고 계시는 게 좋습니다.

이를 이용하면, 굳이 따로 외우지 않더라도 (1, 1)은 G_1기 세포이고, 하나의 세포에 1과 2가 같이 있는 경우도 G_1기 세포겠죠?

위 내용들은 반드시 숙지하신 후, 추가로 필요한 내용과 논리들은 해설지를 통해 학습하시기 바랍니다.

PART 1

68문항

21학년도 4월 3번

01. 그림은 같은 종인 동물(2n=?) Ⅰ과 Ⅱ의 세포 (가)~(라) 각각에 들어 있는 모든 염색체를 나타낸 것이다. (가)~(라) 중 3개는 Ⅰ의 세포이고, 나머지 1개는 Ⅱ의 세포이다. 이 동물의 성염색체는 암컷이 XX, 수컷이 XY이다.

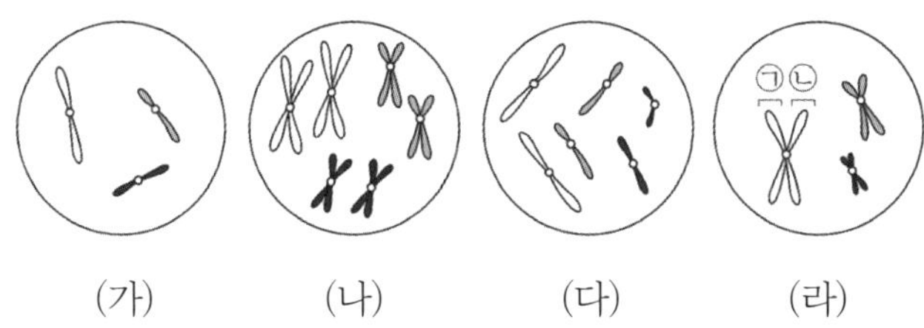

(가) (나) (다) (라)

이에 대한 설명으로 옳은 것만을 〈보기〉에서 있는 대로 고른 것은? (단, 돌연변이는 고려하지 않는다.)

〈보 기〉

ㄱ. (가)는 Ⅰ의 세포이다.
ㄴ. ㉠은 ㉡의 상동 염색체이다.
ㄷ. Ⅱ의 감수 1분열 중기 세포 1개당 염색 분체 수는 12이다.

① ㄱ ② ㄴ ③ ㄱ, ㄷ ④ ㄴ, ㄷ ⑤ ㄱ, ㄴ,

17학년도 6월 8번

02. 그림은 세포 (가)~(라) 각각에 들어 있는 모든 염색체를 나타낸 것이다. 서로 다른 개체 A, B, C는 2가지 종으로 구분되며, 모두 2n=8이다. (가)는 A의 세포이고, (나)는 B의 세포이며, (다)와 (라)는 각각 B의 세포와 C의 세포 중 하나이다. A~C의 성염색체는 암컷이 XX, 수컷이 XY이다.

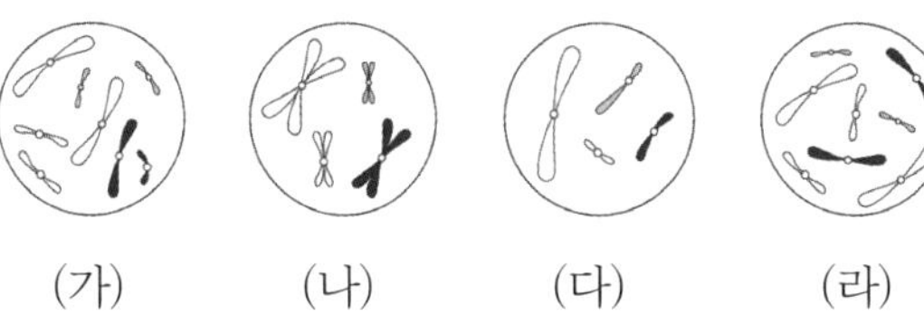

(가) (나) (다) (라)

이에 대한 설명으로 옳은 것만을 〈보기〉에서 있는 대로 고른 것은? (단, 돌연변이는 고려하지 않는다.)

〈보 기〉

ㄱ. (가)와 (라)는 같은 종의 세포이다.
ㄴ. X 염색체의 수는 (라)가 (나)의 2배이다.
ㄷ. B와 C의 핵형은 같다.

① ㄱ ② ㄷ ③ ㄱ, ㄴ ④ ㄴ, ㄷ ⑤ ㄱ, ㄴ, ㄷ

16학년도 수능 7번

03. 그림은 세포 (가)~(마) 각각에 들어 있는 모든 염색체를 나타낸 것이다. 서로 다른 개체 A, B, C는 2가지 종으로 구분되며, 모두 2n=6이다. (가)는 A의 세포이고 (나)는 B의 세포이며, (다), (라), (마) 각각은 B와 C의 세포 중 하나이다. A~C의 성염색체는 암컷이 XX, 수컷이 XY이다.

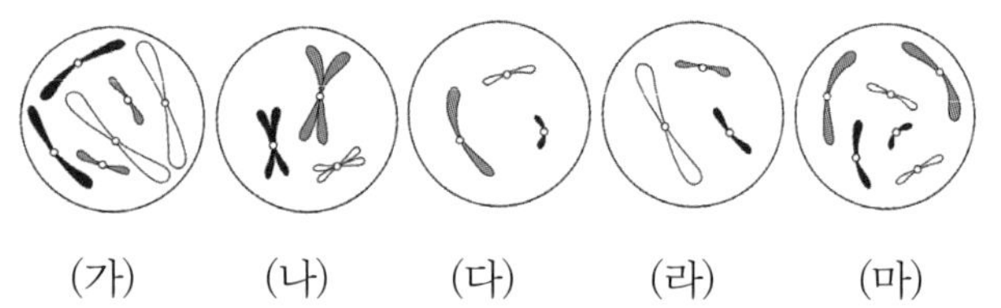

(가) (나) (다) (라) (마)

이에 대한 설명으로 옳은 것만을 〈보기〉에서 있는 대로 고른 것은? (단, 돌연변이는 고려하지 않는다.)

〈보 기〉

ㄱ. (가)와 (라)는 같은 종의 세포이다.
ㄴ. B와 C는 성이 다르다.
ㄷ. (라)는 B의 세포이다.

① ㄱ ② ㄷ ③ ㄱ, ㄴ ④ ㄴ, ㄷ ⑤ ㄱ, ㄴ, ㄷ

19학년도 6월 6번

04. 그림은 세포 (가)~(마) 각각에 들어 있는 모든 염색체를 나타낸 것이다. (가)~(마)는 각각 서로 다른 개체 A, B, C의 세포 중 하나이다. A와 B는 같은 종이고, B와 C는 수컷이다. A~C는 2n=8이며, A~C의 성염색체는 암컷이 XX, 수컷이 XY이다.

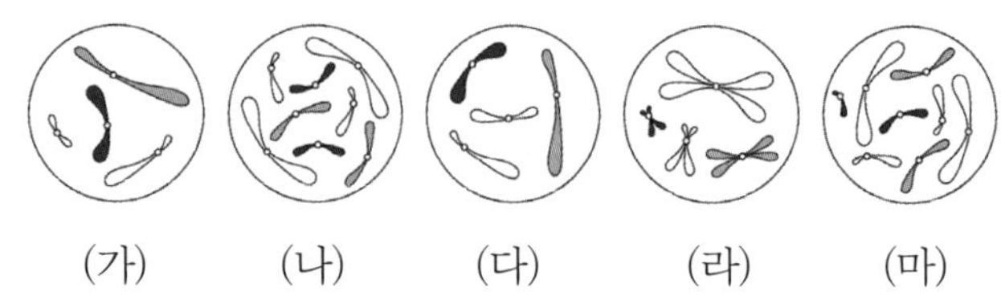

(가) (나) (다) (라) (마)

이에 대한 설명으로 옳은 것만을 〈보기〉에서 있는 대로 고른 것은? (단, 돌연변이는 고려하지 않는다.)

〈보 기〉

ㄱ. (라)는 B의 세포이다.
ㄴ. (가)와 (다)는 같은 개체의 세포이다.
ㄷ. 세포 1개당 $\frac{\text{X 염색체 수}}{\text{상염색체 수}}$의 값은 (나)가 (마)의 2배이다.

① ㄱ ② ㄷ ③ ㄱ, ㄴ ④ ㄴ, ㄷ ⑤ ㄱ, ㄴ, ㄷ

21학년도 6월 9번

05.

그림은 세포 (가)와 (나) 각각에 들어 있는 모든 염색체를 나타낸 것이다. (가)와 (나)는 각각 동물 A(2n=6)와 동물 B(2n=?)의 세포 중 하나이다.

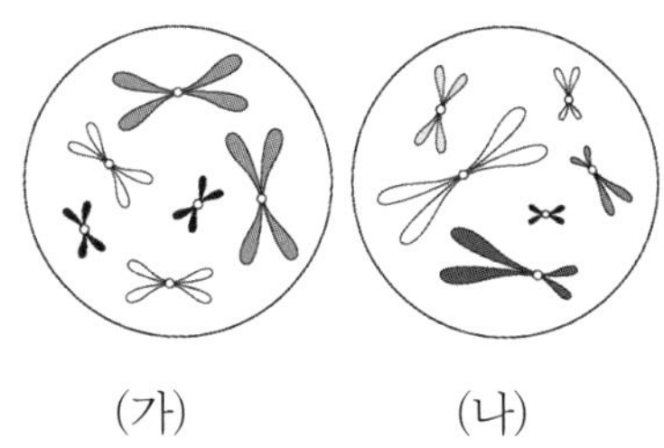

(가) (나)

이에 대한 설명으로 옳은 것만을 〈보기〉에서 있는 대로 고른 것은? (단, 돌연변이는 고려하지 않는다.)

〈보 기〉

ㄱ. (가)는 A의 세포이다.
ㄴ. (가)와 (나)의 핵상은 같다.
ㄷ. B의 체세포 분열 중기의 세포 1개당 염색 분체 수는 12이다.

① ㄱ ② ㄴ ③ ㄱ, ㄷ ④ ㄴ, ㄷ ⑤ ㄱ, ㄴ, ㄷ

18학년도 6월 4번

06.

그림은 세포 (가)~(다) 각각에 들어 있는 모든 염색체를 나타낸 것이다. (가)~(다) 각각은 개체 A(2n=6)와 개체 B(2n=?)의 세포중 하나이다. A와 B의 성염색체는 암컷이 XX, 수컷이 XY이다.

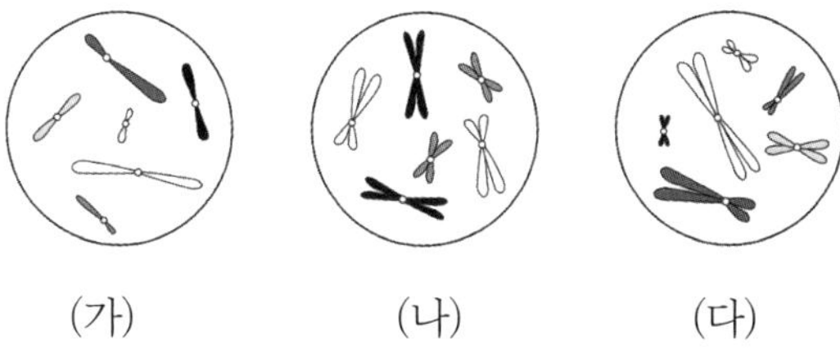

(가) (나) (다)

이에 대한 설명으로 옳은 것만을 〈보기〉에서 있는 대로 고른 것은? (단, 돌연변이는 고려하지 않는다.)

〈보 기〉

ㄱ. (가)는 A의 세포이다.
ㄴ. B는 수컷이다.
ㄷ. B의 감수 1분열 중기 세포 1개당 염색 분체 수는 12이다.

① ㄱ ② ㄴ ③ ㄷ ④ ㄱ, ㄴ ⑤ ㄴ, ㄷ

21학년도 3월 8번

07. 그림은 어떤 동물 종($2n=6$)의 개체 Ⅰ과 Ⅱ의 세포 (가)~(다)에 들어 있는 모든 염색체를 나타낸 것이다. Ⅰ의 유전자형은 AaBb이고, Ⅱ의 유전자형은 AAbb이며, (나)와 (다)는 서로 다른 개체의 세포이다. 이 동물 종의 성염색체는 수컷이 XY, 암컷이 XX이다.

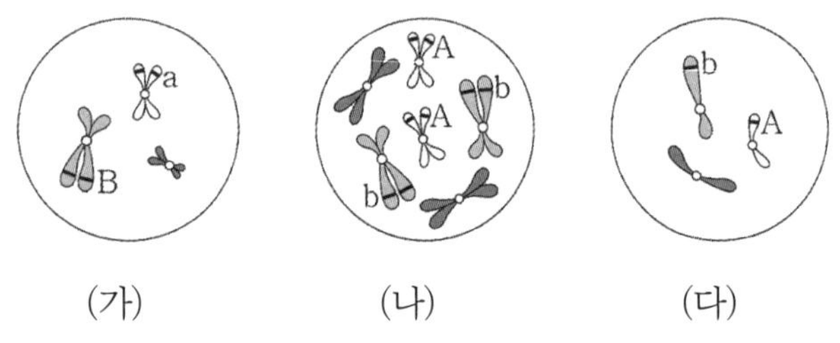

(가) (나) (다)

이에 대한 옳은 설명만을 〈보기〉에서 있는 대로 고른 것은? (단, 돌연변이는 고려하지 않는다.)

〈보 기〉

ㄱ. Ⅰ은 수컷이다.
ㄴ. (다)는 Ⅱ의 세포이다.
ㄷ. Ⅱ의 체세포 분열 중기의 세포 1개당 염색 분체 수는 12이다.

① ㄱ ② ㄴ ③ ㄱ, ㄷ ④ ㄴ, ㄷ ⑤ ㄱ, ㄴ, ㄷ

20학년도 9월 13번

08. 그림은 같은 종인 동물($2n=6$) Ⅰ과 Ⅱ의 세포 (가)~(라) 각각에 들어 있는 모든 염색체를 나타낸 것이다. (가)~(라) 중 2개는 Ⅰ의 세포이고, 나머지 2개는 Ⅱ의 세포이다. 이 동물의 성염색체는 암컷이 XX, 수컷이 XY이다. 이 동물 종의 특정 형질은 대립유전자 A와 a, B와 b에 의해 결정되며, Ⅰ의 유전자형은 AaBB이고, Ⅱ의 유전자형은 AABb이다. ㉠은 B와 b 중 하나이다.

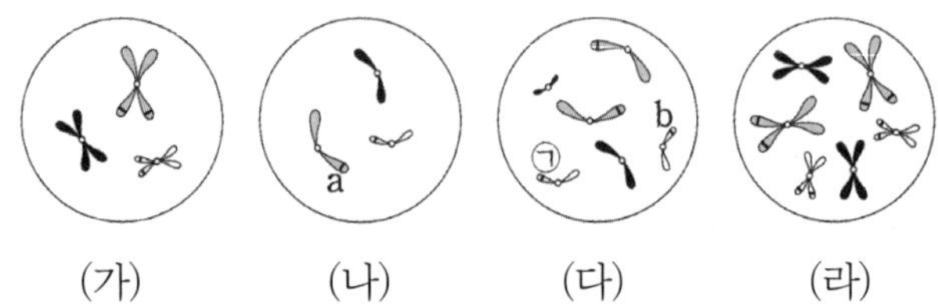

(가) (나) (다) (라)

이에 대한 설명으로 옳은 것만을 〈보기〉에서 있는 대로 고른 것은? (단, 돌연변이와 교차는 고려하지 않는다.)

〈보 기〉

ㄱ. ㉠은 B이다.
ㄴ. (가)와 (다)의 핵상은 같다.
ㄷ. (라)는 Ⅱ의 세포이다.

① ㄱ ② ㄴ ③ ㄱ, ㄷ ④ ㄴ, ㄷ ⑤ ㄱ, ㄴ, ㄷ

20학년도 수능 3번

09. 그림은 같은 종인 동물(2n=?) Ⅰ과 Ⅱ의 세포 (가)~(다) 각각에 들어 있는 모든 염색체를 나타낸 것이다. (가)~(다) 중 1개는 Ⅰ의 세포이며, 나머지 2개는 Ⅱ의 세포이다. 이 동물의 성염색체는 암컷이 XX, 수컷이 XY이다. A는 a와 대립유전자이고, ㉠은 A와 a 중 하나이다.

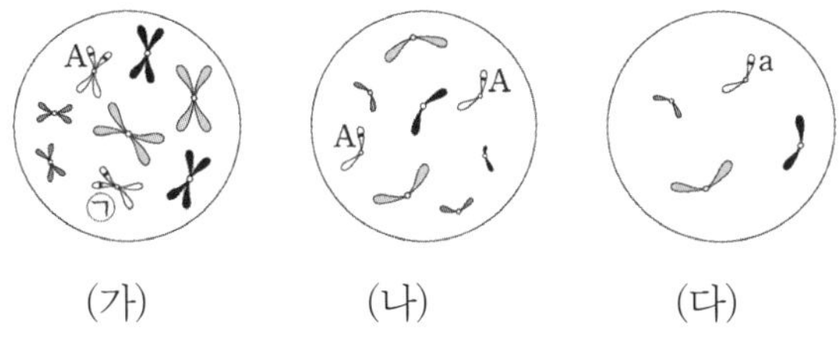

(가) (나) (다)

이에 대한 설명으로 옳은 것만을 〈보기〉에서 있는 대로 고른 것은? (단, 돌연변이와 교차는 고려하지 않는다.)

〈보 기〉

ㄱ. ㉠은 A이다.
ㄴ. (나)는 Ⅱ의 세포이다.
ㄷ. Ⅰ의 감수 2분열 중기 세포 1개당 염색 분체 수는 8이다.

① ㄴ ② ㄷ ③ ㄱ, ㄴ ④ ㄱ, ㄷ ⑤ ㄱ, ㄴ, ㄷ

21학년도 수능 6번

10. 그림은 서로 다른 종인 동물 A(2n=?)와 B(2n=?)의 세포 (가)~(다) 각각에 들어 있는 염색체 중 X 염색체를 제외한 나머지 염색체를 모두 나타낸 것이다. (가)~(다) 중 2개는 A의 세포이고, 나머지 1개는 B의 세포이다. A와 B는 성이 다르고, A와 B의 성염색체는 암컷이 XX, 수컷이 XY이다.

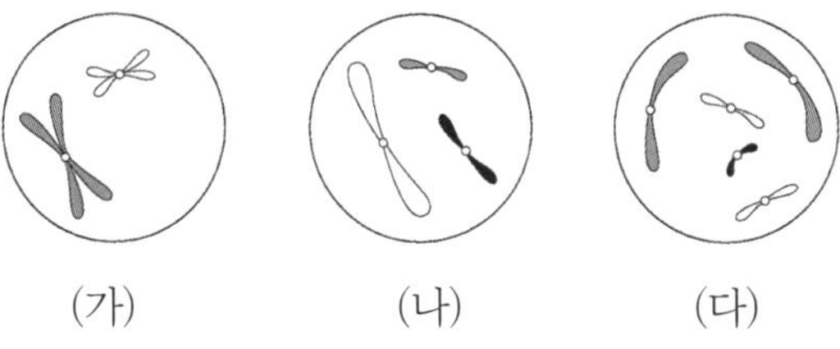

(가) (나) (다)

이에 대한 설명으로 옳은 것만을 〈보기〉에서 있는 대로 고른 것은? (단, 돌연변이는 고려하지 않는다.)

〈보 기〉

ㄱ. (가)와 (다)의 핵상은 같다.
ㄴ. A는 수컷이다.
ㄷ. B의 체세포 분열 중기의 세포 1개당 염색 분체 수는 16이다.

① ㄱ ② ㄴ ③ ㄱ, ㄷ ④ ㄴ, ㄷ ⑤ ㄱ, ㄴ, ㄷ

20학년도 10월 14번

11. 어떤 동물(2n=6)의 유전 형질 ⓐ는 대립유전자 R와 r에 의해 결정된다. 그림 (가)와 (나)는 이 동물의 암컷 Ⅰ의 세포와 수컷 Ⅱ의 세포를 순서 없이 나타낸 것이다. Ⅰ과 Ⅱ를 교배하여 Ⅲ과 Ⅳ가 태어났으며, Ⅲ은 R와 r 중 R만, Ⅳ는 r만 갖는다. 이 동물의 성염색체는 암컷이 XX, 수컷이 XY이다.

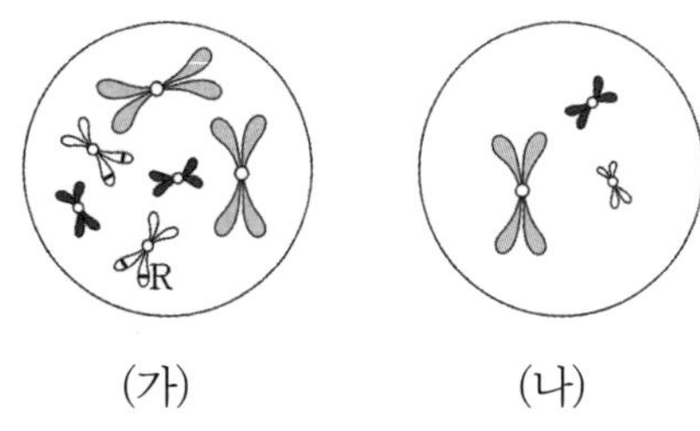

(가) (나)

이에 대한 설명으로 옳은 것만을 〈보기〉에서 있는 대로 고른 것은? (단, 돌연변이는 고려하지 않는다.)

〈보 기〉

ㄱ. (나)는 Ⅱ의 세포이다.
ㄴ. Ⅰ의 ⓐ에 대한 유전자형은 Rr이다.
ㄷ. Ⅲ과 Ⅳ는 모두 암컷이다.

① ㄱ ② ㄷ ③ ㄱ, ㄴ ④ ㄴ, ㄷ ⑤ ㄱ, ㄴ, ㄷ

22학년도 9월 14번

12. 그림은 동물(2n=6) Ⅰ~Ⅲ의 세포 (가)~(라) 각각에 들어 있는 모든 염색체를 나타낸 것이다. Ⅰ~Ⅲ은 2가지 종으로 구분되고, (가)~(라) 중 2개는 암컷의, 나머지 2개는 수컷의 세포이다. Ⅰ~Ⅲ의 성염색체는 암컷이 XX, 수컷이 XY이다. 염색체 ⓐ와 ⓑ중 하나는 상염색체이고, 나머지 하나는 성염색체이다. ⓐ와 ⓑ의 모양과 크기는 나타내지 않았다.

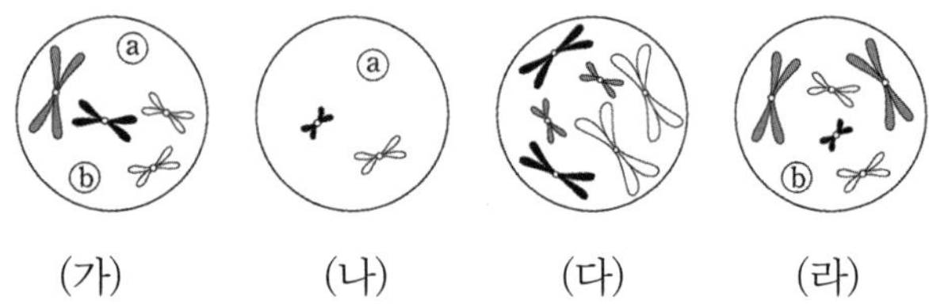

(가) (나) (다) (라)

이에 대한 설명으로 옳은 것만을 〈보기〉에서 있는 대로 고른 것은? (단, 돌연변이는 고려하지 않는다.)

〈보 기〉

ㄱ. ⓑ는 X 염색체이다.
ㄴ. (나)는 암컷의 세포이다.
ㄷ. (가)를 갖는 개체와 (다)를 갖는 개체의 핵형은 같다.

① ㄱ ② ㄴ ③ ㄷ ④ ㄱ, ㄴ ⑤ ㄴ, ㄷ

13. 그림은 서로 다른 종인 동물(2n=?) A~C의 세포 (가)~(라) 각각에 들어 있는 모든 염색체를 나타낸 것이다. (가)~(라) 중 2개는 A의 세포이고, A와 B의 성은 서로 다르다. A~C의 성염색체는 암컷이 XX, 수컷이 XY이다.

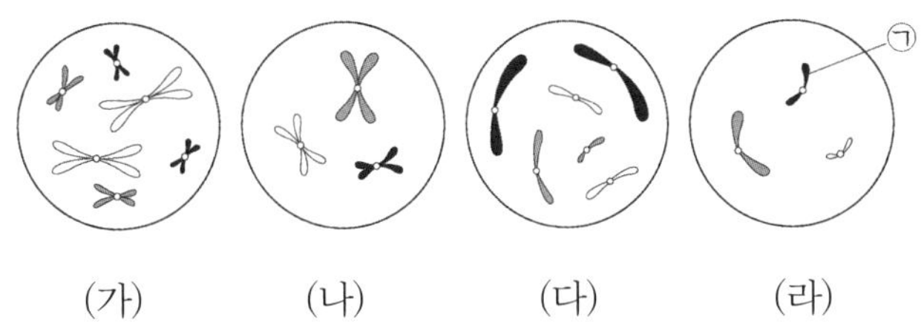

(가) (나) (다) (라)

이에 대한 설명으로 옳은 것만을 〈보기〉에서 있는 대로 고른 것은? (단, 돌연변이는 고려하지 않는다.)

〈보 기〉

ㄱ. (가)는 C의 세포이다.
ㄴ. ㉠은 상염색체이다.
ㄷ. $\frac{\text{(다)의 성염색체 수}}{\text{(나)의 염색 분체 수}} = \frac{2}{3}$이다.

① ㄱ ② ㄴ ③ ㄷ ④ ㄱ, ㄷ ⑤ ㄴ, ㄷ

14. 그림은 서로 다른 종인 동물 A(2n=8)와 B(2n=6)의 세포 (가)~(다) 각각에 들어 있는 모든 염색체를 나타낸 것이다. A와 B의 성염색체는 암컷이 XX, 수컷이 XY이다.

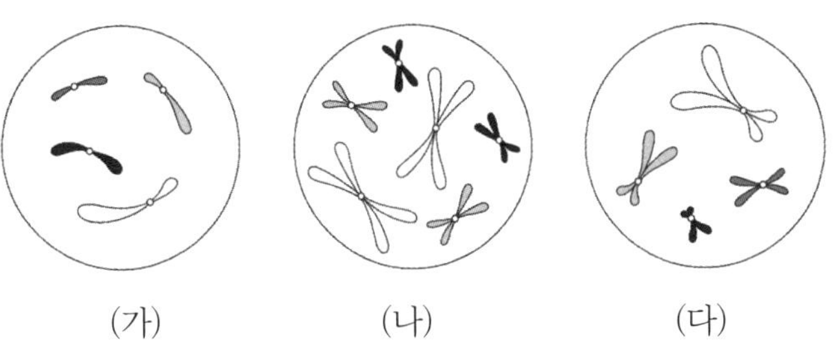

(가) (나) (다)

이에 대한 옳은 설명만을 〈보기〉에서 있는 대로 고른 것은? (단, 돌연변이는 고려하지 않는다.)

〈보 기〉

ㄱ. (가)는 A의 세포이다.
ㄴ. A와 B는 모두 암컷이다.
ㄷ. (나)의 상염색체 수와 (다)의 염색체 수는 같다.

① ㄱ ② ㄴ ③ ㄱ, ㄷ ④ ㄴ, ㄷ ⑤ ㄱ, ㄴ, ㄷ

22학년도 4월 6번

15. 그림은 같은 종인 동물(2n=?) 개체 Ⅰ과 Ⅱ의 세포 (가)~(다) 각각에 들어 있는 모든 염색체를 나타낸 것이다. 이 동물의 성염색체는 암컷이 XX, 수컷이 XY이고, 유전 형질 ㉠은 대립유전자 A와 a에 의해 결정된다. (가)~(다) 중 1개는 암컷의, 나머지 2개는 수컷의 세포이고, Ⅰ의 ㉠의 유전자형은 aa이다.

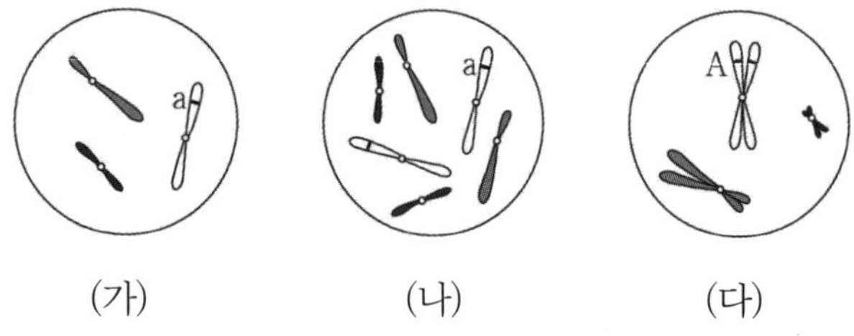

이에 대한 옳은 설명만을 〈보기〉에서 있는 대로 고른 것은? (단, 돌연변이는 고려하지 않는다.)

〈보 기〉

ㄱ. Ⅰ은 수컷이다.
ㄴ. Ⅱ의 ㉠의 유전자형은 Aa이다.
ㄷ. (나)의 염색체 수는 (다)의 염색 분체 수와 같다.

① ㄱ ② ㄷ ③ ㄱ, ㄴ ④ ㄴ, ㄷ ⑤ ㄱ, ㄴ, ㄷ

23학년도 6월 13번

16. 그림은 동물 세포 (가)~(라) 각각에 들어 있는 모든 염색체를 나타낸 것이다. (가)~(라)는 각각 서로 다른 개체 A, B, C의 세포 중 하나이다. A와 B는 같은 종이고, A와 C의 성은 같다. A~C의 핵상은 모두 2n이며, A~C의 성염색체는 암컷이 XX, 수컷이 XY이다.

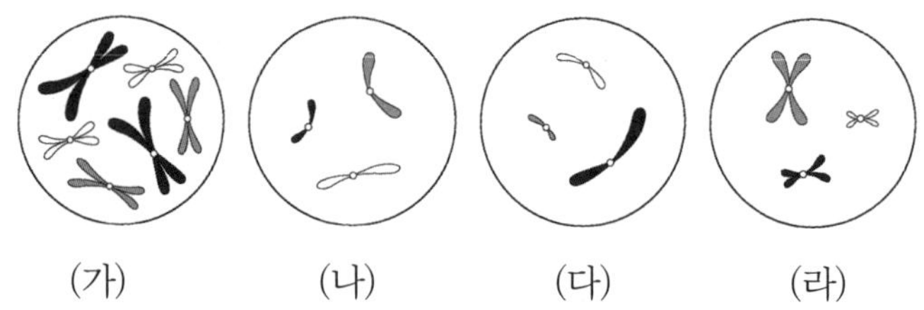

이에 대한 설명으로 옳은 것만을 〈보기〉에서 있는 대로 고른 것은? (단, 돌연변이는 고려하지 않는다.)

〈보 기〉

ㄱ. (가)는 B의 세포이다.
ㄴ. (다)를 갖는 개체와 (라)를 갖는 개체의 핵형은 같다.
ㄷ. C의 감수 1 분열 중기 세포 1 개당 염색 분체 수는 6이다.

① ㄱ ② ㄴ ③ ㄷ ④ ㄱ, ㄴ ⑤ ㄴ, ㄷ

22학년도 10월 17번

17. 어떤 동물 종(2n=6)의 유전 형질 ㉮는 2쌍의 대립유전자 A와 a, B와 b에 의해 결정된다. 그림은 이 동물 종의 암컷 Ⅰ과 수컷 Ⅱ의 세포 (가)~(라) 각각에 있는 염색체 중 X 염색체를 제외한 나머지 염색체와 일부 유전자를 나타낸 것이다. (가)~(라) 중 2개는 Ⅰ의 세포이고, 나머지 2개는 Ⅱ의 세포이다. 이 동물 종의 성염색체는 암컷이 XX, 수컷이 XY이다. ㉠~㉣은 A, a, B, b를 순서 없이 나타낸 것이다.

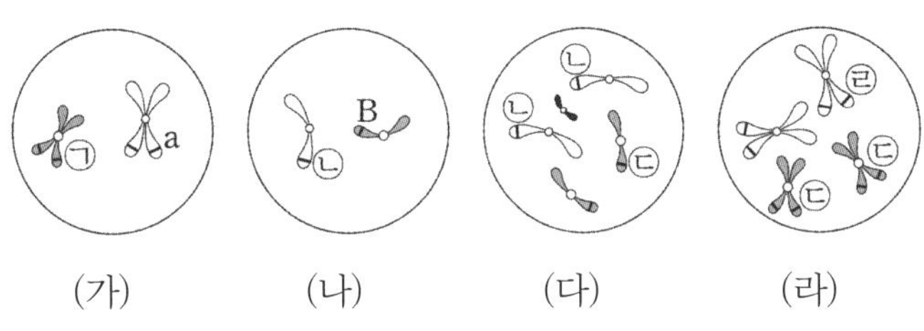

(가) (나) (다) (라)

이에 대한 옳은 설명만을 〈보기〉에서 있는 대로 고른 것은? (단, 돌연변이는 고려하지 않는다.)

〈보 기〉

ㄱ. (가)는 Ⅰ의 세포이다.
ㄴ. ㉢은 B이다.
ㄷ. Ⅱ는 ㉮의 유전자형이 aaBB이다.

① ㄱ ② ㄴ ③ ㄷ ④ ㄱ, ㄴ ⑤ ㄴ, ㄷ

23학년도 3월 20번

18. 그림은 동물 A(2n=8)와 B(2n=6)의 세포 (가)~(다) 각각에 있는 염색체 중 ㉠을 제외한 나머지를 모두 나타낸 것이다. A와 B는 성이 다르고, A와 B의 성염색체는 암컷이 XX, 수컷이 XY이다. ㉠은 X 염색체와 Y 염색체 중 하나이다.

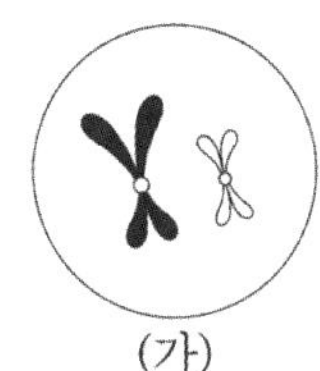
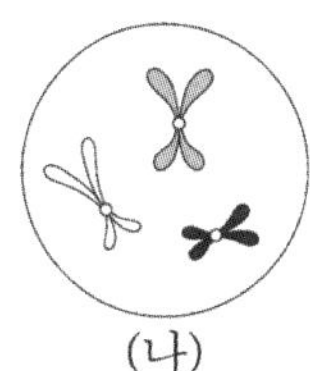
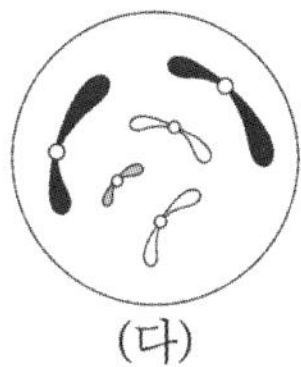

(가) (나) (다)

이에 대한 설명으로 옳은 것만을 〈보기〉에서 있는 대로 고른 것은? (단, 돌연변이와 교차는 고려하지 않는다.)

〈보 기〉

ㄱ. ㉠은 X 염색체에 있다.
ㄴ. (가)에서 상염색체의 수는 3이다.
ㄷ. (나)는 수컷의 세포이다.

① ㄱ ② ㄴ ③ ㄱ, ㄴ ④ ㄱ, ㄷ ⑤ ㄴ, ㄷ

23학년도 4월 7번

19. 그림은 같은 종인 동물(2n=?) A와 B의 세포 (가)~(다) 각각에 들어 있는 모든 상염색체와 ⓐ를 나타낸 것이다. (가)~(다) 중 1개는 A의, 나머지 2개는 B의 세포이며, 이 동물의 성염색체는 암컷이 XX, 수컷이 XY이다. ⓐ는 X 염색체와 Y 염색체 중 하나이다.

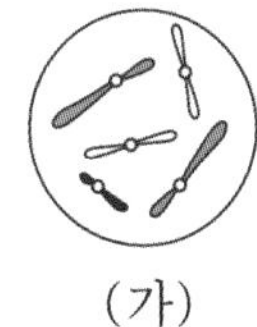

(가) (나) (다)

이에 대한 설명으로 옳은 것만을 〈보기〉에서 있는 대로 고른 것은? (단, 돌연변이와 교차는 고려하지 않는다.)

〈보 기〉

ㄱ. A는 암컷이다.
ㄴ. (나)와 (다)의 핵상은 같다.
ㄷ. $\frac{\text{(다)의 염색 분체 수}}{\text{(가)의 상염색체 수}} = \frac{3}{4}$이다.

① ㄱ ② ㄴ ③ ㄷ ④ ㄱ, ㄴ ⑤ ㄴ, ㄷ

24학년도 9월 15번

20. 다음은 핵상이 2n인 동물 A~C의 세포 (가)~(다)에 대한 자료이다.

○ A와 B는 서로 같은 종이고, B와 C는 서로 다른 종이며, B와 C의 체세포 1개당 염색체 수는 서로 다르다.
○ B는 암컷이고, A~C의 성염색체는 암컷이 XX, 수컷이 XY이다.
○ 그림은 세포 (가)~(다) 각각에 들어 있는 모든 상염색체와 ㉠을 나타낸 것이다. (가)~(다)는 각각 서로 다른 개체의 세포이고, ㉠은 X 염색체와 Y 염색체 중 하나이다.

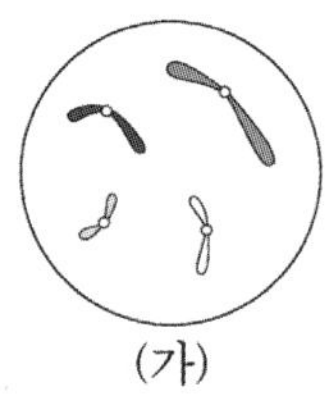
(가)

(나)

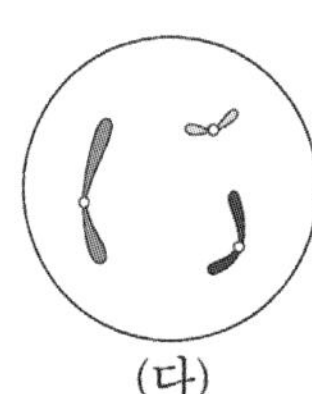
(다)

이에 대한 설명으로 옳은 것만을 〈보기〉에서 있는 대로 고른 것은? (단, 돌연변이는 고려하지 않는다.)

〈보 기〉

ㄱ. ㉠은 X 염색체이다.
ㄴ. (가)와 (나)는 모두 암컷의 세포이다.
ㄷ. C의 체세포 분열 중기의 세포 1개당 $\frac{\text{상염색체 수}}{\text{X 염색체 수}}=3$이다.

① ㄱ ② ㄷ ③ ㄱ, ㄴ ④ ㄴ, ㄷ ⑤ ㄱ, ㄴ, ㄷ

23학년도 수능 16번

21. 다음은 핵상이 2n인 동물 A~C의 세포 (가)~(라)에 대한 자료이다.

○ A와 B는 서로 같은 종이고, B와 C는 서로 다른 종이며, B와 C의 체세포 1개당 염색체 수는 서로 다르다.
○ (가)~(라) 중 2개는 암컷의, 나머지 2개는 수컷의 세포이다. A~C의 성염색체는 암컷이 XX, 수컷이 XY이다.
○ 그림은 (가)~(라) 각각에 들어 있는 모든 상염색체와 ㉠을 나타낸 것이다. ㉠은 X 염색체와 Y 염색체 중 하나이다.

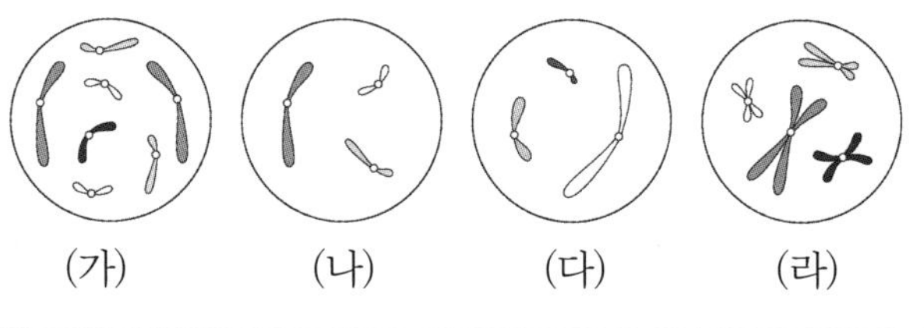
(가) (나) (다) (라)

이에 대한 설명으로 옳은 것만을 〈보기〉에서 있는 대로 고른 것은? (단, 돌연변이는 고려하지 않는다.)

〈보 기〉

ㄱ. ㉠은 Y염색체이다.
ㄴ. (가)와 (라)는 서로 다른 개체의 세포이다.
ㄷ. C의 체세포 분열 중기의 세포 1개당 상염색체의 염색분체 수는 8이다.

① ㄱ ② ㄴ ③ ㄱ, ㄷ ④ ㄴ, ㄷ ⑤ ㄱ, ㄴ, ㄷ

22. 어떤 동물 종(2n=?)의 특정 형질은 3쌍의 대립유전자 E와 e, F와 f, G와 g에 의해 결정된다. 그림은 이 동물 종의 개체 A와 B의 세포 (가)~(라) 각각에 있는 염색체 중 X 염색체를 제외한 나머지 모든 염색체와 일부 유전자를 나타낸 것이다. (가)는 A의 세포이고, (나)~(라) 중 2개는 B의 세포이다. 이 동물 종의 성염색체는 암컷이 XX, 수컷이 XY이다. ㉠~㉢은 F, f, G, g 중 서로 다른 하나이다.

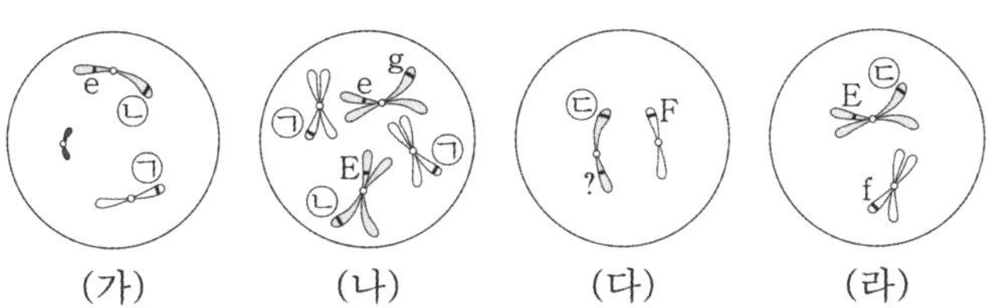

(가) (나) (다) (라)

이에 대한 옳은 설명만을 〈보기〉에서 있는 대로 고른 것은? (단, 돌연변이와 교차는 고려하지 않는다.)

〈보 기〉

ㄱ. (가)의 염색체 수는 4이다.
ㄴ. (다)는 B의 세포이다.
ㄷ. ㉢은 g이다.

① ㄱ ② ㄴ ③ ㄱ, ㄷ ④ ㄴ, ㄷ ⑤ ㄱ, ㄴ, ㄷ

23. 그림 (가)는 어떤 동물에서 G_1기의 세포 ㉠으로부터 정자가 형성되는 과정을, (나)는 세포 ⓐ~ⓒ의 핵 1개당 DNA 양과 세포 1개당 염색체 수를 나타낸 것이다. ⓐ~ⓒ는 각각 세포 ㉡~㉣ 중 하나이다. 이 동물의 유전자형은 Tt이며, T와 t는 서로 대립유전자이다.

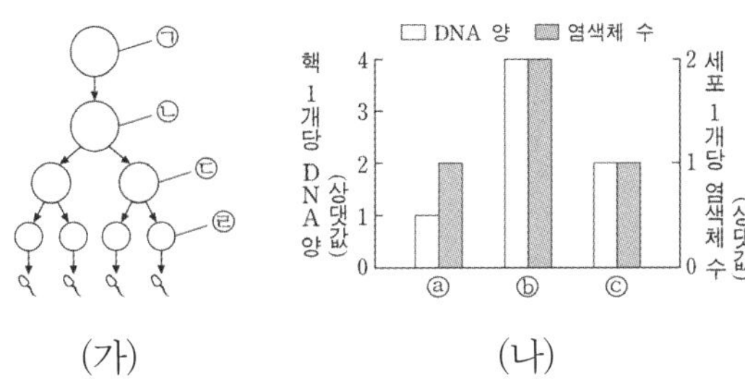

(가) (나)

이에 대한 설명으로 옳은 것만을 〈보기〉에서 있는 대로 고른 것은? (단, ㉡과 ㉢은 중기의 세포이며, 돌연변이와 교차는 고려하지 않는다.)

〈보 기〉

ㄱ. 세포 1개에 있는 T의 수는 ㉠과 ⓒ가 같다.
ㄴ. $\dfrac{\text{핵 1개당 DNA 양}}{\text{세포 1개당 염색체 수}}$은 ㉢과 ⓑ가 같다.
ㄷ. ㉢이 ㉣로 되는 과정에서 염색 분체가 분리된다.

① ㄱ ② ㄴ ③ ㄱ, ㄷ ④ ㄴ, ㄷ ⑤ ㄱ, ㄴ, ㄷ

복습용

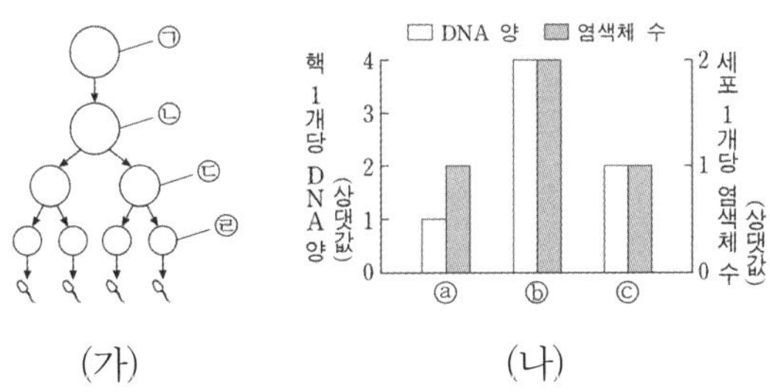

(가) (나)

18학년도 9월 7번

24. 그림은 핵상이 2n인 어떤 동물에서 G_1기의 세포 ㉠으로부터 정자가 형성되는 과정을, 표는 세포 ⓐ~ⓓ에 들어 있는 세포 1개당 대립유전자 H와 t의 DNA 상대량을 나타낸 것이다. ⓐ~ⓓ는 ㉠~㉣을 순서 없이 나타낸 것이고, H는 h와 대립유전자이며, T는 t와 대립유전자이다.

세포	DNA 상대량	
	H	t
ⓐ	2	0
ⓑ	2	2
ⓒ	?	?
ⓓ	1	1

이에 대한 설명으로 옳은 것만을 〈보기〉에서 있는 대로 고른 것은? (단, 돌연변이와 교차는 고려하지 않으며, H, h, T, t 각각의 1개당 DNA 상대량은 같다. ㉡과 ㉢은 중기의 세포이다.)

〈보 기〉

ㄱ. ㉡은 ⓑ이다.
ㄴ. 세포의 핵상은 ㉢과 ⓓ에서 같다.
ㄷ. ⓒ에 들어 있는 H의 DNA 상대량은 1이다.

① ㄱ ② ㄴ ③ ㄱ, ㄷ ④ ㄴ, ㄷ ⑤ ㄱ, ㄴ, ㄷ

복습용

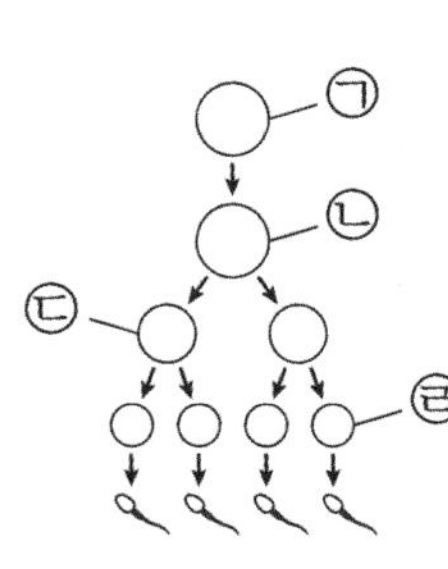

세포	DNA 상대량	
	H	t
ⓐ	2	0
ⓑ	2	2
ⓒ	?	?
ⓓ	1	1

18학년도 수능 12번

25. 그림은 유전자형이 EeFFHh인 어떤 동물에서 G_1기의 세포 Ⅰ로부터 정자가 형성되는 과정을, 표는 세포 ㉠~㉣의 세포 1개당 유전자 e, F, h의 DNA 상대량을 나타낸 것이다. ㉠~㉣은 Ⅰ~Ⅳ를 순서 없이 나타낸 것이고, E는 e와 대립유전자이며, H는 h와 대립유전자이다.

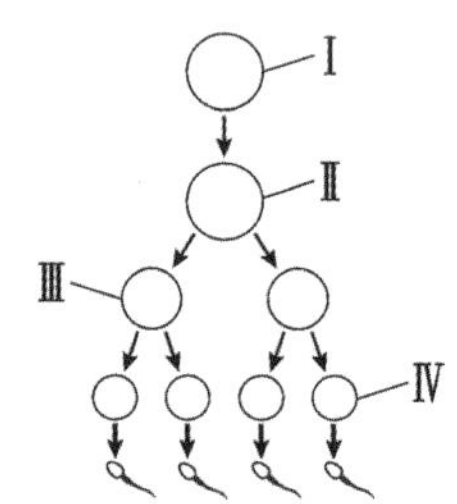

세포	DNA 상대량		
	e	F	h
㉠	ⓐ	1	1
㉡	1	2	ⓑ
㉢	2	ⓒ	0
㉣	ⓓ	?	2

이에 대한 설명으로 옳은 것만을 〈보기〉에서 있는 대로 고른 것은? (단, 돌연변이와 교차는 고려하지 않으며, E, e, F, H, h 각각의 1개당 DNA 상대량은 같다. Ⅱ와 Ⅲ은 중기의 세포이다.)

〈보 기〉

ㄱ. ㉣은 Ⅲ이다.
ㄴ. ⓐ+ⓑ+ⓒ+ⓓ = 4이다.
ㄷ. Ⅳ에서 세포 1개당 $\frac{\text{F의 DNA 상대량}}{\text{E의 DNA 상대량}+\text{H의 DNA 상대량}}$은 1이다.

① ㄱ ② ㄴ ③ ㄷ ④ ㄱ, ㄷ ⑤ ㄴ, ㄷ

복습용

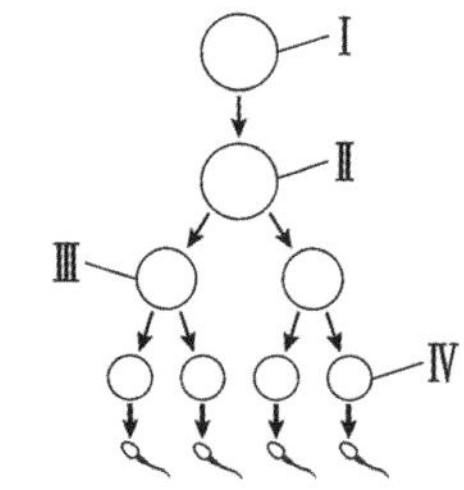

세포	DNA 상대량		
	e	F	h
㉠	ⓐ	1	1
㉡	1	2	ⓑ
㉢	2	ⓒ	0
㉣	ⓓ	?	2

26. 사람의 유전 형질 ⓐ는 3쌍의 대립유전자 E와 e, F와 f, G와 g에 의해 결정되며, ⓐ를 결정하는 유전자는 서로 다른 3개의 상염색체에 존재한다. 그림 (가)는 어떤 사람의 G_1기 세포 Ⅰ로부터 정자가 형성되는 과정을, (나)는 이 사람의 세포 ㉠~㉢이 갖는 대립유전자 E, f, G의 DNA 상대량을 나타낸 것이다. ㉠~㉢은 Ⅰ~Ⅲ을 순서 없이 나타낸 것이고, Ⅱ는 중기의 세포이다.

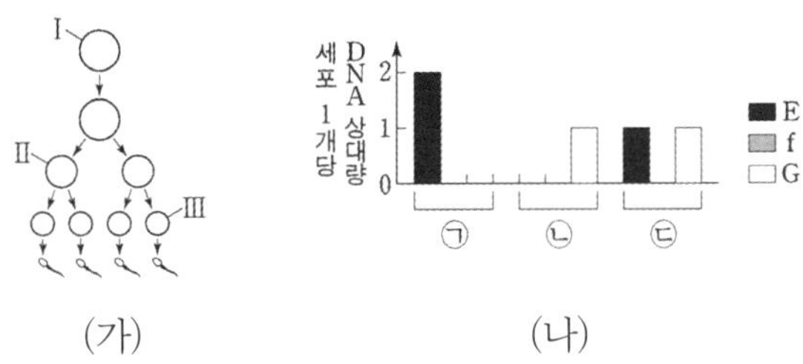

(가) (나)

이에 대한 설명으로 옳은 것만을 〈보기〉에서 있는 대로 고른 것은? (단, 돌연변이와 교차는 고려하지 않으며, E, e, F, f, G, g 각각의 1개당 DNA 상대량은 같다.)

〈보 기〉

ㄱ. Ⅰ에서 세포 1개당 $\frac{\text{E의 DNA 상대량} + \text{G의 DNA 상대량}}{\text{F의 DNA 상대량}}$은 1이다.

ㄴ. Ⅱ의 염색 분체 수는 23이다.

ㄷ. Ⅲ은 ㉢이다.

① ㄱ ② ㄴ ③ ㄷ ④ ㄱ, ㄴ ⑤ ㄴ, ㄷ

복습용

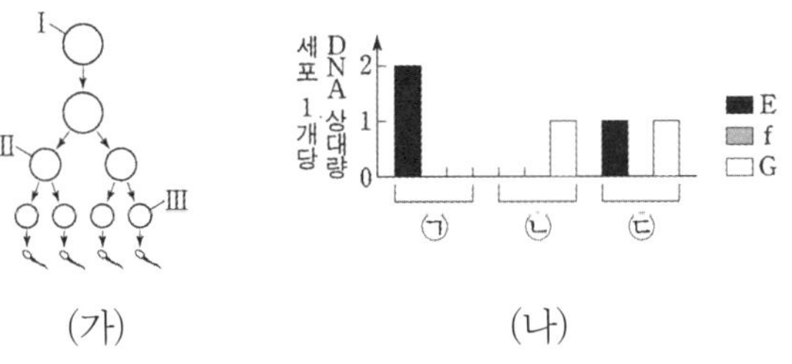

(가) (나)

27. 그림은 어떤 남자 P의 G_1기 세포 Ⅰ로부터 정자가 형성되는 과정을, 표는 세포 ㉠~㉢에서 a와 B의 DNA 상대량을 나타낸 것이다. A는 a, B는 b와 각각 대립유전자이며 모두 상염색체에 있다. ㉠~㉢은 Ⅰ~Ⅲ을 순서 없이 나타낸 것이고, ⓐ와 ⓑ는 0과 2를 순서 없이 나타낸 것이다.

세포	DNA 상대량	
	a	B
㉠	2	ⓑ
㉡	ⓐ	1
㉢	4	?

이에 대한 설명으로 옳은 것만을 〈보기〉에서 있는 대로 고른 것은? (단, 돌연변이와 교차는 고려하지 않으며, A, a, B, b 각각의 1개당 DNA 상대량은 1이다. Ⅱ와 Ⅲ은 중기의 세포이다.)

〈보 기〉

ㄱ. ㉠은 Ⅲ이다.

ㄴ. P의 유전자형은 aaBb이다.

ㄷ. 세포 Ⅳ에는 B가 있다.

① ㄱ ② ㄷ ③ ㄱ, ㄴ ④ ㄴ, ㄷ ⑤ ㄱ, ㄴ, ㄷ

복습용

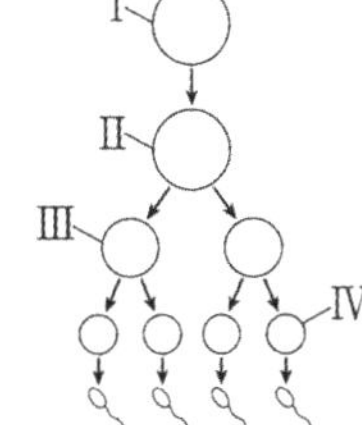

세포	DNA 상대량	
	a	B
㉠	2	ⓑ
㉡	ⓐ	1
㉢	4	?

20학년도 10월 8번

28. 사람의 유전 형질 (가)는 대립유전자 H와 h에 의해, (나)는 대립유전자 T와 t에 의해 결정된다. 그림은 어떤 사람에서 G_1기 세포 Ⅰ로부터 정자가 형성되는 과정을, 표는 세포 ㉠~㉢이 갖는 H, h, T, t의 DNA 상대량을 나타낸 것이다. ㉠~㉢은 세포 Ⅰ~Ⅲ을 순서 없이 나타낸 것이고, Ⅱ는 중기의 세포이다.

세포	DNA 상대량			
	H	h	T	t
㉠	2	?	0	ⓐ
㉡	0	ⓑ	1	0
㉢	?	0	?	1

이에 대한 설명으로 옳은 것만을 〈보기〉에서 있는 대로 고른 것은? (단, 돌연변이와 교차는 고려하지 않으며, H, h, T, t 각각의 1개당 DNA 상대량은 1이다.)

〈보 기〉

ㄱ. ㉢은 Ⅰ이다.
ㄴ. ⓐ+ⓑ = 2이다.
ㄷ. ㉠에서 H는 성염색체에 있다.

① ㄱ ② ㄷ ③ ㄱ, ㄴ ④ ㄴ, ㄷ ⑤ ㄱ, ㄴ, ㄷ

복습용

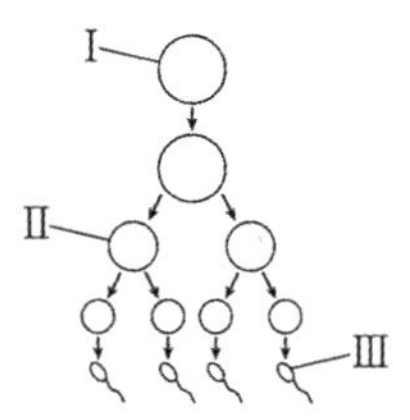

세포	DNA 상대량			
	H	h	T	t
㉠	2	?	0	ⓐ
㉡	0	ⓑ	1	0
㉢	?	0	?	1

21학년도 9월 18번

29. 그림은 유전자형이 Aa인 어떤 동물(2n=?)의 G_1기 세포 Ⅰ로부터 생식세포가 형성되는 과정을, 표는 세포 ㉠~㉣의 상염색체 수와 대립유전자 A와 a의 DNA 상대량을 더한 값을 나타낸 것이다. ㉠~㉣은 Ⅰ~Ⅳ를 순서 없이 나타낸 것이고, 이 동물의 성염색체는 XX이다.

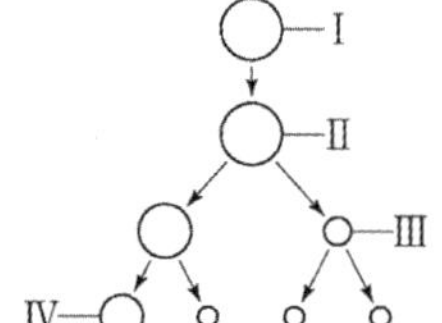

세포	상염색체 수	A와 a의 DNA 상대량을 더한 값
㉠	8	?
㉡	4	2
㉢	ⓐ	ⓑ
㉣	?	4

이에 대한 설명으로 옳은 것만을 〈보기〉에서 있는 대로 고른 것은? (단, 돌연변이는 고려하지 않으며, A와 a 각각의 1개당 DNA 상대량은 1이다. Ⅱ와 Ⅲ은 중기의 세포이다.)

〈보 기〉

ㄱ. ㉠은 Ⅰ이다.
ㄴ. ⓐ+ⓑ = 5이다.
ㄷ. Ⅱ의 2가 염색체 수는 5이다.

① ㄱ ② ㄷ ③ ㄱ, ㄴ ④ ㄴ, ㄷ ⑤ ㄱ, ㄴ, ㄷ

복습용

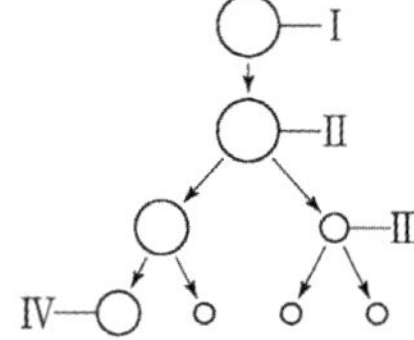

세포	상염색체 수	A와 a의 DNA 상대량을 더한 값
㉠	8	?
㉡	4	2
㉢	ⓐ	ⓑ
㉣	?	4

21학년도 6월 19번

30. 그림은 유전자형이 AaBbDD인 어떤 사람의 G_1기 세포 Ⅰ로부터 생식세포가 형성되는 과정을, 표는 세포 (가)~(라)가 갖는 대립유전자 A, B, D의 DNA 상대량을 나타낸 것이다. (가)~(라)는 Ⅰ~Ⅳ를 순서 없이 나타낸 것이고, ㉠+㉡+㉢=4이다.

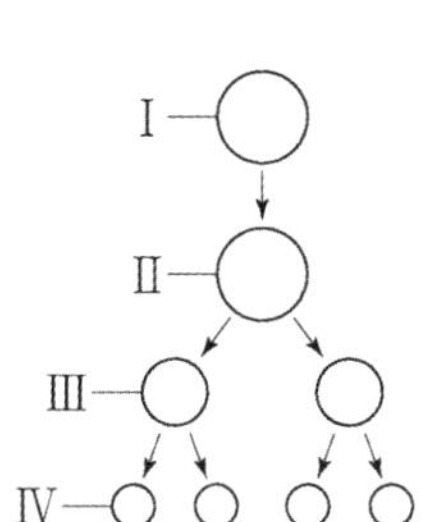

세포	DNA 상대량		
	A	B	D
(가)	2	㉠	?
(나)	2	㉡	㉢
(다)	?	1	2
(라)	?	0	?

이에 대한 설명으로 옳은 것만을 〈보기〉에서 있는 대로 고른 것은? (단, 돌연변이와 교차는 고려하지 않으며, A, a, B, b, D 각각의 1개당 DNA 상대량은 1이다. Ⅱ와 Ⅲ은 중기의 세포이다.)

〈보 기〉

ㄱ. (가)는 Ⅱ이다.
ㄴ. ㉡은 2이다.
ㄷ. 세포 1개당 a의 DNA 상대량은 (다)와 (라)가 같다.

① ㄱ ② ㄴ ③ ㄱ, ㄷ ④ ㄴ, ㄷ ⑤ ㄱ, ㄴ, ㄷ

복습용

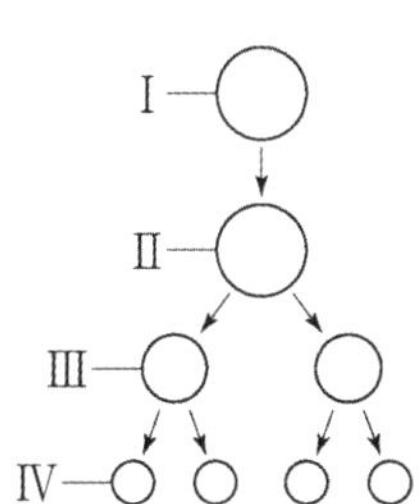

세포	DNA 상대량		
	A	B	D
(가)	2	㉠	?
(나)	2	㉡	㉢
(다)	?	1	2
(라)	?	0	?

19학년도 10월 13번

31. 그림은 유전자형이 AABb인 어떤 동물(2n=6)에서 난자 ㉠이 형성되고, ㉠이 정자 ㉡과 수정하여 수정란을 형성하는 과정에서 세포 1개당 DNA 상대량의 변화를, 표는 Ⅰ~Ⅳ에서 A, a, B, b의 DNA 상대량을 나타낸 것이다. Ⅰ~Ⅳ는 t_1~t_4 중 서로 다른 시점의 한 세포를 순서 없이 나타낸 것이며, Ⅰ~Ⅳ 중 ㉠이 있다.

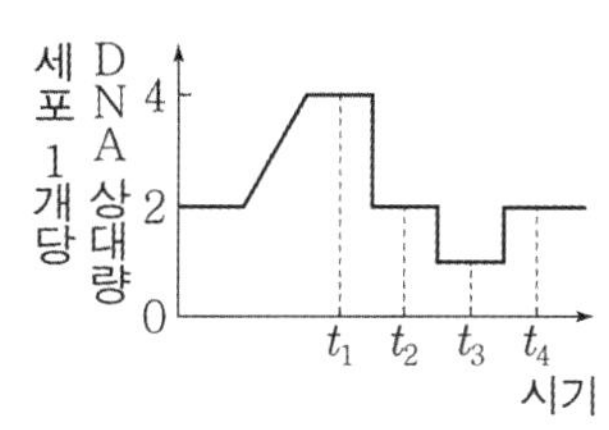

구분	A	a	B	b
Ⅰ	2	ⓐ	2	?
Ⅱ	?	1	1	1
Ⅲ	?	0	ⓑ	2
Ⅳ	ⓒ	0	?	0

이에 대한 설명으로 옳은 것만을 〈보기〉에서 있는 대로 고른 것은? (단, 돌연변이와 교차는 고려하지 않으며, A와 a, B와 b는 각각 대립유전자이고, A, a, B, b 각각의 1개당 DNA 상대량은 1이다.)

〈보 기〉

ㄱ. ⓐ+ⓑ+ⓒ=3이다.
ㄴ. 상염색체 수는 Ⅱ와 Ⅳ가 같다.
ㄷ. ㉡에 b가 있다.

① ㄱ ② ㄴ ③ ㄱ, ㄷ ④ ㄴ, ㄷ ⑤ ㄱ, ㄴ, ㄷ

복습용

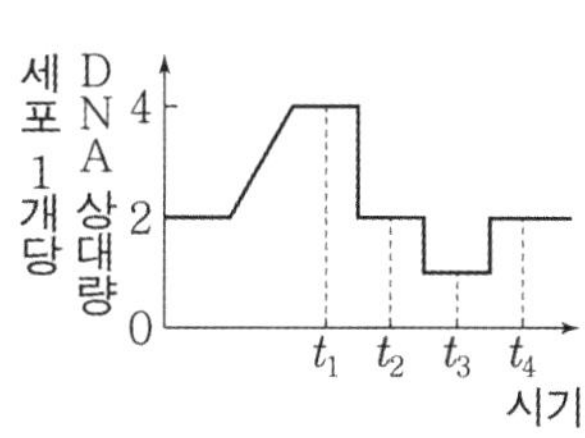

구분	A	a	B	b
Ⅰ	2	ⓐ	2	?
Ⅱ	?	1	1	1
Ⅲ	?	0	ⓑ	2
Ⅳ	ⓒ	0	?	0

32. 어떤 동물 종($2n=6$)의 특정 형질은 2쌍의 대립유전자 H와 h, T와 t에 의해 결정된다. 표는 이 동물 종의 개체 Ⅰ의 세포 ㉠~㉣이 갖는 H, h, T, t의 DNA 상대량을, 그림은 Ⅰ의 세포 P를 나타낸 것이다. P는 ㉠~㉣ 중 하나이다.

세포	DNA 상대량			
	H	h	T	t
㉠	1	?	1	1
㉡	2	2	ⓐ	2
㉢	2	0	0	?
㉣	1	ⓑ	1	0

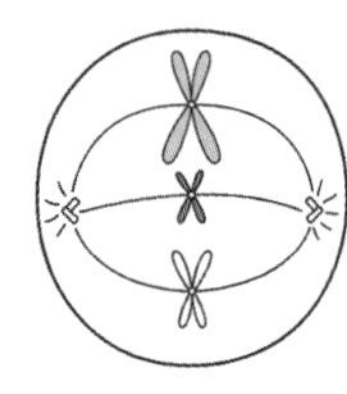

이에 대한 설명으로 옳은 것만을 〈보기〉에서 있는 대로 고른 것은? (단, 돌연변이와 교차는 고려하지 않으며, H, h, T, t 각각의 1개당 DNA 상대량은 같다.)

〈보 기〉

ㄱ. P는 ㉢이다.
ㄴ. ⓐ+ⓑ=3이다.
ㄷ. Ⅰ의 감수 1분열 중기 세포 1개당 염색 분체 수는 12이다.

① ㄱ ② ㄴ ③ ㄱ, ㄷ ④ ㄴ, ㄷ ⑤ ㄱ, ㄴ, ㄷ

복습용

세포	DNA 상대량			
	H	h	T	t
㉠	1	?	1	1
㉡	2	2	ⓐ	2
㉢	2	0	0	?
㉣	1	ⓑ	1	0

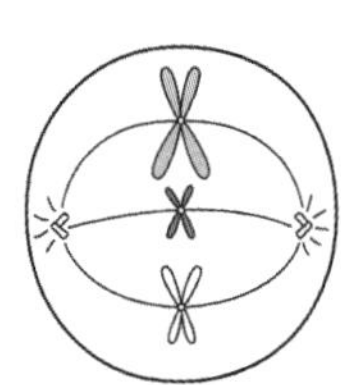

33. 그림 (가)는 같은 종인 동물($2n=6$) Ⅰ과 Ⅱ의 세포 ㉠~㉣이 갖는 유전자 A, a, B, b의 DNA 상대량을, (나)는 ㉠~㉣ 중 어떤 세포에 있는 모든 염색체를 나타낸 것이다. A는 a와 대립유전자이며, B는 b와 대립유전자이다. ㉠은 Ⅰ의 세포이고, ㉡은 Ⅱ의 세포이다. ㉢과 ㉣은 각각 Ⅰ과 Ⅱ의 세포 중 하나이다. Ⅰ과 Ⅱ의 성염색체는 암컷이 XX, 수컷이 XY이다.

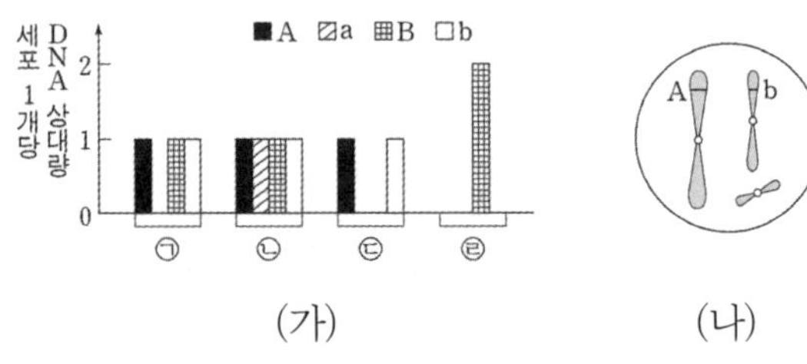

(가) (나)

이에 대한 설명으로 옳은 것만을 〈보기〉에서 있는 대로 고른 것은? (단, 돌연변이는 고려하지 않는다.)

〈보 기〉

ㄱ. (나)는 ㉠의 염색체를 나타낸 것이다.
ㄴ. ㉢은 Ⅱ의 세포이다.
ㄷ. ㉣로부터 형성된 생식세포가 다른 생식세포와 수정되어 태어난 자손은 항상 수컷이다.

① ㄱ ② ㄴ ③ ㄷ ④ ㄱ, ㄷ ⑤ ㄴ, ㄷ

복습용

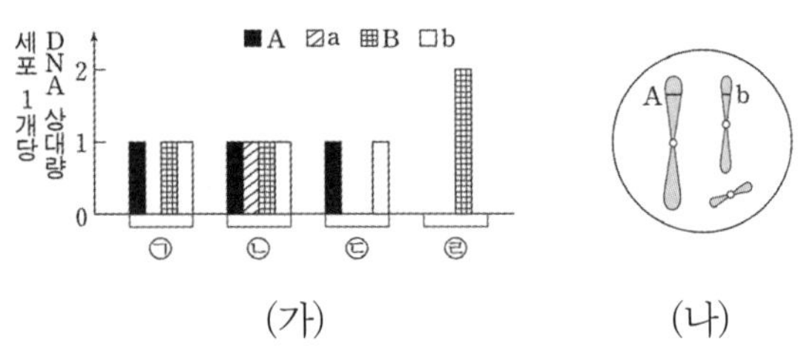

34. 그림은 철수네 가족 구성원 중 한 명의 세포 (가)에 들어 있는 염색체 중 일부를, 표는 철수네 가족 구성원에서 G_1기의 체세포 1개당 유전자 A, A*, B, B*의 DNA 상대량을 나타낸 것이다. A의 대립유전자는 A*만 있으며, B의 대립유전자는 B*만 있다.

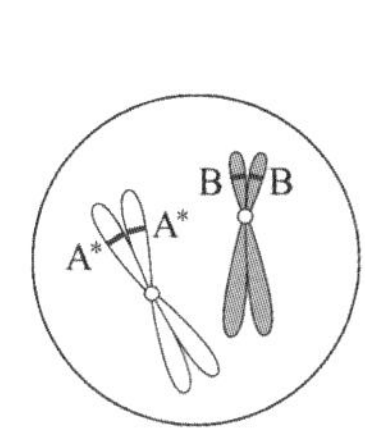

구성원	DNA 상대량			
	A	A*	B	B*
아버지	1	0	㉠	㉡
어머니	?	?	1	?
형	1	?	㉢	0
철수	0	㉣	?	2

이에 대한 설명으로 옳은 것만을 〈보기〉에서 있는 대로 고른 것은? (단, 돌연변이와 교차는 고려하지 않으며, A, A*, B, B* 각각의 1개당 DNA 상대량은 1이다.)

〈보 기〉

ㄱ. ㉠+㉡+㉢+㉣=5이다.
ㄴ. (가)는 어머니의 세포이다.
ㄷ. A*는 성염색체에 존재한다.

① ㄱ ② ㄷ ③ ㄱ, ㄴ ④ ㄴ, ㄷ ⑤ ㄱ, ㄴ, ㄷ

복습용

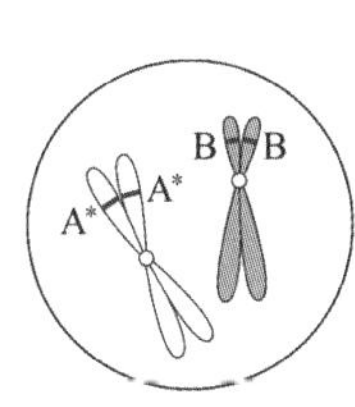

구성원	DNA 상대량			
	A	A*	B	B*
아버지	1	0	㉠	㉡
어머니	?	?	1	?
형	1	?	㉢	0
철수	0	㉣	?	2

35. 사람의 유전 형질 (가)는 대립유전자 E와 e에 의해, (나)는 F와 f에 의해, (다)는 G와 g에 의해 결정된다. (가)~(다) 중 한 가지 형질을 결정하는 유전자는 상염색체에, 나머지 2가지 형질을 결정하는 유전자는 성염색체에 존재한다. 그림은 어떤 사람의 세포 ㉠~㉢이 갖는 유전자 E, e, F, f, G, g의 DNA 상대량을 나타낸 것이다.

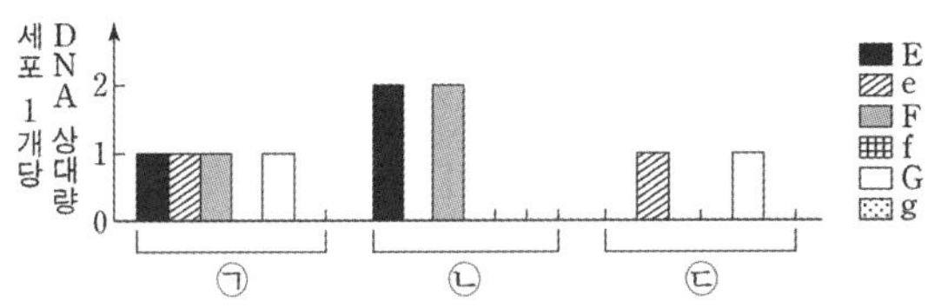

이 자료에 대한 설명으로 옳은 것만을 〈보기〉에서 있는 대로 고른 것은? (단, 돌연변이와 교차는 고려하지 않으며, E, e, F, f, G, g 각각의 1개당 DNA 상대량은 같다.)

〈보 기〉

ㄱ. ㉠에서 F와 G는 같은 염색체에 있다.
ㄴ. ㉡과 ㉢의 핵상은 같다.
ㄷ. 이 사람의 성염색체는 XX이다.

① ㄱ ② ㄴ ③ ㄷ ④ ㄱ, ㄴ ⑤ ㄴ, ㄷ

복습용

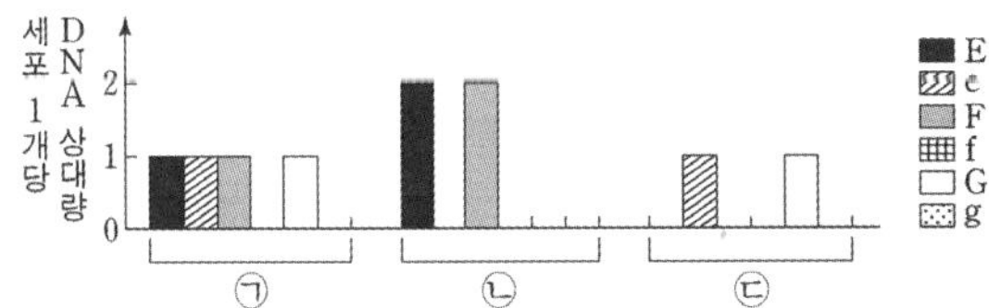

20학년도 수능 7번

36. 사람의 유전 형질 ⓐ는 2쌍의 대립유전자 H와 h, T와 t에 의해 결정된다. 표는 어떤 사람의 난자 형성 과정에서 나타나는 세포 (가)~(다)에서 유전자 ㉠~㉢의 유무를, 그림은 (가)~(다)가 갖는 H와 t의 DNA 상대량을 나타낸 것이다. (가)~(다)는 중기의 세포이고, ㉠~㉢은 h, T, t를 순서 없이 나타낸 것이다.

유전자	세포		
	(가)	(나)	(다)
㉠	○	○	×
㉡	○	×	○
㉢	×	?	×

(○: 있음, ×: 없음)

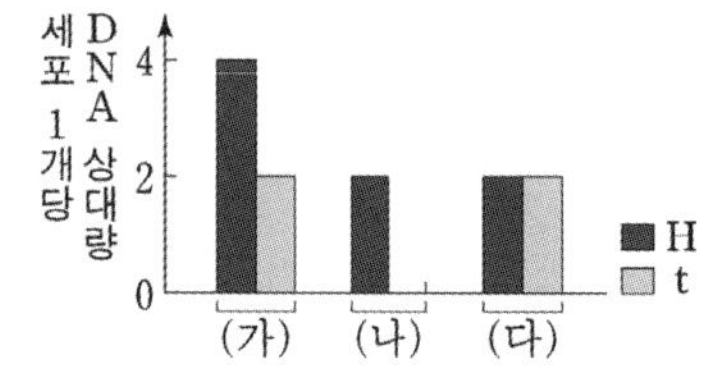

이에 대한 설명으로 옳은 것만을 〈보기〉에서 있는 대로 고른 것은? (단, 돌연변이와 교차는 고려하지 않으며, H, h, T, t 각각의 1개당 DNA 상대량은 1이다.)

〈보 기〉

ㄱ. ㉡은 T이다.
ㄴ. (나)와 (다)의 핵상은 같다.
ㄷ. 이 사람의 ⓐ에 대한 유전자형은 HhTt이다.

① ㄱ ② ㄴ ③ ㄷ ④ ㄱ, ㄴ ⑤ ㄱ, ㄷ

복습용

유전자	세포		
	(가)	(나)	(다)
㉠	○	○	×
㉡	○	×	○
㉢	×	?	×

(○: 있음, ×: 없음)

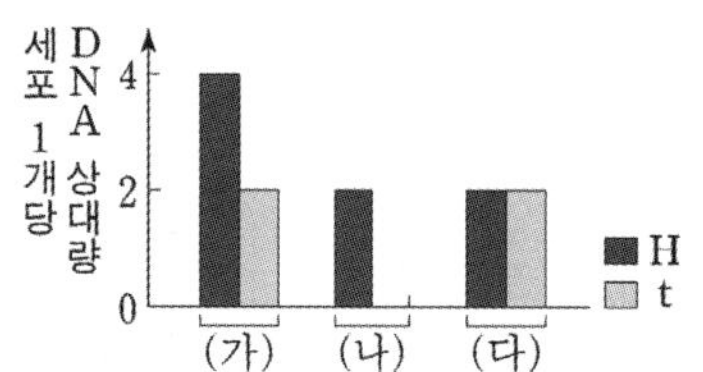

20학년도 7월 9번

37. 그림은 같은 종인 동물(2n=6) Ⅰ과 Ⅱ의 세포 (가)~(다) 각각에 들어 있는 모든 염색체를, 표는 세포 A~C가 갖는 유전자 H, h, T, t의 유무를 나타낸 것이다. H는 h와 대립유전자이며, T는 t와 대립유전자이다. Ⅰ은 수컷, Ⅱ는 암컷이며, 이 동물의 성염색체는 수컷이 XY, 암컷이 XX이다. A~C는 (가)~(다)를 순서 없이 나타낸 것이다.

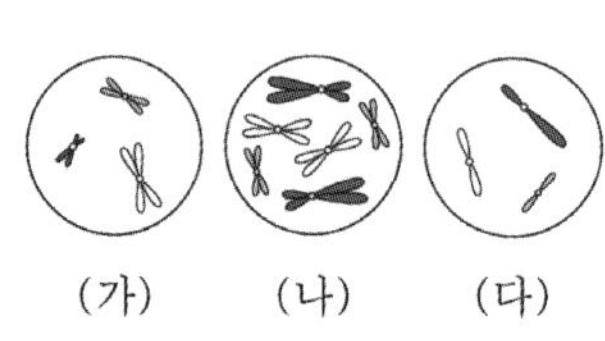

유전자 \ 세포	A	B	C
H	○	×	○
h	×	○	○
T	×	×	○
t	×	○	×

(○: 있음, ×: 없음)

이에 대한 설명으로 옳은 것만을 〈보기〉에서 있는 대로 고른 것은? (단, 돌연변이는 고려하지 않는다.)

〈보 기〉

ㄱ. (다)는 Ⅱ의 세포이다.
ㄴ. A와 B의 핵상은 같다.
ㄷ. Ⅰ과 Ⅱ 사이에서 자손(F_1)이 태어날 때, 이 자손이 H와 t를 모두 가질 확률은 $\frac{3}{8}$이다.

① ㄱ ② ㄴ ③ ㄱ, ㄷ ④ ㄴ, ㄷ ⑤ ㄱ, ㄴ, ㄷ

복습용

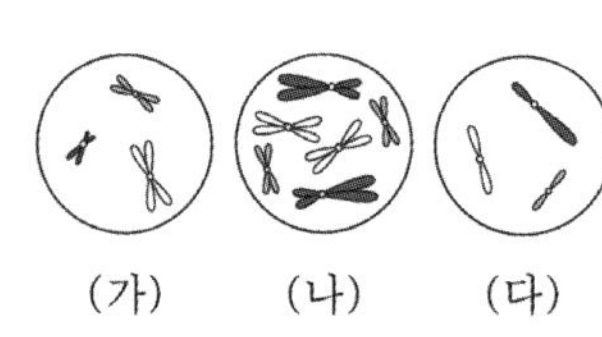

유전자 \ 세포	A	B	C
H	○	×	○
h	×	○	○
T	×	×	○
t	×	○	×

(○: 있음, ×: 없음)

38. 사람의 유전 형질 ⓐ는 3쌍의 대립유전자 H와 h, R와 r, T와 t에 의해 결정되며, ⓐ의 유전자는 서로 다른 3개의 상염색체에 있다. 표는 사람 (가)의 세포 Ⅰ~Ⅲ에서 h, R, t의 유무를, 그림은 세포 ㉠~㉢의 세포 1개당 H와 T의 DNA 상대량을 더한 값(H+T)을 각각 나타낸 것이다. ㉠~㉢은 Ⅰ~Ⅲ을 순서 없이 나타낸 것이다.

세포	대립유전자		
	h	R	t
Ⅰ	?	○	×
Ⅱ	○	×	?
Ⅲ	×	×	?

(○ : 있음, × : 없음)

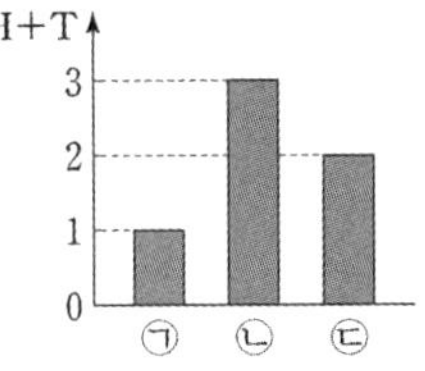

이에 대한 설명으로 옳은 것만을 〈보기〉에서 있는 대로 고른 것은? (단, 돌연변이는 고려하지 않으며, H, h, R, r, T, t 각각의 1개당 DNA 상대량은 1이다.)

〈보 기〉

ㄱ. (가)에는 h, R, t를 모두 갖는 세포가 있다.

ㄴ. Ⅱ는 ㉠이다.

ㄷ. Ⅲ의 $\frac{\text{T의 DNA 상대량}}{\text{H의 DNA 상대량} + \text{r의 DNA 상대량}} = 1$ 이다.

① ㄱ ② ㄴ ③ ㄱ, ㄷ ④ ㄴ, ㄷ ⑤ ㄱ, ㄴ, ㄷ

복습용

세포	대립유전자		
	h	R	t
Ⅰ	?	○	×
Ⅱ	○	×	?
Ⅲ	×	×	?

(○ : 있음, × : 없음)

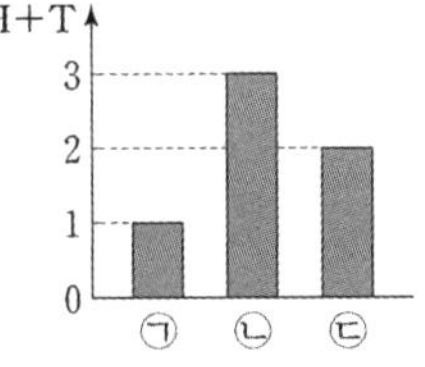

39. 사람의 유전 형질 ㉠은 서로 다른 상염색체에 있는 3쌍의 대립유전자 E와 e, F와 f, G와 g에 의해 결정된다. 표는 어떤 사람의 세포 Ⅰ~Ⅲ에서 E, f, g의 유무와, F와 G의 DNA 상대량을 더한 값(F + G)을 나타낸 것이다.

세포	대립유전자			F + G
	E	f	g	
Ⅰ	×	○	×	2
Ⅱ	○	○	○	1
Ⅲ	○	○	×	1

(○ : 있음, × : 없음)

이에 대한 옳은 설명만을 〈보기〉에서 있는 대로 고른 것은? (단, 돌연변이와 교차는 고려하지 않으며, E, e, F, f, G, g 각각의 1개당 DNA 상대량은 1이다.)

〈보 기〉

ㄱ. 이 사람의 ㉠에 대한 유전자형은 EeffGg이다.

ㄴ. Ⅰ에서 e의 DNA 상대량은 1이다.

ㄷ. Ⅱ와 Ⅲ의 핵상은 같다.

① ㄱ ② ㄷ ③ ㄱ, ㄴ ④ ㄱ, ㄷ ⑤ ㄴ, ㄷ

복습용

세포	대립유전자			F + G
	E	f	g	
Ⅰ	×	○	×	2
Ⅱ	○	○	○	1
Ⅲ	○	○	×	1

(○ : 있음, × : 없음)

40. 사람의 유전 형질 (가)는 대립유전자 E와 e에 의해, (나)는 대립유전자 F와 f에 의해, (다)는 대립유전자 G와 g에 의해 결정되며, (가)~(다)의 유전자 중 2개는 서로 다른 상염색체에, 나머지 1개는 X 염색체에 있다. 표는 어떤 사람의 세포 Ⅰ~Ⅲ에서 E, e, G, g의 유무를, 그림은 ㉠~㉢에서 F와 g의 DNA 상대량을 더한 값(F+g)을 나타낸 것이다. ㉠~㉢은 Ⅰ~Ⅲ을 순서 없이 나타낸 것이고, ㉡에는 X 염색체가 있다.

세포	대립유전자			
	E	e	G	g
Ⅰ	×	ⓐ	×	?
Ⅱ	?	○	×	?
Ⅲ	○	?	?	×

(○ : 있음, × : 없음)

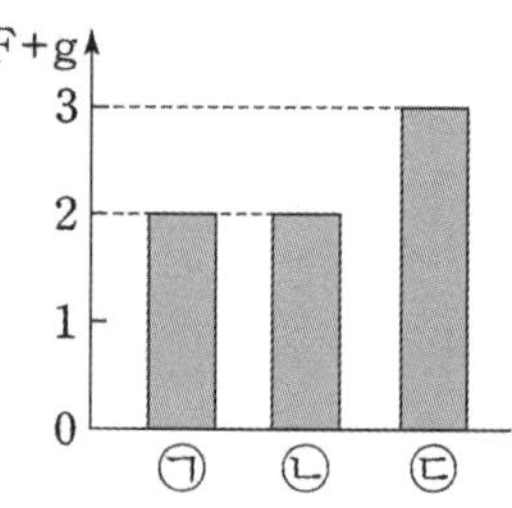

이에 대한 옳은 설명만을 〈보기〉에서 있는 대로 고른 것은? (단, 돌연변이와 교차는 고려하지 않으며, E, e, F, f, G, g 각각의 1개당 DNA 상대량은 1이다.)

〈보 기〉

ㄱ. ⓐ는 '○'이다.
ㄴ. ㉡은 Ⅲ이다.
ㄷ. Ⅱ에서 e, F, g의 DNA 상대량을 더한 값은 3이다.

① ㄱ ② ㄴ ③ ㄱ, ㄷ ④ ㄴ, ㄷ ⑤ ㄱ, ㄴ, ㄷ

복습용

세포	대립유전자			
	E	e	G	g
Ⅰ	×	ⓐ	×	?
Ⅱ	?	○	×	?
Ⅲ	○	?	?	×

(○ : 있음, × : 없음)

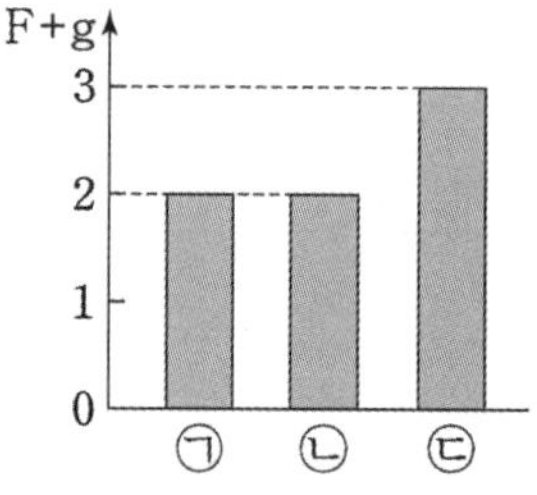

41. 사람의 유전 형질 (가)는 대립유전자 A와 a에 의해, (나)는 대립유전자 B와 b에 의해 결정된다. (가)의 유전자와 (나)의 유전자는 서로 다른 염색체에 있다. 그림은 어떤 사람의 G_1기 세포 Ⅰ로부터 정자가 형성되는 과정을, 표는 세포 ㉠~㉣에서 A, a, B, b의 DNA 상대량을 더한 값(A+a+B+b)을 나타낸 것이다. ㉠~㉣은 Ⅰ~Ⅳ를 순서 없이 나타낸 것이고, ⓐ는 ⓑ보다 작다.

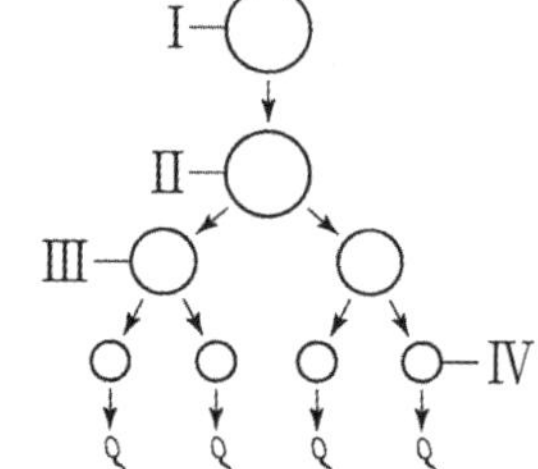

세포	A+a+B+b
㉠	ⓐ
㉡	ⓑ
㉢	1
㉣	4

이에 대한 설명으로 옳은 것만을 〈보기〉에서 있는 대로 고른 것은? (단, 돌연변이는 고려하지 않으며, A, a, B, b 각각의 1개당 DNA 상대량은 1이다. Ⅱ와 Ⅲ은 중기의 세포이다.)

〈보 기〉

ㄱ. ⓐ는 3이다.
ㄴ. ㉡은 Ⅲ이다.
ㄷ. ㉣의 염색체 수는 46이다.

① ㄱ ② ㄴ ③ ㄷ ④ ㄱ, ㄴ ⑤ ㄱ, ㄷ

복습용

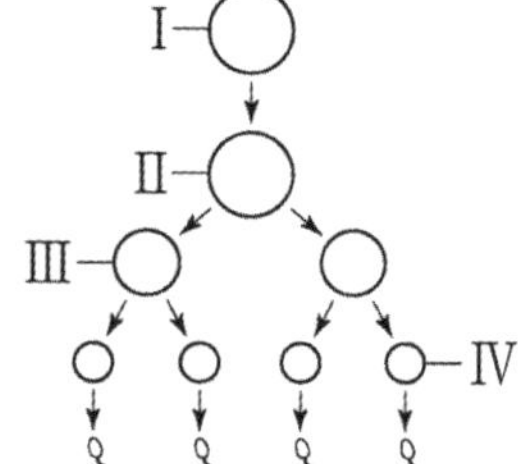

세포	A+a+B+b
㉠	ⓐ
㉡	ⓑ
㉢	1
㉣	4

21학년도 10월 9번

42. 사람의 특정 형질은 상염색체에 있는 3쌍의 대립유전자 D와 d, E와 e, F와 f에 의해 결정된다. 그림은 하나의 G_1기 세포로부터 정자가 형성될 때 나타나는 세포 Ⅰ~Ⅳ가 갖는 D, E, F의 DNA 상대량을, 표는 세포 ㉠~㉣이 갖는 d, e, f의 DNA 상대량을 나타낸 것이다. ㉠~㉣은 Ⅰ~Ⅳ를 순서 없이 나타낸 것이다.

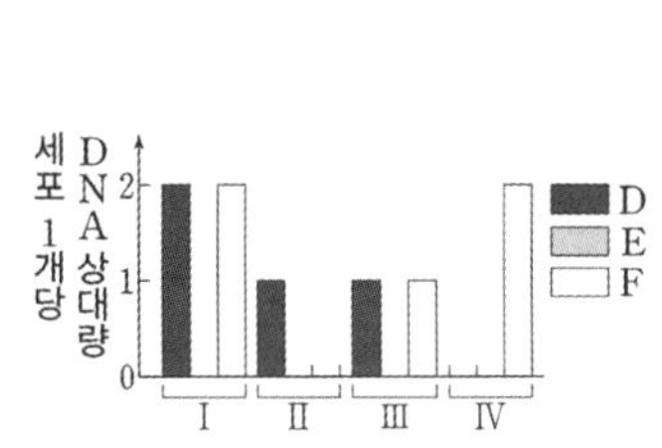

세포	DNA 상대량		
	d	e	f
㉠	?	?	1
㉡	2	?	ⓐ
㉢	?	2	0
㉣	1	ⓑ	1

이에 대한 옳은 설명만을 <보기>에서 있는 대로 고른 것은? (단, 돌연변이는 고려하지 않으며, D, d, E, e, F, f 각각의 1개당 DNA 상대량은 1이다.)

<보 기>

ㄱ. ㉢은 Ⅰ이다.
ㄴ. ⓐ+ⓑ = 4이다.
ㄷ. ㉠과 ㉡의 핵상은 같다.

① ㄱ ② ㄴ ③ ㄱ, ㄷ ④ ㄴ, ㄷ ⑤ ㄱ, ㄴ, ㄷ

복습용

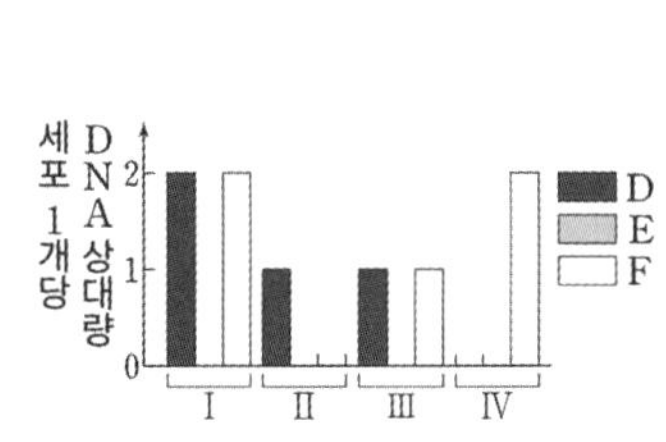

세포	DNA 상대량		
	d	e	f
㉠	?	?	1
㉡	2	?	ⓐ
㉢	?	2	0
㉣	1	ⓑ	1

23학년도 4월 18번

43. 사람의 유전 형질 ㉮는 대립유전자 T와 t에 의해 결정된다. 그림 (가)는 남자 P의, (나)는 여자 Q의 G_1기 세포로부터 생식세포가 형성되는 과정을 나타낸 것이다. 표는 세포 ㉠~㉣의 8번 염색체 수와 X 염색체 수를 더한 값, T의 DNA 상대량을 나타낸 것이다. ㉮의 유전자형은 P에서가 TT이고, Q에서 Tt이다. ㉠~㉣은 Ⅰ~Ⅳ를 순서 없이 나타낸 것이고, ⓐ~ⓓ는 1, 2, 3, 4를 순서 없이 나타낸 것이다.

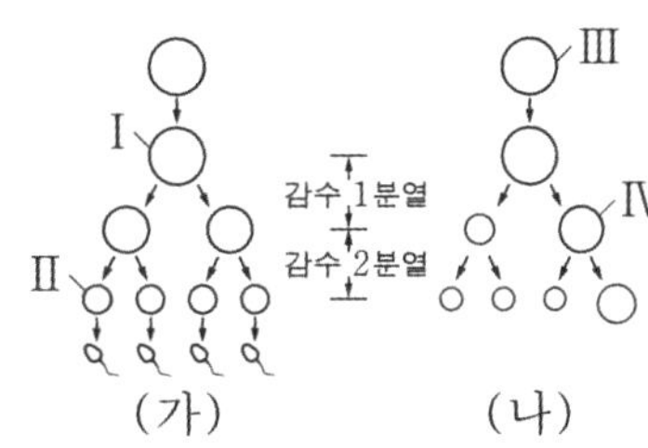

세포	8번 염색체 수와 X 염색체 수를 더한 값	T의 DNA 상대량
㉠	ⓐ	ⓓ
㉡	ⓑ	ⓑ
㉢	ⓒ	ⓒ
㉣	ⓓ	ⓑ

이에 대한 설명으로 옳은 것만을 <보기>에서 있는 대로 고른 것은? (단, 돌연변이와 교차는 고려하지 않으며, T, t 각각의 1개당 DNA 상대량은 1이다. Ⅰ과 Ⅳ는 중기의 세포이다.)

<보 기>

ㄱ. ㉣은 Ⅲ이다.
ㄴ. ⓐ+ⓒ = 4이다.
ㄷ. Ⅱ에 Y 염색체가 있다.

① ㄱ ② ㄴ ③ ㄱ, ㄷ ④ ㄴ, ㄷ ⑤ ㄱ, ㄴ, ㄷ

복습용

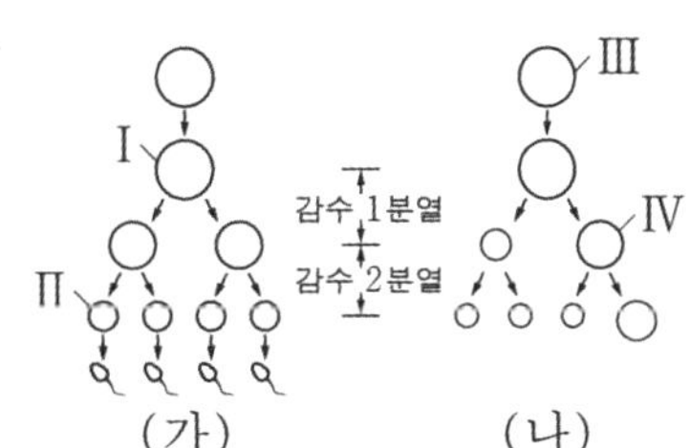

세포	8번 염색체 수와 X 염색체 수를 더한 값	T의 DNA 상대량
㉠	ⓐ	ⓓ
㉡	ⓑ	ⓑ
㉢	ⓒ	ⓒ
㉣	ⓓ	ⓑ

44.

사람의 유전 형질 ㉮는 2쌍의 대립유전자 A와 a, B와 b에 의해 결정된다. 그림은 어떤 사람의 G_1기 세포 Ⅰ로부터 정자가 형성되는 과정을, 표는 이 과정에서 나타나는 세포 (가)와 (나)에서 대립유전자 A, B, ㉠, ㉡ 중 2개의 DNA 상대량을 더한 값을 나타낸 것이다. (가)와 (나)는 Ⅱ와 Ⅲ을 순서 없이 나타낸 것이고, ㉠과 ㉡은 a와 b를 순서 없이 나타낸 것이다.

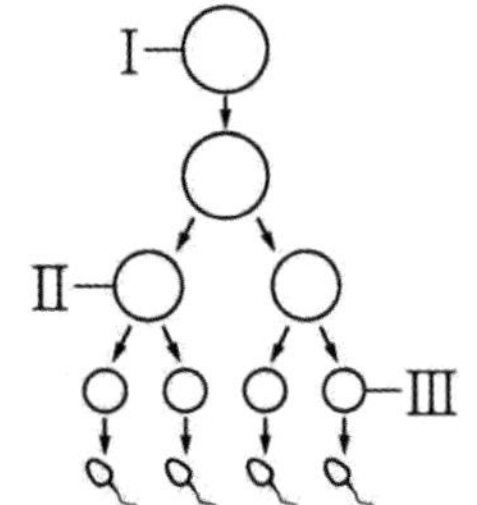

세포	DNA 상대량을 더한 값		
	A + B	B + ㉠	㉠ + ㉡
(가)	0	2	2
(나)	?	2	1

이에 대한 설명으로 옳은 것만을 〈보기〉에서 있는 대로 고른 것은? (단, 돌연변이와 교차는 고려하지 않으며, A, a, B, b 각각의 1개당 DNA 상대량은 1이다.)

〈보 기〉

ㄱ. (나)는 Ⅲ이다.
ㄴ. ㉠은 성염색체에 있다.
ㄷ. Ⅰ에서 A와 b의 DNA 상대량을 더한 값은 1이다.

① ㄱ ② ㄴ ③ ㄱ, ㄷ ④ ㄴ, ㄷ ⑤ ㄱ, ㄴ, ㄷ

복습용

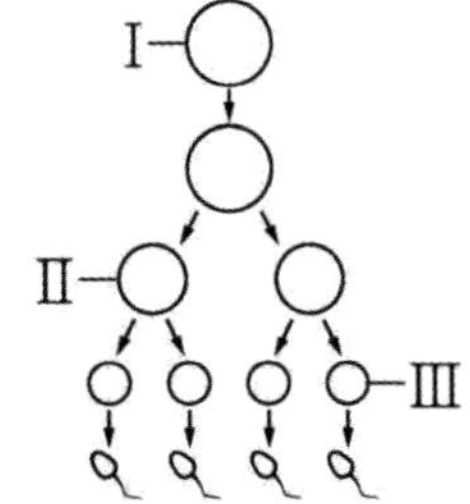

세포	DNA 상대량을 더한 값		
	A + B	B + ㉠	㉠ + ㉡
(가)	0	2	2
(나)	?	2	1

45.

그림은 유전자형이 QqRrTt인 어떤 동물 Ⅰ(2n=10)의 분열 중인 세포 (가)를, 표는 동물 Ⅱ에서 생성된 생식세포 중 ⓐ~ⓒ의 대립유전자 Q, q, R, r, T, t의 DNA 상대량을 나타낸 것이다. Ⅰ과 Ⅱ는 같은 종이고 성은 서로 다르며, 수컷의 성염색체는 XY, 암컷의 성염색체는 XX이다. Q, R, T는 각각 q, r, t의 대립유전자이고, 대립유전자 1개의 DNA 상대량은 서로 같다.

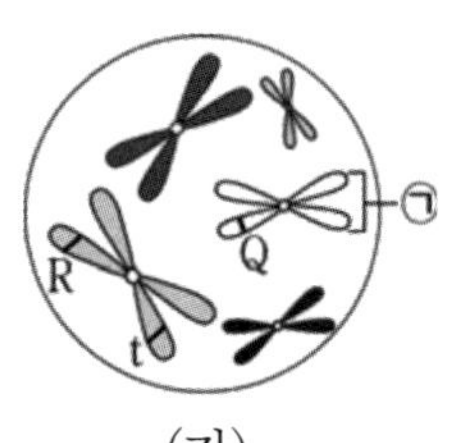

(가)

세포	DNA 상대량					
	Q	q	R	r	T	t
ⓐ	1	0	1	0	1	0
ⓑ	0	0	0	1	0	1
ⓒ	1	0	0	1	?	?

이에 대한 설명으로 옳은 것만을 〈보기〉에서 있는 대로 고른 것은? (단, 돌연변이와 교차는 고려하지 않는다.)

〈보 기〉

ㄱ. ㉠은 X 염색체이다.
ㄴ. Ⅱ에서 유전자 R와 T는 같은 염색체에 있다.
ㄷ. (가)로부터 생성된 생식세포와 ⓒ가 수정되어 태어난 자손의 유전자형은 QQRrtt이다.

① ㄱ ② ㄷ ③ ㄱ, ㄴ ④ ㄴ, ㄷ ⑤ ㄱ, ㄴ, ㄷ

복습용

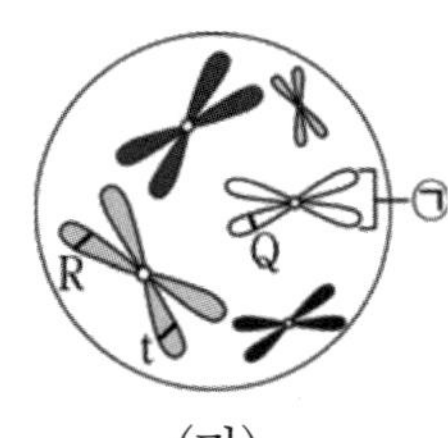

(가)

세포	DNA 상대량					
	Q	q	R	r	T	t
ⓐ	1	0	1	0	1	0
ⓑ	0	0	0	1	0	1
ⓒ	1	0	0	1	?	?

18학년도 6월 10번

46. 어떤 동물의 유전 형질 ⓐ는 3쌍의 대립유전자 D와 d, E와 e, F와 f에 의해 결정된다. 표는 이 동물에서 개체 Ⅰ과 Ⅱ의 세포 (가)~(라)가 갖는 유전자 D, d, E, e, F, f의 DNA 상대량을 나타낸 것이다. (가)~(라) 중 2개는 Ⅰ의 세포이고, 나머지 2개는 Ⅱ의 세포이다. Ⅰ은 암컷이며 성염색체가 XX, Ⅱ는 수컷이며 성염색체가 XY이다.

세포	DNA 상대량					
	D	d	E	e	F	f
(가)	2	?	㉠	0	?	?
(나)	1	0	1	1	0	?
(다)	㉡	?	0	1	0	0
(라)	㉢	0	1	?	1	1

이에 대한 설명으로 옳은 것만을 〈보기〉에서 있는 대로 고른 것은? (단, 돌연변이와 교차는 고려하지 않으며, D, d, E, e, F, f 각각의 1개당 DNA 상대량은 같다.)

〈보 기〉

ㄱ. ㉠+㉡+㉢ = 5이다.
ㄴ. Ⅰ의 형질 ⓐ에 대한 유전자형은 DDEeFf이다.
ㄷ. Ⅱ에서 D와 f는 서로 다른 염색체에 존재한다.

① ㄱ ② ㄴ ③ ㄱ, ㄷ ④ ㄴ, ㄷ ⑤ ㄱ, ㄴ, ㄷ

복습용

세포	DNA 상대량					
	D	d	E	e	F	f
(가)	2	?	㉠	0	?	?
(나)	1	0	1	1	0	?
(다)	㉡	?	0	1	0	0
(라)	㉢	0	1	?	1	1

18학년도 10월 19번

47. 다음은 어떤 동물(2n=4)에 대한 자료이다.

- 수컷의 성염색체는 XY이고, 암컷의 성염색체는 XX이다.
- 표는 이 동물 두 개체의 세포 (가)~(마)가 갖는 유전자 A, a, B, b, D, d의 DNA 상대량을 나타낸 것이다.

세포	DNA 상대량					
	A	a	B	b	D	d
(가)	1	?	1	1	㉠	0
(나)	2	?	㉡	0	0	0
(다)	0	?	0	2	0	?
(라)	?	0	1	1	㉢	1
(마)	0	?	2	0	?	?

- A, B, D는 각각 상염색체, X 염색체, Y 염색체 중 하나에 존재하며, 서로 다른 염색체에 존재한다.
- A는 a와, B는 b와, D는 d와 대립유전자이다.
- (가)는 수컷의 세포이며, (나)~(마) 중 수컷과 암컷의 세포는 각각 2개이다.

이에 대한 설명으로 옳은 것만을 〈보기〉에서 있는 대로 고른 것은? (단, A, a, B, b, D, d 각각의 1개당 DNA 상대량은 같고, 돌연변이와 교차는 고려하지 않는다.)

〈보 기〉

ㄱ. ㉠+㉡+㉢ = 4이다.
ㄴ. A는 Y 염색체에 존재한다.
ㄷ. (마)의 $\frac{\text{X 염색체 수}}{\text{상염색체 수}}$ = 1이다.

① ㄱ ② ㄴ ③ ㄱ, ㄷ ④ ㄴ, ㄷ ⑤ ㄱ, ㄴ, ㄷ

복습용

세포	DNA 상대량					
	A	a	B	b	D	d
(가)	1	?	1	1	㉠	0
(나)	2	?	㉡	0	0	0
(다)	0	?	0	2	0	?
(라)	?	0	1	1	㉢	1
(마)	0	?	2	0	?	?

23학년도 6월 7번

48. 어떤 동물 종(2n)의 유전 형질 (가)는 대립유전자 A와 a에 의해, (나)는 대립유전자 B와 b에 의해, (다)는 대립유전자 D와 d에 의해 결정된다. 표는 이 동물 종의 개체 ㉠과 ㉡의 세포 Ⅰ~Ⅳ 각각에 들어 있는 A, a, B, b, D, d의 DNA 상대량을 나타낸 것이다. Ⅰ~Ⅳ 중 2개는 ㉠의 세포이고, 나머지 2개는 ㉡의 세포이다. ㉠은 암컷이고 성염색체가 XX이며, ㉡은 수컷이고 성염색체가 XY이다.

세포	DNA 상대량					
	A	a	B	b	D	d
Ⅰ	0	?	2	?	4	0
Ⅱ	0	2	0	2	?	2
Ⅲ	?	1	1	1	2	?
Ⅳ	?	0	1	?	1	0

이에 대한 설명으로 옳은 것만을 〈보기〉에서 있는 대로 고른 것은? (단, 돌연변이와 교차는 고려하지 않으며, A, a, B, b, D, d 각각의 1 개당 DNA 상대량은 1이다.)

〈보 기〉

ㄱ. Ⅳ의 핵상은 2n이다.
ㄴ. (가)의 유전자는 X 염색체에 있다.
ㄷ. ㉠의 (나)와 (다)에 대한 유전자형은 BbDd이다.

① ㄱ ② ㄴ ③ ㄱ, ㄷ ④ ㄴ, ㄷ ⑤ ㄱ, ㄴ, ㄷ

복습용

세포	DNA 상대량					
	A	a	B	b	D	d
Ⅰ	0	?	2	?	4	0
Ⅱ	0	2	0	2	?	2
Ⅲ	?	1	1	1	2	?
Ⅳ	?	0	1	?	1	0

24학년도 수능 11번

49. 어떤 동물 종 (2n=6)의 유전 형질 ㉠은 대립유전자 A와 a에 의해, ㉡은 대립유전자 B와 b에 의해, ㉢은 대립유전자 D와 d에 의해 결정된다. ㉠~㉢의 유전자 중 2개는 서로 다른 상염색체에, 나머지 1개는 X염색체에 있다. 표는 이 동물 종의 개체 P와 Q의 세포 Ⅰ~Ⅳ에서 A, a, B, b, D, d의 DNA 상대량을, 그림은 세포 (가)와 (나) 각각에 들어 있는 모든 염색체를 나타낸 것이다. (가)와 (나)는 각각 Ⅰ~Ⅳ 중 하나이다. P는 수컷이고 성염색체는 XY이며, Q는 암컷이고 성염색체는 XX이다.

세포	DNA상대량					
	A	a	B	b	D	d
Ⅰ	0	ⓐ	?	2	4	0
Ⅱ	2	0	ⓑ	2	?	2
Ⅲ	0	0	1	?	1	ⓒ
Ⅳ	0	2	?	1	2	0

(가)

(나)

이에 대한 설명으로 옳은 것만을 〈보기〉에서 있는 대로 고른 것은? (단, 돌연변이와 교차는 고려하지 않으며, A, a, B, b, D, d 각각의 1개당 DNA 상대량은 1이다.)

〈보 기〉

ㄱ. (가)는 Ⅰ이다.
ㄴ. Ⅳ는 Q의 세포이다.
ㄷ. ⓐ+ⓑ+ⓒ=6이다.

① ㄱ ② ㄴ ③ ㄱ, ㄷ ④ ㄴ, ㄷ ⑤ ㄱ, ㄴ, ㄷ

복습용

세포	DNA상대량					
	A	a	B	b	D	d
Ⅰ	0	ⓐ	?	2	4	0
Ⅱ	2	0	ⓑ	2	?	2
Ⅲ	0	0	1	?	1	ⓒ
Ⅳ	0	2	?	1	2	0

(가)

(나)

50. 사람의 유전 형질 (가)는 상염색체에 있는 대립유전자 H와 h에 의해, (나)는 X 염색체에 있는 대립유전자 T와 t에 의해 결정된다. 표는 세포 Ⅰ~Ⅳ가 갖는 H, h, T, t의 DNA 상대량을 나타낸 것이다. Ⅰ~Ⅳ 중 2개는 남자 P의, 나머지 2개는 여자 Q의 세포이다. ㉠~㉢은 0, 1, 2를 순서 없이 나타낸 것이다.

세포	DNA 상대량			
	H	h	T	t
Ⅰ	㉢	0	㉠	?
Ⅱ	㉡	㉠	0	㉡
Ⅲ	?	㉢	㉠	㉡
Ⅳ	4	0	2	㉠

이에 대한 설명으로 옳은 것만을 〈보기〉에서 있는 대로 고른 것은? (단, 돌연변이와 교차는 고려하지 않으며, H, h, T, t 각각의 1개당 DNA 상대량은 1이다.)

〈보 기〉

ㄱ. ㉡은 2이다.
ㄴ. Ⅱ는 Q의 세포이다.
ㄷ. Ⅰ이 갖는 t의 DNA 상대량과 Ⅲ이 갖는 H의 DNA 상대량은 같다.

① ㄱ ② ㄷ ③ ㄱ, ㄴ ④ ㄴ, ㄷ ⑤ ㄱ, ㄴ, ㄷ

복습용

세포	DNA 상대량			
	H	h	T	t
Ⅰ	㉢	0	㉠	?
Ⅱ	㉡	㉠	0	㉡
Ⅲ	?	㉢	㉠	㉡
Ⅳ	4	0	2	㉠

51. 어떤 동물 종($2n=6$)의 유전 형질 ㉠은 2쌍의 대립유전자 H와 h, R와 r에 의해 결정된다. 그림은 이 동물 종의 수컷 P와 암컷 Q의 세포 (가)~(다) 각각에 들어 있는 모든 염색체를, 표는 (가)~(다)가 갖는 H와 h의 DNA 상대량을 나타낸 것이다. (가)~(다) 중 2개는 P의 세포이고 나머지 1개는 Q의 세포이며, 이 동물의 성염색체는 암컷이 XX, 수컷이 XY이다. ⓐ~ⓒ는 0, 1, 2를 순서 없이 나타낸 것이다.

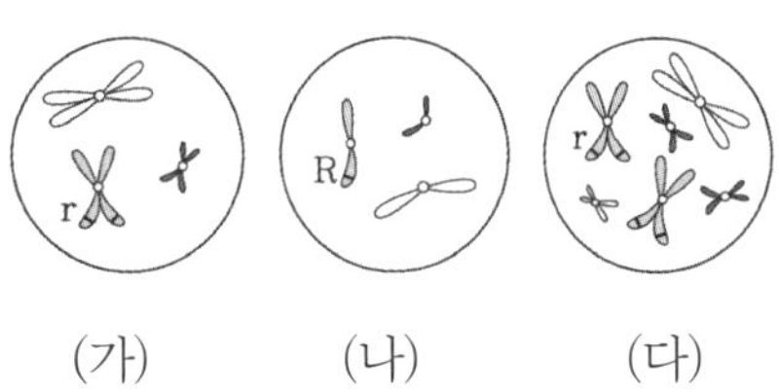

세포	DNA 상대량	
	H	h
(가)	ⓐ	ⓑ
(나)	ⓒ	ⓐ
(다)	ⓑ	ⓐ

이에 대한 설명으로 옳은 것만을 〈보기〉에서 있는 대로 고른 것은?(단, 돌연변이는 고려하지 않으며, H, h, R, r 각각의 1개당 DNA 상대량은 1이다.)

〈보 기〉

ㄱ. ⓒ는 1이다.
ㄴ. (가)는 Q의 세포이다.
ㄷ. 세포 1개당 $\frac{\text{H의 DNA 상대량}}{\text{R의 DNA 상대량}}$은 (나)와 (다)가 같다.

① ㄱ ② ㄷ ③ ㄱ, ㄴ ④ ㄴ, ㄷ ⑤ ㄱ, ㄴ, ㄷ

복습용

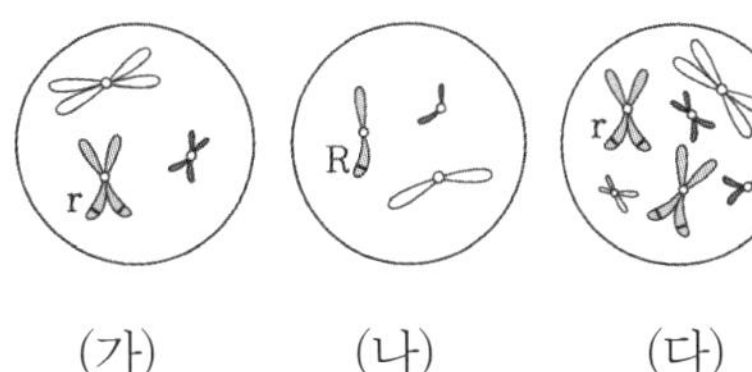

세포	DNA 상대량	
	H	h
(가)	ⓐ	ⓑ
(나)	ⓒ	ⓐ
(다)	ⓑ	ⓐ

15학년도 9월 17번

52. 어떤 동물(2n=8)에서 몸 색깔은 한 쌍의 대립유전자 H와 h에 의해 결정되며, 몸 색깔에 대한 유전자형은 Hh이다. 이 동물의 세포 A가 분열하여 세포 B가, 세포 B가 분열하여 세포 C가 형성되었다. 세포 C로부터 형성된 정자가 난자와 수정되어 수정란 D가 형성되었으며, 이 정자와 난자는 몸 색깔에 대한 동일한 대립유전자를 가진다. 그림의 세포 (가)~(라)는 각각 A~D 중 하나이며, 표는 A~D가 갖는 대립유전자 H와 h의 DNA 상대량을 나타낸 것이다. H 1개와 h 1개의 DNA 상대량은 같다.

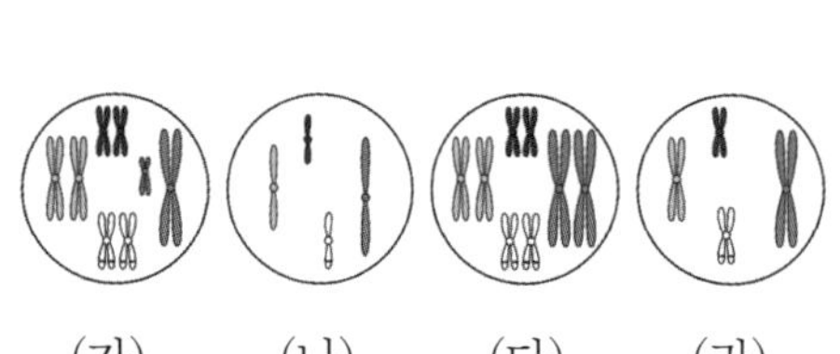

세포	DNA 상대량	
	H	h
A	2	2
B	2	0
C	1	ⓐ
D	ⓑ	ⓒ

이에 대한 설명으로 옳은 것만을 〈보기〉에서 있는 대로 고른 것은? (단, 이 동물 수컷의 성염색체는 XY이고 암컷의 성염색체는 XX이며, 돌연변이와 교차는 고려하지 않는다.)

〈보 기〉

ㄱ. ⓐ+ⓑ−ⓒ=4이다.

ㄴ. 세포 1개당 $\frac{\text{염색체 수}}{\text{H의 DNA 상대량}}$는 (나)가 (다)의 2배이다.

ㄷ. (라)는 (다)가 분열하여 형성된 세포이다.

① ㄱ ② ㄷ ③ ㄱ, ㄴ ④ ㄴ, ㄷ ⑤ ㄱ, ㄴ, ㄷ

복습용

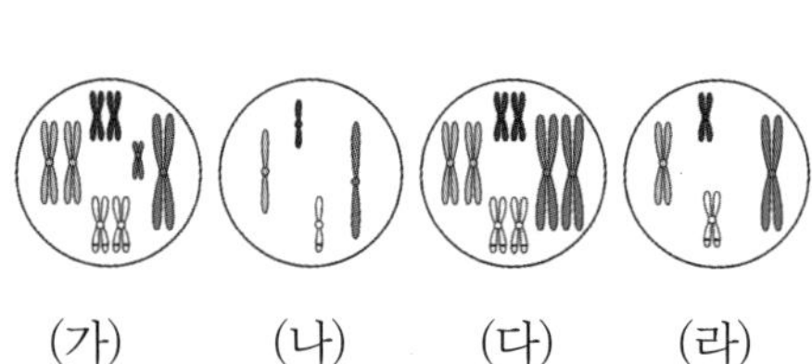

세포	DNA 상대량	
	H	h
A	2	2
B	2	0
C	1	ⓐ
D	ⓑ	ⓒ

19학년도 9월 16번

53. 그림은 같은 종인 동물(2n=6) Ⅰ과 Ⅱ의 세포 (가)~(라) 각각에 들어 있는 모든 염색체를, 표는 세포 A~D가 갖는 유전자 H, h, T, t의 DNA 상대량을 나타낸 것이다. (가)~(다)는 Ⅰ의 난자 형성 과정에서 나타나는 세포이며, (라)는 (다)로부터 형성된 난자가 정자 ⓐ와 수정되어 태어난 Ⅱ의 세포이다. Ⅰ의 특정 형질에 대한 유전자형은 HhTT이고, H는 h와 대립유전자이며, T는 t와 대립유전자이다. 이 동물의 성염색체는 암컷이 XX, 수컷이 XY이며, A~D는 (가)~(라)를 순서 없이 나타낸 것이다.

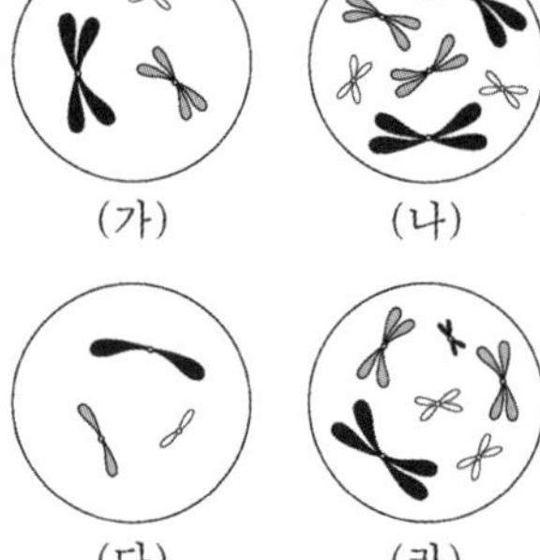

세포	DNA 상대량			
	H	h	T	t
A	2	㉠	?	0
B	1	?	㉡	?
C	㉢	2	2	0
D	0	2	2	0

이에 대한 설명으로 옳은 것만을 〈보기〉에서 있는 대로 고른 것은? (단, 돌연변이와 교차는 고려하지 않으며, H, h, T, t 각각의 1개당 DNA 상대량은 같다.)

〈보 기〉

ㄱ. ㉠+㉡+㉢ = 5이다.

ㄴ. C는 (가)이다.

ㄷ. 정자 ⓐ는 T를 갖는다.

① ㄱ ② ㄴ ③ ㄷ ④ ㄱ, ㄷ ⑤ ㄴ, ㄷ

복습용

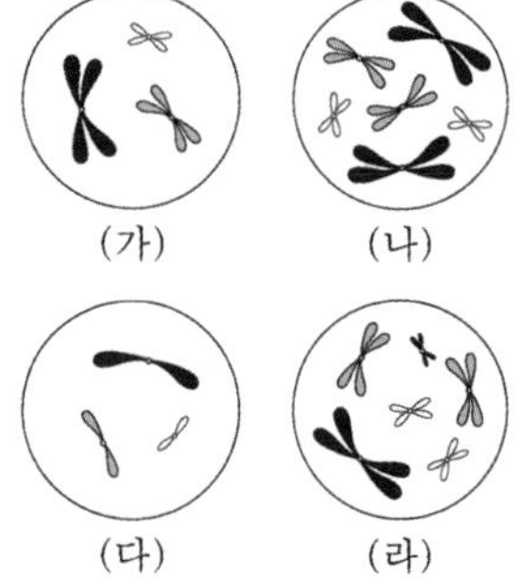

세포	DNA 상대량			
	H	h	T	t
A	2	㉠	?	0
B	1	?	㉡	?
C	㉢	2	2	0
D	0	2	2	0

24학년도 6월 14번

54. 어떤 동물 종($2n=6$)의 유전 형질 ㉮는 2쌍의 대립유전자 A와 a, B와 b에 의해 결정된다. 그림은 이 동물 종의 개체 Ⅰ과 Ⅱ의 세포 (가)~(라) 각각에 들어 있는 모든 염색체를, 표는 (가)~(라)에서 A, a, B, b의 유무를 나타낸 것이다. (가)~(라) 중 2개는 Ⅰ의 세포이고, 나머지 2개는 Ⅱ의 세포이다. Ⅰ은 암컷이고 성염색체는 XX이며, Ⅱ는 수컷이고 성염색체는 XY이다.

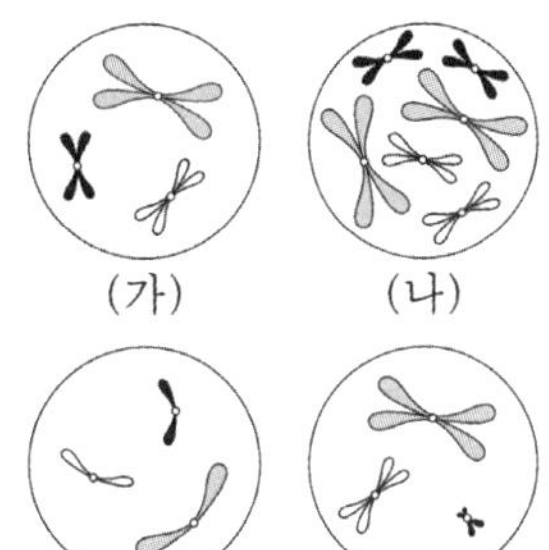

세포	대립유전자			
	A	a	B	b
(가)	○	?	?	?
(나)	?	○	○	×
(다)	○	×	×	○
(라)	?	○	×	×

(○: 있음, ×: 없음)

이에 대한 설명으로 옳은 것만을 〈보기〉에서 있는 대로 고른 것은? (단, 돌연변이와 교차는 고려하지 않는다.)

〈보 기〉

ㄱ. (가)는 Ⅱ의 세포이다.
ㄴ. Ⅰ의 유전자형은 AaBB이다.
ㄷ. (다)에서 b는 상염색체에 있다.

① ㄱ ② ㄴ ③ ㄷ ④ ㄱ, ㄴ ⑤ ㄴ, ㄷ

복습용

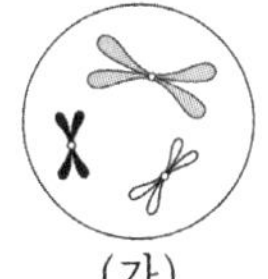

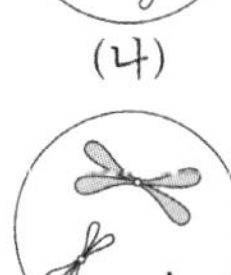

(다)

세포	대립유전자			
	A	a	B	b
(가)	○	?	?	?
(나)	?	○	○	×
(다)	○	×	×	○
(라)	?	○	×	×

(○: 있음, ×: 없음)

19학년도 6월 9번

55. 사람의 유전 형질 ⓐ는 2쌍의 대립유전자 E와 e, F와 f에 의해 결정되며, E와 e는 9번 염색체에, F와 f는 X 염색체에 존재한다. 표는 사람 Ⅰ의 세포 (가)~(다)와 사람 Ⅱ의 세포 (라)~(바)에서 유전자 ㉠~㉣의 유무를 나타낸 것이다. ㉠~㉣은 E, e, F, f를 순서 없이 나타낸 것이다.

유전자	Ⅰ의 세포			Ⅱ의 세포		
	(가)	(나)	(다)	(라)	(마)	(바)
㉠	○	○	○	○	○	×
㉡	○	○	×	○	×	○
㉢	○	×	○	×	×	×
㉣	×	×	×	○	×	○

(○ : 있음, × : 없음)

이에 대한 설명으로 옳은 것만을 〈보기〉에서 있는 대로 고른 것은? (단, 돌연변이와 교차는 고려하지 않는다.)

〈보 기〉

ㄱ. ㉠은 ㉢의 대립유전자이다.
ㄴ. (라)에는 Y 염색체가 있다.
ㄷ. Ⅰ의 ⓐ에 대한 유전자형은 EeFF이다.

① ㄱ ② ㄴ ③ ㄷ ④ ㄱ, ㄴ ⑤ ㄴ, ㄷ

복습용

유전자	Ⅰ의 세포			Ⅱ의 세포		
	(가)	(나)	(다)	(라)	(마)	(바)
㉠	○	○	○	○	○	×
㉡	○	○	×	○	×	○
㉢	○	×	○	×	×	×
㉣	×	×	×	○	×	○

(○ : 있음, × : 없음)

20학년도 6월 8번

56. 표는 같은 종인 동물(2n=6) Ⅰ의 세포 (가)와 (나), Ⅱ의 세포 (다)와 (라)에서 유전자 ㉠~㉣의 유무를, 그림은 세포 A와 B 각각에 들어 있는 모든 염색체를 나타낸 것이다. 이 동물 종의 특정 형질은 2쌍의 대립유전자 H와 h, T와 t에 의해 결정되며, ㉠~㉣은 H, h, T, t를 순서 없이 나타낸 것이다. A와 B는 각각 Ⅰ과 Ⅱ의 세포 중 하나이고, Ⅰ과 Ⅱ의 성염색체는 암컷이 XX, 수컷이 XY이다.

유전자	Ⅰ의 세포		Ⅱ의 세포	
	(가)	(나)	(다)	(라)
㉠	×	○	×	×
㉡	×	×	×	○
㉢	○	○	×	○
㉣	○	○	○	×

(○ : 있음, × : 없음)

A

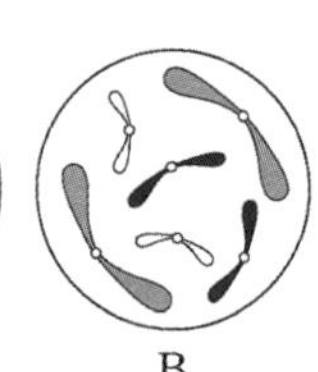
B

이에 대한 설명으로 옳은 것만을 〈보기〉에서 있는 대로 고른 것은? (단, 돌연변이와 교차는 고려하지 않는다.)

〈보 기〉

ㄱ. ㉠은 ㉣과 대립유전자이다.
ㄴ. A는 Ⅱ의 세포이다.
ㄷ. (라)에는 X 염색체가 있다.

① ㄱ ② ㄴ ③ ㄱ, ㄷ ④ ㄴ, ㄷ ⑤ ㄱ, ㄴ, ㄷ

복습용

유전자	Ⅰ의 세포		Ⅱ의 세포	
	(가)	(나)	(다)	(라)
㉠	×	○	×	×
㉡	×	×	×	○
㉢	○	○	×	○
㉣	○	○	○	×

(○ : 있음, × : 없음)

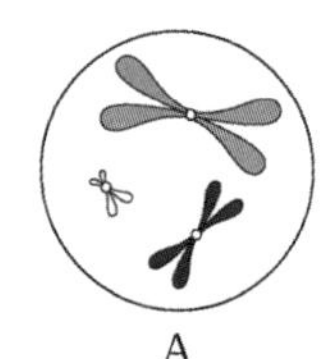
A

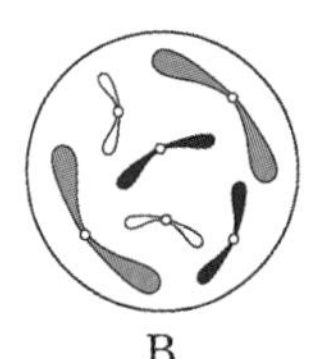
B

22학년도 6월 16번

57. 다음은 사람 P의 세포 (가)~(다)에 대한 자료이다.

- 유전 형질 ⓐ는 2쌍의 대립유전자 H와 h, T와 t에 의해 결정되며, ⓐ의 유전자는 서로 다른 2개의 염색체에 있다.
- (가)~(다)는 생식세포 형성 과정에서 나타나는 중기의 세포이다. (가)~(다) 중 2개는 G_1기 세포 Ⅰ로부터 형성되었고, 나머지 1개는 G_1기 세포 Ⅱ로부터 형성되었다.
- 표는 (가)~(다)에서 대립유전자 ㉠~㉣의 유무를 나타낸 것이다. ㉠~㉣은 H, h, T, t를 순서 없이 나타낸 것이다.

대립유전자	세포		
	(가)	(나)	(다)
㉠	×	×	○
㉡	○	○	×
㉢	×	×	×
㉣	×	○	○

(○: 있음, ×: 없음)

이에 대한 설명으로 옳은 것만을 〈보기〉에서 있는 대로 고른 것은? (단, 돌연변이와 교차는 고려하지 않는다.)

〈보 기〉

ㄱ. P에게서 ㉠과 ㉢을 모두 갖는 생식세포가 형성될 수 있다.
ㄴ. (가)와 (다)의 핵상은 같다.
ㄷ. Ⅰ로부터 (나)가 형성되었다.

① ㄱ ② ㄴ ③ ㄷ ④ ㄱ, ㄷ ⑤ ㄴ, ㄷ

복습용

대립유전자	세포		
	(가)	(나)	(다)
㉠	×	×	○
㉡	○	○	×
㉢	×	×	×
㉣	×	○	○

(○: 있음, ×: 없음)

58. 표는 사람 A의 세포 ⓐ와 ⓑ, 사람 B의 세포 ⓒ와 ⓓ에서 유전자 ㉠ ~ ㉣의 유무를 나타낸 것이고, 그림 (가)와 (나)는 각각 정자 형성 과정과 난자 형성 과정을 나타낸 것이다. 사람의 특정 형질은 2쌍의 대립유전자 E와 e, F와 f에 의해 결정되며, ㉠ ~ ㉣은 E, e, F, f를 순서 없이 나타낸 것이다. Ⅰ ~ Ⅳ는 ⓐ ~ ⓓ를 순서 없이 나타낸 것이다.

유전자	A의 세포		B의 세포	
	ⓐ	ⓑ	ⓒ	ⓓ
㉠	○	○	×	○
㉡	×	○	×	×
㉢	○	○	○	○
㉣	×	×	×	○

(○: 있음, ×: 없음)

(가) (나)

이에 대한 설명으로 옳은 것만을 〈보기〉에서 있는 대로 고른 것은? (단, 돌연변이와 교차는 고려하지 않는다.)

〈보 기〉

ㄱ. ⓓ는 Ⅰ이다.
ㄴ. ㉣은 X 염색체에 있다.
ㄷ. ㉠은 ㉢의 대립유전자이다.

① ㄱ ② ㄷ ③ ㄱ, ㄴ ④ ㄴ, ㄷ ⑤ ㄱ, ㄴ, ㄷ

복습용

유전자	A의 세포		B의 세포	
	ⓐ	ⓑ	ⓒ	ⓓ
㉠	○	○	×	○
㉡	×	○	×	×
㉢	○	○	○	○
㉣	×	×	×	○

(○: 있음, ×: 없음)

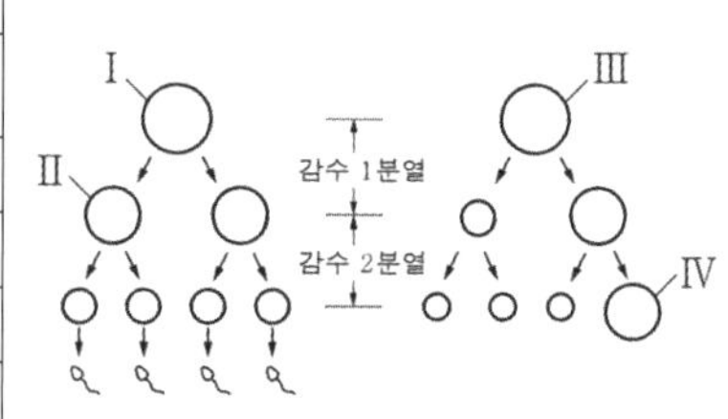

(가) (나)

59. 사람의 특정 유전 형질은 2쌍의 대립유전자 A와 a, B와 b에 의해 결정된다. 표는 사람 P와 Q의 세포 Ⅰ ~ Ⅲ에서 대립유전자 ⓐ ~ ⓓ의 유무를, 그림은 P와 Q 중 한 명의 생식세포에 있는 일부 염색체와 유전자를 나타낸 것이다. ⓐ ~ ⓓ는 A, a, B, b를 순서 없이 나타낸 것이고, P는 남자이다.

세포	대립유전자			
	ⓐ	ⓑ	ⓒ	ⓓ
Ⅰ	○	○	×	○
Ⅱ	○	×	○	○
Ⅲ	×	×	○	×

(○ : 있음, × : 없음)

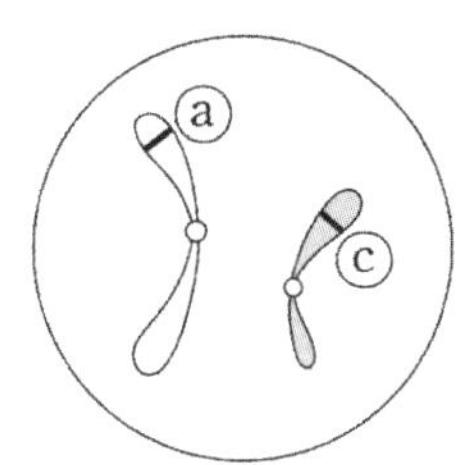

이에 대한 설명으로 옳은 것만을 〈보기〉에서 있는 대로 고른 것은? (단, 돌연변이는 고려하지 않는다.)

〈보 기〉

ㄱ. Ⅱ는 P의 세포이다.
ㄴ. ⓑ는 ⓒ의 대립유전자이다.
ㄷ. Q는 여자이다.

① ㄱ ② ㄷ ③ ㄱ, ㄴ ④ ㄱ, ㄷ ⑤ ㄴ, ㄷ

복습용

세포	대립유전자			
	ⓐ	ⓑ	ⓒ	ⓓ
Ⅰ	○	○	×	○
Ⅱ	○	×	○	○
Ⅲ	×	×	○	×

(○ : 있음, × : 없음)

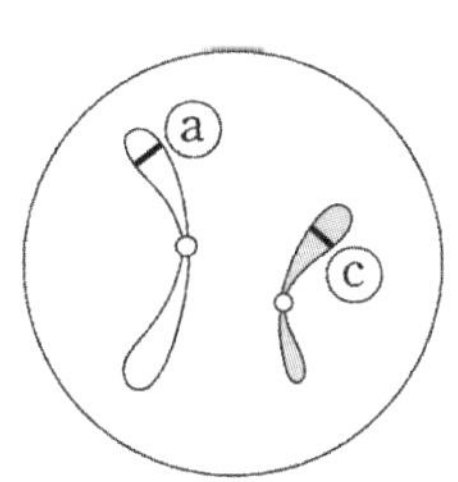

23학년도 9월 8번

60. 사람의 유전 형질 ㉮는 1쌍의 대립유전자 A와 a에 의해, ㉯는 2쌍의 대립유전자 B와 b, D와 d에 의해 결정된다. ㉮의 유전자는 상염색체에, ㉯의 유전자는 X 염색체에 있다. 표는 남자 P의 세포 (가)~(다)와 여자 Q의 세포 (라)~(바)에서 대립유전자 ㉠~㉥의 유무를 나타낸 것이다. ㉠~㉥은 A, a, B, b, D, d를 순서 없이 나타낸 것이다.

대립유전자	P의 세포			Q의 세포		
	(가)	(나)	(다)	(라)	(마)	(바)
㉠	×	?	○	?	○	×
㉡	×	×	×	○	○	×
㉢	?	○	○	○	○	○
㉣	×	ⓐ	○	○	×	○
㉤	○	○	×	×	×	×
㉥	×	×	×	?	×	○

(○: 있음, ×: 없음)

이에 대한 옳은 설명만을 〈보기〉에서 있는 대로 고른 것은? (단, 돌연변이와 교차는 고려하지 않는다.)

〈보 기〉

ㄱ. ㉠은 ㉥과 대립유전자이다.
ㄴ. ⓐ는 '×'이다.
ㄷ. Q의 ㉯의 유전자형은 BbDd이다.

① ㄱ ② ㄴ ③ ㄱ, ㄷ ④ ㄴ, ㄷ ⑤ ㄱ, ㄴ, ㄷ

복습용

대립유전자	P의 세포			Q의 세포		
	(가)	(나)	(다)	(라)	(마)	(바)
㉠	×	?	○	?	○	×
㉡	×	×	×	○	○	×
㉢	?	○	○	○	○	○
㉣	×	ⓐ	○	○	×	○
㉤	○	○	×	×	×	×
㉥	×	×	×	?	×	○

(○: 있음, ×: 없음)

19학년도 수능 13번

61. 어떤 동물 종(2n=6)의 유전 형질 ⓐ는 2쌍의 대립유전자 H와 h, T와 t에 의해 결정된다. 그림은 이 동물 종의 세포 (가)~(라)가 갖는 유전자 ㉠~㉣의 DNA 상대량을 나타낸 것이다. 이 동물 종의 개체 Ⅰ에서는 ㉠~㉣의 DNA 상대량이 (가), (나), (다)와 같은 세포가, 개체 Ⅱ에서는 ㉠~㉣의 DNA 상대량이 (나), (다), (라)와 같은 세포가 형성된다. ㉠~㉣은 H, h, T, t를 순서 없이 나타낸 것이다. 이 동물 종의 성염색체는 암컷이 XX, 수컷이 XY이다.

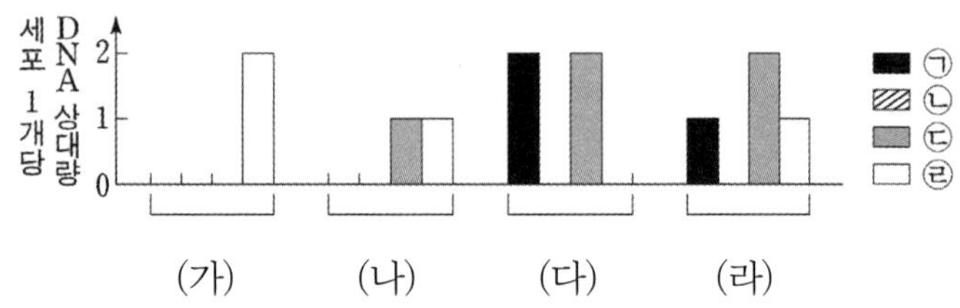

이에 대한 설명으로 옳은 것만을 〈보기〉에서 있는 대로 고른 것은? (단, 돌연변이와 교차는 고려하지 않으며, (가)와 (다)는 중기의 세포이다. H, h, T, t 각각의 1개당 DNA 상대량은 같다.)

〈보 기〉

ㄱ. ㉠은 ㉣과 대립유전자이다.
ㄴ. (가)와 (다)의 염색 분체 수는 같다.
ㄷ. 세포 1개당 $\frac{\text{X 염색체 수}}{\text{상염색체 수}}$는 (라)가 (나)의 2배이다.

① ㄱ ② ㄷ ③ ㄱ, ㄴ ④ ㄴ, ㄷ ⑤ ㄱ, ㄴ, ㄷ

복습용

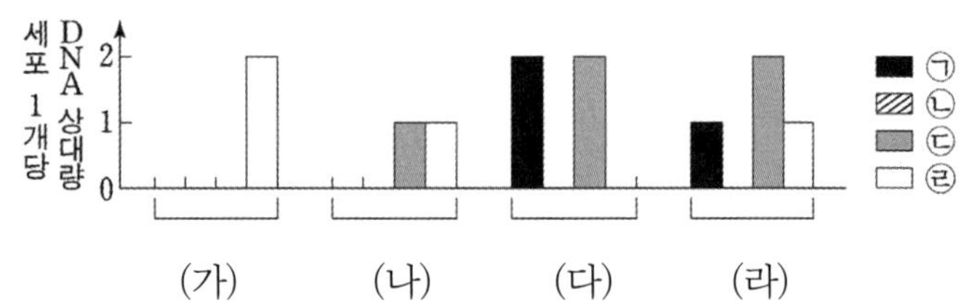

62. 사람의 유전 형질 (가)는 서로 다른 상염색체에 있는 2쌍의 대립 유전자 H와 h, T와 t에 의해 결정된다. 표는 어떤 사람의 세포 ㉠~㉢에서 H와 t의 유무를, 그림은 ㉠~㉢에서 대립유전자 ⓐ~ⓓ의 DNA 상대량을 나타낸 것이다. ⓐ~ⓓ는 H, h ,T, t를 순서 없이 나타낸 것이다.

대립 유전자	세포		
	㉠	㉡	㉢
H	○	?	×
t	?	×	×

(○ : 있음, × : 없음)

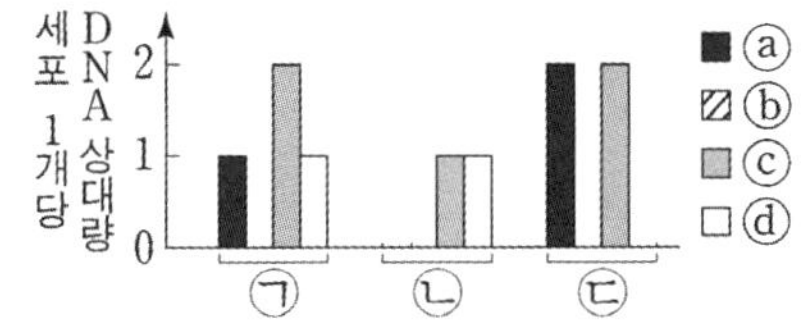

이에 대한 설명으로 옳은 것만을 〈보기〉에서 있는 대로 고른 것은? (단, 돌연변이와 교차는 고려하지 않으며, H, h, T, t 각각의 1개당 DNA 상대량은 1이다.)

〈보 기〉

ㄱ. ⓐ는 ⓒ와 대립유전자이다.
ㄴ. ⓓ는 H이다.
ㄷ. 이 사람에게서 h와 t를 모두 갖는 생식세포가 형성될 수 있다.

① ㄱ ② ㄴ ③ ㄷ ④ ㄱ, ㄴ ⑤ ㄴ, ㄷ

복습용

대립 유전자	세포		
	㉠	㉡	㉢
H	○	?	×
t	?	×	×

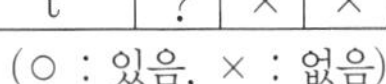
(○ : 있음, × : 없음)

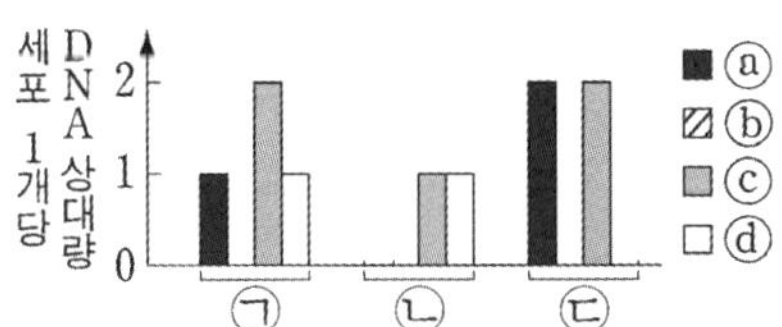

63. 어떤 동물 종($2n=4$)의 유전 형질 ㉮는 2쌍의 대립유전자 A와 a, B와 b에 의해 결정된다. 그림은 이 동물 종의 개체 Ⅰ의 세포 (가)와 개체 Ⅱ의 세포 (나) 각각에 들어 있는 모든 염색체를, 표는 (가)와 (나)에서 대립유전자 ㉠, ㉡, ㉢, ㉣ 중 2개의 DNA 상대량을 더한 값을 나타낸 것이다. ㉠~㉣은 A, a, B, b를 순서 없이 나타낸 것이고, Ⅰ과 Ⅱ의 ㉮의 유전자형은 각각 AaBb와 Aabb 중 하나이다.

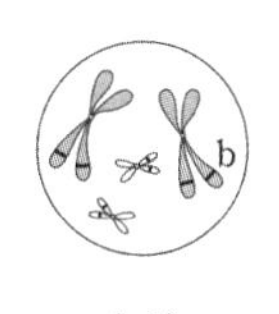

(가)

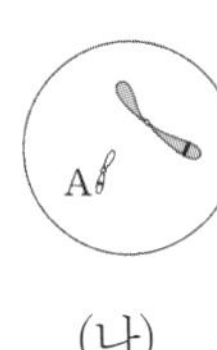

(나)

세포	DNA 상대량을 더한 값			
	㉠+㉡	㉠+㉢	㉡+㉢	㉢+㉣
(가)	6	ⓐ	6	?
(나)	?	1	ⓑ	2

이에 대한 설명으로 옳은 것만을 〈보기〉에서 있는 대로 고른 것은? (단, 돌연변이는 고려하지 않으며, A, a, B, b 각각의 1개당 DNA 상대량은 1이다.)

〈보 기〉

ㄱ. Ⅰ의 유전자형은 AaBb이다.
ㄴ. ⓐ+ⓑ= 5이다.
ㄷ. (나)에 b가 있다.

① ㄱ ② ㄴ ③ ㄱ, ㄷ ④ ㄴ, ㄷ ⑤ ㄱ, ㄴ, ㄷ

복습용

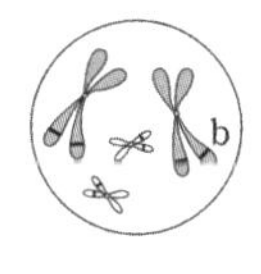

(가)

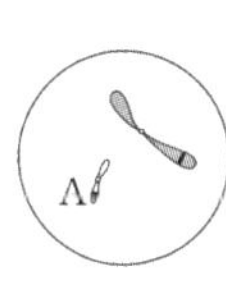

(나)

세포	DNA 상대량을 더한 값			
	㉠+㉡	㉠+㉢	㉡+㉢	㉢+㉣
(가)	6	ⓐ	6	?
(나)	?	1	ⓑ	2

64. 사람의 어떤 유전 형질은 2쌍의 대립유전자 H와 h, T와 t에 의해 결정된다. 그림 (가)는 사람 Ⅰ의, (나)는 사람 Ⅱ의 감수 분열 과정의 일부를, 표는 Ⅰ의 세포 ⓐ와 Ⅱ의 세포 ⓑ에서 대립유전자 ㉠, ㉡, ㉢, ㉣ 중 2개의 DNA 상대량을 더한 값을 나타낸 것이다. ㉠~㉣은 H, h, T, t를 순서 없이 나타낸 것이고, Ⅰ의 유전자형은 HHtt이며, Ⅱ의 유전자형은 hhTt이다.

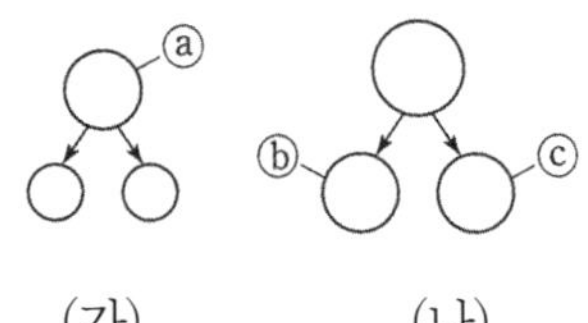

(가) (나)

세포	DNA 상대량을 더한 값			
	㉠+㉡	㉠+㉢	㉡+㉢	㉢+㉣
ⓐ	0	?	2	㉮
ⓑ	2	4	㉯	2

이에 대한 설명으로 옳은 것만을 〈보기〉에서 있는 대로 고른 것은? (단, 돌연변이와 교차는 고려하지 않으며, H, h, T, t 각각의 1개당 DNA 상대량은 1이다. ⓐ~ⓒ는 중기의 세포이다.)

〈보 기〉

ㄱ. ㉮+㉯=6이다.

ㄴ. ⓐ의 $\frac{\text{염색 분체 수}}{\text{성염색체 수}}$=46이다.

ㄷ. ⓒ에는 t가 있다.

① ㄱ ② ㄷ ③ ㄱ, ㄴ ④ ㄴ, ㄷ ⑤ ㄱ, ㄴ, ㄷ

복습용

(가) (나)

세포	DNA 상대량을 더한 값			
	㉠+㉡	㉠+㉢	㉡+㉢	㉢+㉣
ⓐ	0	?	2	㉮
ⓑ	2	4	㉯	2

65. 사람의 유전 형질 ㉮는 2쌍의 대립유전자 A와 a, B와 b에 의해 결정된다. 그림은 사람 P의 G_1기 세포 Ⅰ로부터 정자가 형성되는 과정을, 표는 세포 (가)~(라)에서 대립유전자 ㉠~㉢의 유무와 a와 B의 DNA 상대량을 나타낸 것이다. (가)~(라)는 Ⅰ~Ⅳ를 순서 없이 나타낸 것이고, ㉠~㉢은 A, a, b를 순서 없이 나타낸 것이다.

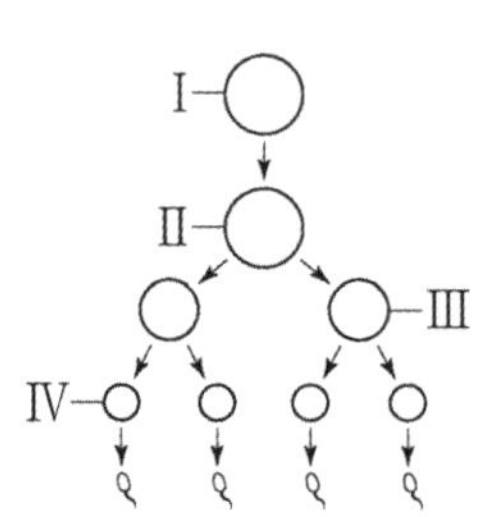

세포	대립유전자			DNA 상대량	
	㉠	㉡	㉢	a	B
(가)	×	×	○	?	2
(나)	○	?	○	2	?
(다)	?	?	×	1	1
(라)	○	?	?	1	?

(○ : 있음, × : 없음)

이에 대한 설명으로 옳은 것만을 〈보기〉에서 있는 대로 고른 것은? (단, 돌연변이와 교차는 고려하지 않으며, A, a, B, b 각각의 1개당 DNA 상대량은 1이다. Ⅱ와 Ⅲ은 중기의 세포이다.)

〈보 기〉

ㄱ. Ⅳ에는 ㉠이 있다.

ㄴ. (나)의 핵상은 2n이다.

ㄷ. P의 유전자형은 AaBb이다.

① ㄱ ② ㄴ ③ ㄷ ④ ㄱ, ㄴ ⑤ ㄴ, ㄷ

복습용

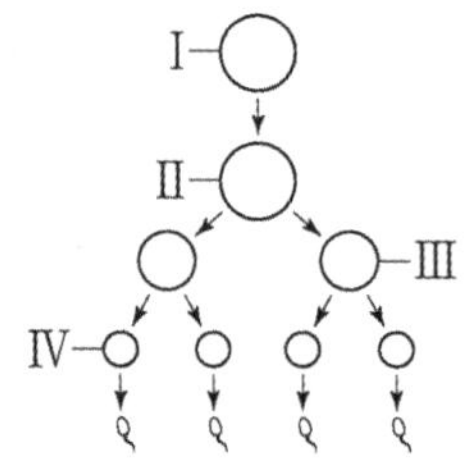

세포	대립유전자			DNA 상대량	
	㉠	㉡	㉢	a	B
(가)	×	×	○	?	2
(나)	○	?	○	2	?
(다)	?	?	×	1	1
(라)	○	?	?	1	?

(○ : 있음, × : 없음)

66. 표는 유전자형이 DdHhRr인 어떤 동물($2n=6$)의 세포 (가)~(다)에서 염색체 ㉠~㉣과 유전자 ⓐ~ⓓ의 유무를 나타낸 것이다. ⓐ~ⓓ는 각각 D, d, H, h, R, r 중 하나이며, 3쌍의 대립유전자는 서로 다른 염색체에 있다. (가)~(다)는 모두 중기의 세포이다.

구분	염색체				유전자			
	㉠	㉡	㉢	㉣	ⓐ	ⓑ	ⓒ	ⓓ
(가)	○	○	○	×	○	×	○	○
(나)	×	×	?	○	×	○	?	○
(다)	○	×	○	○	×	×	○	○

(○ : 있음, × : 없음)

이에 대한 설명으로 옳은 것만을 〈보기〉에서 있는 대로 고른 것은? (단, 돌연변이와 교차는 고려하지 않으며, D는 d와, H는 h와, R은 r와 각각 대립유전자이다.)

〈보 기〉

ㄱ. ㉠에 ⓒ가 있다.
ㄴ. (나)에 ㉢이 있다.
ㄷ. ⓑ는 ⓒ와 대립유전자이다.

① ㄱ ② ㄷ ③ ㄱ, ㄴ ④ ㄴ, ㄷ ⑤ ㄱ, ㄴ, ㄷ

복습용

구분	염색체				유전자			
	㉠	㉡	㉢	㉣	ⓐ	ⓑ	ⓒ	ⓓ
(가)	○	○	○	×	○	×	○	○
(나)	×	×	?	○	×	○	?	○
(다)	○	×	○	○	×	×	○	○

(○ : 있음, × : 없음)

67. 사람의 유전 형질 (가)는 2쌍의 대립유전자 H와 h, R와 r에 의해 결정되며, (가)의 유전자는 7번 염색체와 8번 염색체에 있다. 그림은 어떤 사람의 7번 염색체와 8번 염색체를, 표는 이 사람의 세포 Ⅰ~Ⅳ에서 염색체 ㉠~㉢의 유무와 H와 r의 DNA 상대량을 나타낸 것이다. ㉠~㉢은 염색체 ⓐ~ⓒ를 순서 없이 나타낸 것이다.

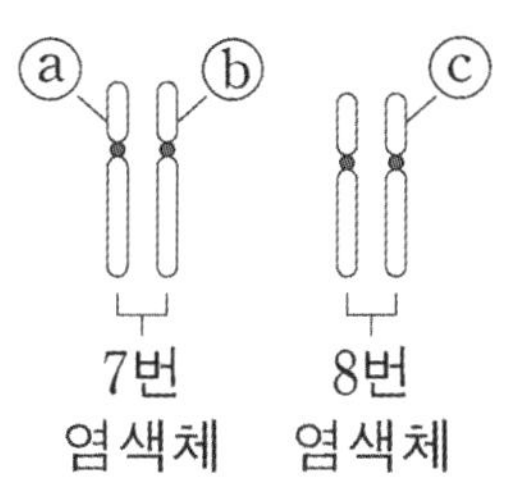

세포	염색체			DNA 상대량	
	㉠	㉡	㉢	H	r
Ⅰ	×	○	?	1	1
Ⅱ	?	○	○	?	1
Ⅲ	○	×	○	2	0
Ⅳ	○	○	×	?	2

(○: 있음, ×: 없음)

이에 대한 설명으로 옳은 것만을 〈보기〉에서 있는 대로 고른 것은? (단, 돌연변이와 교차는 고려하지 않으며, H, h, R, r 각각의 1개당 DNA 상대량은 1이다.)

〈보 기〉

ㄱ. Ⅰ과 Ⅱ의 핵상은 같다.
ㄴ. ㉡과 ㉢은 모두 7번 염색체이다.
ㄷ. 이 사람의 유전자형은 HhRr이다.

① ㄱ ② ㄴ ③ ㄷ ④ ㄱ, ㄴ ⑤ ㄴ, ㄷ

복습용

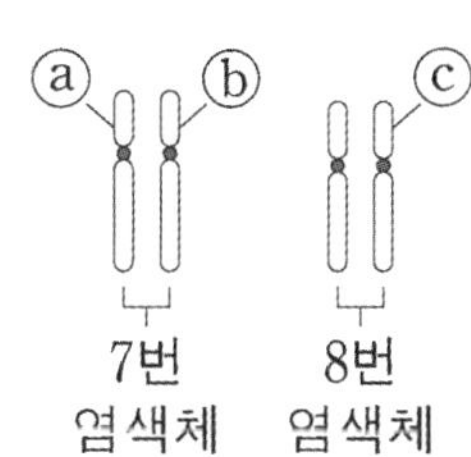

세포	염색체			DNA 상대량	
	㉠	㉡	㉢	H	r
Ⅰ	×	○	?	1	1
Ⅱ	?	○	○	?	1
Ⅲ	○	×	○	2	0
Ⅳ	○	○	×	?	2

(○: 있음, ×: 없음)

23학년도 7월 10번

68. 다음은 어떤 가족의 유전 형질 (가)와 (나)에 대한 자료이다.

- (가)는 2쌍의 대립유전자 A와 a, B와 b에 의해 결정되며, (가)의 유전자는 서로 다른 2개의 상염색체에 있다.
- (가)의 표현형은 유전자형에서 대문자로 표시되는 대립유전자의 수에 의해서만 결정되며, 이 대립유전자의 수가 다르면 표현형이 다르다.
- (나)는 대립유전자 D와 d에 의해 결정되며, D는 d에 대해 완전 우성이다. (나)의 유전자는 (가)의 유전자와 서로 다른 상염색체에 있다.
- 어머니와 자녀 1은 (가)와 (나)의 표현형이 모두 같고, 아버지와 자녀 2는 (가)와 (나)의 표현형이 모두 같다.
- 표는 자녀 2를 제외한 나머지 가족 구성원의 체세포 1개당 대립유전자 ㉠~㉥의 DNA 상대량을 나타낸 것이다. ㉠~㉥은 A, a, B, b, D, d를 순서 없이 나타낸 것이다.

구성원	DNA 상대량					
	㉠	㉡	㉢	㉣	㉤	㉥
아버지	2	0	1	0	2	1
어머니	0	1	0	2	1	2
자녀 1	1	1	1	1	1	1

- 자녀 2의 유전자형은 AaBBDd이다.

이에 대한 설명으로 옳은 것만을 〈보기〉에서 있는 대로 고른 것은? (단, 돌연변이와 교차는 고려하지 않으며, A, a, B, b, D, d 각각의 1개당 DNA 상대량은 1이다.)

〈보 기〉

ㄱ. ㉠은 A이다.

ㄴ. ㉡과 ㉤은 (나)의 대립유전자이다.

ㄷ. 자녀 2의 동생이 태어날 때, 이 아이의 (가)와 (나)의 표현형이 모두 어머니와 같을 확률은 $\frac{1}{4}$이다.

① ㄱ ② ㄷ ③ ㄱ, ㄴ ④ ㄴ, ㄷ ⑤ ㄱ, ㄴ, ㄷ

복습용

구성원	DNA 상대량					
	㉠	㉡	㉢	㉣	㉤	㉥
아버지	2	0	1	0	2	1
어머니	0	1	0	2	1	2
자녀 1	1	1	1	1	1	1

PART 2

31문항

01. 어떤 동물의 유전 형질 ⓐ, ⓑ, ⓒ는 각각 대립유전자 D와 d, E와 e, F와 f에 의해 결정된다. 표는 이 동물에서 개체 Ⅰ과 Ⅱ의 세포 (가)~(라)가 갖는 유전자 D, d, E, e, F, f의 DNA 상대량을 나타낸 것이다. (가)~(라) 중 2개는 Ⅰ의 세포이고, 나머지 2개는 Ⅱ의 세포이다. Ⅰ은 암컷이며 성염색체가 XX이고, Ⅱ는 수컷이며 성염색체가 XY이다.

세포	DNA 상대량					
	D	d	E	e	F	f
(가)	0	?	㉠	1	0	?
(나)	?	2	?	0	㉡	?
(다)	㉢	?	1	1	1	0
(라)	?	0	?	2	?	1

이에 대한 설명으로 옳은 것을 〈보기〉에서 있는 대로 고르고, □에 알맞은 말을 채우시오. (단, 돌연변이와 교차는 고려하지 않으며, D, d, E, e, F, f 각각의 1개당 DNA 상대량은 1이다.)

〈보 기〉

ㄱ. ㉠+㉡+㉢=□이다.
ㄴ. I의 형질 ⓐ~ⓒ에 대한 유전자형은 DDeeFf이다.
ㄷ. II에서 d와 F는 서로 다른 염색체에 존재한다.

복습용

세포	DNA 상대량					
	D	d	E	e	F	f
(가)	0	?	㉠	1	0	?
(나)	?	2	?	0	㉡	?
(다)	㉢	?	1	1	1	0
(라)	?	0	?	2	?	1

02. 사람의 유전 형질 ⓧ, ⓨ, ⓩ는 각각 대립유전자 A와 a, B와 b, D와 d에 의해 결정되며, 모두 서로 다른 상염색체에 존재한다. 표는 사람 Ⅰ의 세포 (가)와 (나), 사람 Ⅱ의 세포 (다)와 (라)에서 유전자 ㉠~㉥의 유무를 나타낸 것이다. ㉠~㉥은 A, a, B, b, D, d를 순서 없이 나타낸 것이다.

유전자	Ⅰ의 세포		Ⅱ의 세포	
	(가)	(나)	(다)	(라)
㉠	○	×	○	×
㉡	○	○	×	?
㉢	×	○	×	○
㉣	×	?	?	×
㉤	×	?	×	ⓐ
㉥	?	×	○	○

(○ : 있음, × : 없음)

이에 대한 설명으로 옳은 것을 〈보기〉에서 있는 대로 고르고, □에 알맞은 말을 채우시오. (단, 돌연변이와 교차는 고려하지 않는다.)

〈보 기〉

ㄱ. (가)~(라)의 핵상은 모두 같다.
ㄴ. ⓐ는 □이다.
ㄷ. ㉠의 대립유전자는 □이다.

복습용

유전자	Ⅰ의 세포		Ⅱ의 세포	
	(가)	(나)	(다)	(라)
㉠	○	×	○	×
㉡	○	○	×	?
㉢	×	○	×	○
㉣	×	?	?	×
㉤	×	?	×	ⓐ
㉥	?	×	○	○

(○ : 있음, × : 없음)

03.

사람의 유전 형질 ⓧ는 2쌍의 대립유전자 A와 a, B와 b에 의해 결정된다. 표는 서로 다른 세 사람 Ⅰ~Ⅲ의 세포 (가)~(다)가 갖는 유전자 A, a, B, b의 DNA 상대량을 나타낸 것이다. ⓐ+ⓑ+ⓒ=4이고, ⓐ~ⓓ는 ㉠~㉣을 순서 없이 나타낸 것이다.

세포	DNA 상대량			
	A	a	B	b
(가)	1	㉠	0	0
(나)	㉡	0	㉢	1
(다)	1	㉣	?	2

이에 대한 설명으로 옳은 것을 〈보기〉에서 있는 대로 고르고, □에 알맞은 말을 채우시오. (단, 돌연변이와 교차는 고려하지 않으며, A, a, B, b 각각의 1개당 DNA 상대량은 1이다.)

〈보 기〉

ㄱ. B와 b는 Y 염색체에 있는 유전자이다.
ㄴ. ⓓ는 □이다. (* □는 ㉠~㉣ 중 하나)
ㄷ. Ⅰ~Ⅲ 중 남자는 □명이다.

복습용

세포	DNA 상대량			
	A	a	B	b
(가)	1	㉠	0	0
(나)	㉡	0	㉢	1
(다)	1	㉣	?	2

04.

사람의 유전 형질 ⓐ는 1쌍의 대립유전자에 의해 결정되며, 대립유전자에는 A, B, D가 있다. ⓑ는 E와 e에 의해 결정된다. 표는 사람 Ⅰ의 세포 (가)와 (나), 사람 Ⅱ의 세포 (다)와 (라)에서 유전자 ㉠~㉤의 유무를 나타낸 것이다. ㉠~㉤는 A, B, D, E, e를 순서 없이 나타낸 것이다.

유전자	Ⅰ의 세포		Ⅱ의 세포	
	(가)	(나)	(다)	(라)
㉠	○	×	?	×
㉡	○	○	○	?
㉢	?	?	○	×
㉣	×	○	?	×
㉤	?	?	×	○

(○ : 있음, × : 없음)

이에 대한 설명으로 옳은 것만을 〈보기〉에서 있는 대로 고르고, □에 알맞은 말을 채우시오. (단, 돌연변이와 교차는 고려하지 않는다.)

〈보 기〉

ㄱ. ⓐ를 결정하는 유전자는 □, □, □이다.
(* □는 ㉠~㉤ 중 3개)
ㄴ. ⓐ를 결정하는 유전자는 성염색체에 있다.
ㄷ. (다)에는 Y 염색체가 있다.

복습용

유전자	Ⅰ의 세포		Ⅱ의 세포	
	(가)	(나)	(다)	(라)
㉠	○	×	?	×
㉡	○	○	○	?
㉢	?	?	○	×
㉣	×	○	?	×
㉤	?	?	×	○

(○ : 있음, × : 없음)

05.

사람의 유전 형질 ⓧ와 ⓨ는 각각 대립유전자 E와 e, F와 f에 의해 결정된다. 표는 사람 (가)의 세포 Ⅰ~Ⅲ에서 E, f의 유무와 e와 F의 DNA 상대량을 더한 값(e+F)을 나타낸 것이다.

세포	대립유전자		e+F
	E	f	
Ⅰ	○	○	1
Ⅱ	ⓐ	×	2
Ⅲ	×	○	1

(○ : 있음, × : 없음)

〈보기〉에서 □에 알맞은 말을 채우시오. (단, 돌연변이와 교차는 고려하지 않으며, E, e, F, f 각각의 1개당 DNA 상대량은 1이다.)

〈보 기〉

ㄱ. (가)의 성별은 □이다.
ㄴ. ⓐ는 □이다.
ㄷ. Ⅰ에서 F의 DNA 상대량은 □이다.

복습용

세포	대립유전자		e+F
	E	f	
Ⅰ	○	○	1
Ⅱ	ⓐ	×	2
Ⅲ	×	○	1

(○ : 있음, × : 없음)

06.

사람의 유전 형질 ㉠은 2쌍의 대립유전자 E와 e, F와 f에 의해 결정된다. 표는 남자 P와 여자 Q의 세포 Ⅰ~Ⅳ에서 E, f의 유무와 e와 F의 DNA 상대량을 더한 값(e+F)을 나타낸 것이다. Ⅰ~Ⅳ 중 2개는 P의 세포이고, 나머지 2개는 Q의 세포이다.

세포	대립유전자		e+F
	E	f	
Ⅰ	○	○	1
Ⅱ	×	○	4
Ⅲ	?	?	1
Ⅳ	○	×	0

(○ : 있음, × : 없음)

이에 대한 설명으로 옳은 것을 〈보기〉에서 있는 대로 고르고, □에 알맞은 말을 채우시오. (단, 돌연변이와 교차는 고려하지 않으며, E, e, F, f 각각의 1개당 DNA 상대량은 1이다.)

〈보 기〉

ㄱ. Ⅱ는 □의 세포이다. (* □는 P와 Q 중 하나)
ㄴ. Q의 ㉠에 대한 유전자형은 □이다.
ㄷ. Ⅰ에서 E는 X 염색체에 있다.

복습용

세포	대립유전자		e+F
	E	f	
Ⅰ	○	○	1
Ⅱ	×	○	4
Ⅲ	?	?	1
Ⅳ	○	×	0

(○ : 있음, × : 없음)

07. 사람의 유전 형질 (가)는 대립유전자 H와 h에 의해, (나)는 대립유전자 T와 t에 의해 결정된다. 표는 세포 Ⅰ~Ⅳ가 갖는 H, h, T, t의 DNA 상대량을 나타낸 것이다. Ⅰ~Ⅳ 중 2개는 남자 P의 세포, 나머지 2개는 여자 Q의 세포이다. ㉠~㉢은 0, 1, 2를 순서 없이 나타낸 것이다.

세포	DNA 상대량			
	H	h	T	t
Ⅰ	㉡	?	㉠	㉢
Ⅱ	?	㉢	?	?
Ⅲ	㉠	㉡	㉢	?
Ⅳ	㉡	?	?	㉠

이에 대한 설명으로 옳은 것만을 〈보기〉에서 있는 대로 고르고, □에 알맞은 말을 채우시오. (단, 돌연변이와 교차는 고려하지 않으며, H, h, T, t 각각의 1개당 DNA 상대량은 1이다.)

〈보 기〉

ㄱ. Ⅰ은 P의 세포이다.
ㄴ. (나)를 결정하는 유전자는 상염색체에 있다.
ㄷ. ㉢=□이다.

복습용

세포	DNA 상대량			
	H	h	T	t
Ⅰ	㉡	?	㉠	㉢
Ⅱ	?	㉢	?	?
Ⅲ	㉠	㉡	㉢	?
Ⅳ	㉡	?	?	㉠

08. 사람의 유전 형질 ⓐ는 1쌍의 대립유전자에 의해 결정되며, 대립유전자에는 A, B, D가 있다. ⓑ는 E와 e에 의해 결정된다. 표는 여자 Ⅰ의 세포 (가)와 (나), 남자 Ⅱ의 세포 (다)와 (라)에서 유전자 ㉠~㉤의 유무를 나타낸 것이다. ㉠~㉤는 A, B, D, E, e를 순서 없이 나타낸 것이다.

유전자	Ⅰ의 세포		Ⅱ의 세포	
	(가)	(나)	(다)	(라)
㉠	○	×	○	?
㉡	?	○	×	○
㉢	?	?	○	×
㉣	○	ⓧ	?	?
㉤	○	×	?	○

(○ : 있음, × : 없음)

〈보기〉에서 □에 알맞은 말을 채우시오. (단, 돌연변이와 교차는 고려하지 않는다.)

〈보 기〉

ㄱ. (가)의 핵상은 □이다.
ㄴ. ⓧ는 □이다.
ㄷ. ⓐ를 결정하는 대립유전자는 □, □, □이다.

복습용

유전자	Ⅰ의 세포		Ⅱ의 세포	
	(가)	(나)	(다)	(라)
㉠	○	×	○	?
㉡	?	○	×	○
㉢	?	?	○	×
㉣	○	?	?	?
㉤	○	×	?	○

(○ : 있음, × : 없음)

09.

사람의 유전 형질 ⓧ는 3쌍의 대립유전자 H와 h, R와 r, T와 t에 의해 결정되며, X의 유전자는 서로 다른 3개의 상염색체에 있다. 그림은 어떤 사람의 G_1기 세포 ㉠으로부터 정자가 형성되는 과정을, 표는 세포 ⓐ~ⓓ에 들어 있는 세포 1개당 대립유전자 H, r, T의 DNA 상대량을 나타낸 것이다. ⓐ~ⓓ는 ㉠~㉣을 순서 없이 나타낸 것이고, ㉮+㉯+㉰=3이다.

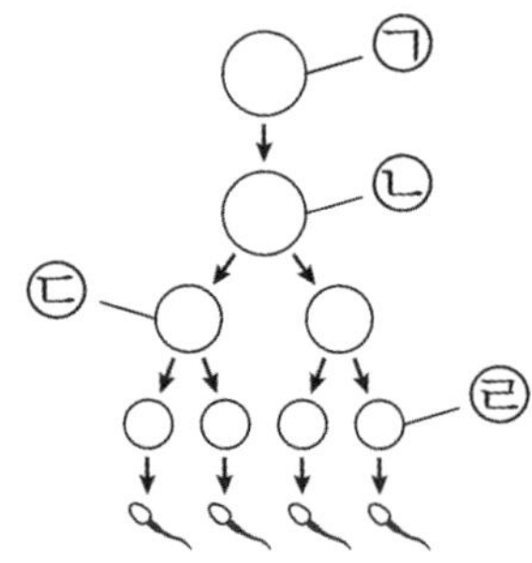

세포	DNA 상대량		
	H	r	T
ⓐ	1	1	?
ⓑ	㉮	?	㉯
ⓒ	2	0	2
ⓓ	?	㉰	?

이에 대한 설명으로 옳은 것을 〈보기〉에서 있는 대로 고르고, □에 알맞은 말을 채우시오. (단, 돌연변이와 교차는 고려하지 않으며, H, h, R, r, T, t 각각의 1개당 DNA 상대량은 1이다.)

〈보 기〉

ㄱ. ㉣은 □이다. (* □는 ⓐ~ⓓ 중 하나)

ㄴ. 세포의 핵상은 ㉢과 ⓑ에서 같다.

ㄷ. 이 사람의 ⓧ에 대한 유전자형은 □이다.

복습용

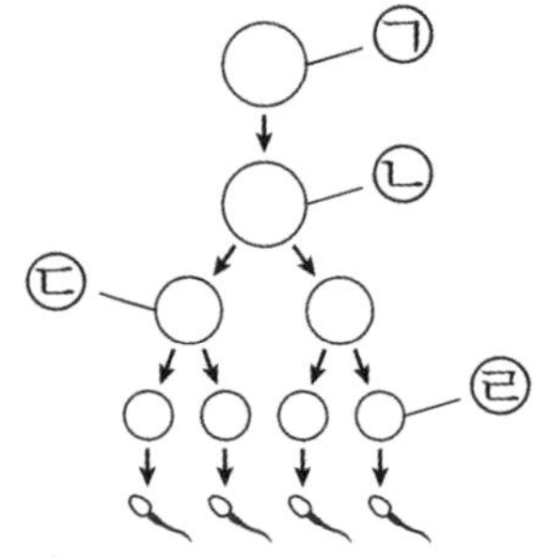

세포	DNA 상대량		
	H	r	T
ⓐ	1	1	?
ⓑ	㉮	?	㉯
ⓒ	2	0	2
ⓓ	?	㉰	?

10.

사람의 유전 형질 ⓐ, ⓑ, ⓒ는 각각 대립유전자 A와 a, B와 b, D와 d에 의해 결정된다. 표는 여자 Ⅰ의 세포 (가)와 (나), 남자 Ⅱ의 세포 (다)와 (라)에서 유전자 ㉠~㉥의 유무를 나타낸 것이다. ㉠~㉥은 A, a, B, b, D, d를 순서 없이 나타낸 것이다.

유전자	Ⅰ의 세포		Ⅱ의 세포	
	(가)	(나)	(다)	(라)
㉠	○	×	○	×
㉡	×	×	○	×
㉢	○	×	×	○
㉣	×	○	×	○
㉤	×	×	×	×
㉥	×	○	×	×

(○ : 있음, × : 없음)

이에 대한 설명으로 옳은 것을 〈보기〉에서 있는 대로 고르고, □에 알맞은 말을 채우시오. (단, 돌연변이와 교차는 고려하지 않는다.)

〈보 기〉

ㄱ. ㉠의 대립유전자는 □이다.

ㄴ. ㉢은 상염색체에 있는 유전자이다.

ㄷ. (다)로부터 형성된 정자가 정상 난자와 수정되어 태어난 자손은 항상 남자이다.

복습용

유전자	Ⅰ의 세포		Ⅱ의 세포	
	(가)	(나)	(다)	(라)
㉠	○	×	○	×
㉡	×	×	○	×
㉢	○	×	×	○
㉣	×	○	×	○
㉤	×	×	×	×
㉥	×	○	×	×

(○ : 있음, × : 없음)

11. 사람의 유전 형질 ⓐ, ⓑ, ⓒ는 각각 대립유전자 D와 d, E와 e, F와 f에 의해 결정된다. 표는 사람 P와 Q의 세포 (가)~(라)가 갖는 유전자 D, d, E, e, F, f의 DNA 상대량을 나타낸 것이다. (가)~(라) 중 2개는 P의 세포이고, 나머지 2개는 Q의 세포이다.

세포	DNA 상대량					
	D	d	E	e	F	f
(가)	0	?	2	?	1	?
(나)	0	1	0	?	?	0
(다)	?	0	1	?	?	1
(라)	1	?	1	?	0	1

이에 대한 설명으로 옳은 것을 〈보기〉에서 있는 대로 고르고, □에 알맞은 말을 채우시오. (단, 돌연변이와 교차는 고려하지 않으며, D, d, E, e, F, f 각각의 1개당 DNA 상대량은 1이다.)

〈보 기〉

ㄱ. P와 Q의 성별은 같다.
ㄴ. (라)의 핵상은 □이다.
ㄷ. (가)와 (라)는 같은 사람의 세포이다.

복습용

세포	DNA 상대량					
	D	d	E	e	F	f
(가)	0	?	2	?	1	?
(나)	0	1	0	?	?	0
(다)	?	0	1	?	?	1
(라)	1	?	1	?	0	1

12. 사람의 특정 형질은 3쌍의 대립유전자 A와 a, B와 b, D와 d에 의해 결정된다. 표는 남자 Ⅰ의 세포 (가)~(다)와 여자 Ⅱ의 세포 (라)~(바)에서 유전자 ㉠~㉥의 유무를 나타낸 것이다. ㉠~㉥은 A, a, B, b, D, d를 순서 없이 나타낸 것이다.

유전자	Ⅰ의 세포			Ⅱ의 세포		
	(가)	(나)	(다)	(라)	(마)	(바)
㉠	?	×	○	○	×	○
㉡	?	○	×	×	ⓐ	○
㉢	×	?	×	?	×	?
㉣	○	?	?	×	○	?
㉤	○	?	×	○	×	?
㉥	×	×	○	?	○	×

(○ : 있음, × : 없음)

이에 대한 설명으로 옳은 것을 〈보기〉에서 있는 대로 고르고, □에 알맞은 말을 채우시오. (단, 돌연변이와 교차는 고려하지 않는다.)

〈보 기〉

ㄱ. ⓐ는 □이다.
ㄴ. ㉥은 성염색체에 있는 유전자이다.
ㄷ. ㉢의 대립유전자는 □이다.

복습용

유전자	Ⅰ의 세포			Ⅱ의 세포		
	(가)	(나)	(다)	(라)	(마)	(바)
㉠	?	×	○	○	×	○
㉡	?	○	×	×	ⓐ	○
㉢	×	?	×	?	×	?
㉣	○	?	?	×	○	?
㉤	○	?	×	○	×	?
㉥	×	×	○	?	○	×

(○ : 있음, × : 없음)

13. 어떤 동물(2n=6)의 유전 형질 ㉮, ㉯, ㉰는 각각 대립유전자 A와 a, B와 b, D와 d에 의해 결정된다. 그림은 이 동물에서 개체 Ⅰ과 Ⅱ의 세포 (가)~(라) 각각에 들어 있는 모든 염색체를 나타낸 것이고, 표는 세포 ⓐ~ⓓ가 갖는 유전자 A, a, B, b, D, d의 DNA 상대량을 나타낸 것이다. (가)~(라)는 ⓐ~ⓓ를 순서 없이 나타낸 것이다. Ⅰ은 수컷이며 성염색체가 XY, Ⅱ는 암컷이며 성염색체가 XX이다.

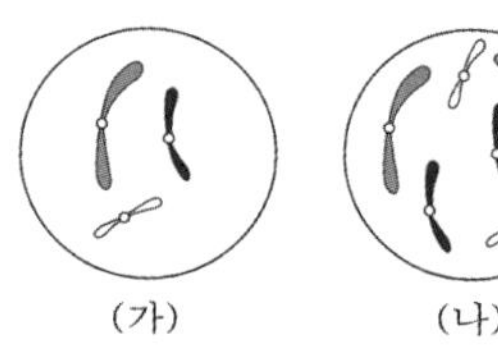
(가) (나)

(다) (라)

세포	DNA 상대량					
	A	a	B	b	D	d
ⓐ	1	?	?	2	0	ⓧ
ⓑ	?	0	ⓨ	?	?	0
ⓒ	1	?	?	0	0	?
ⓓ	0	?	?	1	1	?

이에 대한 설명으로 옳은 것을 〈보기〉에서 있는 대로 고르고, □에 알맞은 말을 채우시오. (단, 돌연변이와 교차는 고려하지 않으며, A, a, B, b, D, d 각각의 1개당 DNA 상대량은 1이다.)

〈보 기〉

ㄱ. ⓧ+ⓨ = □이다.
ㄴ. (가)는 Ⅱ의 세포이다.
ㄷ. ⓓ에서 b와 D는 같은 염색체에 존재한다.

복습용

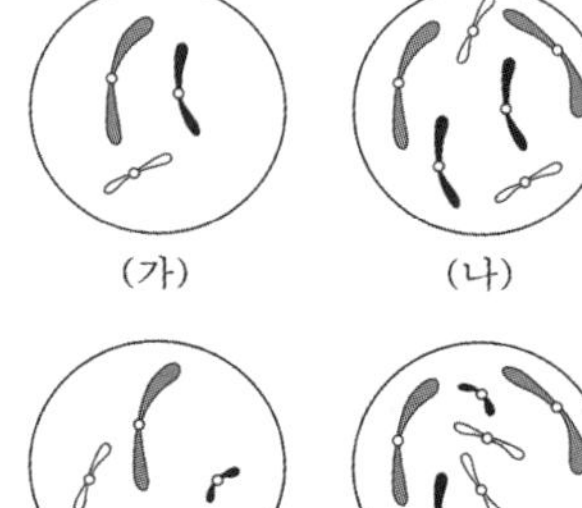
(가) (나) (다) (라)

세포	DNA 상대량					
	A	a	B	b	D	d
ⓐ	1	?	?	2	0	ⓧ
ⓑ	?	0	ⓨ	?	?	0
ⓒ	1	?	?	0	0	?
ⓓ	0	?	?	1	1	?

14. 어떤 동물(2n=6)의 유전 형질 Ⓧ, Ⓨ, Ⓩ는 각각 1쌍의 대립유전자 A와 a, B와 b, D와 d에 의해 결정된다. 그림은 이 동물에서 개체 Ⅰ과 Ⅱ의 세포 (가)~(라) 각각에 들어 있는 모든 염색체를 나타낸 것이고, 표는 세포 ⓐ~ⓓ가 갖는 유전자 A, a, B, b, D, d의 DNA 상대량을 나타낸 것이다. (가)~(라)는 각각 ⓐ~ⓓ 중 하나이다. Ⅰ은 수컷이며 성염색체가 XY, Ⅱ는 암컷이며 성염색체가 XX이다. ㉠+㉡=1이다.

(가)

(나)

(다) (라)

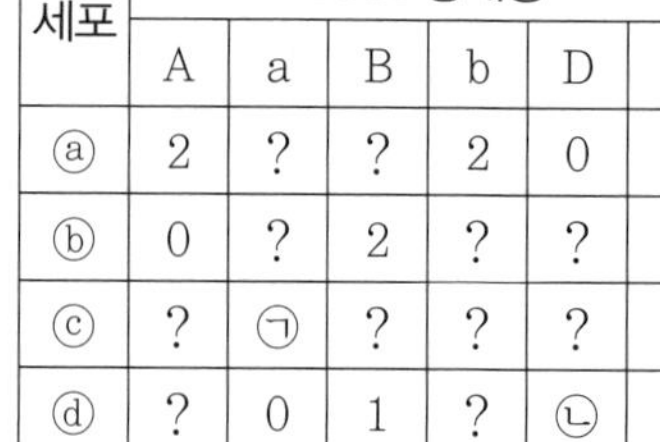

세포	DNA 상대량					
	A	a	B	b	D	d
ⓐ	2	?	?	2	0	0
ⓑ	0	?	2	?	?	?
ⓒ	?	㉠	?	?	?	0
ⓓ	?	0	1	?	㉡	0

이에 대한 설명으로 옳은 것을 〈보기〉에서 있는 대로 고르고, □에 알맞은 말을 채우시오. (단, 돌연변이와 교차는 고려하지 않으며, A, a, B, b, D, d 각각의 1개당 DNA 상대량은 1이다.)

〈보 기〉

ㄱ. ⓒ는 □이다. (* □는 (가)~(라) 중 하나)
ㄴ. (가)는 Ⅱ의 세포이다.
ㄷ. ⓐ에서 A와 b는 같은 염색체에 존재한다.

복습용

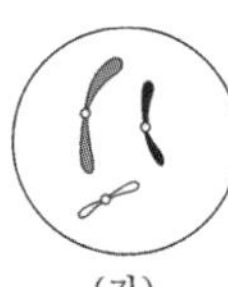
(가)

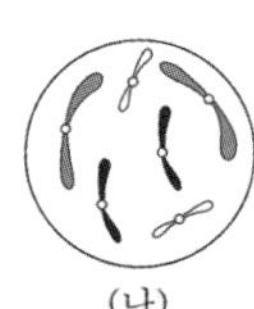
(나)

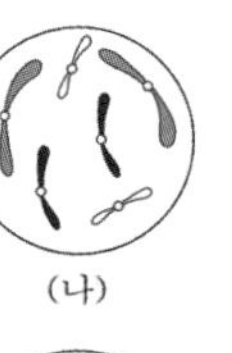

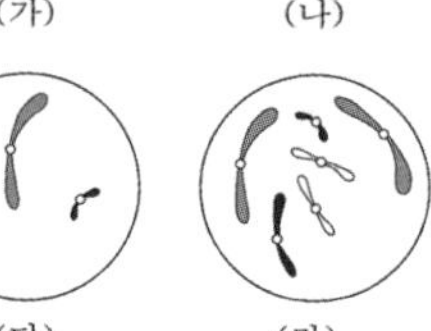
(다) (라)

세포	DNA 상대량					
	A	a	B	b	D	d
ⓐ	2	?	?	2	0	0
ⓑ	0	?	2	?	?	?
ⓒ	?	㉠	?	?	?	0
ⓓ	?	0	1	?	㉡	0

15. 사람의 유전 형질 ⓐ~ⓒ는 각각 대립유전자 D와 d, E와 e, F와 f에 의해 결정된다. 표는 사람 Ⅰ과 Ⅱ의 세포 (가)~(라)가 갖는 유전자 D, d, E, e, F, f의 DNA 상대량을 나타낸 것이다. ㉠+㉡+㉢=2이다.

세포	DNA 상대량					
	D	d	E	e	F	f
(가)	?	0	1	1	0	1
(나)	㉠	0	1	?	?	2
(다)	2	?	?	0	?	㉡
(라)	㉢	?	?	0	?	?

이에 대한 설명으로 옳은 것을 〈보기〉에서 있는 대로 고르고, □에 알맞은 말을 채우시오. (단, 돌연변이와 교차는 고려하지 않으며, D, d, E, e, F, f 각각의 1개당 DNA 상대량은 1이다.)

〈보 기〉

ㄱ. (나)와 (라)는 같은 개체의 세포이다.
ㄴ. Ⅰ과 Ⅱ의 성별은 다르다.
ㄷ. (라)에서 세포 1개당 $\frac{\text{염색 분체 수}}{\text{총 염색체 수}}$는 □이다.

복습용

세포	DNA 상대량					
	D	d	E	e	F	f
(가)	?	0	1	1	0	1
(나)	㉠	0	1	?	?	2
(다)	2	?	?	0	?	㉡
(라)	㉢	?	?	0	?	?

16. 그림은 어떤 동물(2n=6) 종의 세포 (가)~(라) 각각에 들어 있는 모든 염색체를, 표는 세포 A~D가 갖는 유전자 H, h, T, t의 DNA 상대량을 나타낸 것이다. (가)로부터 형성된 생식세포가 정상 생식세포가 수정되어 (나)가 되었고, (다)로부터 형성된 생식세포가 정상 생식세포가 수정되어 (라)가 되었다. H는 h와, T는 t와 대립유전자이며 하나는 성염색체에, 다른 하나는 상염색체에 존재한다. 이 동물의 성염색체는 암컷이 XX, 수컷이 XY이며, A~D는 (가)~(라)를 순서 없이 나타낸 것이다.

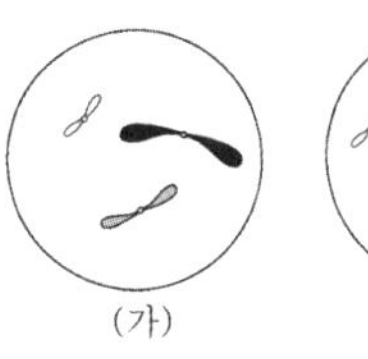
(가)

(나)

(다)

(라)

세포	DNA 상대량			
	H	h	T	t
A	0	?	1	?
B	㉠	0	1	0
C	2	㉡	?	2
D	?	2	㉢	0

〈보기〉에서 □에 알맞은 말을 채우시오. (단, 돌연변이와 교차는 고려하지 않으며, H, h, T, t 각각의 1개당 DNA 상대량은 1이다.)

〈보 기〉

ㄱ. C는 □이다. (* □는 (가)~(라) 중 하나)
ㄴ. ㉠+㉡+㉢=□이다.
ㄷ. (가)로부터 형성된 생식세포와 정상 생식세포가 수정되어 형성된 세포는 □이다. (* □는 B~D 중 하나)

복습용

(가)

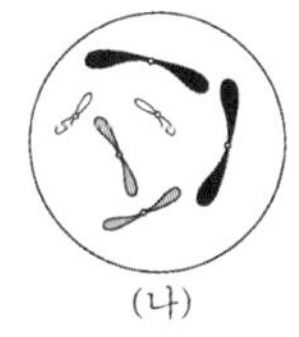
(나)

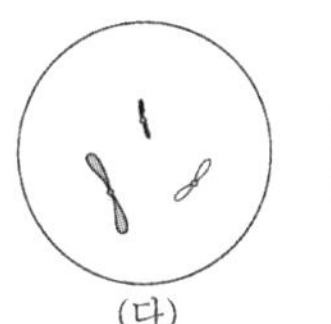
(다)

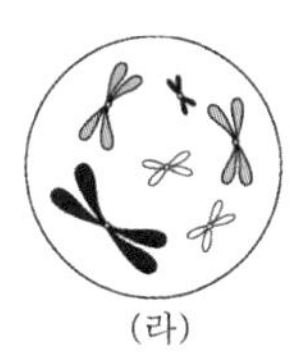
(라)

세포	DNA 상대량			
	H	h	T	t
A	0	?	1	?
B	㉠	0	1	0
C	2	㉡	?	2
D	?	2	㉢	0

17. 사람의 유전 형질 ㉮는 2쌍의 대립유전자 A와 a, B와 b에 의해 결정된다. 표는 남자 P와 여자 Q의 세포 (가)~(라)에서 대립유전자 ㉠, ㉡, ㉢, ㉣ 중 2개의 DNA 상대량을 더한 값을 나타낸 것이다. (가)~(라) 중 2개는 P의 세포이고, 나머지 2개는 Q의 세포이다. ㉠~㉣은 A, a, B, b를 순서 없이 나타낸 것이다.

세포	DNA 상대량을 더한 값			
	㉠+㉡	㉠+㉢	㉡+㉢	㉡+㉣
(가)	2	1	1	2
(나)	?	?	3	ⓐ
(다)	?	2	2	?
(라)	?	6	?	?

이에 대한 설명으로 옳은 것을 〈보기〉에서 있는 대로 고르고, □에 알맞은 말을 채우시오. (단, 돌연변이와 교차는 고려하지 않으며, A, a, B, b 각각의 1개당 DNA 상대량은 1이다.)

〈보 기〉

ㄱ. (다)는 P의 세포이다.
ㄴ. ⓐ는 □이다.
ㄷ. (가)~(라) 중 핵상이 2n인 세포는 □개이다.

복습용

세포	DNA 상대량을 더한 값			
	㉠+㉡	㉠+㉢	㉡+㉢	㉡+㉣
(가)	2	1	1	2
(나)	?	?	3	ⓐ
(다)	?	2	2	?
(라)	?	6	?	?

18. 다음은 어떤 가족의 유전 형질 ㉮에 대한 자료이다.

- ㉮는 2쌍의 대립유전자 A와 a, B와 b에 의해 결정된다.
- 표는 아버지의 정자 Ⅰ과 Ⅱ, 어머니의 난자 Ⅲ과 Ⅳ, 자녀의 체세포 Ⅴ에서 대립유전자 ㉠, ㉡, ㉢ 중 2개의 DNA 상대량을 더한 값을 나타낸 것이다. ㉠~㉢은 A, a, B를 순서 없이 나타낸 것이다.

구분	세포	DNA 상대량을 더한 값		
		㉠+㉡	㉠+㉢	㉡+㉢
아버지의 정자	Ⅰ	?	?	2
	Ⅱ	ⓧ	0	?
어머니의 난자	Ⅲ	1	?	?
	Ⅳ	?	?	1
자녀의 체세포	Ⅴ	3	?	2

- Ⅴ는 ⓐ Ⅰ과 Ⅱ 중 하나의 세포와 ⓑ Ⅲ과 Ⅳ 중 하나의 세포가 수정되어 태어난 자녀의 체세포이다.

〈보기〉에서 □에 알맞은 말을 채우시오. (단, 돌연변이와 교차는 고려하지 않으며, A, a, B, b 각각의 1개당 DNA 상대량은 1이다.)

〈보 기〉

ㄱ. B는 □이다. (* □는 ㉠~㉢ 중 하나)
ㄴ. ⓧ는 □이다.
ㄷ. ⓐ와 ⓑ는 각각 □와 □이다.

복습용

구분	세포	DNA 상대량을 더한 값		
		㉠+㉡	㉠+㉢	㉡+㉢
아버지의 정자	Ⅰ	?	?	2
	Ⅱ	ⓧ	0	?
어머니의 난자	Ⅲ	1	?	?
	Ⅳ	?	?	1
자녀의 체세포	Ⅴ	3	?	2

19. 사람의 유전 형질 ㉮는 3쌍의 대립유전자 H와 h, R와 r, T와 t에 의해 결정된다. 표 (가)는 어떤 남자 P의 세포 Ⅰ~Ⅲ에서 H, R, r, T의 DNA 상대량을 나타낸 것이고, (나)는 세포 ⓐ~ⓒ에서 h와 t의 DNA 상대량을 더한 값을 나타낸 것이다. ㉠~㉢은 0, 1, 2를, ⓐ~ⓒ는 Ⅰ~Ⅲ을 순서 없이 나타낸 것이다.

세포	DNA 상대량			
	H	R	r	T
Ⅰ	㉠	?	?	?
Ⅱ	㉡	㉢	?	㉢
Ⅲ	㉠	㉡	㉢	?

(가)

세포	h와 t의 DNA 상대량을 더한 값
ⓐ	㉠
ⓑ	㉡
ⓒ	㉢

(나)

이에 대한 설명으로 옳은 것만을 〈보기〉에서 있는 대로 고르고, □에 알맞은 말을 채우시오. (단, 돌연변이와 교차는 고려하지 않으며, H, h, R, r, T, t 각각의 1개당 DNA 상대량은 1이다.)

〈보 기〉

ㄱ. ㉠은 □이다.
ㄴ. Ⅰ의 핵상은 2n이다.
ㄷ. R와 t는 같은 염색체에 있다.

복습용

세포	DNA 상대량			
	H	R	r	T
Ⅰ	㉠	?	?	?
Ⅱ	㉡	㉢	?	㉢
Ⅲ	㉠	㉡	㉢	?

(가)

세포	h와 t의 DNA 상대량을 더한 값
ⓐ	㉠
ⓑ	㉡
ⓒ	㉢

(나)

20. 사람의 유전 형질 ⓐ, ⓑ, ⓒ는 각각 대립유전자 E와 e, F와 f, G와 g에 의해 결정된다. 표는 어떤 사람 Ⅰ의 세포 (가)~(다)에서 유전자 ㉠~㉥의 유무를 나타낸 것이다. ㉠~㉥은 E, e, F, f, G, g를 순서 없이 나타낸 것이다.

세포	유전자					
	㉠	㉡	㉢	㉣	㉤	㉥
(가)	㉮	×	×	○	×	×
(나)	○	?	?	×	○	×
(다)	×	○	×	×	×	○

(○ : 있음, × : 없음)

〈보기〉에서 □에 알맞은 말을 채우시오. (단, 돌연변이와 교차는 고려하지 않는다.)

〈보 기〉

ㄱ. ㉮는 □이다.
ㄴ. Ⅰ의 성별은 □이다.
ㄷ. ㉢의 대립유전자는 □이다.

복습용

세포	유전자					
	㉠	㉡	㉢	㉣	㉤	㉥
(가)	㉮	×	×	○	×	×
(나)	○	?	?	×	○	×
(다)	×	○	×	×	×	○

(○ : 있음, × : 없음)

21. 사람의 유전 형질 (가)~(다)는 각각 대립유전자 A와 a, B와 b, D와 d에 의해 결정된다. 표는 사람 Ⅰ~Ⅲ의 세포가 갖는 유전자 A, a, B, b, D, d의 DNA 상대량을 나타낸 것이다. ㉠+㉡+㉢=4이다.

세포	DNA 상대량					
	A	a	B	b	D	d
Ⅰ의 세포	1	㉠	?	1	0	?
Ⅱ의 세포	0	1	㉡	0	1	0
Ⅲ의 세포	0	0	1	0	0	㉢

이에 대한 설명으로 옳은 것만을 〈보기〉에서 있는 대로 고르고, □에 알맞은 말을 채우시오. (단, 돌연변이와 교차는 고려하지 않으며, A, a, B, b, D, d 각각의 1개당 DNA 상대량은 1이다.)

〈보 기〉

ㄱ. ㉡은 □이다.
ㄴ. (다)를 결정하는 유전자는 X 염색체에 있다.
ㄷ. Ⅰ은 여자다.

복습용

세포	DNA 상대량					
	A	a	B	b	D	d
Ⅰ의 세포	1	㉠	?	1	0	?
Ⅱ의 세포	0	1	㉡	0	1	0
Ⅲ의 세포	0	0	1	0	0	㉢

22. 사람의 유전 형질 ⓐ, ⓑ, ⓒ는 각각 1쌍의 대립유전자 A와 a, B와 b, D와 d에 의해 결정된다. 표는 사람 Ⅰ과 Ⅱ의 세포 (가)~(마)가 갖는 유전자 A, a, B, b, D, d의 DNA 상대량을 나타낸 것이다. (가)~(마) 중 3개는 Ⅰ의 세포이고, 나머지 2개는 Ⅱ의 세포이다. ⓧ+ⓨ+ⓩ=2이다.

세포	DNA 상대량					
	A	a	B	b	D	d
(가)	0	ⓧ	?	1	ⓨ	?
(나)	?	0	?	1	?	2
(다)	?	1	?	1	0	?
(라)	0	?	2	2	?	0
(마)	0	ⓩ	1	0	0	?

이에 대한 설명으로 옳은 것을 〈보기〉에서 있는 대로 고르고, □에 알맞은 말을 채우시오. (단, 돌연변이와 교차는 고려하지 않으며, A, a, B, b, D, d 각각의 1개당 DNA 상대량은 1이다.)

〈보 기〉

ㄱ. (가)의 핵상은 □이다.
ㄴ. Ⅰ은 여자이다.
ㄷ. Ⅱ에서 a와 d는 같은 염색체에 존재한다.

복습용

세포	DNA 상대량					
	A	a	B	b	D	d
(가)	0	ⓧ	?	1	ⓨ	?
(나)	?	0	?	1	?	2
(다)	?	1	?	1	0	?
(라)	0	?	2	2	?	0
(마)	0	ⓩ	1	0	0	?

23. 사람의 유전 형질 Ⓧ, Ⓨ, Ⓩ는 각각 대립유전자 A와 A*, B와 B*, C와 C*에 의해 결정된다. 그림 (가)와 (나)는 각각 어떤 남자와 여자의 생식세포 형성 과정을, 표는 세포 ㉮~㉲가 갖는 유전자 ㉠~㉥의 DNA 상대량을 나타낸 것이다. ㉮~㉲는 Ⅰ~Ⅴ를 순서 없이, ㉠~㉥는 A, A*, B, B*, C, C*를 순서 없이 나타낸 것이다.

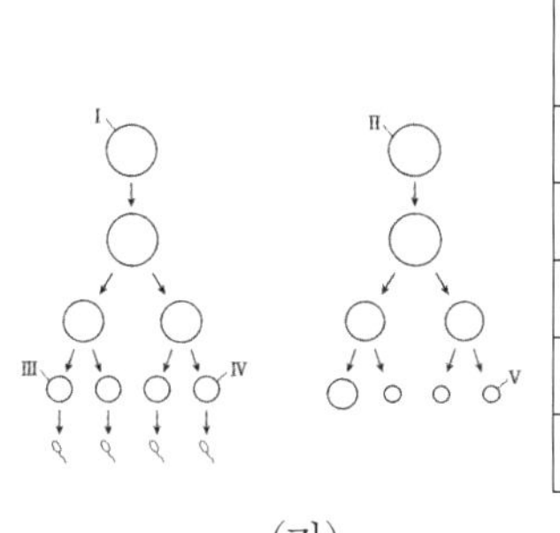

세포	DNA 상대량					
	㉠	㉡	㉢	㉣	㉤	㉥
㉮	0	1	1	1	1	0
㉯	?	?	?	?	1	1
㉰	0	1	1	0	1	1
㉱	?	?	0	?	1	ⓐ
㉲	?	ⓑ	?	1	?	?

(가) (나)

〈보기〉에서 □에 알맞은 말을 채우시오. (단, 돌연변이와 교차는 고려하지 않으며, A, A*, B, B*, C, C* 각각의 1개당 DNA 상대량은 1이다.)

〈보 기〉

ㄱ. ㉮는 □이다. (* □는 Ⅰ~Ⅴ 중 하나)
ㄴ. ㉰에서 ㉥은 □염색체에 있다. (* □는 X, Y, 상 중 하나)
ㄷ. ⓐ+ⓑ=□이다.

복습용

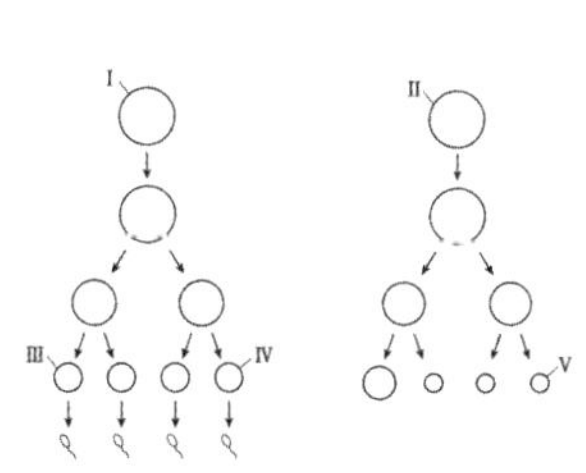

세포	DNA 상대량					
	㉠	㉡	㉢	㉣	㉤	㉥
㉮	0	1	1	1	1	0
㉯	?	?	?	?	1	1
㉰	0	1	1	0	1	1
㉱	?	?	0	?	1	ⓐ
㉲	?	ⓑ	?	1	?	?

(가) (나)

24. 사람의 유전 형질 ⓐ는 3쌍의 대립유전자 A와 a, B와 b, D와 d에 의해 결정된다. 표는 사람 Ⅰ과 Ⅱ의 세포 (가)~(마)가 갖는 유전자 A, a, B, b, D, d의 DNA 상대량을 나타낸 것이다. (가)~(마)는 Ⅰ의 G_1기 세포 P와 Ⅱ의 G_1기 세포 Q로부터 생식세포가 형성되는 과정에서 관찰되는 서로 다른 세포들이다.

세포	DNA 상대량					
	A	a	B	b	D	d
(가)	?	0	1	?	?	2
(나)	1	?	1	?	1	1
(다)	0	1	0	?	?	0
(라)	0	?	?	0	0	1
(마)	㉠	?	?	1	0	1

이에 대한 설명으로 옳은 것을 〈보기〉에서 있는 대로 고르고, □에 알맞은 말을 채우시오. (단, 돌연변이와 교차는 고려하지 않으며, A, a, B, b, D, d 각각의 1개당 DNA 상대량은 1이다.)

〈보 기〉

ㄱ. Ⅰ과 Ⅱ는 모두 남자이다.
ㄴ. (마)와 (라)는 같은 개체의 세포이다.
ㄷ. ㉠은 □이다.

복습용

세포	DNA 상대량					
	A	a	B	b	D	d
(가)	?	0	1	?	?	2
(나)	1	?	1	?	1	1
(다)	0	1	0	?	?	0
(라)	0	?	?	0	0	1
(마)	㉠	?	?	1	0	1

25. 사람의 유전 형질 ⓐ, ⓑ, ⓒ는 각각 대립유전자 E와 e, F와 f, G와 g에 의해 결정된다. 표는 P와 Q의 세포 Ⅰ~Ⅳ에서 E, f, G의 유무와 e와 g의 DNA 상대량을 더한 값(e+g)을 나타낸 것이다. Ⅳ는 P의 세포이다.

세포	대립유전자			e+g
	E	f	G	
Ⅰ	○	○	○	1
Ⅱ	?	○	○	3
Ⅲ	×	?	×	1
Ⅳ	○	×	?	2

(○ : 있음, × : 없음)

이에 대한 설명으로 옳은 것을 〈보기〉에서 있는 대로 고르고, □에 알맞은 말을 채우시오. (단, 돌연변이와 교차는 고려하지 않으며, E, e, F, f, G, g 각각의 1개당 DNA 상대량은 1이다.)

〈보 기〉

ㄱ. P에는 e, F, G를 모두 갖는 세포가 있다.
ㄴ. Ⅲ은 Q의 세포이다.
ㄷ. Ⅳ에서 세포 1개당 F의 DNA 상대량은 □이다.

복습용

세포	대립유전자			e+g
	E	f	G	
Ⅰ	○	○	○	1
Ⅱ	?	○	○	3
Ⅲ	×	?	×	1
Ⅳ	○	×	?	2

(○ : 있음, × : 없음)

26. 사람의 유전 형질 ⓧ는 3쌍의 대립유전자 A와 a, B와 b, D와 d에 의해 결정된다. 표는 사람 Ⅰ의 세포 ⓐ와 ⓑ, 사람 Ⅱ의 세포 ⓒ와 ⓓ, 사람 Ⅲ의 세포 ⓔ와 ⓕ에서 유전자 ㉠~㉥의 유무를 나타낸 것이다. 사람 Ⅰ~Ⅲ 중 2명은 남자이고, 1명은 여자이다. ㉠~㉥은 A, a, B, b, D, d를 순서 없이 나타낸 것이다.

유전자	Ⅰ의 세포		Ⅱ의 세포		Ⅲ의 세포	
	ⓐ	ⓑ	ⓒ	ⓓ	ⓔ	ⓕ
㉠	○	×	?	○	○	?
㉡	×	○	×	?	○	×
㉢	○	?	○	×	×	×
㉣	?	×	○	?	×	○
㉤	?	○	?	×	?	○
㉥	×	○	○	○	?	×

(○ : 있음, × : 없음)

이에 대한 설명으로 옳은 것을 〈보기〉에서 있는 대로 고르고, □에 알맞은 말을 채우시오. (단, 돌연변이와 교차는 고려하지 않는다.)

〈보 기〉

ㄱ. ㉠의 대립유전자는 □이다.
ㄴ. Ⅱ의 성별은 □이다.
ㄷ. ⓕ에는 Y 염색체가 있다.

복습용

유전자	Ⅰ의 세포		Ⅱ의 세포		Ⅲ의 세포	
	ⓐ	ⓑ	ⓒ	ⓓ	ⓔ	ⓕ
㉠	○	×	?	○	○	?
㉡	×	○	×	?	○	×
㉢	○	?	○	×	×	×
㉣	?	×	○	?	×	○
㉤	?	○	?	×	?	○
㉥	×	○	○	○	?	×

(○ : 있음, × : 없음)

27. 사람의 유전 형질 (가)는 대립유전자 H와 h에 의해, (나)는 대립유전자 T와 t에 의해 결정된다. 표는 세포 Ⅰ~Ⅲ이 갖는 H, h, T, t의 DNA 상대량을 나타낸 것이다. Ⅰ~Ⅲ 중 2개는 P의 세포이고, 나머지 1개는 Q의 세포이다. P와 Q의 성별은 서로 다르고, ㉠~㉢은 0, 1, 2를 순서 없이 나타낸 것이다.

세포	DNA 상대량			
	H	h	T	t
Ⅰ	㉡	0	㉠	㉢
Ⅱ	1	?	㉠	㉡
Ⅲ	㉠	0	㉡	0

이에 대한 설명으로 옳은 것만을 〈보기〉에서 있는 대로 고르고, □에 알맞은 말을 채우시오. (단, 돌연변이와 교차는 고려하지 않으며, H, h, T, t 각각의 1개당 DNA 상대량은 1이다.)

〈보 기〉

ㄱ. (가)는 상염색체에 있는 유전자이다.
ㄴ. ㉡은 □이다.
ㄷ. P는 남자이다.

복습용

세포	DNA 상대량			
	H	h	T	t
Ⅰ	㉡	0	㉠	㉢
Ⅱ	1	?	㉠	㉡
Ⅲ	㉠	0	㉡	0

28. 사람의 유전 형질 ⓐ와 ⓑ는 각각 대립유전자 A와 a, B와 b에 의해 결정된다. 표는 Ⅰ의 세포 (가)와 (나), Ⅱ의 세포 (다)와 (라)에서 유전자 ㉠~㉣의 유무를 나타낸 것이다. ㉠~㉣은 A, a, B, b를 순서 없이 나타낸 것이다.

유전자	Ⅰ의 세포		Ⅱ의 세포	
	(가)	(나)	(다)	(라)
㉠	○	×	×	○
㉡	㉮	×	○	?
㉢	○	?	×	?
㉣	○	×	?	×

(○ : 있음, × : 없음)

이에 대한 설명으로 옳은 것만을 〈보기〉에서 있는 대로 고르고, □에 알맞은 말을 채우시오. (단, 돌연변이와 교차는 고려하지 않는다.)

〈보 기〉

ㄱ. ㉮는 ×이다.
ㄴ. ㉠은 □ 염색체에 있다. (* □는 X, Y 상 중 하나)
ㄷ. (라)의 핵상은 n이다.

복습용

유전자	Ⅰ의 세포		Ⅱ의 세포	
	(가)	(나)	(다)	(라)
㉠	○	×	×	○
㉡	㉮	×	○	?
㉢	○	?	×	?
㉣	○	×	?	×

(○ : 있음, × : 없음)

29. 그림은 같은 종인 동물(2n=6) Ⅰ과 Ⅱ의 세포 (가)~(다) 각각에 들어 있는 모든 염색체와 수정란 (라)를, 표는 세포 A~D가 갖는 유전자 H, h, R, r, T, t의 DNA 상대량을 나타낸 것이다. (가)~(다) 중 2개는 Ⅰ의 세포이고, 나머지 1개는 Ⅱ의 세포이다. (라)는 (가)~(다) 중 Ⅰ의 세포와 Ⅱ의 세포 각각으로부터 형성된 생식세포가 수정되어 형성된 수정란이다. H는 h와, R은 r와, T는 t와 대립유전자이다. 이 동물의 성염색체는 암컷이 XX, 수컷이 XY이며, A~C는 (가)~(다)를 순서 없이 나타낸 것이고, D는 (라)이다. ㉠+㉡+㉢=3이다.

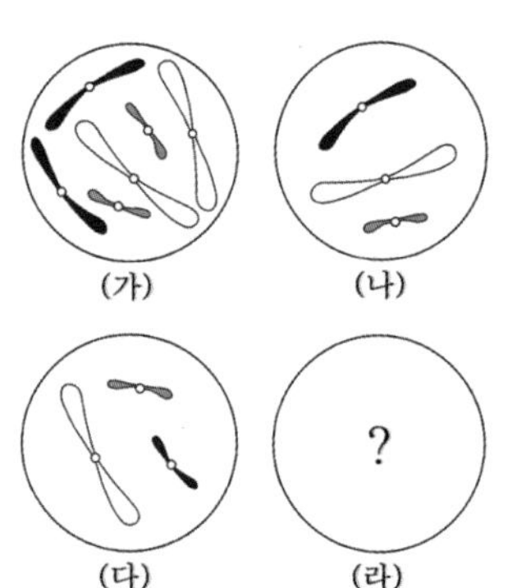

세포	DNA 상대량					
	H	h	R	r	T	t
A	?	0	0	?	?	㉠
B	?	㉡	?	0	0	?
C	?	0	㉢	0	2	?
D	0	?	2	?	2	0

이에 대한 설명으로 옳은 것을 〈보기〉에서 있는 대로 고르고, □에 알맞은 말을 채우시오. (단, 돌연변이와 교차는 고려하지 않으며, H, h, R, r, T, t 각각의 1개당 DNA 상대량은 1이다.)

〈보 기〉

ㄱ. A는 □이다. (* □는 (가)~(라) 중 하나)
ㄴ. Ⅰ은 수컷이다.
ㄷ. D에서 R은 상염색체에 있다.

복습용

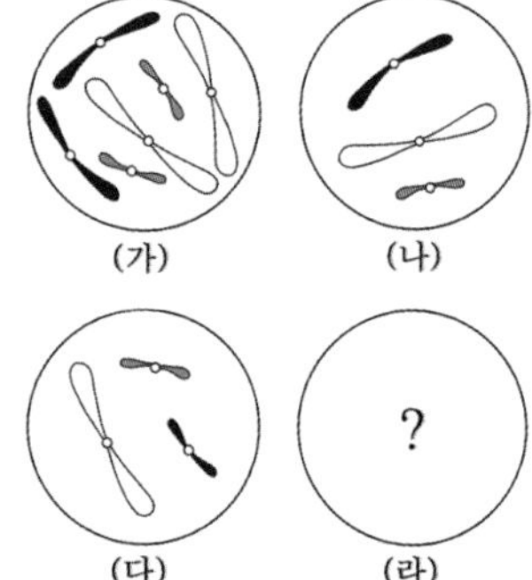

세포	DNA 상대량					
	H	h	R	r	T	t
A	?	0	0	?	?	㉠
B	?	㉡	?	0	0	?
C	?	0	㉢	0	2	?
D	0	?	2	?	2	0

30. 다음은 사람의 유전 형질 (가)~(다)에 대한 자료이다.

○ (가)~(다)의 유전자는 서로 다른 2개의 염색체에 있다.
○ (가)는 대립유전자 A와 a에 의해, (나)는 대립유전자 B와 b에 의해, (다)는 대립유전자 D와 d에 의해 결정된다.
○ P의 유전자형은 AaBbDd이다.
○ 표는 여자 P와 Q, 남자 R의 세포 Ⅰ~Ⅳ에 들어 있는 A, a, B, b, D, d의 DNA 상대량을 나타낸 것이다. Ⅰ~Ⅳ 중 2개는 P의 세포이고, 나머지 2개 중 1개는 Q, 다른 1개는 R의 세포이다. ㉠~㉢은 0, 1, 2를 순서 없이 나타낸 것이다.

세포	DNA 상대량					
	A	a	B	b	D	d
Ⅰ	?	2	0	㉠	㉡	?
Ⅱ	㉢	0	0	?	?	0
Ⅲ	0	㉡	?	0	㉠	?
Ⅳ	?	0	㉢	㉠	0	㉢

이에 대한 설명으로 옳은 것만을 〈보기〉에서 있는 대로 고르고, □에 알맞은 말을 채우시오. (단, 돌연변이와 교차는 고려하지 않으며, A, a, B, b, D, d 각각의 1개당 DNA 상대량은 1이다.)

〈보 기〉

ㄱ. ㉠은 □이다.
ㄴ. P의 세포는 □와 □이다.
ㄷ. Ⅰ로부터 형성된 생식세포가 다른 생식세포와 수정되어 태어난 아이는 항상 여자이다.

복습용

세포	DNA 상대량					
	A	a	B	b	D	d
Ⅰ	?	2	0	㉠	㉡	?
Ⅱ	㉢	0	0	?	?	0
Ⅲ	0	㉡	?	0	㉠	?
Ⅳ	?	0	㉢	㉠	0	㉢

31. 사람의 유전 형질 ㉮는 2쌍의 대립유전자 A, B, D와 E, e에 의해 결정된다. 표는 사람 P와 Q의 세포 (가)~(라)가 갖는 유전자 ㉠~㉤의 DNA 상대량을 나타낸 것이다. (가)~(라) 중 3개는 P의 세포이고, 나머지 2개는 Q의 세포이다. ㉠~㉤은 A, B, D, E, e를 각각 순서 없이 나타낸 것이고, ⓐ+ⓑ+ⓒ=3이다.

세포	DNA 상대량				
	㉠	㉡	㉢	㉣	㉤
(가)	1	1	0	ⓐ	?
(나)	0	2	0	0	0
(다)	1	2	1	?	?
(라)	0	2	0	0	ⓑ
(마)	0	1	ⓒ	?	?

□에 알맞은 말을 채우시오. (단, 돌연변이와 교차는 고려하지 않으며, A, B, D, E, e 각각의 1개당 DNA 상대량은 1이다.)

〈보 기〉

ㄱ. ⓑ는 □이다.

ㄴ. (마)는 □의 세포이다. (* □는 P 또는 Q)

ㄷ. ㉣은 □ 염색체에 있는 유전자이다.
(* □는 X, Y, 상 중 하나)

복습용

세포	DNA 상대량				
	㉠	㉡	㉢	㉣	㉤
(가)	1	1	0	ⓐ	?
(나)	0	2	0	0	0
(다)	1	2	1	?	?
(라)	0	2	0	0	ⓑ
(마)	0	1	ⓒ	?	?

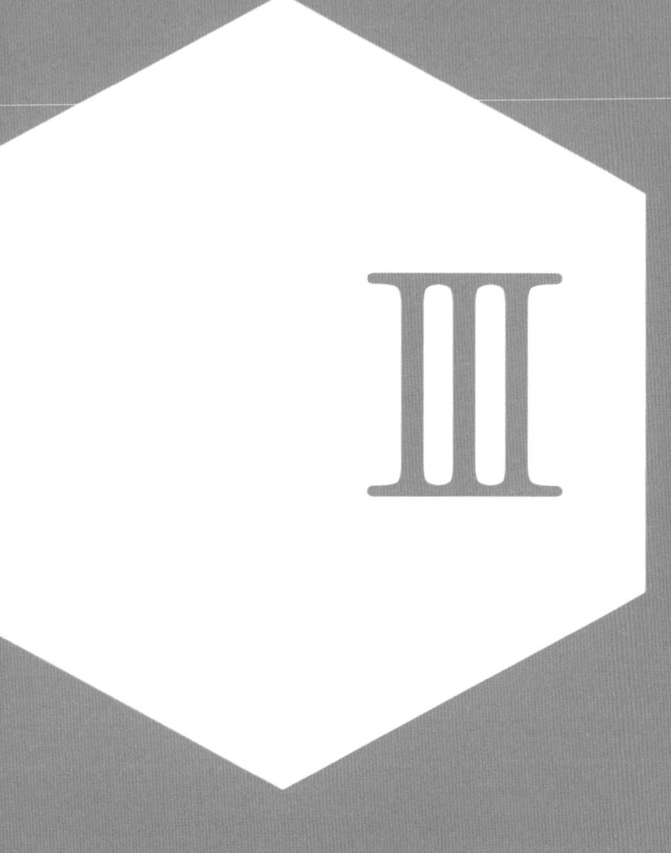

사람의 유전(1)

Part 1) 기출 문제
Part 2) 고난도 N제

"오빠 무슨 좋은 일 있어요?"
"응? 티 많이 나?"
"오~ 무슨 일인데요? 주식 따상이라도 했어요?"
"저번에 말했던 거 기억 나? 버스에서 매일 본다던 사람. 오늘 같이 한강 가기로 했어"

가빈이는 말없이 나를 훑어보더니 심란한 표정을 지으며 말했다.
"그러고.. 가려구요?"
"왜..?"
"그 삼차함수 변곡점 좌표도 알 수 있을 것 같은 체크무늬 셔츠 좀 버리면 안 돼요? 바지에 주머니는 왜 그렇게 많은 건데요 —— 거기에 오답 문제라도 넣어뒀어요? 제발 좀 버려요!!"

체.. 체크무늬 셔츠는 잘못이 없다!
예쁘기만 한데, 왜 저러는 거지?
라는 생각도 잠시, 혹시 샛별이도 이런 생각을 하는 건 아닐까 걱정되기 시작했다.

"가빈아 저녁에 잠깐 시간 돼? 일 끝나고 옷 좀 같이 보러 가줄 수 있어..?"
"말로만요?"
"밥.. 사줄게.."
"고기?"
"응.."

Ⅰ. 용어 정리

1) 상인 연관 & 상반 연관

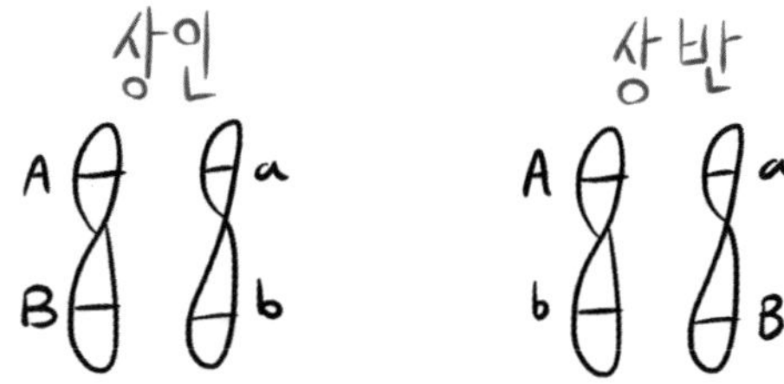

위와 같이 유전자형이 AaBb일 때,

대문자끼리 연관되어 있는 경우는 '상인' 연관,

대문자와 소문자가 엇갈려 있는 경우는 '상반' 연관이라고 합니다.

(* 3개 이상의 유전자가 연관되어 있는 경우에는 상인/상반 등의 용어를 사용하지 않습니다.)

2) 자가 교배 : 한 개체 내의 암수 생식 기관 사이에 교배가 이루어지는 현상

→ 따라서 모든 세포에서 상인/상반 등 연관 상태도 동일

(* 사람은 자가 교배를 할 수 없지만, 상황적으로 자가 교배와 동일한 상황은 나올 수 있습니다.)

3) 검정 교배 : 유전자형이 열성 동형 접합성인 개체와 교배

→ 예를 들어, 개체 P1의 유전자형이 AaBbDdee 일 때, P1과 검정 교배한다는 것은

P1과 aabbddee인 개체를 교배시킨다는 뜻입니다.

Ⅱ. 기본적으로 알아야 할 표현형 가짓수/유전자형 종류

A>a, B>b일 때

1-1) Aa × Aa

유전자형이 Aa인 개체들을 서로 교배시키면 자손이 가질 수 있는 유전자형은 AA, Aa, aA, aa입니다.

따라서 자손이 가질 수 있는 표현형은 A_와 aa로 2가지이고, 비율은 3:1입니다.

자손이 가질 수 있는 유전자형은 AA, Aa, aa로 3가지입니다.

1-2) Aa × aa

유전자형이 Aa인 개체와 aa인 개체를 서로 교배시키면 자손이 가질 수 있는 유전자형은 Aa와 aa입니다.

따라서 자손이 가질 수 있는 표현형은 A_와 aa로 2가지이고, 비율은 1:1입니다.

자손이 가질 수 있는 유전자형은 Aa, aa로 2가지입니다.

2-1) AaBb × AaBb 독립

유전자형이 AaBb인 개체들을 서로 교배시키면

A/a에서 자손이 가질 수 있는 표현형은 A_, aa 2가지 / 유전자형은 AA, Aa, aa 3가지입니다.

B/b에서 자손이 가질 수 있는 표현형은 B_, bb 2가지 / 유전자형은 BB, Bb, bb 3가지입니다.

따라서 A/a, B/b에 대해 자손이 가질 수 있는 표현형은 A_B_, A_bb, aaB_, aabb 4가지입니다.

A_:aa = 3:1, B_:bb = 3:1이었으므로

A_B_의 비율은 3*3=9, A_bb의 비율은 3*1, aaB_의 비율은 1*3, aabb의 비율은 1*1이 됩니다.

따라서 A_B_ : A_bb : aaB_ : aabb = 9:3:3:1입니다.

처음에는 위의 내용을 꼭 직접 나열해가며 표현형과 유전자형 등을 스스로 구해보세요!

위의 내용들은 정말 기본적인 내용들이라 최종적으로는 암기해야 하는 사항이 맞지만,

암기만으로 이 단원의 모든 문제를 풀 순 없습니다. 스스로 구해보는 데 반드시 익숙해지셔야 합니다.

2-2 ~ 2-4 부분은 PART 2를 풀기 위해서는 반드시 아셔야 하고, PART 1을 풀 때도 아는 게 유리합니다.

(* 2-2 ~ 2-4 부분도 꼭 스스로 구해보세요!)

2-2) AaBb 상인 × AaBb 상인

A|a B|b × A|a B|b → A|A B|B, A|a B|b, a|A b|B, a|a b|b

A_B_ : A|A B|B, A|a B|b, a|A b|B
aabb : a|a b|b

표현형 : 2 가지
유전자형 : 3 가지

2-3) AaBb 상반 × AaBb 상반

A|a b|B × A|a b|B → A|A b|b, A|a b|B, a|A B|b, a|a B|B

A_bb : A|A b|b
A_B_ : A|a b|B, a|A B|b
aaB_ : a|a B|B

표현형 : 3 가지
유전자형 : 3 가지

2-4) AaBb 상인 × AaBb 상반

A|a B|b × A|a b|B → A|A B|b, A|a B|B, a|A b|b, a|a b|B

A_B_ : A|A B|b, A|a B|B
A_bb : a|A b|b
aaB_ : a|a b|B

표현형 : 3 가지
유전자형 : 4 가지

III. 다인자 유전

하나의 형질을 결정할 때, 2쌍 이상의 유전자가 관여할 경우 다인자 유전이라고 합니다.

일반적으로 수능에서는 대문자 수에 따라 표현형이 달라지는 경우를 자주 출제합니다.

따라서 기본적인 대문자 수에 따른 표현형 가짓수와 확률 등은 외워두시는 게 유리합니다.

1) 모두 독립일 때

유전자형이 Aa인 사람이 생식세포를 만들 때 A가 있는 생식세포가 형성될 확률과 a가 있는 생식세포가 형성될 확률은 각각 $\frac{1}{2}$입니다.

유전자형이 AA인 사람이 생식세포를 만들 때 A가 있는 생식세포가 형성될 확률은 1이고, a가 있는 생식세포가 형성될 확률은 0입니다.

유전자형이 aa인 사람이 생식세포를 만들 때 A가 있는 생식세포가 형성될 확률은 0이고, a가 있는 생식세포가 형성될 확률은 1입니다.

따라서 유전자형이 AabbDd이고, A/a, B/b, D/d가 모두 독립일 때,

이 사람이 AbD인 생식세포를 형성할 확률은 $\frac{1}{2} \times 1 \times \frac{1}{2} = \frac{1}{4}$입니다.

ⅰ) 유전자형이 AaBb인 아버지와 어머니 사이에서 ⓐ가 태어날 때, ⓐ에게서 나타날 수 있는 표현형은 최대 몇 가지일까요?

ⓐ는 아버지에게 A/a와 B/b에 대한 대립유전자를 각각 1개씩 총 2개를,

어머니에게도 A/a와 B/b에 대한 대립유전자 각각 1개씩 총 2개를 받게 됩니다.

그렇게 총 대립유전자 4개를 받게 되는데, 아버지와 어머니의 유전자형이 모두 이형 접합성이므로

4개의 대립유전자가 모두 소문자인 경우부터 모두 대문자인 경우까지 모두 가능합니다.

따라서 자녀의 대문자 수는 4, 3, 2, 1, 0이 가능하므로 자녀의 표현형은 최대 5가지입니다.

ii) 유전자형이 AaBb인 아버지와 Aabb인 어머니 사이에서 ⓐ가 태어날 때, ⓐ가 가질 수 있는 표현형은 최대 몇 가지일까요?

이 경우는 위와 약간 다릅니다.

아버지는 i 에서와 마찬가지로 각각의 대립유전자 총 2개를 대문자나 소문자로 모두 줄 수 있지만,

어머니는 B/b의 경우 bb 동형 접합성이므로 자녀에게 b(소문자)만 줄 수 있습니다.

따라서 자녀의 대립유전자 4개 중 1개는 b로 확정됨을 알 수 있습니다.

따라서 자녀의 유전자형을 _ _ _ b 이런 식으로 둘 수 있습니다.

(* 대문자와 소문자가 모두 되는 경우 확정 불가능하므로 _(빈칸)으로 표시했습니다.)

빈칸 3개는 대문자와 소문자가 모두 가능하므로

자녀의 대문자 수는 3, 2, 1, 0이 가능하므로 표현형은 최대 4가지입니다.

i 과 ii 에서 한 단계 나아가, 각각의 경우에서 대문자 수가 3개인 아이가 태어날 확률은 몇일까요?

i) ⓐ는 대립유전자 4개를 가져야 하고, 4개는 모두 대문자와 소문자일 확률이 $\frac{1}{2}$씩입니다.

이때 대문자 수가 3개여야 하므로 구성은

대대대소(AABb)

대대소대(AAbB)

대소대대(AaBB)

소대대대(aBBB)

로 4가지$({}_4C_3)$가 가능합니다.

따라서 ${}_4C_3 \times \left(\frac{1}{2}\right)^4 = \frac{1}{4}$입니다.

ii) ⓐ는 대립유전자 4개를 가져야 하는데, 1개는 이미 소문자로 확정됐습니다.

따라서 대문자가 3개인 경우는 남은 대립유전자 3개가 모두 대문자인 경우$({}_3C_3)$입니다.

따라서 ${}_3C_3 \times \left(\frac{1}{2}\right)^3 = \frac{1}{8}$입니다.

그러면 유전자형이 AaBBddEE인 아버지와 AABbDdee인 어머니 사이에서 ⓐ가 태어날 때,

ⓐ가 가질 수 있는 표현형은 최대 몇 가지이고, 대문자 수가 4개일 확률은 몇일까요?

표현형 가짓수

1) 아버지는 4개의 대립유전자 중 B, d, E 확정

2) 어머니는 4개의 대립유전자 중 A, e 확정

따라서 자녀는 A, B, d, E, e 5개가 확정된 상태이므로 자녀의 유전자형을 A _ B _ _ d E e 로 둘 수 있습니다.

남은 대립유전자 3개는 대문자와 소문자가 모두 가능하므로 자녀는 대문자를 3, 4, 5, 6개를 가질 수 있습니다.

따라서 표현형은 최대 4가지입니다.

대문자 수가 4개일 확률

A, B, d, E, e는 확정이므로 이미 대문자가 3개일 확률이 1입니다.

따라서 남은 3개 중 대문자가 1개($_3C_1$)일 확률을 구하면 됩니다.

$_3C_1 \times \left(\frac{1}{2}\right)^3 = \frac{3}{8}$입니다.

2) 연관이 포함된 경우

대문자 수에 따라 표현형이 달라지는 경우 유전자형은 별로 중요하지 않습니다.

대문자 수만 중요하므로 앞으로는 (왼쪽, 오른쪽) 순으로 대문자 수만 써서 표기하겠습니다.

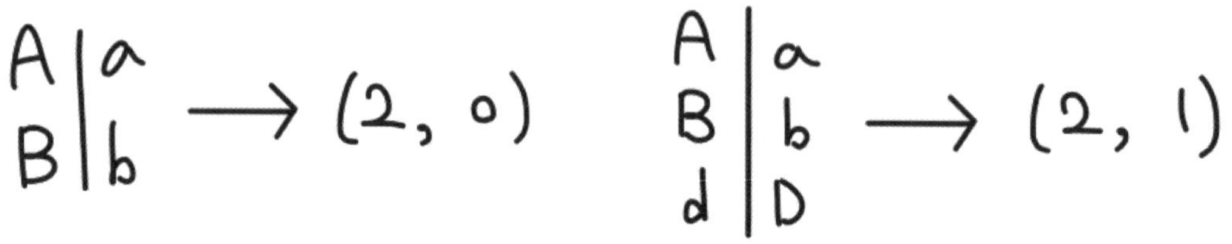

A|a
B|b → (2, 0)

A|a
B|b
d|D → (2, 1)

유전자형이 AaBbDd이고, AB 상인 연관 D 독립인 아버지와

유전자형이 AaBbDd이고, AB 상인 연관 D 독립인 어머니 사이에서

ⓐ가 태어날 때, ⓐ에게서 나타날 수 있는 표현형 가짓수와 ⓐ의 대문자 수가 4개일 확률은 몇일까요?

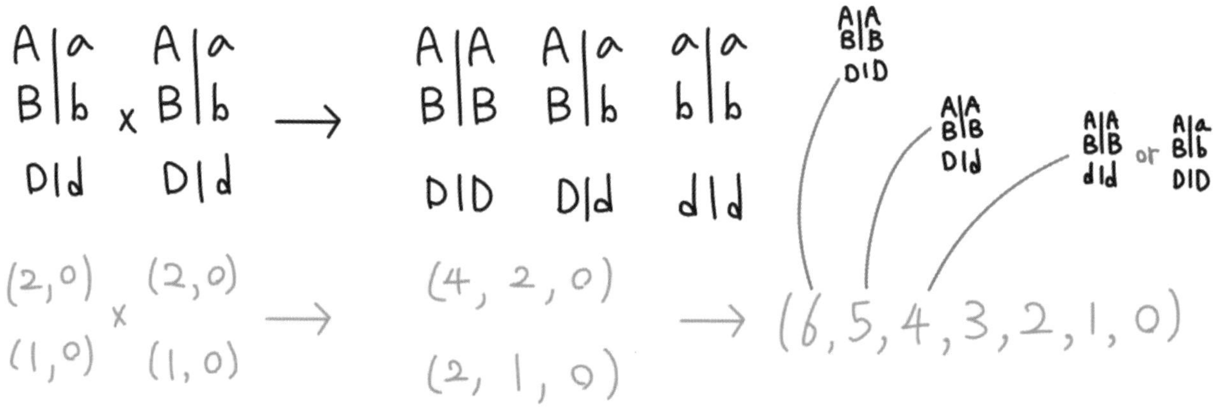

A|a B|b D|d × A|a B|b D|d → A|A B|B, A|a B|b, a|a b|b / D|D, D|d, d|d

(2,0) × (2,0), (1,0) × (1,0) → (4, 2, 0), (2, 1, 0) → (6, 5, 4, 3, 2, 1, 0)

(6: A|A B|B D|D; 5: A|A B|B D|d; 4: A|A B|B d|d or A|a B|b D|D)

실제로 문제를 풀 때는 아래에 분홍색 글씨로 쓴 내용만 씁니다.

연관인 부분에서는 대문자 수의 구성이 (4, 2, 0)

독립인 부분에서는 대문자 수의 구성이 (2, 1, 0)

이 됩니다.

이 (4, 2, 0)과 (2, 1, 0)을 더하면 (6, 5, 4, 4, 3, 2, 2, 1, 0)이 되고,

대문자 수가 같은 경우 같은 표현형이므로 사실상 표현형은 (6, 5, 4, 3, 2, 1, 0)으로 7가지가 가능함을 알 수 있습니다.

ⓐ의 대문자 수가 4개일 확률은 다음과 같습니다.

1 2 1
(4, 2, 0)

(2, 1, 0)
1 2 1

$\frac{1}{4} \times \frac{1}{4} = \frac{1}{16}$

$\frac{2}{4} \times \frac{1}{4} = \frac{2}{16}$

합 $\frac{3}{16}$

(4, 2, 0)의 경우 처음 (2, 0)과 (2, 0)에서 (4, 2, 2, 0)이므로 4, 2, 0 순으로 비율이 1:2:1입니다.

(2, 1, 0)도 처음 (1, 0)과 (1, 0)에서 (2, 1, 1, 0)이므로 2, 1, 0 순으로 비율이 1:2:1입니다.

대문자 수가 4개인 경우는 분홍색과 초록색 2가지 케이스가 가능하므로, 각각의 확률을 구한 후 더하면 됩니다.

그런데 유전자형이 AaBbDd인 경우는 알고 있는 것과 모르고 있는 게 차이가 큽니다.

따라서 표현형 가짓수나 확률 등을 매번 저렇게 구하고 있으면 안 됩니다.

따라서 다음 페이지의 내용을 직접 한 번씩은 나열하여 구해본 후 모두 외워주세요.

유전자형이 AaBbDd일 때, 다인자 유전 정리

① 모두 독립 → 표현형 최대 7가지, 확률 $\frac{{}_6C_r}{2^6}$ (r : 대문자 수)

② 2연관 1독립

i) 상연 × 상인

$\begin{matrix}(2,0)\\(1,0)\end{matrix} \times \begin{matrix}(2,0)\\(1,0)\end{matrix} \rightarrow \begin{matrix}(4,2,0)\\(2,1,0)\end{matrix} \rightarrow (6,5,4,3,2,1,0)$ (비율 1 2 3 4 3 2 1)

→ 비율 합 : 16 (2^4)
→ 표현형 : 7

ii) 상연 × 상반

$\begin{matrix}(2,0)\\(1,0)\end{matrix} \times \begin{matrix}(1,1)\\(1,0)\end{matrix} \rightarrow \begin{matrix}(3,1)\\(2,1,0)\end{matrix} \rightarrow (5,4,3,2,1)$ (비율 1 2 2 2 1)

→ 비율 합 : 8 (2^3)
→ 표현형 : 5

iii) 상반 × 상반

$\begin{matrix}(1,1)\\(1,0)\end{matrix} \times \begin{matrix}(1,1)\\(1,0)\end{matrix} \rightarrow \begin{matrix}(2)\\(2,1,0)\end{matrix} \rightarrow (4,3,2)$ (비율 1 2 1)

→ 비율 합 : 4 (2^2)
→ 표현형 : 3

③ 3연관

i) $(3,0) \times (3,0) \rightarrow (6,3,0)$ (비율 1 2 1)

→ 비율 합 : 4 (2^2)
→ 표현형 : 3

ii) $(3,0) \times (2,1) \rightarrow (5,4,2,1)$ (비율 1 1 1 1)

→ 비율 합 : 4 (2^2)
→ 표현형 : 4

iii) $(2,1) \times (2,1) \rightarrow (4,3,2)$ (비율 1 2 1)

→ 비율 합 : 4 (2^2)
→ 표현형 : 3

* 파란색은 각각의 대문자 수가 나올 비율입니다.

2연관 1독립 상인×상반에서 대문자 수가 3개인 자손이 태어날 확률은 $\frac{2}{8}=\frac{1}{4}$

3연관에서 (3, 0)×(3, 0)에서 대문자 수가 3개인 자손이 태어날 확률은 $\frac{2}{4}=\frac{1}{2}$

2) 다인자 유전 심화

(* 이 내용은 텍스트로 설명하기가 굉장히 어렵습니다.

내용이 이해가 힘드시더라도 가급적 최대한 이해하려 해보시기 바랍니다.

도저히 이해 못하겠는 학생의 경우 일단 넘어간 후 나중에 다시 보시기 바랍니다.

해설지에는 아래의 내용을 모르더라도 이해할 수 있는 풀이들을 적어두었습니다.)

다인자 유전의 계산 과정은 아래와 같습니다.

ⅰ) 다인자 유전에서는 순서가 상관 없습니다.

(a, b)　(c, d) → (a+c, a+d, b+c, b+d)

×　　　　　　　　　　→ (a+c+e+g, a+c+e+h, ...)

(e, f)　(g, h) → (e+g, e+h, f+g, f+h)

위의 과정을 잘 생각해보면, 다인자 유전은 결국 '덧셈'이므로 순서가 상관이 없습니다.

예를 들어,

(2, 0)　(2, 0)　　　(2, 0)　(1, 0)

×　　과　　×　　　은 계산 순서가 다르지만, 결과적으로 완전히 동일합니다.

(1, 0)　(1, 0)　　　(2, 0)　(1, 0)

ⅱ) 다인자 유전에서 표현형 가짓수와 확률은 상동 염색체간 대문자 수의 차잇값이 결정

(a, b) × (c, d)는 결과적으로 a와 b 각각에 c를 더하고, d를 더하는 것과 같게 됩니다.

그러면 이때, a+c & b+c 와 a+d & b+d에서 겹치는 숫자가 있는지 아닌지에 따라 표현형 가짓수와 확률이 결정됩니다.

d-c=k라 할 때,

1) k = 0이라면, a+c = a+d, b+c = b+d입니다.

2) k≠0이라면, a+c & b+c에 k의 값을 더한 만큼 다른 숫자가 나오게 됩니다.

위의 두 가지 내용을 적절히 이용하면 표현형 가짓수와 확률을 쉽게 구할 수 있습니다.

예를 들어, 앞선 예와 같이

유전자형이 AaBbDd이고, AB 상인 연관 D 독립인 아버지와

유전자형이 AaBbDd이고, AB 상인 연관 D 독립인 어머니 사이에서

ⓐ가 태어날 때, ⓐ에게서 나타날 수 있는 표현형 가짓수와 ⓐ의 대문자 수가 4개일 확률은 몇일까요?

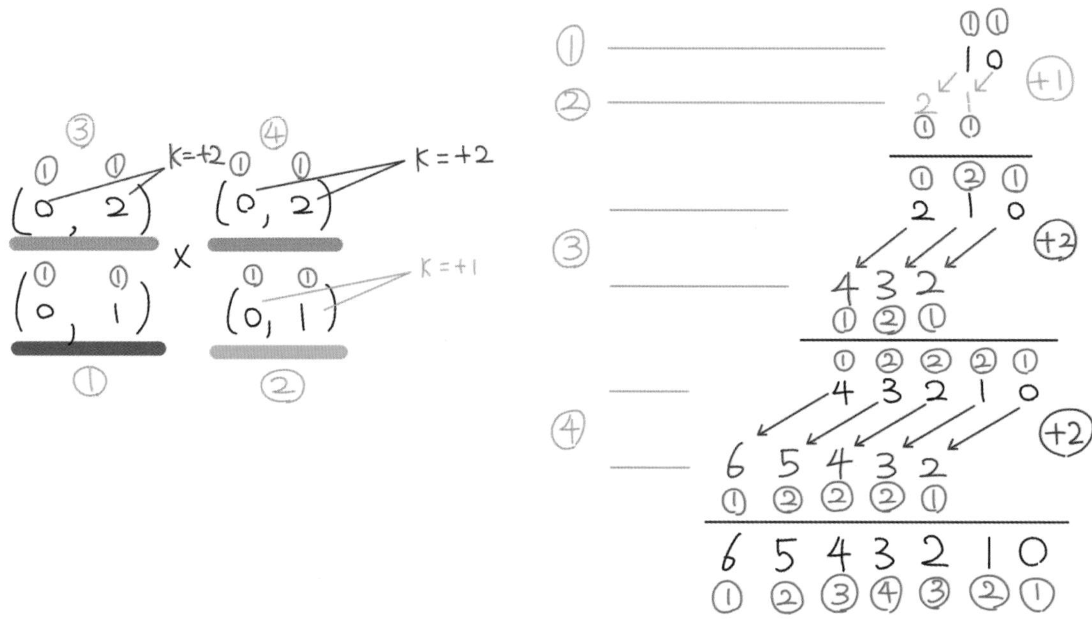

위와 같은 결과를 거쳐,

표현형은 7가지이며 대문자가 4개일 확률은 $\frac{3}{1+2+3+4+3+2+1} = \frac{3}{16}$임을 알 수 있습니다.

(* 분모는 실제로 더할 필요가 없습니다.

한 쌍의 염색체에서 대문자 수가 다를 경우 경우의 수는 2이고,

한 쌍의 염색체에서 대문자 수가 같을 경우 경우의 수는 1이므로

전체 경우의 수는 2^n으로 구할 수 있습니다.

(* 당연히 여기서 n은 다인자 유전 한 쌍의 염색체에서 대문자 수가 서로 다른 염색체의 수입니다.)

따라서 위의 계산도 $\frac{3}{2^4} = \frac{3}{16}$으로 구할 수 있습니다.)

위의 과정이 익숙해지면 다인자 유전에서 표현형 가짓수와 확률 등을 눈으로 풀 수 있게 되므로 연습해보시는 걸 권장합니다.

(98, 100), (4, 6)인 사람과 (1, 2), (5, 6)인 사람 사이에서 아이가 태어날 때 표현형 가짓수와 확률은 어떻게 될까요?

눈치가 빠르신 분은 결국 위의 경우도 차잇값은 2, 2, 1, 1이므로 앞 페이지의 예시와 표현형 가짓수/확률 분포가 동일함을 알 수 있습니다.

다만 달라지는 건 대문자 수의 최솟값이 0이 아닌, 98+4+1+5로 108이 되겠죠.

K=2 K=1
(98, 100) × (1, 2) → 114 113 112 111 110 109 108
(4, 6) (5, 6) ① ② ③ ④ ③ ② ①
K=2 K=1

그렇다면, 처음에 구체적인 숫자는 신경쓰지 않고, 비율만 먼저 계산한 후 마지막에 구체적인 숫자를 쓰면 편리하겠죠?
그래서 자주 나오는 비율들은 미리 외워두시는 게 합리적입니다.

따라서 아래의 비율들은 가급적이면 알아두시는 것을 권장합니다.

(* 몰라도 당연히 풀 수 있습니다. 또한, 개인적으로 알아야만 풀리는 문항은 출제되지 않을 것 같습니다.
다만, 아는 사람이 더 빨리 풀 수밖에 없으니 가급적이면 아시는 게 좋습니다.)

① 독립일 때

표현형 가짓수	비율	분모
1	1	2^0
2	1:1	2^1
3	1:2:1	2^2
4	1:3:3:1	2^3
5	1:4:6:4:1	2^4
6	1:5:10:10:5:1	2^5
7	1:6:15:20:15:6:1	2^6

독립일 때는 차잇값이 0 또는 1일 수밖에 없으므로 위와 같이 비율이 형성됨을 쉽게 증명할 수 있습니다.

독립일 때 AABbDd × AaBbdd인 사람 사이에서 표현형 가짓수와 대문자 수가 4인 아이가 태어날 확률을 구해봅시다.

부모에서 이형 접합성인 유전자는 4개이므로 비율은 1:4:6:4:1입니다.

부모에서 AA(1,1)인 사람 때문에 최솟값은 1이므로 대문자 수는 1,2,3,4,5가 가능합니다.

따라서 표현형 가짓수는 5가지이고, 대문자 수가 4일 확률은 $\frac{4}{16}$ = $\frac{1}{4}$입니다.

1 : 4 : 6 : 4 : 1
1 2 3 4 5

AABBDdEe × AaBbDdEE라면, 이형 접합성인 유전자는 5개이므로 비율은 1:5:10:10:5:1이고 표현형 가짓수는 6가지입니다.

대문자 수의 최솟값은 3이므로 3,4,5,6,7,8이 태어날 수 있습니다.

1 : 5 : 10 : 10 : 5 : 1
3 4 5 6 7 8

② 연관일 때

연관은 경우의 수가 너무 많으므로 유전자 3쌍(A/a, B/b, D/d) + 2연관 1독립 기준으로만 정리하겠습니다.

다른 경우가 더 필요하다면 본인이 직접 해보셔서 여러 가지 경우를 외우시면 됩니다.

표현형 가짓수	비율 (괄호 속 숫자는 차잇값입니다.)
1	1(0,0,0,0)
2	1:1 (2,0,0,0 또는 1,0,0,0)
3	1:2:1 (2,2,0,0 또는 1,1,0,0)
4	1:3:3:1 (1,1,1,0)
	1:1:1:1 (2,1,0,0)
5	1:4:6:4:1 (1,1,1,1)
	1:2:2:2:1 (2,1,1,0)
6	1:1:2:2:1:1 (2,2,1,0)
	1:3:4:4:3:1 (2,1,1,1)
7	1:2:3:4:3:2:1 (2,2,1,1)

특히, 확률을 통한 역추론도 많이 나오므로 $\frac{3}{16}$은 1:2:3:4:3:2:1 또는 1:3:4:4:3:1에서만 가능하고,

$\frac{3}{8}$은 1:3:3:1, 1:4:6:4:1에서만 가능함도 같이 기억하시는 게 좋습니다.

만약, 문제에서 (2, 0), (1, 0) × (2, 1), (1, 0) 사이에서 태어난 아이의 표현형 가짓수와 확률을 묻는다면,
차잇값이 2,1,1,1이므로 1:3:4:4:3:1이고, 최솟값은 1이며 표현형은 6가지입니다.

1 : 3 : 4 : 4 : 3 : 1
1 2 3 4 5 6

꼭 2연관 1독립이 아니더라도, (2, 1), (1,0) × (3,1), (2, 0)처럼 차잇값이 1,1,2,2라면 비율은 1:2:3:4:3:2:1이고,
최솟값은 2이며 표현형은 7가지겠죠?

1 : 2 : 3 : 4 : 3 : 2 : 1
2 3 4 5 6 7 8

IV. 복대립

복대립 유전의 경우 아래의 기본적인 사항들은 수험생이라면 알고 계셔야 합니다.

① 자녀의 표현형이 3가지 이상이거나 특정 표현형일 확률이 $\frac{1}{4}$처럼 분모가 4라면

부모의 유전자형은 이형 접합성입니다.

(* 부모 중 한 명이라도 유전자형이 동형 접합성일 경우 표현형은 최대 2가지이고, 분모는 최대 2입니다.)

기본적으로 복대립에서는 제일 열성인 표현형을 찾는 게 1순위일 때가 많습니다.

제일 열성인 표현형은 유전자형이 동형 접합성일 수밖에 없는데,

위의 과정을 통해 유전자형이 이형 접합성임을 밝히면 부모의 표현형이 제일 열성이 아님을 알 수 있습니다.

② 자주 나오는 꼴의 표현형 가짓수/비율

1) 대립유전자 3개 + 우열 뚜렷

부모의 유전자형이 이형 접합성이고, 서로 다른 유전자형일 때 공통된 문자를 가질 수밖에 없습니다.

예를 들어, AD×BD에서는 D가 공통된 대립유전자입니다.

이처럼 공통된 대립유전자의 우열 순서에 따라 표현형이 가짓수와 비율이 결정되므로 아래의 내용을 기억하시면 됩니다.

편의상 공통된 대립유전자를 ☆로 표기하겠습니다.

☆>□>△ : 표현형 가짓수는 2가지이며, ☆:□:△의 표현형 비는 3:1:0입니다.

□>☆>△ : 표현형 가짓수는 2가지이며, □:☆:△의 표현형 비는 1:1:0입니다.

□>△>☆ : 표현형 가짓수는 3가지이며, □:△:☆의 표현형 비는 2:1:1입니다.

위의 예에서, A>B>D이고, AD×BD라면 표현형은 3가지이며 A:B:D 표현형 확률의 비는 2:1:1입니다.

2) 우열 관계가 분명하지 않을 때 A=B>D 꼴

표현형 4가지 : AD×BD

표현형 3가지 : AB×(이형 접합성인 유전자 아무거나)

정도는 외우고 계셔야 됩니다.

V. 확률 계산 팁

주머니에서 공을 꺼내는 경우를 생각해봅시다.

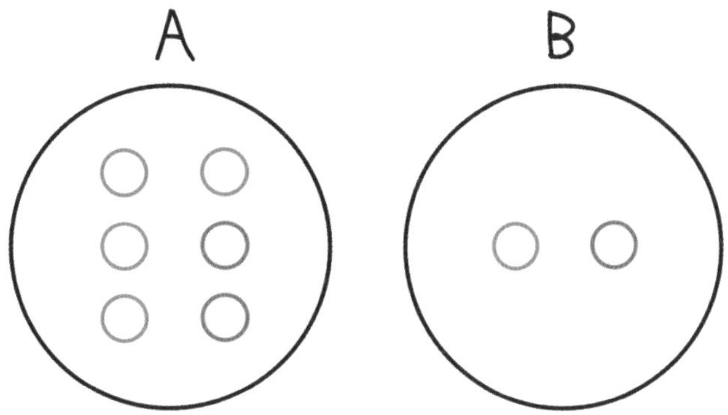

위와 같이 파란색 공 4개와 빨간색 공 2개가 들어있는 주머니 A와

파란색 공 1개, 빨간색 공 1개가 들어있는 주머니 B가 있습니다.

A와 B 각각에서 공을 1개씩 뽑을 때, 파란색 공이 적어도 1개 이상 나올 확률은 몇일까요?

당연히 $\frac{10}{12} = \frac{5}{6}$ 입니다.

그러면 주머니 A에 있는 공 6개를 아래와 같이 2개씩 나눠서 a_1, a_2, a_3에 나눠 담은 후,

a_1, a_2, a_3 중 공 1개를 뽑고, B에서 공 1개를 뽑았을 때 파란색 공이 적어도 1개 이상 나올 확률은 몇일까요?

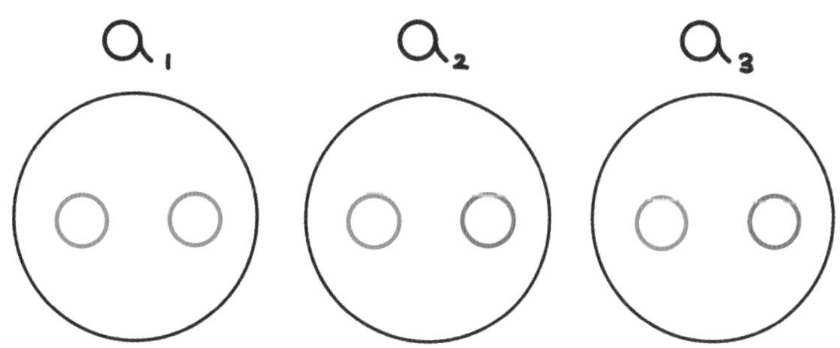

1) a_1에서 뽑을 확률 : $\frac{1}{3}$, a_1과 B에서 1개씩 뽑을 때 파란색 공이 적어도 1개 이상 나올 확률 : 1

2) a_2에서 뽑을 확률 : $\frac{1}{3}$, a_2과 B에서 1개씩 뽑을 때 파란색 공이 적어도 1개 이상 나올 확률 : $\frac{3}{4}$

3) a_3에서 뽑을 확률 : $\frac{1}{3}$, a_3과 B에서 1개씩 뽑을 때 파란색 공이 적어도 1개 이상 나올 확률 : $\frac{3}{4}$

따라서 $(\frac{1}{3} \times 1) + (\frac{1}{3} \times \frac{3}{4}) + (\frac{1}{3} \times \frac{3}{4}) = \frac{5}{6}$ 입니다.

계산해보지 않아도 직관적으로 결과가 같음을 아셨을 거라 생각합니다.

A를 a_1, a_2, a_3로 나눔에 따라 각각 $\frac{1}{3}$씩 곱했으므로 각각의 공이 뽑힐 기댓값이 같고,

따라서 결과도 같을 수밖에 없습니다.

그러면 다음 예제를 풀어봅시다.

다음은 사람의 유전 형질 (가)와 (나)에 대한 자료이다.

> ○ (가)는 대립유전자 A와 a에 의해, (나)는 대립유전자 B와 b에 의해 결정되며, A는 a에 대해, B는 b에 대해 각각 완전 우성이다.
> ○ (가)와 (나)를 결정하는 유전자는 서로 다른 상염색체에 존재한다.
> ○ 유전자형이 AaBb인 아버지와 Aabb인 어머니 사이에서 ⓐ 표현형이 A B 인 남자 아이가 태어났다.

ⓐ와 유전자형이 aaBb인 여자 사이에서 아이가 태어날 때, 이 아이의 (가)와 (나)에 대한 표현형이 A_B_일 확률은? (단, 돌연변이와 교차는 고려하지 않는다.)

(* 해설은 뒷페이지에 있습니다. 직접 구해본 후 확인해주세요.)

ⓐ는 표현형이 A_B_이므로

(가)에 대한 유전자형은 AA, Aa, aA가 가능하고, (나)에 대한 유전자형은 Bb입니다.

(* Aa를 두 번 쓴 이유 : Aa × Aa → AA, Aa, aA, aa가 태어날 수 있는데, Aa와 aA의 표현형과 유전자형은 같지만, 비율이 2이기 때문입니다. 근원사건이 기대되는 정도가 같아야 확률을 구할 수 있으므로 같아도 다르게 봐야 합니다.)

Ⅰ. A_일 확률 구하기

ⓐ의 (가)에 대한 유전자형이 AA인 경우와 Aa인 경우의 비율은 각각 1:2

AA일 확률은 $\frac{1}{3}$, Aa일 확률은 $\frac{2}{3}$입니다.

따라서 각각의 경우를 따로 계산한 후 더해야합니다.

① ⓐ의 유전자형이 AA일 확률 : $\frac{1}{3}$, AA × aa → A_일 확률 : 1

따라서 $\frac{1}{3} \times 1 = \frac{1}{3}$

② ⓐ의 유전자형이 Aa일 확률 : $\frac{2}{3}$, Aa × aa → A_일 확률 : $\frac{1}{2}$

따라서 $\frac{2}{3} \times \frac{1}{2} = \frac{1}{3}$

이므로 A_일 확률은 ①+② = $\frac{1}{3}+\frac{1}{3} = \frac{2}{3}$입니다.

Ⅱ. B_일 확률 구하기

Bb × Bb → B_일 확률 : $\frac{3}{4}$

이므로 A_B_일 확률은 Ⅰ × Ⅱ = $\frac{2}{3} \times \frac{3}{4} = \frac{1}{2}$입니다.

우리는 위에서 ⓐ의 (가)에 대한 유전자형이 AA인 경우와 Aa인 경우를 나누어 구했습니다.

이는 주머니 A에 있는 공 6개를 2개씩 나눠서 a_1, a_2, a_3로 구한 경우와 동일합니다.

이렇게 구할 경우 각각을 계산한 후 더해야 하므로 계산 과정이 복잡해질 수밖에 없습니다.

따라서

ⓐ의 (가)에 대한 유전자형 : AAAaAa이므로 AAAaAa × aa → $\frac{8}{12}=\frac{2}{3}$

ⓐ의 (나)에 대한 유전자형 : Bb이므로 Bb × Bb → $\frac{3}{4}$

따라서 $\frac{2}{3} \times \frac{3}{4} = \frac{1}{2}$ 이런 식으로 구하면 훨씬 쉽게 구할 수 있습니다.

주의사항

위의 계산은 AA와 Aa인 경우를 묶어서 AAAaAa로 생각한 경우입니다.

만약 문제가, 유전자형이 Aa인 식물 사이에서 태어난 개체 중 표현형이 A_인 개체를 자가 교배하여 A_인 확률을 구하는 문제였다면, 위와 같이 계산하면 안 됩니다.

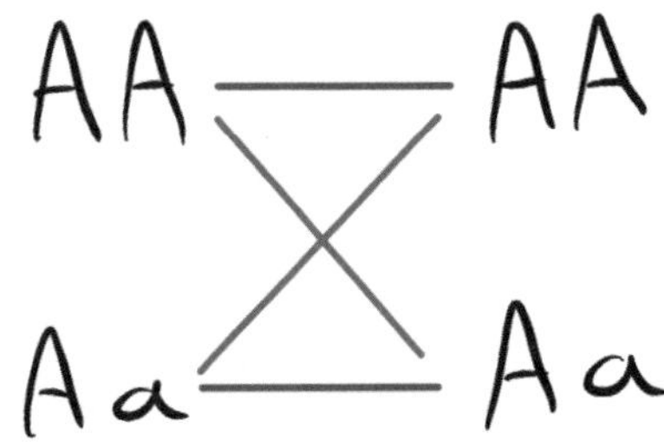

AAAaAa × AAAaAa로 계산할 경우, 위에서 분홍색과 하늘색의 경우를 모두 계산하게 됩니다.

하지만 문제에선 '자가 교배'라 했으므로 파란색인 경우는 계산하면 안 됩니다.

따라서 이런 경우에는

1) AA일 확률 : $\frac{1}{3}$, AA×AA → A_일 확률 : 1이므로 $\frac{1}{3}\times 1 = \frac{1}{3}$

2) Aa일 확률 : $\frac{2}{3}$, Aa×Aa → A_일 확률 : $\frac{3}{4}$이므로 $\frac{2}{3}\times\frac{3}{4} = \frac{1}{2}$

이므로 $\frac{1}{3}+\frac{1}{2} = \frac{5}{6}$로 계산해야 합니다.

PART 1

73문항

15학년도 4월 7번

01. 다음은 어떤 식물의 꽃 색 유전에 대한 자료이다.

○ 꽃 색은 한 쌍의 대립유전자에 의해 결정되며, 대립유전자의 종류는 2가지이다.
○ 표는 이 식물의 꽃 색에 대한 교배 실험 결과이다.

실험	부모의 표현형		자손(F_1)의 표현형 비 (붉은색 : 분홍색 : 흰색)
Ⅰ	붉은색	흰색	0 : 1 : 0
Ⅱ	분홍색	분홍색	1 : 2 : 1
Ⅲ	분홍색	흰색	?

이 식물의 꽃 색 유전에 대한 설명으로 옳은 것만을 〈보기〉에서 있는 대로 고른 것은? (단, 돌연변이와 교차는 고려하지 않는다.)

〈보 기〉

ㄱ. 대립유전자 사이의 우열 관계는 분명하다.
ㄴ. 멘델의 분리의 법칙을 따른다.
ㄷ. Ⅲ에서 자손(F_1)의 표현형 비는 붉은색:분홍색:흰색 = 0:1:1이다.

① ㄱ ② ㄷ ③ ㄱ, ㄴ ④ ㄱ, ㄷ ⑤ ㄴ, ㄷ

16학년도 3월 13번

02. 다음은 어떤 동물의 형질 ㉠에 대한 자료이다.

○ ㉠은 상염색체에 있는 한 쌍의 대립유전자에 의해 결정된다.
○ ㉠을 결정하는 대립유전자는 2가지이며, ㉠의 표현형에는 ⓐ, ⓑ, ⓒ가 있다.
○ 표현형이 ⓐ인 암컷과 ⓑ인 수컷을 교배하면 ⓒ인 자손(F_1)만 태어난다.

이 자료에 대한 설명으로 옳은 것만을 〈보기〉에서 있는 대로 고른 것은? (단, 돌연변이와 교차는 고려하지 않는다.)

〈보 기〉

ㄱ. ㉠의 유전은 멘델의 분리의 법칙을 따른다.
ㄴ. 표현형이 ⓐ인 암수를 교배하여 자손(F_1)이 태어날 때, 이 자손에게서 나타날 수 있는 표현형은 최대 2가지이다.
ㄷ. 표현형이 ⓒ인 암수를 교배하여 자손(F_1)이 태어날 때, 이 자손의 표현형이 ⓒ일 확률은 $\frac{1}{2}$이다.

① ㄱ ② ㄴ ③ ㄷ ④ ㄱ, ㄴ ⑤ ㄱ, ㄷ

14학년도 예비시행 12번

03. 그림은 어떤 식물에서 키와 꽃 색의 유전 현상을 알아보기 위한 두 가지 교배 실험 결과이다. a~j는 (가)~(라)의 생식세포이다. 키는 대립유전자 R와 r에 의해, 꽃 색은 T와 t에 의해 결정되고, 대문자로 표시되는 대립유전자가 소문자로 표시되는 대립유전자에 대해 완전 우성이다.

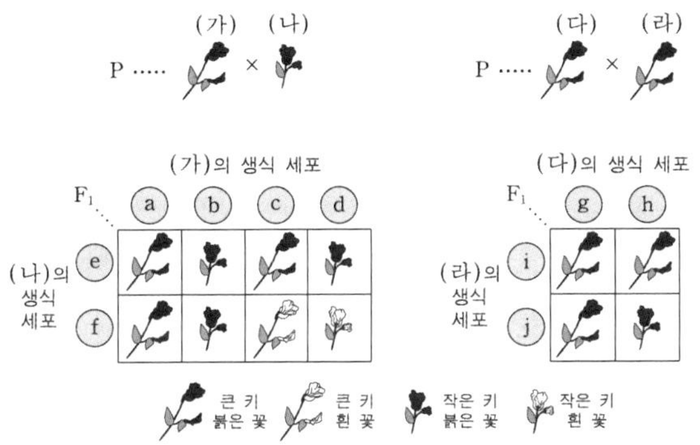

이에 대한 설명으로 옳은 것만을 〈보기〉에서 있는 대로 고른 것은? (단, 돌연변이와 교차는 고려하지 않으며, a~j 이외에 다른 종류의 생식세포는 형성되지 않는다.)

〈보 기〉

ㄱ. 큰 키 유전자와 붉은 꽃 색 유전자는 같은 염색체에 있다.
ㄴ. (다)와 (라)의 꽃 색 유전자형은 동일하다.
ㄷ. 생식세포 b, f, h, j에서 키에 대한 유전자형은 동일하다.

① ㄱ ② ㄴ ③ ㄷ ④ ㄱ, ㄷ ⑤ ㄴ, ㄷ

17학년도 9월 9번

04. 다음은 유전자형이 AaBbDd인 식물 P의 유전 형질 ㉠~㉢에 대한 자료이다.

- ㉠은 대립유전자 A와 a에 의해, ㉡은 대립유전자 B와 b에 의해, ㉢은 대립유전자 D와 d에 의해 결정되며, 각 대립유전자 사이의 우열 관계는 분명하다.
- ㉠~㉢을 결정하는 유전자는 서로 다른 3개의 상염색체에 존재한다.

P를 자가 교배하여 자손(F_1)을 얻을 때, 이 자손이 ㉠~㉢ 중 적어도 2가지 형질에 대한 유전자형을 열성 동형 접합성으로 가질 확률은? (단, 돌연변이와 교차는 고려하지 않는다.)

18학년도 3월 15번

05. 다음은 유전자형이 DdHhRr인 식물 (가)에 대한 자료이다.

> ○ D와 d, H와 h, R와 R은 3가지 유전 형질을 각각 결정하며, D, H, R은 d, h, r에 대해 각각 완전 우성이다.
> ○ 그림은 (가)의 세포에 들어있는 염색체와 대립유전자를 나타낸 것이다. ⓐ와 ⓑ는 각각 R와 r 중 하나이다.
>
> 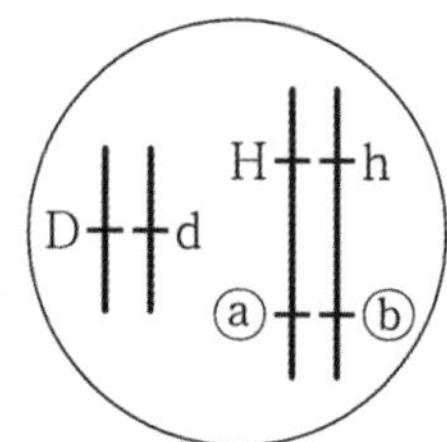
>
>
> ○ (가)를 자가 교배하여 얻은 ㉠ 자손(F_1) 400개체에서 나타난 표현형은 6가지이다.

이에 대한 설명으로 옳은 것만을 〈보기〉에서 있는 대로 고른 것은? (단, 돌연변이와 교차는 고려하지 않는다.)

〈보 기〉

ㄱ. R은 ⓐ이다.
ㄴ. ㉠에서 표현형이 D_H_R_인 개체 수와 ddhhR_인 개체 수의 비는 2:1이다.
ㄷ. (가)를 유전자형이 ddhhrr인 개체와 교배하여 자손을 얻을 때, 이 자손의 표현형이 ddH_rr일 확률은 $\frac{1}{4}$이다.

① ㄱ ② ㄷ ③ ㄱ, ㄴ ④ ㄱ, ㄷ ⑤ ㄴ, ㄷ

19학년도 7월 16번

06. 다음은 어떤 식물 종에서 표현형이 A_B_D_인 개체 P1과 P2의 유전 형질 (가)~(다)에 대한 자료이다.

> ○ (가)는 대립유전자 A와 a에 의해, (나)는 대립유전자 B와 b에 의해, (다)는 대립유전자 D와 d에 의해 결정된다. A, B, D는 a, b, d에 대해 각각 완전 우성이다.
> ○ (가)~(다)를 결정하는 유전자는 모두 서로 다른 염색체에 존재한다.
> ○ P1과 P2를 교배하여 얻은 ㉠ 자손(F_1) 1600개체 중 ㉡ 표현형이 aaB_dd인 개체가 있다.
> ○ P1을 자가 교배하여 얻은 자손(F_1) 1600개체의 표현형의 종류는 P2를 자가 교배하여 얻은 ㉢ 자손(F_1) 1600개체의 표현형의 종류보다 적다.

이에 대한 설명으로 옳은 것만을 〈보기〉에서 있는 대로 고른 것은? (단, 돌연변이와 교차는 고려하지 않는다.)

〈보 기〉

ㄱ. ㉠의 형질 (가)~(다)에 대한 유전자형은 최대 18가지이다.
ㄴ. ㉡과 P2를 교배하여 자손(F_1)을 얻을 때, 이 자손의 표현형이 P1과 같을 확률은 $\frac{1}{8}$이다.
ㄷ. ㉢에서 (가)와 (나)의 표현형이 모두 우성인 개체 수는 (가)와 (나)의 표현형이 모두 열성인 개체 수의 3배이다.

① ㄱ ② ㄴ ③ ㄷ ④ ㄱ, ㄴ ⑤ ㄱ, ㄷ

07. 다음은 어떤 식물 종자 색깔과 종자 모양 유전에 대한 자료이다.

- 종자 색깔과 종자 모양을 결정하는 유전자는 서로 다른 상염색체에 존재하며, 각각 1쌍의 대립유전자에 의해 결정된다.
- 종자 색깔을 결정하는 대립유전자는 2가지이며, 보라색 유전자는 노란색 유전자에 대해 완전 우성이다.
- 종자 모양을 결정하는 대립유전자는 2가지이며, 매끈한 표면 유전자는 주름진 표면 유전자에 대해 완전 우성이다.
- 표 (가)는 개체 Ⅰ ~ Ⅳ의 표현형을, (나)는 Ⅰ ~ Ⅳ를 각각 교배하여 얻은 자손(F_1) 1600개체 중 보라색, 매끈한 표면의 표현형을 갖는 개체 수를 나타낸 것이다.

개체	표현형
Ⅰ	보라색, 매끈한 표면
Ⅱ	보라색, 매끈한 표면
Ⅲ	노란색, 매끈한 표면
Ⅳ	보라색, 주름진 표면

(가)

교배	자손(F_1) 중 보라색, 매끈한 표면의 개체 수
Ⅰ × Ⅱ	㉠
Ⅰ × Ⅲ	800
Ⅱ × Ⅳ	ⓐ 600
Ⅲ × Ⅳ	400

(나)

이에 대한 설명으로 옳은 것만을 〈보기〉에서 있는 대로 고른 것은? (단, 돌연변이와 교차는 고려하지 않는다.)

〈보 기〉

ㄱ. ㉠은 900이다.
ㄴ. ⓐ 중 Ⅱ와 유전자형이 같은 개체 수는 150이다.
ㄷ. Ⅲ의 종자 모양에 대한 유전자형은 이형 접합성이다.

① ㄱ ② ㄴ ③ ㄷ ④ ㄱ, ㄷ ⑤ ㄴ, ㄷ

08. 표는 어떤 식물 종에서 유전자형이 AaBbDd인 개체 (가)와 (나)를 교배하여 얻은 자손(F_1) 400개체의 표현형에 따른 개체 수를 나타낸 것이다. 대립유전자 A, B, D는 대립유전자 a, b, d에 대해 각각 완전 우성이며, (가)에서 A, B, D는 같은 염색체에 있다.

표현형	A_B_D_	A_bbdd	aaB_D_
개체 수	200	100	100

이에 대한 설명으로 옳은 것만을 〈보기〉에서 있는 대로 고른 것은? (단, 돌연변이와 교차는 고려하지 않는다.)

〈보 기〉

ㄱ. (가)의 생식세포 중 유전자형이 abd인 생식세포의 비율은 $\frac{1}{2}$이다.
ㄴ. (나)에서 A와 B는 같은 염색체에 있다.
ㄷ. F_1에서 유전자형이 AABbDd인 개체 수와 AaBBDD인 개체 수의 비는 1:1이다

① ㄴ ② ㄷ ③ ㄱ, ㄴ ④ ㄱ, ㄷ ⑤ ㄱ, ㄴ, ㄷ

19학년도 3월 11번

09. 다음은 어떤 식물 종에서 유전자형이 AaBbDd인 개체 P에 대한 자료이다.

> ○ 대립유전자 A, B, D는 a, b, d에 대해 각각 완전 우성이며, 각 대립유전자 쌍은 서로 다른 형질을 결정한다.
> ○ 2쌍의 대립유전자는 같은 염색체에 있고, 나머지 1쌍의 대립유전자는 다른 염색체에 있다.
> ○ P를 자가 교배하여 ㉠ 자손(F_1) 800개체를 얻었다. ㉠에 유전자형이 AaBBDd인 개체가 있고, AAbbdd인 개체는 없다.

이에 대한 설명으로 옳은 것만을 〈보기〉에서 있는 대로 고른 것은? (단, 돌연변이와 교차는 고려하지 않는다.)

〈보 기〉

ㄱ. ㉠의 표현형은 4가지이다.
ㄴ. ㉠에 유전자형이 aaBbdd인 개체가 있다.
ㄷ. P를 유전자형이 aabbdd인 개체와 교배하여 자손(F_1)을 얻을 때, 이 자손의 표현형이 A_B_D_일 확률은 $\frac{1}{8}$이다.

① ㄱ ② ㄷ ③ ㄱ, ㄴ ④ ㄴ, ㄷ ⑤ ㄱ, ㄴ, ㄷ

19학년도 4월 19번

10. 다음은 어떤 식물 종에서 개체 P1~P3의 유전 형질 ㉠~㉢에 대한 자료이다.

> ○ ㉠은 대립유전자 A와 a, ㉡은 대립유전자 B와 b에 의해 결정된다. A는 a에 대해, B는 b에 대해 각각 완전 우성이다.
> ○ ㉢은 대립유전자 D와 d에 의해 결정되며, 유전자형이 DD, Dd, dd인 개체의 표현형은 서로 다르다.
> ○ ㉠~㉢에 대한 유전자형은 P1이 AaBbdd, P2가 aaBBDd, P3이 AaBbDd이다.
> ○ P1과 P3을 교배하여 얻은 자손(F_1) 800개체의 표현형은 4가지이고, P2와 P3을 교배하여 얻은 자손(F_1) 800개체의 표현형은 6가지이다.

이에 대한 설명으로 옳은 것만을 〈보기〉에서 있는 대로 고른 것은? (단, 돌연변이와 교차는 고려하지 않는다.)

〈보 기〉

ㄱ. P1에서 A와 B는 같은 염색체에 있다.
ㄴ. P1과 P2를 교배하여 자손(F_1)을 얻을 때, 이 자손에게서 나타날 수 있는 표현형은 최대 4가지이다.
ㄷ. P3을 자가 교배하여 자손(F_1)을 얻을 때, 이 자손의 표현형이 부모와 같을 확률은 $\frac{3}{8}$이다.

① ㄱ ② ㄷ ③ ㄱ, ㄴ ④ ㄴ, ㄷ ⑤ ㄱ, ㄴ, ㄷ

11. 다음은 사람의 유전 형질 (가)~(다)에 대한 자료이다.

> ○ (가)~(다)를 결정하는 유전자는 모두 상염색체에 있다.
> ○ (가)는 대립유전자 A와 a에 의해, (나)는 대립유전자 B와 b에 의해, (다)는 대립유전자 D와 d에 의해 결정된다.
> ○ (가)~(다) 중 2가지 형질은 각 유전자형에서 대문자로 표시되는 대립유전자가 소문자로 표시되는 대립유전자에 대해 완전 우성이다. 나머지 한 형질을 결정하는 대립유전자 사이의 우열 관계는 분명하지 않고, 3가지 유전자형에 따른 표현형이 모두 다르다.
> ○ 유전자형이 ㉠ AaBbDd인 아버지와 AaBBdd인 어머니 사이에서 ⓐ가 태어날 때, ⓐ에게서 나타날 수 있는 표현형은 최대 8가지이다.

ⓐ에서 (가)~(다) 중 적어도 2가지 형질에 대한 표현형이 ㉠과 같을 확률은? (단, 돌연변이와 교차는 고려하지 않는다.)

12. 다음은 어떤 식물 P의 3가지 유전 형질에 대한 자료이다.

> ○ 대립유전자 A는 a에 대해, B는 b에 대해 각각 완전 우성이다.
> ○ 대립유전자 D와 d 사이의 우열 관계는 분명하지 않으며, 유전자형이 DD, Dd, dd인 개체의 표현형은 서로 다르다.
> ○ P의 표현형은 A_B_Dd이다.
> ○ P를 자가 교배하여 얻은 ㉠ 자손(F_1)의 표현형은 최대 6가지이고, 이 자손(F_1) 중 유전자형이 aaBbDD인 개체가 있다.

이에 대한 설명으로 옳은 것만을 〈보기〉에서 있는 대로 고른 것은? (단, 돌연변이와 교차는 고려하지 않는다.)

〈보 기〉

ㄱ. P에서 대립유전자 A와 B는 같은 염색체에 있다.
ㄴ. P에서 형성되는 생식세포의 유전자형은 4가지이다.
ㄷ. ㉠에서 표현형이 aaB_DD인 개체와 A_bbDd인 개체를 교배하여 자손(F_2)을 얻을 때, 이 자손의 유전자형이 AabbDd일 확률은 $\frac{1}{6}$이다.

① ㄱ ② ㄴ ③ ㄷ ④ ㄱ, ㄴ ⑤ ㄴ, ㄷ

19학년도 10월 14번

13. 다음은 어떤 식물 종에서 유전자형이 AaBbDd인 개체 (가)의 유전 형질 ㉠~㉢에 대한 자료이다.

- ㉠은 대립유전자 A와 a에 의해, ㉡은 대립유전자 B와 b에 의해, ㉢은 대립유전자 D와 d에 의해 결정된다.
- ㉠~㉢ 중 2가지 형질은 대립유전자 사이의 우열 관계가 분명하지 않고, 유전자형에 따른 표현형이 모두 다르다. 나머지 한 형질은 대문자로 표시되는 대립유전자가 소문자로 표시되는 대립유전자에 대해 완전 우성이다.
- (가)를 자가 교배하여 얻은 ⓐ 자손(F_1) 1600개체에서 나타나는 표현형은 9가지이고, ㉡의 표현형의 가짓수는 ㉢의 표현형의 가짓수와 같다. ⓐ에 유전자형이 AABBDd인 개체가 있다.

이에 대한 설명으로 옳은 것만을 〈보기〉에서 있는 대로 고른 것은? (단, 돌연변이와 교차는 고려하지 않는다.)

〈보 기〉

ㄱ. A는 a에 대해 완전 우성이다.
ㄴ. (가)에서 B와 d가 같은 염색체에 있다.
ㄷ. ⓐ에서 유전자형이 (가)와 같은 개체의 비율은 $\frac{1}{8}$이다.

① ㄱ ② ㄴ ③ ㄱ, ㄷ ④ ㄴ, ㄷ ⑤ ㄱ, ㄴ, ㄷ

18학년도 수능 10번

14. 다음은 어떤 식물 종에서 유전자형이 AaBbDdEe인 개체 P1과 P2의 유전 형질 (가)~(라)에 대한 자료이다.

- (가)는 대립유전자 A와 a에 의해, (나)는 대립유전자 B와 b에 의해, (다)는 대립유전자 D와 d에 의해, (라)는 대립유전자 E와 e에 의해 결정된다. A, B, D, E는 a, b, d, e에 대해 각각 완전 우성이다.
- 표는 P1을 유전자형이 aabbddee인 개체와 교배하여 얻은 자손(F_1) 800개체의 표현형에 따른 개체 수를 나타낸 것이다.

표현형	A_B_ddee	A_bbddE_	aaB_D_ee	aabbD_E_
개체 수 (F_1)	200	200	200	200

- P1과 P2를 교배하여 얻은 ㉠ 자손(F_1) 800개체의 유전자형은 16가지이다.

이에 대한 설명으로 옳은 것만을 〈보기〉에서 있는 대로 고른 것은? (단, 돌연변이와 교차는 고려하지 않는다.)

〈보 기〉

ㄱ. ㉠의 표현형은 8가지이다.
ㄴ. P1에서 A와 d는 같은 염색체에 있다.
ㄷ. P2를 자가 교배하여 자손(F_1)을 얻을 때, 이 자손의 표현형이 A_bbD_ee일 확률은 $\frac{1}{8}$이다.

① ㄱ ② ㄴ ③ ㄷ ④ ㄱ, ㄷ ⑤ ㄴ, ㄷ

19학년도 수능 11번

15. 다음은 어떤 식물의 유전 형질 ㉠~㉣에 대한 자료이다.

> ○ ㉠은 대립유전자 A와 a에 의해, ㉡은 대립유전자 B와 b에 의해, ㉢은 대립유전자 D와 d에 의해, ㉣은 대립유전자 E와 e에 의해 결정된다.
> ○ ㉠~㉣ 중 3가지 형질은 각 유전자형에서 대문자로 표시되는 대립유전자가 소문자로 표시되는 대립유전자에 대해 완전 우성이다. ⓐ 나머지 한 형질을 결정하는 대립유전자 사이의 우열 관계는 분명하지 않고, 3가지 유전자형에 따른 표현형이 모두 다르다.
> ○ 유전자형이 ⓑ AaBbDdEe인 개체를 자가 교배하여 얻은 자손(F_1) 3200개체의 표현형은 18가지이다.
> ○ 유전자형이 AABbddEe인 개체와 AaBbDDee인 개체를 교배하여 얻은 자손(F_1) 3200개체의 표현형은 3가지이며, 이 개체들에서 유전자형이 ⓒ AabbDdEe인 개체가 있다.

이에 대한 설명으로 옳은 것만을 〈보기〉에서 있는 대로 고른 것은? (단, 돌연변이와 교차는 고려하지 않는다.)

〈보 기〉

ㄱ. ⓐ는 ㉢이다.
ㄴ. ⓑ에서 B와 e는 같은 염색체에 있다.
ㄷ. ⓑ와 ⓒ를 교배하여 자손(F_1)을 얻을 때, 이 자손의 표현형이 ⓒ와 같을 확률은 $\frac{3}{16}$이다.

① ㄱ ② ㄴ ③ ㄱ, ㄴ ④ ㄴ, ㄷ ⑤ ㄱ, ㄴ, ㄷ

20학년도 6월 17번

16. 다음은 어떤 식물 종에서 유전자형이 AaBbDdEe인 개체 P1과 P2의 유전 형질 ㉠~㉣에 대한 자료이다.

> ○ ㉠은 대립유전자 A와 a에 의해, ㉡은 대립유전자 B와 b에 의해, ㉢은 대립유전자 D와 d에 의해, ㉣은 대립유전자 E와 e에 의해 결정된다.
> ○ ㉠~㉣ 중 2가지 형질은 각 유전자형에서 대문자로 표시되는 대립유전자가 소문자로 표시되는 대립유전자에 대해 완전 우성이다. 나머지 2가지 형질은 각 형질을 결정하는 대립유전자 사이의 우열 관계가 분명하지 않으며, 각각 3가지 유전자형에 따른 표현형이 모두 다르다.
> ○ P1을 자가 교배하여 얻은 ⓐ 자손(F_1) 1600개체의 표현형은 9가지이고, 이 개체들에서 유전자형이 aaBBddEE인 개체와 ⓑ AABBddee인 개체가 있다.
> ○ P2를 자가 교배하여 얻은 ⓒ 자손(F_1) 1600개체의 표현형은 9가지이고, 이 개체들에서 유전자형이 aaBBDDee인 개체와 AABBDDEE인 개체가 있다.
> ○ ⓐ에서 유전자형이 AaBBddEe인 개체와 ⓒ에서 유전자형이 AABbDdEE인 개체를 교배하여 ⓓ 자손(F_1)을 얻을 때, 이 자손에게서 나타날 수 있는 ㉡의 표현형의 최대 가짓수는 ㉠의 표현형의 최대 가짓수보다 많다.

이에 대한 설명으로 옳은 것만을 〈보기〉에서 있는 대로 고른 것은? (단, 돌연변이와 교차는 고려하지 않는다.)

〈보 기〉

ㄱ. ⓑ에서 A와 d는 같은 염색체에 있다.
ㄴ. ㉣은 유전자형에 따른 표현형이 모두 다르다.
ㄷ. ⓓ에서 나타날 수 있는 표현형은 최대 8가지이다.

① ㄱ ② ㄴ ③ ㄷ ④ ㄱ, ㄴ ⑤ ㄴ, ㄷ

16학년도 9월 7번

17. 다음은 어떤 동물의 3가지 유전 형질에 대한 자료이다.

- 이 동물의 꼬리 길이는 대립유전자 A와 a, 털색은 대립유전자 B와 b, 뿔의 유무는 대립유전자 H와 H*에 의해 결정된다.
- A는 a에 대해, B는 b에 대해 각각 완전 우성이다.
- 표는 수컷과 암컷에서 유전자형에 따른 뿔의 유무를 나타낸 것이다.

유전자형	수컷	암컷
HH	○	○
HH*	○	×
H*H*	×	×

(○ : 뿔 있음, × : 뿔 없음)

- 꼬리 길이를 결정하는 유전자는 털색을 결정하는 유전자와 서로 다른 상염색체에 존재하고, 뿔의 유무를 결정하는 유전자와는 같은 상염색체에 존재한다.
- ㉠ 긴 꼬리, 검은색 털, 뿔이 있는 수컷과 ㉡ 긴 꼬리, 검은색 털, 뿔이 없는 암컷을 교배하여 자손(F_1)을 얻었다. 표는 이 자손 중 ㉢과 ㉣의 표현형과 성별을 나타낸 것이다.

F_1	표현형	성별
㉢	긴 꼬리, 회색 털, 뿔 없음	수컷
㉣	짧은 꼬리, 회색 털, 뿔 있음	암컷

이에 대한 설명으로 옳은 것만을 〈보기〉에서 있는 대로 고른 것은? (단, 돌연변이와 교차는 고려하지 않는다.)

〈보 기〉

ㄱ. ㉠에서 a, B, H를 모두 가진 생식세포가 만들어진다.
ㄴ. ㉢의 꼬리 길이 유전자형은 이형 접합성이다.
ㄷ. 3가지 형질의 유전자형이 ㉢과 같은 수컷을 ㉡과 교배하여 자손(F_1)이 태어날 때, 이 자손 중 수컷에게서 나타날 수 있는 표현형은 최대 4가지이다.

① ㄱ ② ㄷ ③ ㄱ, ㄴ ④ ㄱ, ㄷ ⑤ ㄴ, ㄷ

18학년도 9월 11번

18. 다음은 어떤 동물의 2가지 유전 형질에 대한 자료이다.

- 꼬리 길이는 긴 꼬리 대립유전자 A와 짧은 꼬리 대립유전자 a에 의해 결정되고, A는 a에 대해 완전 우성이다.
- 뿔의 유무는 대립유전자 B와 B*에 의해 결정된다.
- 꼬리 길이를 결정하는 유전자와 뿔의 유무를 결정하는 유전자는 같은 상염색체에 존재한다.
- 표는 암컷과 수컷에서 유전자형에 따른 뿔의 유무를 나타낸 것이다.

유전자형	암컷	수컷
BB	○	○
BB*	×	○
B*B*	×	×

(○ : 뿔 있음, × : 뿔 없음)

- 유전자형이 AaBB*인 암수를 교배하여 자손(F_1)을 얻었다. 표는 F_1 중 ㉠과 ㉡의 표현형과 성별을 나타낸 것이다.

F_1	표현형	성별
㉠	긴 꼬리, 뿔 있음	암컷
㉡	짧은 꼬리, 뿔 있음	수컷

㉠과 ㉡을 교배하여 자손(F_2)을 얻을 때, 이 자손이 긴 꼬리와 뿔을 가질 확률은? (단, 돌연변이와 교차는 고려하지 않는다.)

19. 다음은 사람의 유전 형질 (가)~(라)에 대한 자료이다.

- (가)~(다)의 유전자는 서로 다른 3개의 상염색체에 있다.
- (가)는 대립유전자 A와 a에 의해, (나)는 대립유전자 B와 b에 의해, (다)는 대립유전자 D와 d에 의해 결정된다. A, B, D는 a, b, d에 대해 각각 완전 우성이며, (가)~(다)는 모두 열성 형질이다.
- 표는 남자 P와 여자 Q의 유전자형에서 B, D, d의 유무를 나타낸 것이고, 그림은 P와 Q 사이에서 태어난 자녀 Ⅰ~Ⅲ에서 체세포 1개당 A, B, D의 DNA 상대량을 더한 값(A+B+D)을 나타낸 것이다.

사람	대립유전자		
	B	D	d
P	×	×	○
Q	?	○	×

(○ : 있음, × : 없음)

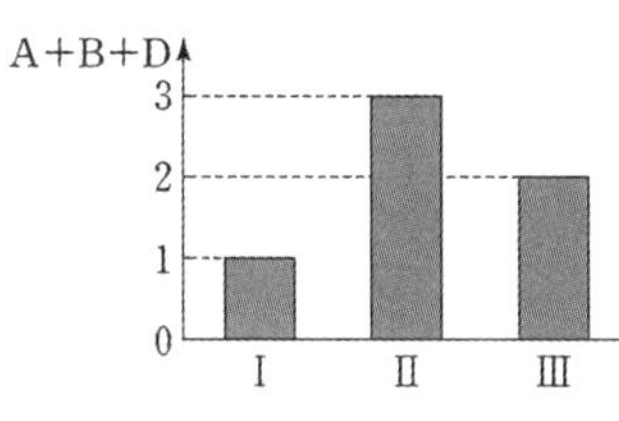

- (가)와 (나) 중 한 형질에 대해서만 P와 Q의 유전자형이 서로 같다.
- 자녀 Ⅱ와 Ⅲ은 (가)~(다)의 표현형이 모두 같다.

이에 대한 설명으로 옳은 것만을 〈보기〉에서 있는 대로 고른 것은? (단, 돌연변이는 고려하지 않으며, A, a, B, b, D, d 각각의 1개당 DNA 상대량은 1이다.)

〈보 기〉

ㄱ. P와 Q는 (나)의 유전자형이 서로 같다.
ㄴ. Ⅱ의 (가)~(다)에 대한 유전자형은 AAbbDd이다.
ㄷ. Ⅲ의 동생이 태어날 때, 이 아이의 (가)~(다)의 표현형이 모두 Ⅲ과 같을 확률은 $\frac{3}{8}$이다.

① ㄱ ② ㄴ ③ ㄱ, ㄷ ④ ㄴ, ㄷ ⑤ ㄱ, ㄴ, ㄷ

20. 다음은 사람의 유전 형질 (가)~(라)에 대한 자료이다.

- (가)는 대립유전자 A와 a에 의해, (나)는 대립유전자 B와 b에 의해, (다)는 대립유전자 D와 d에 의해, (라)는 대립유전자 E와 e에 의해 결정된다. A는 a에 대해, B는 b에 대해, D는 d에 대해, E는 e에 대해 각각 완전 우성이다.
- (가)~(라)의 유전자는 서로 다른 2개의 상염색체에 있고, (가)~(다)의 유전자는 (라)의 유전자와 다른 염색체에 있다.
- (가)~(라)의 표현형이 모두 우성인 부모 사이에서 ⓐ가 태어날 때, ⓐ의 (가)~(라)의 표현형이 모두 부모와 같을 확률은 $\frac{3}{16}$이다.

ⓐ가 (가)~(라) 중 적어도 2가지 형질의 유전자형을 이형 접합성으로 가질 확률은? (단, 돌연변이와 교차는 고려하지 않는다.)

15학년도 9월 15번

21. 어떤 동물에서 형질 ㉠은 한 쌍의 대립유전자에 의해, 형질 ㉡은 세 쌍의 대립유전자에 의해 결정된다. 그림 (가)는 ㉠의, (나)는 ㉡의 표현형에 따른 개체 수를 나타낸 것이다. ㉡의 표현형은 유전자형에서 대문자로 표시되는 대립유전자의 수에 의해서만 결정되며, 이 대립유전자의 수가 다르면 ㉡의 표현형이 다르다. A, E, F, G 유전자는 서로 다른 상염색체에 있다.

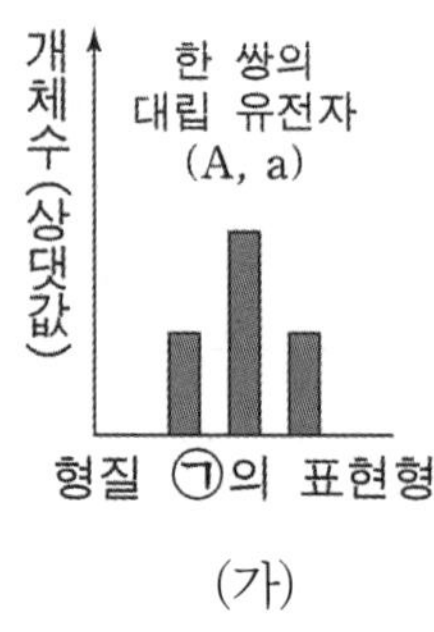

(가)

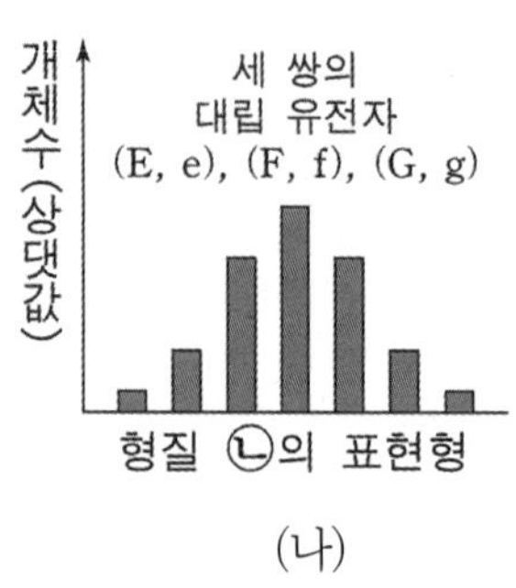

(나)

이에 대한 설명으로 옳은 것만을 〈보기〉에서 있는 대로 고른 것은? (단, 돌연변이와 교차는 없으며, 각 형질에서 그림에 나타난 표현형만을 고려한다.)

〈보 기〉

ㄱ. ㉠에 대한 대립유전자 사이의 우열 관계는 분명하지 않다.
ㄴ. ㉡의 유전은 복대립 유전이다.
ㄷ. ㉡의 유전자형이 EeFfGg인 개체와 eeffgg인 개체 사이에서 자손이 태어날 때, 이 자손에게서 나타날 가능성이 있는 표현형은 최대 7가지이다.

① ㄱ ② ㄴ ③ ㄷ ④ ㄱ, ㄷ ⑤ ㄴ, ㄷ

16학년도 6월 13번

22. 다음은 사람의 눈 색 유전에 대한 자료이다.

- 눈 색을 결정하는 데 관여하는 2개의 유전자는 서로 다른 상염색체에 있으며, 2개의 유전자는 각각 대립유전자 A와 a, 대립유전자 B와 b를 갖는다.
- 눈 색의 표현형은 유전자형에서 대문자로 표시되는 대립유전자의 수에 의해서만 결정되며, 대문자로 표시되는 대립유전자가 많을수록 더 짙은 색을 나타낸다.

이 자료에 대한 설명으로 옳은 것만을 〈보기〉에서 있는 대로 고른 것은? (단, 돌연변이와 교차는 고려하지 않는다.)

〈보 기〉

ㄱ. A와 a 사이, B와 b 사이의 우열 관계는 분명하지 않다.
ㄴ. 유전자형이 AaBb와 aabb인 부모 사이에서 아이가 태어날 때, 이 아이에게서 나타날 수 있는 눈 색 표현형은 최대 4가지이다.
ㄷ. 유전자형이 모두 AaBb인 부모 사이에서 아이가 태어날 때, 부모보다 눈 색이 더 짙은 아이가 태어날 확률은 $\frac{3}{8}$이다.

① ㄱ ② ㄷ ③ ㄱ, ㄴ ④ ㄱ, ㄷ ⑤ ㄴ, ㄷ

17학년도 3월 10번

23. 다음은 어떤 식물의 유전 형질 (가)에 대한 자료이다.

- (가)는 서로 다른 염색체에 있는 2쌍의 대립유전자 A와 a, B와 b에 의해 결정된다.
- (가)에 대한 표현형은 유전자형에서 대문자로 표시되는 대립유전자의 수에 의해서만 결정되며, 대문자로 표시되는 대립유전자의 수가 다르면 (가)에 대한 표현형이 다르다.
- 유전자형이 AaBb인 개체 P를 자가 교배하여 개체 ⓕ를 얻을 때, ⓕ에게서 나타날 수 있는 (가)에 대한 표현형은 최대 ㉠가지이다.

이에 대한 설명으로 옳은 것만을 〈보기〉에서 있는 대로 고른 것은? (단, 돌연변이와 교차는 고려하지 않는다.)

〈보 기〉

ㄱ. (가)는 다인자 유전이다.
ㄴ. ㉠은 5이다.
ㄷ. ⓕ의 (가)에 대한 표현형이 P와 다를 확률은 $\frac{5}{8}$이다.

① ㄱ ② ㄷ ③ ㄱ, ㄴ ④ ㄴ, ㄷ ⑤ ㄱ, ㄴ, ㄷ

16학년도 4월 14번

24. 다음은 어떤 생물의 유전 형질 ㉠에 대한 자료이다.

- ㉠은 서로 다른 상염색체에 존재하는 3쌍의 대립유전자 A와 a, B와 b, D와 d에 의해 결정된다.
- ㉠의 표현형은 유전자형에서 대문자로 표시되는 대립유전자의 수에 의해서만 결정되며, 이 대립유전자의 수가 다르면 ㉠의 표현형이 서로 다르다.

이에 대한 설명으로 옳은 것만을 〈보기〉에서 있는 대로 고른 것은? (단, 돌연변이와 교차는 고려하지 않는다.)

〈보 기〉

ㄱ. ㉠의 유전은 복대립 유전이다.
ㄴ. 유전자형이 AaBbDd인 개체와 AaBBdd인 개체의 표현형은 서로 같다.
ㄷ. 유전자형이 AaBbDd인 두 개체 사이에서 자손이 태어날 때, 이 자손에게서 나타날 수 있는 표현형은 최대 6가지이다.

① ㄱ ② ㄴ ③ ㄷ ④ ㄱ, ㄴ ⑤ ㄴ, ㄷ

20학년도 3월 15번

25.

다음은 어떤 동물의 피부색 유전에 대한 자료이다.

> ○ 피부색은 서로 다른 상염색체에 있는 3쌍의 대립유전자 A와 a, B와 b, D와 d에 의해 결정된다.
> ○ 피부색은 유전자형에서 대문자로 표시되는 대립유전자의 수에 의해서만 결정되며, 이 대립유전자의 수가 다르면 피부색이 다르다.
> ○ 개체 Ⅰ의 유전자형은 aabbDD이다.
> ○ 개체 Ⅰ과 Ⅱ 사이에서 ㉠ 자손(F_1)이 태어날 때, ㉠의 유전자형이 AaBbDd일 확률은 $\frac{1}{8}$이다.

이에 대한 설명으로 옳은 것만을 〈보기〉에서 있는 대로 고른 것은? (단, 돌연변이와 교차는 고려하지 않는다.)

〈보 기〉

ㄱ. Ⅰ과 Ⅱ의 피부색은 서로 다르다.
ㄴ. Ⅱ에서 A, B, D가 모두 있는 생식세포가 형성된다.
ㄷ. ㉠의 피부색이 Ⅰ과 같을 확률은 $\frac{3}{8}$이다.

① ㄱ ② ㄷ ③ ㄱ, ㄴ ④ ㄴ, ㄷ ⑤ ㄱ, ㄴ, ㄷ

13학년도 10월 14번

26.

표는 어떤 식물 종이 갖는 유전 형질 ㉠, ㉡의 특징과 식물 P에서 유전자의 위치를 염색체에 나타낸 것이다.

㉠의 특징	한 쌍의 대립유전자에 의해 결정된다. 대립유전자에는 A와 a가 있으며, A는 a에 대해 완전 우성이다.
㉡의 특징	두 쌍의 대립유전자에 의해 결정된다. 대립유전자에는 B와 b, D와 d가 있다. 표현형은 대립유전자 B와 D의 개수에 따라 결정되며, B와 D가 표현형에 영향을 미치는 정도는 동일하다.
유전자의 위치	A a B b D d

이에 대한 설명으로 옳은 것만을 〈보기〉에서 있는 대로 고른 것은? (단, 제시된 자료 이외의 유전자, 돌연변이, 교차는 고려하지 않는다.)

〈보 기〉

ㄱ. ㉠의 표현형은 2가지, ㉡의 표현형은 5가지이다.
ㄴ. P에서 형성되는 생식세포의 유전자형은 8가지이다.
ㄷ. P를 자가 교배시키면 P와 동일한 표현형을 가진 개체가 나올 수 있다.

① ㄱ ② ㄷ ③ ㄱ, ㄴ ④ ㄴ, ㄷ ⑤ ㄱ, ㄴ, ㄷ

17학년도 4월 9번

27. 다음은 사람의 유전 형질 (가)와 (나)에 대한 자료이다.

- (가)는 대립유전자 A와 a에 의해 결정되며, 유전자형이 AA, Aa, aa인 개체의 표현형은 서로 다르다.
- (나)는 2쌍의 대립유전자 B와 b, D와 d에 의해 결정된다.
- (나)의 표현형은 유전자형에서 대문자로 표시되는 대립유전자의 수에 의해서만 결정되며, 이 대립유전자의 수가 다르면 (나)의 표현형이 다르다.
- (가)와 (나)를 결정하는 유전자는 서로 다른 3개의 상염색체에 존재한다.

유전자형이 AaBbDd인 부모 사이에서 아이가 태어날 때, 이 아이에게서 (가)와 (나)의 표현형이 부모와 같을 확률은? (단, 돌연변이와 교차는 고려하지 않는다.)

17학년도 6월 18번

28. 다음은 어떤 동물의 유전 형질 ㉠과 ㉡에 대한 자료이다.

- ㉠은 3쌍의 대립유전자 A와 a, B와 b, D와 d에 의해 결정된다.
- ㉠의 표현형은 유전자형에서 대문자로 표시되는 대립유전자의 수에 의해서만 결정되며, 이 대립유전자의 수가 다르면 ㉠의 표현형이 다르다.
- ㉡은 대립유전자 E와 e에 의해 결정되며, E는 e에 대해 완전 우성이다.
- A, B, D, E 유전자는 각각 서로 다른 상염색체에 있다.

이 자료에 대한 설명으로 옳은 것만을 〈보기〉에서 있는 대로 고른 것은? (단, 돌연변이와 교차는 고려하지 않는다.)

〈보 기〉

ㄱ. 유전자형이 AaBbDdEe인 개체에서 형성될 수 있는 생식세포의 유전자형은 최대 14가지이다.
ㄴ. 유전자형이 AaBbDdEe인 개체와 aabbddee인 개체 사이에서 자손(F_1)이 태어날 때, 이 자손에게서 나타날 수 있는 표현형은 최대 8가지이다.
ㄷ. 유전자형이 AaBbDdEe인 암수를 교배하여 자손(F_1)이 태어날 때, 이 자손의 표현형이 부모와 같을 확률은 $\frac{5}{32}$이다.

① ㄱ ② ㄴ ③ ㄷ ④ ㄱ, ㄴ ⑤ ㄴ, ㄷ

18학년도 3월 16번

29. 다음은 어떤 동물의 털색 유전에 대한 자료이다.

- 털색은 서로 다른 상염색체에 존재하는 2쌍의 대립유전자 A와 a, B와 b에 의해 결정된다.
- 털색은 유전자형에서 대문자로 표시되는 대립유전자의 수에 의해서만 결정되며, 대문자로 표시되는 대립유전자의 수가 다르면 털색이 서로 다르다.
- 유전자형이 AaBb인 암컷과 Aabb인 수컷을 교배하여 자손(F_1)을 얻었다.

이에 대한 설명으로 옳은 것만을 〈보기〉에서 있는 대로 고른 것은? (단, 돌연변이와 교차는 고려하지 않는다.)

〈보 기〉

ㄱ. 털색의 유전은 복대립 유전이다.
ㄴ. 자손(F_1)에서 나타날 수 있는 털색의 종류는 최대 4가지이다.
ㄷ. 자손(F_1)의 털색이 부모 모두와 다를 확률은 $\frac{3}{8}$이다.

① ㄱ ② ㄴ ③ ㄷ ④ ㄱ, ㄷ ⑤ ㄴ, ㄷ

22학년도 3월 16번

30. 다음은 사람의 유전 형질 (가)에 대한 자료이다.

- (가)는 서로 다른 상염색체에 있는 2쌍의 대립유전자 D와 d, E와 e에 의해 결정된다.
- (가)의 표현형은 유전자형에서 대문자로 표시되는 대립유전자의 수에 의해서만 결정되며, 이 대립유전자의 수가 다르면 표현형이 다르다.
- 그림은 남자 P의 체세포와 여자 Q의 체세포에 들어 있는 일부 염색체와 유전자를 나타낸 것이다. ㉠은 E와 e 중 하나이다.

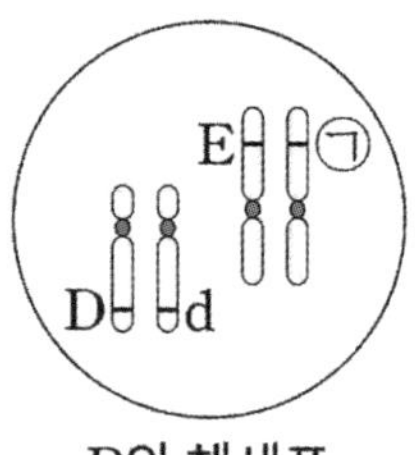

P의 체세포

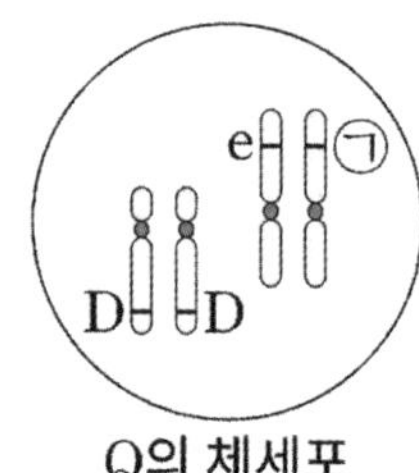

Q의 체세포

- P와 Q 사이에서 ⓐ가 태어날 때, ⓐ가 유전자형이 DdEe인 사람과 (가)의 표현형이 같을 확률은 $\frac{1}{4}$이다.

이에 대한 옳은 설명만을 〈보기〉에서 있는 대로 고른 것은? (단, 돌연변이는 고려하지 않는다.)

〈보 기〉

ㄱ. (가)는 다인자 유전 형질이다.
ㄴ. ㉠은 E이다.
ㄷ. ⓐ의 (가)의 표현형이 P와 같을 확률은 $\frac{1}{4}$이다.

① ㄱ ② ㄷ ③ ㄱ, ㄴ ④ ㄴ, ㄷ ⑤ ㄱ, ㄴ, ㄷ

31. 다음은 어떤 식물의 꽃 색 유전에 대한 자료이다.

- 꽃 색은 3쌍의 대립유전자 A와 a, B와 b, D와 d에 의해 결정되며, 유전자형에서 대문자로 표시되는 대립유전자의 개수가 다르면 표현형이 다르다.
- 꽃 색을 결정하는 유전자는 서로 다른 상염색체에 존재한다.
- 표는 대문자로 표시되는 대립유전자의 개수에 따라 나타나는 표현형을 (가)~(다)로 구분한 것이다.

구분	대문자로 표시되는 대립유전자의 개수(개)
(가)	5, 6
(나)	3, 4
(다)	0, 1, 2

- 유전자형이 AaBbDd인 개체와 ㉠ (다)의 한 개체를 교배하여 얻은 ㉡ 자손(F_1) 400개체에서 (나)에 해당하는 개체 수와 (다)에 해당하는 개체 수의 비는 1:1이다.

이에 대한 설명으로 옳은 것만을 〈보기〉에서 있는 대로 고른 것은? (단, 돌연변이와 교차는 고려하지 않는다.)

〈보 기〉

ㄱ. ㉠은 대문자로 표시되는 대립유전자가 2개이다.

ㄴ. ㉠을 자가 교배하여 자손(F_1)을 얻을 때, 이 자손의 꽃 색에 대한 표현형은 최대 2가지이다.

ㄷ. ㉡에서 대문자로 표시되는 대립유전자를 4개 갖는 개체의 비율은 $\frac{1}{8}$이다.

① ㄱ ② ㄴ ③ ㄷ ④ ㄱ, ㄴ ⑤ ㄱ, ㄷ

32. 다음은 사람의 유전 형질 ㉠에 대한 자료이다.

- ㉠은 서로 다른 4개의 상염색체에 있는 4쌍의 대립유전자 A와 a, B와 b, D와 d, E와 e에 의해 결정된다.
- ㉠의 표현형은 ㉠에 대한 유전자형에서 대문자로 표시되는 대립유전자의 수에 의해서만 결정된다.
- 표는 사람 (가)~(마)의 ㉠에 대한 유전자형에서 대문자로 표시되는 대립유전자의 수와 동형 접합성을 이루는 대립유전자 쌍의 수를 나타낸 것이다.

사람	대문자로 표시되는 대립유전자 수	동형 접합성을 이루는 대립유전자 쌍의 수
(가)	2	?
(나)	4	2
(다)	3	1
(라)	7	?
(마)	5	3

- (가)~(라) 중 2명은 (마)의 부모이다.
- (가)~(마)는 B와 b 중 한 종류만 갖는다.
- (가)와 (나)는 e를 갖지 않고, (라)는 e를 갖는다.

이에 대한 설명으로 옳은 것만을 〈보기〉에서 있는 대로 고른 것은? (단, 돌연변이와 교차는 고려하지 않는다.)

〈보 기〉

ㄱ. (마)의 부모는 (나)와 (다)이다.

ㄴ. (가)에서 생성될 수 있는 생식세포의 ㉠에 대한 유전자형은 최대 2가지이다.

ㄷ. (마)의 동생이 태어날 때, 이 아이의 ㉠에 대한 표현형이 (나)와 같을 확률은 $\frac{3}{16}$이다.

① ㄱ ② ㄴ ③ ㄷ ④ ㄱ, ㄷ ⑤ ㄴ, ㄷ

16학년도 수능 15번

33. 다음은 어떤 동물의 털색 유전에 대한 자료이다.

○ 털색 결정에 관여하는 2쌍의 대립유전자는 H와 h, R와 R은 서로 다른 상염색체에 있으며, H는 h에 대해, R은 r에 대해 각각 완전 우성이다.
○ 표는 H, h, R, r의 특성을 나타낸 것이며, H와 h는 털의 색소 합성에 관여하고 R와 R은 털색의 발현에 관여한다.

유전자	특성
H	검은색 색소가 합성됨
h	갈색 색소가 합성됨
R	합성된 색소가 착색되어 털색이 나타남
r	합성된 색소가 착색되지 못해 흰색 털이 나타남

○ 유전자형이 HhRr인 암수를 교배하여 자손(F_1)을 얻었다. 이 자손의 표현형에 따른 비는 ㉠ 검은색 : 흰색 : ㉡ 갈색 = 9 : 4 : 3이다.

이 자료에 대한 설명으로 옳은 것만을 〈보기〉에서 있는 대로 고른 것은? (단, 돌연변이와 교차는 고려하지 않는다.)

〈보 기〉

ㄱ. 유전자형이 hhRr인 암수를 교배하여 자손(F_1)이 태어날 때, 이 자손에게서 나타날 수 있는 표현형은 최대 2가지이다.
ㄴ. ㉠의 유전자형은 최대 3가지이다.
ㄷ. F_1에서 ㉠의 암컷과 ㉡의 수컷을 교배하여 자손(F_2)이 태어날 때, 이 자손에게서 흰색 털이 나타날 확률은 $\frac{1}{4}$이다.

① ㄱ ② ㄴ ③ ㄱ, ㄷ ④ ㄴ, ㄷ ⑤ ㄱ, ㄴ, ㄷ

19학년도 수능 16번

34. 다음은 어떤 식물의 종자 껍질 색 유전에 대한 자료이다.

○ 종자 껍질 색은 2쌍의 대립유전자 A와 a, B와 b에 의해 결정되며, A는 a에 대해, B는 b에 대해 각각 완전 우성이다.
○ 표 (가)는 A, a, B, b의 특성을, (나)는 색소 합성 여부에 따른 종자 껍질 색을 나타낸 것이다.

대립유전자	특성
A	검은색 색소가 합성됨
a	검은색 색소가 합성 안 됨
B	회색 색소가 합성됨
b	회색 색소가 합성 안 됨

(가)

색소 합성 여부		종자 껍질 색
검은색	회색	
○	○	검은색
○	×	검은색
×	○	회색
×	×	흰색

(○ : 합성됨, × : 합성 안 됨)

(나)

○ 종자 껍질 색이 검은색인 개체 P를 자가 교배하여 자손(F_1) 1600개체를 얻었다. 이 자손의 표현형에 따른 비는 ㉠ 검은색 : ㉡ 회색 : 흰색 = 12 : 3 : 1이다.

F_1에서 ㉠의 개체와 ㉡의 개체를 교배하여 자손(F_2)을 얻을 때, 이 자손의 종자 껍질 색이 검은색일 확률은? (단, 돌연변이와 교차는 고려하지 않는다.)

19학년도 6월 19번

35. 다음은 식물 종 P의 종자 껍질 색 유전에 대한 자료이다.

○ 종자 껍질 색은 대립유전자 A와 a, B와 b, D와 d에 의해 결정되며, A, B, D는 a, b, d에 대해 각각 완전 우성이다. 종자 껍질 색을 결정하는 유전자는 서로 다른 3개의 상염색체에 존재한다.
○ 종자 껍질 색의 표현형은 2가지이며, A_B_D_는 자주색, 나머지는 흰색이다.
○ 표는 ㉠ 종자 껍질 색이 자주색인 개체를 유전자형이 aabbDD와 aaBBdd인 개체와 각각 교배하여 얻은 자손(F_1)의 표현형에 따른 개체 수를 모두 나타낸 것이다.

㉠과 교배한 개체의 유전자형	F_1 표현형	개체 수
aabbDD	흰색	400
	자주색	400
aaBBdd	ⓐ 흰색	600
	ⓑ 자주색	200

이에 대한 설명으로 옳은 것만을 〈보기〉에서 있는 대로 고른 것은? (단, 돌연변이와 교차는 고려하지 않는다.)

〈보 기〉

ㄱ. ㉠의 유전자형은 AaBbDD이다.
ㄴ. ⓐ 개체들에서 형성될 수 있는 생식세포의 유전자형은 3가지이다.
ㄷ. ⓑ 개체와 유전자형이 aabbdd인 개체를 교배하여 자손(F_1)을 얻을 때, 이 자손의 종자 껍질 색이 자주색일 확률은 $\frac{1}{4}$이다.

① ㄱ ② ㄴ ③ ㄷ ④ ㄱ, ㄴ ⑤ ㄴ, ㄷ

22학년도 9월 15번

36. 다음은 사람의 유전 형질 (가)와 (나)에 대한 자료이다.

○ (가)는 서로 다른 3개의 상염색체에 있는 3쌍의 대립유전자 A와 a, B와 b, D와 d에 의해 결정된다.
○ (가)의 표현형은 유전자형에서 대문자로 표시되는 대립유전자의 수에 의해서만 결정되며, 이 대립유전자의 수가 다르면 표현형이 다르다.
○ (나)는 대립유전자 E와 e에 의해 결정되며, 유전자형이 다르면 표현형이 다르다. (나)의 유전자는 (가)의 유전자와 서로 다른 상염색체에 있다.
○ P와 Q는 (가)의 표현형이 서로 같고, (나)의 표현형이 서로 다르다.
○ P와 Q 사이에서 ⓐ가 태어날 때, ⓐ의 표현형이 P와 같을 확률은 $\frac{3}{16}$이다.
○ ⓐ는 유전자형이 AABBDDEE인 사람과 같은 표현형을 가질 수 있다.

ⓐ에게서 나타날 수 있는 표현형의 최대 가짓수는? (단, 돌연변이는 고려하지 않는다.)

24학년도 6월 19번

37. 다음은 사람의 유전 형질 (가)와 (나)에 대한 자료이다.

○ (가)는 서로 다른 3개의 상염색체에 있는 3쌍의 대립유전자 A와 a, B와 b, D와 d에 의해 결정된다.
○ (가)의 표현형은 유전자형에서 대문자로 표시되는 대립유전자의 수에 의해서만 결정되며, 이 대립유전자의 수가 다르면 표현형이 다르다.
○ (나)는 대립유전자 E와 e에 의해 결정되며, 유전자형이 다르면 표현형이 다르다. (나)의 유전자는 (가)의 유전자와 서로 다른 상염색체에 있다.
○ P의 유전자형은 AaBbDdEe이고, P와 Q는 (가)의 표현형이 서로 같다.
○ P와 Q 사이에서 ⓐ가 태어날 때, ⓐ에게서 나타날 수 있는 (가)와 (나)의 표현형은 최대 15가지이다.

ⓐ가 유전자형이 AabbDdEe인 사람과 (가)와 (나)의 표현형이 모두 같을 확률은? (단, 돌연변이는 고려하지 않는다.)

22학년도 7월 10번

38. 다음은 사람의 유전 형질 ㉠에 대한 자료이다.

- ㉠을 결정하는 3개의 유전자는 각각 대립유전자 A와 a, B와 b, D와 d를 갖는다.
- ㉠의 유전자 중 A와 a, B와 b는 상염색체에, D와 d는 X 염색체에 있다.
- ㉠의 표현형은 유전자형에서 대문자로 표시되는 대립유전자의 수에 의해서만 결정되며, 이 대립유전자의 수가 다르면 표현형이 다르다.
- 그림은 철수네 가족에서 아버지의 생식세포에 들어 있는 일부 염색체와 유전자를, 표는 이 가족의 ㉠의 유전자형에서 대문자로 표시되는 대립유전자의 수를 나타낸 것이다. ⓐ~ⓒ는 아버지, 어머니, 누나를 순서 없이 나타낸 것이다.

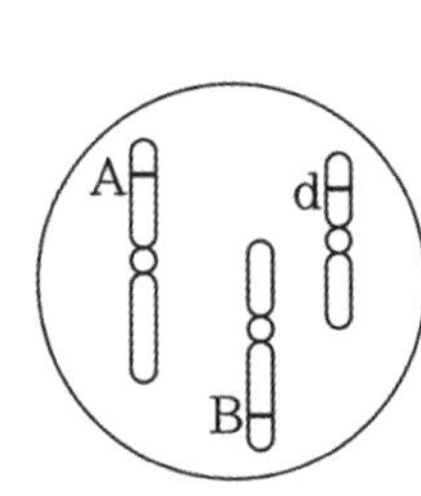

구성원	㉠의 유전자형에서 대문자로 표시되는 대립유전자의 수
ⓐ	4
ⓑ	3
ⓒ	2
철수	0

이에 대한 옳은 설명만을 〈보기〉에서 있는 대로 고른 것은? (단, 돌연변이는 고려하지 않는다.)

〈보 기〉

ㄱ. 어머니는 ⓑ이다.
ㄴ. 누나의 체세포에는 a와 b가 모두 있다.
ㄷ. 철수의 동생이 태어날 때, 이 아이의 ㉠에 대한 표현형이 아버지와 같을 확률은 $\frac{5}{16}$이다.

① ㄱ ② ㄴ ③ ㄱ, ㄷ ④ ㄴ, ㄷ ⑤ ㄱ, ㄴ, ㄷ

17학년도 9월 17번

39. 다음은 사람의 유전 형질 (가)에 대한 자료이다.

- (가)를 결정하는 데 관여하는 3개의 유전자는 서로 다른 2개의 상염색체에 있으며, 3개의 유전자는 각각 대립유전자 A와 a, B와 b, D와 d를 갖는다.
- (가)의 표현형은 유전자형에서 대문자로 표시되는 대립유전자의 수에 의해서만 결정되며, 대문자로 표시되는 대립유전자의 수가 다르면 (가)의 표현형이 다르다.
- 가계도의 구성원 1~6의 유전자형은 모두 AaBbDd이고, 가계도에서 (가)의 표현형은 나타내지 않았다.

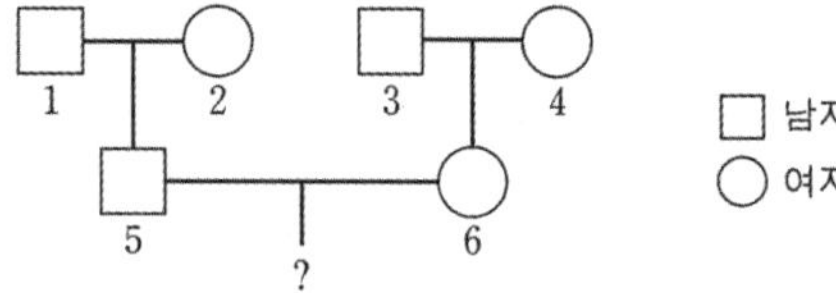

- 5의 동생이 태어날 때, 이 아이에게서 나타날 수 있는 (가)의 표현형은 최대 7가지이다.
- 6의 동생이 태어날 때, 이 아이에게서 나타날 수 있는 (가)의 표현형은 최대 3가지이다.

이에 대한 설명으로 옳은 것만을 〈보기〉에서 있는 대로 고른 것은? (단, 돌연변이와 교차는 고려하지 않는다.)

〈보 기〉

ㄱ. (가)의 유전은 복대립 유전이다.
ㄴ. 6의 동생이 태어날 때, 이 아이의 (가)의 표현형이 6과 다를 확률은 $\frac{1}{2}$이다.
ㄷ. 5와 6 사이에서 아이가 태어날 때, 이 아이에게서 나타날 수 있는 (가)의 표현형은 최대 5가지이다.

① ㄱ ② ㄴ ③ ㄷ ④ ㄱ, ㄴ ⑤ ㄴ, ㄷ

18학년도 수능 15번

40. 다음은 사람의 유전 형질 ㉠과 ㉡에 대한 자료이다.

- ㉠을 결정하는 3개의 유전자는 각각 대립유전자 A와 a, B와 b, D와 d를 가진다.
- ㉡을 결정하는 3개의 유전자는 각각 대립유전자 E와 e, F와 f, G와 g를 가진다.
- ㉠을 결정하는 유전자는 ㉡을 결정하는 유전자와 서로 다른 상염색체에 존재한다.
- ㉠과 ㉡의 표현형은 각각 유전자형에서 대문자로 표시되는 대립유전자의 수에 의해서만 결정되며, 이 대립유전자의 수가 다르면 표현형이 다르다.
- ㉠과 ㉡의 유전자형이 AaBbDdEeFfGg인 부모 사이에서 ⓐ가 태어날 때, ⓐ에게서 나타날 수 있는 ㉠의 표현형은 최대 4가지이고, ㉡의 표현형은 최대 7가지이다.
- ⓐ에서 ㉡의 유전자형이 eeffgg일 확률은 $\frac{1}{16}$이다.

이 자료에 대한 설명으로 옳은 것만을 〈보기〉에서 있는 대로 고른 것은? (단, 돌연변이와 교차는 고려하지 않는다.)

〈보 기〉

ㄱ. ⓐ의 부모 중 한 사람은 A, B, D가 같이 있는 염색체를 갖는다.
ㄴ. ㉡을 결정하는 유전자는 서로 다른 3개의 상염색체에 있다.
ㄷ. ⓐ에서 ㉠과 ㉡의 표현형이 모두 부모와 다를 확률은 $\frac{3}{4}$이다.

① ㄱ ② ㄷ ③ ㄱ, ㄴ ④ ㄱ, ㄷ ⑤ ㄴ, ㄷ

22학년도 6월 14번

41. 다음은 사람의 유전 형질 (가)에 대한 자료이다.

- (가)는 서로 다른 2개의 상염색체에 있는 3쌍의 대립유전자 A와 a, B와 b, D와 d에 의해 결정되며, A, a, B, b는 7번 염색체에 있다.
- (가)의 표현형은 유전자형에서 대문자로 표시되는 대립유전자의 수에 의해서만 결정되며, 이 대립유전자의 수가 다르면 표현형이 다르다.
- (가)의 표현형이 서로 같은 P와 Q 사이에서 ⓐ가 태어날 때, ⓐ에게서 나타날 수 있는 표현형은 최대 5가지이고, ⓐ의 표현형이 부모와 같을 확률은 $\frac{3}{8}$이며, ⓐ의 유전자형이AABbDD일 확률은 $\frac{1}{8}$이다.

ⓐ가 유전자형이 AaBbDd인 사람과 동일한 표현형을 가질 확률은? (단, 돌연변이와 교차는 고려하지 않는다.)

22학년도 4월 13번

42. 다음은 사람의 유전 형질 (가)에 대한 자료이다.

- (가)는 서로 다른 2개의 상염색체에 있는 3쌍의 대립유전자 A와 a, B와 b, D와 d에 의해 결정되며, A, a, B, b는 7번 염색체에 있다.
- (가)의 표현형은 ㉠ 유전자형에서 대문자로 표시되는 대립유전자의 수에 의해서만 결정되며, 이 대립유전자의 수가 다르면 표현형이 다르다.
- 남자 P의 ㉠과 여자 Q의 ㉠의 합은 6이다. P는 d를 갖는다.
- P와 Q 사이에서 ⓐ가 태어날 때, ⓐ에게서 나타날 수 있는 표현형은 최대 3가지이고, ⓐ가 가질 수 있는 ㉠은 1, 3, 5 중 하나이다.

이에 대한 설명으로 옳은 것만을 〈보기〉에서 있는 대로 고른 것은? (단, 돌연변이와 교차는 고려하지 않는다.)

〈보 기〉

ㄱ. (가)의 유전은 다인자 유전이다.

ㄴ. $\frac{\text{P의 ㉠}}{\text{Q의 ㉠}}$은 2이다.

ㄷ. ⓐ의 ㉠이 3일 확률은 $\frac{1}{4}$이다.

① ㄱ ② ㄴ ③ ㄱ, ㄷ ④ ㄴ, ㄷ ⑤ ㄱ, ㄴ, ㄷ

19학년도 10월 17번

43. 다음은 유전자형이 AaBbDdEeFfGg인 사람 ⓐ와 ⓑ의 유전 형질 ㉠~㉢에 대한 자료이다.

- ㉠은 4쌍의 대립유전자 A와 a, B와 b, D와 d, E와 e에 의해 결정되며, 이 중 3쌍의 대립유전자는 1번 염색체에, 나머지 1쌍의 대립유전자는 7번 염색체에 있다.
- ㉡은 대립유전자 F와 f에 의해, ㉢은 대립유전자 G와 g에 의해 결정되며, 모두 20번 염색체에 있다.
- ㉠의 표현형은 유전자형에서 대문자로 표시되는 대립유전자의 수에 의해서만 결정되며, 이 대립유전자의 수가 다르면 표현형이 다르다.
- ㉡과 ㉢은 각각 대립유전자 사이의 우열 관계가 분명하지 않고, 유전자형이 다르면 표현형이 다르다.
- ⓐ와 ⓑ 사이에서 ⓒ 아이가 태어날 때, 이 아이에게서 나타날 수 있는 ㉠~㉢의 표현형은 최대 28가지이다.

ⓒ에서 ㉠~㉢ 중 2가지 형질의 표현형이 ⓐ와 같을 확률은? (단, 돌연변이와 교차는 고려하지 않는다.)

44. 다음은 어떤 동물 종에서 유전자형이 AaBbDdEe인 개체 (가)의 뿔과 털색 유전에 대한 자료이다.

- 뿔에 대한 표현형은 2쌍의 대립유전자 A와 a, B와 b에 의해 결정되며, 유전자형에 따른 표현형은 표와 같다.

유전자형	표현형
AABB, AABb, AaBB, AaBb	긴 뿔
AAbb, Aabb, aaBB, aaBb	짧은 뿔
aabb	뿔 없음

- 털색은 2쌍의 대립유전자 D와 d, E와 e에 의해 결정되며, 유전자형에서 대문자로 표시되는 대립유전자의 수가 많을수록 어두운 털색을 나타낸다.
- (가)에서 b와 d는 같은 염색체에 있으며, 생성되는 생식세포의 유전자형은 4가지이다.
- (가)를 유전자형이 aabbddee인 개체와 교배하여 얻은 자손(F_1)에서 뿔에 대한 표현형이 1가지이며, 털색의 종류는 3가지이다.

(가)를 유전자형이 aaBbddEe인 개체와 교배하여 자손(F_1)을 얻을 때, 이 자손이 짧은 뿔을 가지면서 털색이 (가)보다 어두울 확률은? (단, 돌연변이와 교차는 고려하지 않는다.)

45. 다음은 사람의 유전 형질 ㉠과 ㉡에 대한 자료이다.

- ㉠은 대립유전자 A와 a에 의해 결정되며, 유전자형이 다르면 표현형이 다르다.
- ㉡을 결정하는 3개의 유전자는 각각 대립유전자 B와 b, D와 d, E와 e를 갖는다.
- ㉡의 표현형은 유전자형에서 대문자로 표시되는 대립유전자의 수에 의해서만 결정되며, 이 대립유전자의 수가 다르면 표현형이 다르다.
- 그림 (가)는 남자 P의, (나)는 여자 Q의 체세포에 들어 있는 일부 염색체와 유전자를 나타낸 것이다.

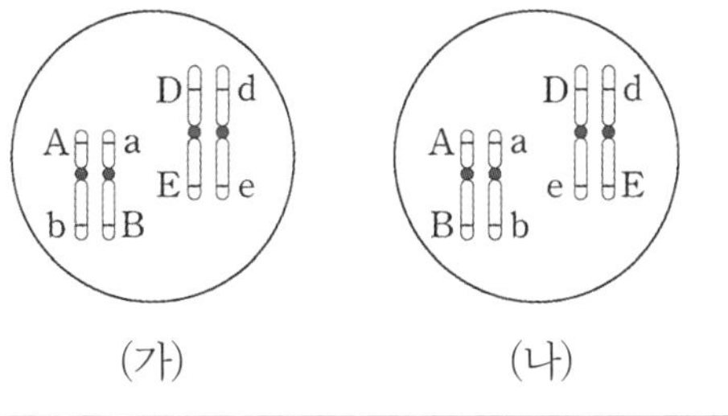

P와 Q 사이에서 아이가 태어날 때, 이 아이에게서 나타날 수 있는 표현형의 최대 가짓수는? (단, 돌연변이와 교차는 고려하지 않는다.)

21학년도 4월 16번

46. 다음은 사람의 유전 형질 ㉠과 ㉡에 대한 자료이다.

○ ㉠을 결정하는 2개의 유전자는 각각 대립유전자 A와 a, B와 b를 가진다. ㉠의 표현형은 유전자형에서 대문자로 표시되는 대립유전자의 수에 의해서만 결정되며, 이 대립유전자의 수가 다르면 표현형이 다르다.
○ ㉡은 대립유전자 H와 H*에 의해 결정된다.
○ 그림 (가)는 남자 P의, (나)는 여자 Q의 체세포에 들어 있는 일부 염색체와 유전자를 나타낸 것이다.

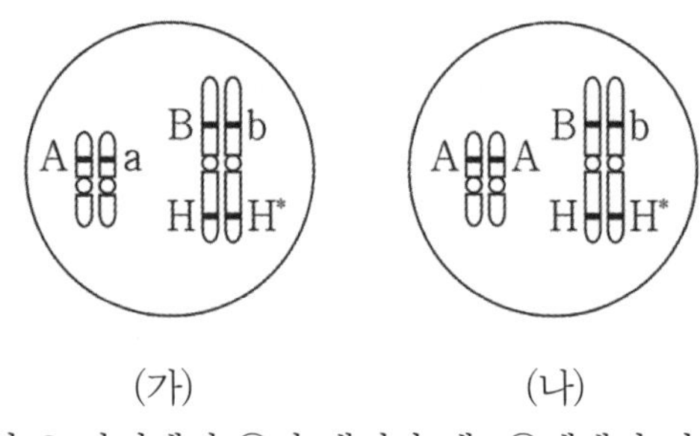

(가) (나)

○ P와 Q 사이에서 ⓐ가 태어날 때, ⓐ에게서 나타날 수 있는 표현형은 최대 6가지이다.

ⓐ에서 ㉠과 ㉡의 표현형이 모두 Q와 같을 확률은? (단, 돌연변이와 교차는 고려하지 않는다.)

18학년도 9월 17번

47. 다음은 사람의 유전 형질 (가)와 (나)에 대한 자료이다.

○ (가)는 대립유전자 A와 a에 의해 결정되며, 유전자형이 다르면 표현형이 다르다.
○ (나)를 결정하는 데 관여하는 3개의 유전자는 서로 다른 2개의 상염색체에 있으며, 3개의 유전자는 각각 대립유전자 B와 b, D와 d, E와 e를 갖는다.
○ (나)의 표현형은 유전자형에서 대문자로 표시되는 대립유전자의 수에 의해서만 결정되며, 이 대립유전자의 수가 다르면 표현형이 다르다.
○ 그림은 어떤 남자 P의 체세포에 들어 있는 일부 염색체와 유전자를 나타낸 것이다.

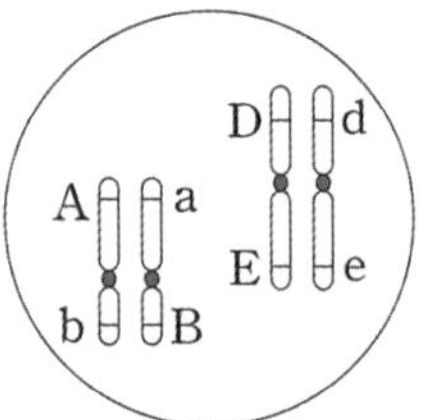

○ 어떤 여자 Q에서 (가)와 (나)의 표현형은 P와 같다. P와 Q 사이에서 ⓐ가 태어날 때, ⓐ에게서 나타날 수 있는 표현형은 최대 10가지이다.

이에 대한 설명으로 옳은 것만을 〈보기〉에서 있는 대로 고른 것은? (단, 돌연변이와 교차는 고려하지 않는다.)

〈보 기〉

ㄱ. (나)의 유전은 다인자 유전이다.
ㄴ. Q에서 A와 b는 같은 염색체에 있다.
ㄷ. ⓐ에서 (가)와 (나)의 표현형이 부모와 같을 확률은 $\frac{3}{10}$이다.

① ㄱ ② ㄷ ③ ㄱ, ㄴ ④ ㄱ, ㄷ ⑤ ㄴ, ㄷ

21학년도 10월 15번

48. 다음은 어떤 가족의 유전 형질 (가)와 (나)에 대한 자료이다.

- (가)와 (나)의 유전자는 2개의 상염색체에 있다.
- (가)는 3쌍의 대립유전자 A와 a, B와 b, D와 d에 의해 결정된다.
- (가)의 표현형은 ㉠ (가)의 유전자형에서 대문자로 표시되는 대립유전자의 수에 의해서만 결정되며, ㉠이 다르면 표현형이 다르다.
- (나)는 대립유전자 E와 e에 의해 결정되며, 유전자형이 다르면 표현형이 다르다.
- ㉠이 3이고, (나)의 유전자형이 Ee인 어떤 부모 사이에서 아이가 태어날 때, 이 아이에게서 나타날 수 있는 (가)와 (나)의 표현형은 최대 4가지이며, 이들 사이에서 (가)의 유전자형이 AaBbDD인 딸 ⓐ가 태어났다.

유전자형이 AabbDDEe인 남자와 ⓐ 사이에서 아이가 태어날 때, 이 아이에게서 나타날 수 있는 (가)와 (나)의 표현형은 최대 몇 가지인가? (단, 돌연변이와 교차는 고려하지 않는다.)

출제 오류(*해설지 참고)

20학년도 10월 16번

49. 다음은 사람의 유전 형질 (가)에 대한 자료이다.

- (가)는 3쌍의 대립유전자 A와 a, B와 b, D와 d에 의해 결정된다. 이 중 1쌍의 대립유전자는 7번 염색체에, 나머지 2쌍의 대립유전자는 9번 염색체에 있다.
- (가)의 표현형은 ⓐ 유전자형에서 대문자로 표시된 대립유전자의 수에 의해서만 결정되며, 이 대립유전자의 수가 다르면 표현형이 다르다.
- ⓐ가 3인 남자 Ⅰ과 ⓐ가 4인 여자 Ⅱ 사이에서 ⓐ가 6인 아이 Ⅲ이 태어났다.
- Ⅱ에서 난자가 형성될 때, 이 난자가 a, b, D를 모두 가질 확률은 $\frac{1}{2}$이다.
- Ⅰ과 Ⅱ 사이에서 Ⅲ의 동생이 태어날 때, 이 아이에게서 나타날 수 있는 표현형은 최대 ㉠가지이고, 이 아이의 ⓐ가 5일 확률은 ㉡이다.

이에 대한 설명으로 옳은 것만을 〈보기〉에서 있는 대로 고른 것은? (단, 돌연변이와 교차는 고려하지 않는다.)

〈보 기〉

ㄱ. Ⅲ에서 A와 B는 모두 9번 염색체에 있다.
ㄴ. ㉠은 6이다.
ㄷ. ㉡은 $\frac{1}{8}$이다.

① ㄱ ② ㄷ ③ ㄱ, ㄴ ④ ㄴ, ㄷ ⑤ ㄱ, ㄴ, ㄷ

22학년도 10월 16번

50. 다음은 사람의 유전 형질 (가)와 (나)에 대한 자료이다.

- (가)는 3쌍의 대립유전자 A와 a, B와 b, D와 d에 의해 결정된다.
- (가)의 표현형은 유전자형에서 대문자로 표시되는 대립유전자의 수에 의해서만 결정되고, 이 대립유전자의 수가 다르면 표현형이 다르다.
- (나)는 1쌍의 대립유전자에 의해 결정되고, 대립유전자에는 E, F, G가 있다. 각 대립유전자 사이의 우열 관계는 분명하고, (나)의 유전자형이 FF인 사람과 FG인 사람은 (나)의 표현형이 같다.
- 그림은 남자 ㉠과 여자 ㉡의 세포에 있는 일부 염색체와 유전자를 나타낸 것이다.

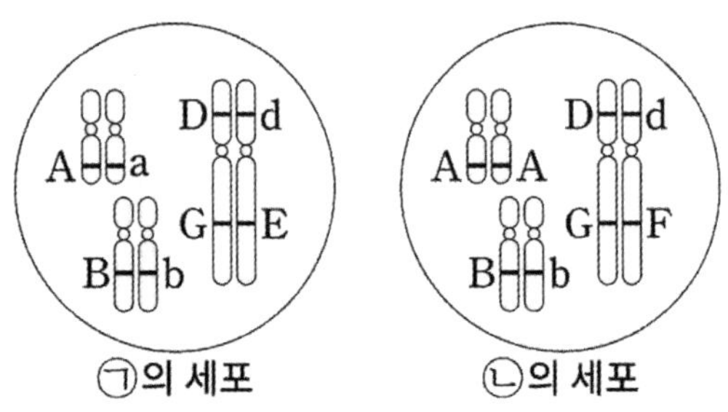

- ㉠과 ㉡ 사이에서 ⓐ가 태어날 때, ⓐ에게서 (가)와 (나)의 표현형이 모두 ㉠과 같을 확률은 $\frac{3}{32}$이다.

ⓐ에게서 (가)와 (나)의 표현형이 모두 ㉡과 같을 확률은? (단, 돌연변이와 교차는 고려하지 않는다.)

19학년도 7월 11번

51. 다음은 같은 종인 동물(2n=10) Ⅰ~Ⅴ의 유전 형질 (가)와 (나)에 대한 자료이다.

- (가)는 상염색체에 존재하는 3쌍의 대립유전자 A와 a, B와 b, D와 d에 의해 결정된다.
- (가)의 표현형은 유전자형에서 대문자로 표시되는 대립유전자의 수에 의해서만 결정되며, 대문자로 표시되는 대립유전자의 수가 다르면 (가)의 표현형이 다르다.
- (나)는 상염색체에 존재하는 1쌍의 대립유전자 E와 e에 의해 결정되며, 유전자형이 다르면 표현형이 다르다.
- 그림은 Ⅰ~Ⅴ의 세포 ㉠~㉤이 갖는 유전자 A, B, D, E의 DNA 상대량을 나타낸 것이다.

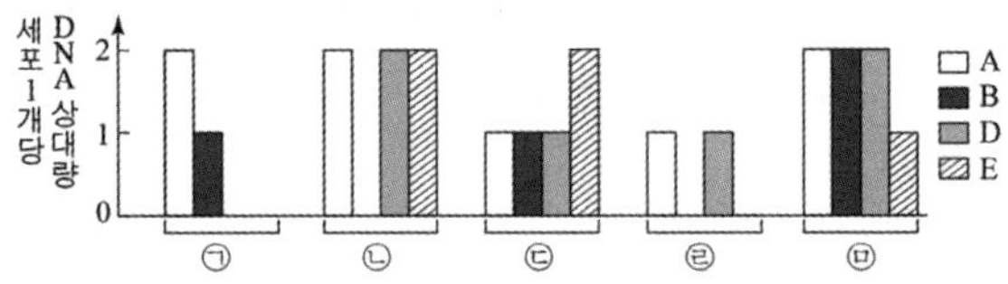

- Ⅰ~Ⅳ에서 (가)에 대한 표현형은 같다.
- Ⅰ과 Ⅱ 중 한 개체와 Ⅲ과 Ⅳ 중 한 개체가 교배하여 Ⅴ가 태어났으며, Ⅴ에서 (나)에 대한 표현형은 부모와 다르다.

이에 대한 설명으로 옳은 것만을 〈보기〉에서 있는 대로 고른 것은? (단, 돌연변이와 교차는 고려하지 않으며, A, a, B, b, D, d, E, e 각각의 1개당 DNA 상대량은 같다.)

〈보 기〉

ㄱ. Ⅰ과 Ⅲ이 교배하여 Ⅴ가 태어났다.
ㄴ. Ⅱ의 (가)와 (나)에 대한 유전자형은 AaBbDdEE이다.
ㄷ. $\frac{\text{㉠, ㉣이 각각 갖는 d의 DNA 상대량을 더한 값}}{\text{㉡, ㉢이 각각 갖는 b의 DNA 상대량을 더한 값}}$은 1이다.

① ㄱ ② ㄴ ③ ㄷ ④ ㄱ, ㄷ ⑤ ㄴ, ㄷ

52. 다음은 사람의 유전 형질 (가)와 (나)에 대한 자료이다.

- (가)는 대립유전자 A와 a에 의해 결정되며, A는 a에 대해 완전 우성이다.
- (나)는 1쌍의 대립유전자에 의해 결정되며, 대립유전자에는 B, D, E가 있다.
- (나)의 표현형은 4가지이며, (나)의 유전자형이 BB인 사람과 BE인 사람의 표현형은 같고, 유전자형이 DD인 사람과 DE인 사람의 표현형은 같다.
- (가)와 (나)의 유전자형이 AaBD인 부모 사이에서 ㉠이 태어날 때, ㉠에게서 나타날 수 있는 표현형은 최대 4가지이다.

이에 대한 설명으로 옳은 것만을 〈보기〉에서 있는 대로 고른 것은? (단, 돌연변이와 교차는 고려하지 않는다.)

〈보 기〉

ㄱ. (가)의 유전자와 (나)의 유전자는 같은 염색체에 있다.
ㄴ. (나)의 유전은 다인자 유전이다.
ㄷ. ㉠에서 (가)와 (나)에 대한 유전자형이 AaBB일 확률은 $\frac{1}{4}$이다.

① ㄱ ② ㄴ ③ ㄱ, ㄷ ④ ㄴ, ㄷ ⑤ ㄱ, ㄴ, ㄷ

53. 다음은 어떤 동물의 형질 (가)와 (나)에 대한 자료이다.

- (가)의 표현형은 3가지이다.
- (나)는 복대립 유전되며, (나)를 결정하는 각 대립유전자 사이의 우열 관계는 분명하다.
- (가)와 (나)를 결정하는 대립유전자에는 A~E만 있으며, A~E는 각각 (가)와 (나) 중 한 가지 형질의 결정에만 관여한다.
- 그림은 수컷 ㉠과 암컷 ㉡의 체세포에 있는 두 쌍의 상염색체를 나타낸 것이다. ㉠과 ㉡은 (나)의 표현형이 같다.

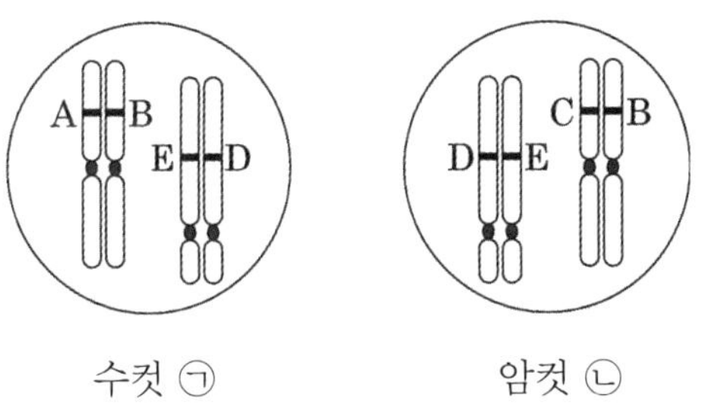

형질 (가)와 (나)에 대한 설명으로 옳은 것만을 〈보기〉에서 있는 대로 고른 것은? (단, 돌연변이와 교차는 고려하지 않는다.)

〈보 기〉

ㄱ. (나)를 결정하는 대립유전자 중에 D가 있다.
ㄴ. ㉠과 ㉡ 사이에서 개체가 태어날 때, 이 개체의 (가)와 (나)에 대한 유전자형은 12가지 중 하나이다.
ㄷ. ㉠과 ㉡ 사이에서 개체가 태어날 때, 이 개체의 (가)와 (나)에 대한 표현형은 6가지 중 하나이다.

① ㄱ ② ㄴ ③ ㄷ ④ ㄱ, ㄴ ⑤ ㄴ, ㄷ

21학년도 7월 16번

54. 다음은 사람의 유전 형질 ㉠과 ㉡에 대한 자료이다.

- ㉠은 2쌍의 대립유전자 A와 a, B와 b에 의해 결정된다.
- ㉠의 표현형은 유전자형에서 대문자로 표시되는 대립유전자의 수에 의해서만 결정되며, 이 대립유전자의 수가 다르면 표현형이 다르다.
- ㉡은 1쌍의 대립유전자에 의해 결정되며, 대립유전자에는 E, F, G가 있다.
- 그림 (가)는 남자 P의, (나)는 여자 Q의 체세포에 들어 있는 일부 염색체와 유전자를 나타낸 것이다.

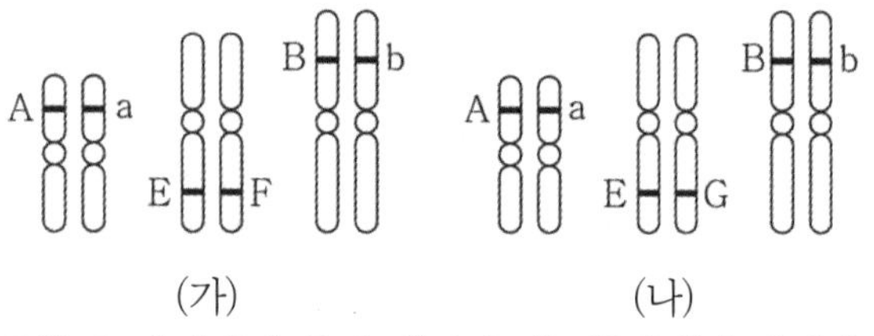

- P와 Q 사이에서 ⓐ가 태어날 때, ⓐ에게서 나타날 수 있는 표현형은 최대 20가지이다.

이에 대한 설명으로 옳은 것만을 〈보기〉에서 있는 대로 고른 것은? (단, 돌연변이는 고려하지 않는다.)

〈보 기〉

ㄱ. ㉠의 유전은 다인자 유전이다.
ㄴ. 유전자형이 EF인 사람과 FG인 사람의 표현형은 같다.
ㄷ. ⓐ에서 ㉠과 ㉡의 표현형이 모두 P와 같을 확률은 $\frac{3}{8}$이다.

① ㄱ　② ㄴ　③ ㄱ, ㄷ　④ ㄴ, ㄷ　⑤ ㄱ, ㄴ, ㄷ

16학년도 9월 11번

55. 다음은 사람의 유전 형질 ㉠과 ㉡에 대한 자료이다.

- ㉠과 ㉡을 결정하는 유전자는 서로 다른 상염색체에 존재한다.
- ㉠은 한 쌍의 대립유전자에 의해 결정되며, 대립유전자에는 D와 D*가 있다.
- ㉡은 한 쌍의 대립유전자에 의해 결정되며, 대립유전자에는 E, F, G가 있다. 유전자형이 EE인 사람과 EF인 사람의 표현형은 같고, 유전자형이 FG인 사람과 GG인 사람의 표현형은 같다.
- ㉠과 ㉡의 유전자형이 DD*EF인 여자와 DD*FG인 남자 사이에서 아이가 태어날 때, 이 아이에게서 나타날 수 있는 표현형은 최대 12가지이다.

이 자료에 대한 설명으로 옳은 것만을 〈보기〉에서 있는 대로 고른 것은? (단, 돌연변이와 교차는 고려하지 않는다.)

〈보 기〉

ㄱ. ㉡의 유전은 다인자 유전이다.
ㄴ. ㉠의 유전자형이 DD인 사람과 DD*인 사람의 표현형은 서로 다르다.
ㄷ. ㉠과 ㉡의 유전자형이 DD*EG인 부모 사이에서 아이가 태어날 때, 이 아이의 표현형이 부모와 같을 확률은 $\frac{1}{4}$이다.

① ㄱ　② ㄴ　③ ㄷ　④ ㄱ, ㄴ　⑤ ㄴ, ㄷ

18학년도 6월 12번

56. 다음은 어떤 동물의 깃털 색 유전에 대한 자료이다.

- ○ 깃털 색은 상염색체에 있는 1쌍의 대립유전자에 의해 결정되며, 대립유전자에는 B, C, D가 있다.
- ○ B는 C, D 각각에 대해 완전 우성이고, C는 D에 대해 완전 우성이다.
- ○ 깃털 색의 표현형은 3가지이며, 갈색, 붉은색, 회색이다.
- ○ 갈색 깃털 암컷과 ㉠ 붉은색 깃털 수컷 사이에서 갈색 깃털, 붉은색 깃털, 회색 깃털 자손이 태어났다.
- ○ 붉은색 깃털 암컷과 붉은색 깃털 수컷 사이에서 갈색 깃털 자손과 붉은색 깃털 자손이 태어났다.

이 자료에 대한 설명으로 옳은 것만을 〈보기〉에서 있는 대로 고른 것은? (단, 돌연변이와 교차는 고려하지 않는다.)

〈보 기〉

ㄱ. 깃털 색 유전은 다인자 유전이다.
ㄴ. 유전자형이 BC인 개체의 깃털 색은 붉은색이다.
ㄷ. ㉠의 깃털 색 유전자형은 BD이다.

① ㄱ ② ㄴ ③ ㄱ, ㄷ ④ ㄴ, ㄷ ⑤ ㄱ, ㄴ, ㄷ

23학년도 3월 13번

57. 다음은 사람의 유전 형질 (가)에 대한 자료이다.

- ○ 상염색체에 있는 1쌍의 대립유전자에 의해 결정된다. 대립유전자에는 A, B, D가 있으며, 표현형은 4가지이다.
- ○ 유전자형이 AA인 사람과 AB인 사람의 표현형이 같고, 유전자형이 AD인 사람과 DD인 사람은 표현형이 다르다.
- ○ 유전자형이 AB인 아버지와 BD인 어머니 사이에서 ㉠이 태어날 때, ㉠의 표현형이 아버지와 같을 확률과 어머니와 같을 확률은 각각 $\frac{1}{4}$이다.
- ○ 유전자형이 BD인 아버지와 AD인 어머니 사이에서 ㉡이 태어날 때, ㉡에서 나타날 수 있는 표현형은 최대 ⓐ가지이다.

이에 대한 설명으로 옳은 것만을 〈보기〉에서 있는 대로 고른 것은? (단, 돌연변이와 교차는 고려하지 않는다.)

〈보 기〉

ㄱ. (가)는 복대립 유전 형질이다.
ㄴ. A는 D에 대해 완전 우성이다.
ㄷ. ⓐ는 3이다.

① ㄱ ② ㄷ ③ ㄱ, ㄴ ④ ㄱ, ㄷ ⑤ ㄴ, ㄷ

24학년도 9월 13번

58. 다음은 사람의 유전 형질 (가)~(다)에 대한 자료이다.

- (가)~(다)의 유전자는 서로 다른 2개의 상염색체에 있다.
- (가)는 대립유전자 A와 a에 의해 결정되며, A는 a에 대해 완전 우성이다.
- (나)는 대립유전자 B와 b에 의해 결정되며, 유전자형이 다르면 표현형이 다르다.
- (다)는 1쌍의 대립유전자에 의해 결정되며, 대립유전자에는 D, E, F가 있다. D는 E, F에 대해, E는 F에 대해 각각 완전 우성이다.
- (가)와 (나)의 유전자형이 AaBb인 남자 P와 AaBB인 여자 Q 사이에서 ⓐ가 태어날 때, ⓐ에게서 나타날 수 있는 (가)와 (나)의 표현형은 최대 3가지이고, ⓐ가 가질 수 있는 (가)~(다)의 유전자형 중 AABBFF가 있다.
- ⓐ의 (가)~(다)의 표현형이 모두 Q와 같을 확률은 $\frac{1}{8}$이다.

ⓐ의 (가)~(다)의 표현형이 모두 P와 같을 확률은? (단, 돌연변이와 교차는 고려하지 않는다.)

24학년도 수능 13번

59. 다음은 사람의 유전 형질 (가)~(다)에 대한 자료이다.

- (가)~(다)의 유전자는 서로 다른 3개의 상염색체에 있다.
- (가)는 대립유전자 A와 a에 의해 결정되며, A는 a에 대해 완전 우성이다.
- (나)는 대립유전자 B와 b에 의해 결정되며, 유전자형이 다르면 표현형이 다르다.
- (다)는 1쌍의 대립유전자에 의해 결정되며, 대립유전자에는 D, E, F가 있다. D는 E, F에 대해, E는 F에 대해 각각 완전 우성이다.
- P의 유전자형은 AaBbDF이고, P와 Q는 (나)의 표현형이 서로 다르다.
- P와 Q 사이에서 ⓐ가 태어날 때, ⓐ가 P와 (가)~(다)의 표현형이 모두 같을 확률은 $\frac{3}{16}$이다.
- ⓐ가 유전자형이 AAbbFF인 사람과 (가)~(다)의 표현형이 모두 같을 확률은 $\frac{3}{32}$이다.

ⓐ의 유전자형이 aabbDF일 확률은? (단, 돌연변이는 고려하지 않는다.)

20학년도 4월 10번

60. 다음은 어떤 사람의 유전 형질 (가)와 (나)에 대한 자료이다.

> ○ (가)와 (나)를 결정하는 유전자는 서로 다른 상염색체에 있다.
> ○ (가)는 1쌍의 대립유전자에 의해 결정되고, 대립유전자에는 A, B, D가 있으며, (가)의 표현형은 3가지이다.
> ○ (나)를 결정하는 데 관여하는 3개의 유전자는 서로 다른 상염색체에 있으며, 3개의 유전자는 각각 대립유전자 E와 e, F와 f, G와 g를 가진다.
> ○ (나)의 표현형은 유전자형에서 대문자로 표시되는 대립유전자의 수에 의해서만 결정되며, 이 대립유전자의 수가 다르면 표현형이 다르다.
> ○ 유전자형이 ㉠ ABEeFfGg인 아버지와 ㉡ BDEeFfGg인 어머니 사이에서 아이가 태어날 때, 이 아이에게서 (가)와 (나)의 표현형이 모두 ㉠과 같을 확률은 $\frac{5}{64}$이다.

이에 대한 설명으로 옳은 것만을 〈보기〉에서 있는 대로 고른 것은? (단, 돌연변이와 교차는 고려하지 않는다.)

〈보 기〉

ㄱ. ㉠과 ㉡의 (가)에 대한 표현형은 같다.
ㄴ. ㉠에서 생성될 수 있는 (가)와 (나)에 대한 생식세포의 유전자형은 16가지이다.
ㄷ. 유전자형이 AAEeFFGg인 아버지와 BDeeffgg인 어머니 사이에서 아이가 태어날 때, 이 아이에게서 나타날 수 있는 (가)와 (나)의 표현형은 최대 6가지이다.

① ㄱ ② ㄴ ③ ㄱ, ㄷ ④ ㄴ, ㄷ ⑤ ㄱ, ㄴ, ㄷ

16학년도 7월 8번

61. 다음은 어떤 동물의 털색 유전에 대한 자료이다.

> ○ 이 동물의 털색은 대립유전자 C, C^{h}, C^{ch}, C^{+}에 의해서만 결정된다. 표는 이 동물의 유전자형에 따른 표현형을 나타낸 것이다.

유전자형	표현형	유전자형	표현형
CC	몸 전체 흰색 털	$C^{ch}C^{ch}$	몸 전체 회색 털
$C^{h}C^{h}$	㉠ 몸의 말단부는 검은색 털이고 나머지는 흰색 털	$C^{ch}C$	몸 전체 옅은 회색 털
$C^{h}C$	(가)	$C^{h}C^{ch}$	몸의 말단부는 검은색 털이고 나머지는 회색 털
$C^{+}C^{+}$	몸 전체 갈색 털	$C^{+}C^{h}$	몸 전체 갈색 털
$C^{+}C$	몸 전체 갈색 털	$C^{+}C^{ch}$	몸 전체 갈색 털

> ○ 유전자형이 $C^{+}C^{h}$인 개체와 $C^{h}C$인 개체를 서로 교배했을 때 나올 수 있는 자손의 표현형 분리비는 1:1이다.

이에 대한 설명으로 옳은 것만을 〈보기〉에서 있는 대로 고른 것은? (단, 돌연변이와 교차는 고려하지 않는다.)

〈보 기〉

ㄱ. (가)에 해당하는 표현형은 ㉠이다.
ㄴ. 이 동물의 털색 유전은 다인자 유전이다.
ㄷ. 대립유전자 C^{ch}는 C에 대해 완전 우성이다.

① ㄱ ② ㄴ ③ ㄷ ④ ㄱ, ㄴ ⑤ ㄴ, ㄷ

17학년도 수능 14번

62. 다음은 사람의 유전 형질 (가)와 (나)에 대한 자료이다.

○ (가)를 결정하는 데 관여하는 3개의 유전자는 서로 다른 2개의 상염색체에 있으며, 3개의 유전자는 각각 대립유전자 A와 a, B와 b, D와 d를 갖는다.
○ (가)의 표현형은 유전자형에서 대문자로 표시되는 대립유전자의 수에 의해서만 결정되며, 이 대립유전자의 수가 다르면 (가)의 표현형이 다르다.
○ (나)를 결정하는 유전자는 (가)를 결정하는 유전자와 서로 다른 상염색체에 존재한다. (나)는 1쌍의 대립유전자에 의해 결정되며, 대립유전자에는 E, F, G가 있다.
○ (나)의 표현형은 4가지이며, (나)의 유전자형이 EG인 사람과 EE인 사람의 표현형은 같고, 유전자형이 FG인 사람과 FF인 사람의 표현형은 같다.
○ (가)와 (나)의 유전자형이 각각 AaBbDdEF인 부모 사이에서 ㉠이 태어날 때, ㉠에게서 나타날 수 있는 표현형은 최대 9가지이다.

㉠에서 (가)와 (나)의 표현형이 부모와 같을 확률은? (단, 돌연변이와 교차는 고려하지 않는다.)

23학년도 4월 16번

63. 다음은 사람의 유전 형질 (가)와 (나)에 대한 자료이다.

○ (가)와 (나)의 유전자는 서로 다른 상염색체에 있다.
○ (가)는 1쌍의 대립유전자에 의해 결정되며, A, B, D가 있다. A는 B와 D에 대해, B는 D에 대해 각각 완전 우성이다.
○ (나)는 서로 다른 상염색체에 있는 2쌍의 대립유전자 E와 e, F와 f에 의해 결정된다. (나)의 표현형은 유전자형에서 대문자로 표시되는 대립유전자의 수에 의해서만 결정되며, 이 대립유전자의 수가 다르면 표현형이 다르다.
○ 표는 사람 Ⅰ~Ⅳ에서 성별, (가)와 (나)의 유전자형을 나타낸 것이다.

사람	성별	유전자형
Ⅰ	남	ABEeFf
Ⅱ	남	ADEeFf
Ⅲ	여	BDEEff
Ⅳ	여	DDEeFF

○ P와 Q 사이에서 ⓐ가 태어날 때, ⓐ에게서 나타날 수 있는 (가)와 (나)의 표현형은 최대 9가지이다.
○ R과 S 사이에서 ⓑ가 태어날 때, ⓑ에게서 나타날 수 있는 (가)와 (나)의 표현형은 최대 ㉠가지이다.
○ P와 R은 Ⅰ과 Ⅱ를 순서 없이 나타낸 것이고, Q와 S는 Ⅲ과 Ⅳ를 순서 없이 나타낸 것이다.

이에 대한 설명으로 옳은 것만을 〈보기〉에서 있는 대로 고른 것은? (단, 돌연변이와 교차는 고려하지 않는다.)

〈보 기〉
ㄱ. (가)의 유전은 단일 인자 유전이다.
ㄴ. ㉠은 6이다.
ㄷ. ⓑ의 (가)와 (나)의 표현형이 모두 R와 같을 확률은 $\frac{3}{8}$ 이다.

① ㄱ ② ㄴ ③ ㄱ, ㄷ ④ ㄴ, ㄷ ⑤ ㄱ, ㄴ, ㄷ

64. 다음은 사람의 유전 형질 (가)와 (나)에 대한 자료이다.

- (가)는 서로 다른 3개의 상염색체에 있는 3쌍의 대립유전자 A와 a, B와 b, D와 d에 의해 결정된다.
- (가)의 표현형은 유전자형에서 대문자로 표시되는 대립유전자의 수에 의해서만 결정되며, 이 대립유전자의 수가 다르면 표현형이 다르다.
- (나)는 대립유전자 E, F, G에 의해 결정되고, 표현형은 4가지이다. 유전자형이 EE인 사람과 EG인 사람의 표현형은 같고, 유전자형이 FF인 사람과 FG인 사람의 표현형은 같다.
- (가)와 (나)의 유전자는 서로 다른 상염색체에 있다.
- P의 유전자형은 AaBbDdEF이고 P와 Q 사이에서 ⓐ가 태어날 때, ⓐ에게서 나타날 수 있는 (가)와 (나)의 표현형은 최대 8가지이다.
- ⓐ가 유전자형이 AABBDDEG인 사람과 같은 표현형을 가질 확률과 AABBDDFG인 사람과 같은 표현형을 가질 확률은 각각 0보다 크다.

ⓐ가 유전자형이 AaBBDdFG인 사람과 (가)와 (나)의 표현형이 모두 같을 확률은? (단, 돌연변이는 고려하지 않는다.)

65. 다음은 어떤 동물의 몸 색 유전에 대한 자료이다.

- 몸 색은 상염색체에 있는 1쌍의 대립유전자에 의해 결정되며, 대립유전자에는 A, B, D, E가 있고, 각 대립유전자 사이의 우열 관계는 분명하다.
- 몸 색의 표현형은 4가지이며, 갈색, 회색, 검은색, 붉은색이다.
- 유전자형이 AD인 개체와 BD인 개체의 몸 색은 서로 같고, 유전자형이 AE인 개체, ㉠ BB인 개체, BE인 개체는 몸 색이 각각 서로 다르다.
- 회색 몸 암컷과 검은색 몸 수컷을 교배하여 자손(F_1) 800개체를 얻었다. 이 자손의 표현형에 따른 비는 검은색:붉은색 = 1:1이다.
- 갈색 몸 암컷과 ㉡ 붉은색 몸 수컷을 교배하여 자손(F_1) 800개체를 얻었다. 이 자손의 표현형에 따른 비는 ⓐ 붉은색:회색:갈색 = 2:1:1이다.

이에 대한 설명으로 옳은 것만을 〈보기〉에서 있는 대로 고른 것은? (단, 돌연변이와 교차는 고려하지 않는다.)

〈보 기〉

ㄱ. ㉠의 몸 색은 갈색이다.
ㄴ. ㉡의 유전자형은 AB이다.
ㄷ. ⓐ의 수컷과 유전자형이 DE인 암컷을 교배하여 자손(F_1)을 얻을 때, 이 자손이 붉은색 몸을 가질 확률은 $\frac{1}{4}$이다.

① ㄱ ② ㄴ ③ ㄷ ④ ㄱ, ㄷ ⑤ ㄴ, ㄷ

20학년도 9월 14번

66. 다음은 사람의 유전 형질 ㉠과 ㉡에 대한 자료이다.

- ㉠을 결정하는 데 관여하는 3개의 유전자는 상염색체에 있으며, 3개의 유전자는 각각 대립유전자 A와 a, B와 b, D와 d를 가진다.
- ㉠의 표현형은 유전자형에서 대문자로 표시되는 대립유전자의 수에 의해서만 결정되며, 이 대립유전자의 수가 다르면 표현형이 다르다.
- ㉡은 대립유전자 E와 e에 의해 결정되며, E는 e에 대해 완전 우성이다.
- ㉠과 ㉡의 유전자형이 AaBbDdEe인 부모 사이에서 ⓐ가 태어날 때, ⓐ에게서 나타날 수 있는 표현형은 최대 11가지이고, ⓐ가 가질 수 있는 유전자형 중 aabbddee가 있다.

ⓐ에서 ㉠과 ㉡의 표현형이 모두 부모와 같을 확률은? (단, 돌연변이와 교차는 고려하지 않는다.)

20학년도 수능 13번

67. 다음은 어떤 식물의 종자 껍질 색 유전에 대한 자료이다.

- 종자 껍질 색은 1쌍의 대립유전자에 의해 결정되며, 대립유전자에는 A, B, D, E가 있다.
- 종자 껍질 색의 표현형은 5가지이며, 갈색, 녹색, 자주색, 황색, 회색이다.
- 표는 유전자형에 따른 종자 껍질 색의 표현형을 나타낸 것이다. (가)~(다)는 갈색, 녹색, 자주색을 순서 없이 나타낸 것이다.

유전자형	표현형
AA, AB, AD, AE	(가)
BB, BE	황색
DD, DE	(나)
BD	회색
EE	(다)

- 종자 껍질 색이 회색인 개체와 녹색인 개체를 교배하여 ㉠ 자손(F_1) 800개체를 얻었다. 이 자손의 표현형에 따른 비는 자주색:황색 = 1:1이다.
- 종자 껍질 색이 황색인 개체와 갈색인 개체를 교배하여 ㉡ 자손(F_1) 800개체를 얻었다. 이 자손의 표현형에 따른 비는 ⓐ 갈색:ⓑ 자주색:회색 = 2:1:1이다.

이에 대한 설명으로 옳은 것만을 〈보기〉에서 있는 대로 고른 것은? (단, 돌연변이와 교차는 고려하지 않는다.)

〈보 기〉

ㄱ. (가)는 갈색이다.
ㄴ. ㉠에는 유전자형이 BB인 개체가 있다.
ㄷ. ㉡에는 ⓐ의 개체와 ⓑ의 개체를 교배하여 자손(F_2)을 얻을 때, 이 자손의 종자 껍질 색이 황색일 확률은 $\frac{1}{4}$이다.

① ㄱ ② ㄴ ③ ㄱ, ㄷ ④ ㄴ, ㄷ ⑤ ㄱ, ㄴ, ㄷ

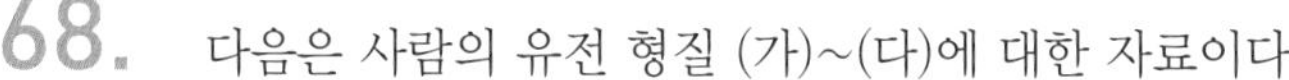

21학년도 9월 11번

68. 다음은 사람의 유전 형질 (가)~(다)에 대한 자료이다.

- (가)~(다)의 유전자는 서로 다른 3개의 상염색체에 있다.
- (가)는 대립유전자 A와 A*에 의해 결정되며, A는 A*에 대해 완전 우성이다.
- (나)는 대립유전자 B와 B*에 의해 결정되며, 유전자형이 다르면 표현형이 다르다.
- (다)는 1쌍의 대립유전자에 의해 결정되며, 대립유전자에는 D, E, F, G가 있고, 각 대립유전자 사이의 우열 관계는 분명하다. (다)의 표현형은 4가지이다.
- 유전자형이 ㉠ AA*BB*DE인 아버지와 AA*BB*FG인 어머니 사이에서 아이가 태어날 때, 이 아이에게서 나타날 수 있는 표현형은 최대 12가지이다.
- 유전자형이 AABB*DF인 아버지와 AA*BBDE인 어머니 사이에서 아이가 태어날 때, 이 아이의 표현형이 어머니와 같을 확률은 $\frac{3}{8}$이다.

유전자형이 AA*BB*DF인 아버지와 AA*BB*EG인 어머니 사이에서 아이가 태어날 때, 이 아이의 표현형이 ㉠과 같을 확률은? (단, 돌연변이와 교차는 고려하지 않는다.)

21학년도 수능 13번

69. 다음은 사람의 유전 형질 (가)~(다)에 대한 자료이다.

- (가)~(다)의 유전자는 서로 다른 3개의 상염색체에 있다.
- (가)는 대립유전자 A와 A*에 의해 결정되며, A는 A*에 대해 완전 우성이다.
- (나)는 대립유전자 B와 B*에 의해 결정되며, 유전자형이 다르면 표현형이 다르다.
- (다)는 1쌍의 대립유전자에 의해 결정되며, 대립유전자에는 D, E, F가 있고, 각 대립유전자 사이의 우열 관계는 분명하다.
- (나)와 (다)의 유전자형이 BB*DF인 아버지와 BB*EF인 어머니 사이에서 ㉠이 태어날 때, ㉠에게서 나타날 수 있는 (가)~(다)의 표현형은 최대 12가지이고, (가)~(다)의 표현형이 모두 아버지와 같을 확률은 $\frac{3}{16}$이다.
- 유전자형이 AA*BBDE인 아버지와 A*A*BB*DF인 어머니 사이에서 ㉡이 태어날 때, ㉡의 (가)~(다)의 표현형이 모두 어머니와 같을 확률은 $\frac{1}{16}$이다.

이에 대한 설명으로 옳은 것만을 〈보기〉에서 있는 대로 고른 것은? (단, 돌연변이와 교차는 고려하지 않는다.)

〈보 기〉

ㄱ. D는 E에 대해 완전 우성이다.
ㄴ. ㉠이 가질 수 있는 (가)의 유전자형은 최대 3가지이다.
ㄷ. ㉡의 (가)~(다)의 표현형이 모두 아버지와 같을 확률은 $\frac{1}{8}$이다.

① ㄱ ② ㄴ ③ ㄱ, ㄷ ④ ㄴ, ㄷ ⑤ ㄱ, ㄴ, ㄷ

23학년도 9월 17번

70. 다음은 사람의 유전 형질 ㉠~㉢에 대한 자료이다.

- ㉠~㉢의 유전자는 서로 다른 3개의 상염색체에 있다.
- ㉠은 1쌍의 대립유전자에 의해 결정되며, 대립유전자에는 A, B, D가 있다. ㉠의 표현형은 4가지이며, ㉠의 유전자형이 AD인 사람과 AA인 사람의 표현형은 같고, 유전자형이 BD인 사람과 BB인 사람의 표현형은 같다.
- ㉡은 대립유전자 E와 E*에 의해 결정되며, 유전자형이 다르면 표현형이 다르다.
- ㉢은 대립유전자 F와 F*에 의해 결정되며, F는 F*에 대해 완전 우성이다.
- 표는 사람 Ⅰ~Ⅳ의 ㉠~㉢의 유전자형을 나타낸 것이다.

사람	Ⅰ	Ⅱ	Ⅲ	Ⅳ
유전자형	ABEEFF*	ADE*E*FF	BDEE*FF	BDEE*F*F*

- 남자 P와 여자 Q 사이에서 ⓐ가 태어날 때, ⓐ에게서 나타날 수 있는 ㉠~㉢의 표현형은 최대 12가지이다. P와 Q는 각각 Ⅰ~Ⅳ 중 하나이다.

ⓐ의 ㉠~㉢의 표현형이 모두 Ⅰ과 같을 확률은? (단, 돌연변이는 고려하지 않는다.)

20학년도 9월 17번

71. 다음은 사람의 유전 형질 ㉠~㉢에 대한 자료이다.

- ㉠~㉢을 결정하는 유전자는 모두 상염색체에 있다.
- ㉠은 대립유전자 A와 A*에 의해 결정되며, A는 A*에 대해 완전 우성이다.
- ㉡은 대립유전자 B와 B*에 의해 결정되며, B와 B* 사이의 우열 관계는 분명하지 않고 3가지 유전자형에 따른 표현형은 모두 다르다.
- ㉢은 1쌍의 대립유전자에 의해 결정되며, 대립유전자에는 D, E, F가 있다. ㉢의 표현형은 4가지이며, ㉢의 유전자형이 DD인 사람과 DE인 사람의 표현형은 같고, 유전자형이 EF인 사람과 FF인 사람의 표현형은 같다.
- ㉠~㉢의 유전자형이 각각 AA*BB*DE와 AA*BB*EF인 부모 사이에서 ⓐ가 태어날 때, ⓐ에서 ㉠~㉢의 유전자형이 모두 이형 접합성일 확률은 $\frac{3}{16}$ 이다.

이에 대한 설명으로 옳은 것만을 〈보기〉에서 있는 대로 고른 것은? (단, 돌연변이와 교차는 고려하지 않는다.)

〈보 기〉

ㄱ. 유전자형이 DE인 사람과 DF인 사람의 ㉢에 대한 표현형은 같다.

ㄴ. ㉠의 유전자와 ㉡의 유전자는 서로 다른 염색체에 존재한다.

ㄷ. ⓐ에게서 나타날 수 있는 ㉠~㉢의 표현형은 최대 24가지이다.

① ㄱ ② ㄷ ③ ㄱ, ㄴ ④ ㄴ, ㄷ ⑤ ㄱ, ㄴ, ㄷ

22학년도 수능 16번

72. 다음은 사람의 유전 형질 ㉠~㉢에 대한 자료이다.

○ ㉠은 대립유전자 A와 a에 의해, ㉡은 대립유전자 B와 b에 의해 결정된다.

○ 표 (가)와 (나)는 ㉠과 ㉡에서 유전자형이 서로 다를 때 표현형의 일치 여부를 각각 나타낸 것이다.

㉠의 유전자형		표현형 일치 여부
사람1	사람2	
AA	Aa	?
AA	aa	×
Aa	aa	×

(○ : 일치함, × : 일치하지 않음)
(가)

㉡의 유전자형		표현형 일치 여부
사람1	사람2	
BB	Bb	?
BB	bb	×
Bb	bb	×

(○ : 일치함, × : 일치하지 않음)
(나)

○ ㉢은 1쌍의 대립유전자에 의해 결정되며, 대립유전자에는 D, E, F가 있다.

○ ㉢의 표현형은 4가지이며, ㉢의 유전자형이 DE인 사람과 EE인 사람의 표현형은 같고, 유전자형이 DF인 사람과 FF인 사람의 표현형은 같다.

○ 여자 P는 남자 Q와 ㉠~㉢의 표현형이 모두 같고, P의 체세포에 들어 있는 일부 상염색체와 유전자는 그림과 같다.

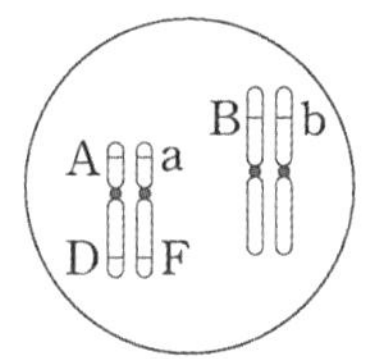

○ P와 Q 사이에서 ⓐ가 태어날 때, ⓐ의 ㉠~㉢의 표현형 중 한 가지만 부모와 같을 확률은 $\frac{3}{8}$이다.

이에 대한 설명으로 옳은 것만을 〈보기〉에서 있는 대로 고른 것은? (단, 돌연변이와 교차는 고려하지 않는다.)

〈보 기〉

ㄱ. ㉡의 표현형은 BB인 사람과 Bb인 사람이 서로 다르다.
ㄴ. Q에서 A, B, D를 모두 갖는 정자가 형성될 수 있다.
ㄷ. ⓐ에게서 나타날 수 있는 표현형은 최대 12가지이다.

① ㄱ ② ㄴ ③ ㄷ ④ ㄱ, ㄴ ⑤ ㄱ, ㄷ

17학년도 10월 13번

73. 다음은 어떤 식물 종에서 유전자형이 AaBbDdEe인 개체 P1과 P2에 대한 자료이다.

○ 대립유전자 A, B, D, E는 a, b, d, e에 대해 각각 완전 우성이며, 서로 다른 형질을 결정한다.

○ 2쌍의 대립유전자는 한 염색체에, 나머지 2쌍의 대립유전자는 다른 염색체에 같이 있다.

○ P1을 자가 교배하여 얻은 ㉠ 자손(F_1) 400개체의 표현형은 최대 6가지이고, 표현형이 A_B_D_ee인 개체 수와 aaB_ddE_인 개체 수의 비는 3:2이다.

○ P2를 자가 교배하여 얻은 ㉡ 자손(F_1) 400개체에서 4가지 형질에 대한 표현형이 ⓐ인 개체 수와 ⓑ인 개체 수의 비는 9:1이다.

이에 대한 설명으로 옳은 것만을 〈보기〉에서 있는 대로 고른 것은? (단, 돌연변이와 교차는 고려하지 않는다.)

〈보 기〉

ㄱ. ㉠에서 표현형이 ⓐ인 개체의 수는 150이다.
ㄴ. P1과 P2를 교배하여 자손(F_1)을 얻을 때, 이 자손의 표현형은 최대 6가지이다.
ㄷ. ㉠에서 표현형이 ⓐ인 개체와 ㉡에서 표현형이 ⓑ인 개체를 교배하여 자손(F_2)을 얻을 때, 이 자손에서 4가지 형질 중 3가지 형질에 대한 유전자형이 이형 접합성일 확률은 $\frac{1}{9}$이다.

① ㄱ ② ㄷ ③ ㄱ, ㄴ ④ ㄴ, ㄷ ⑤ ㄱ, ㄴ, ㄷ

PART 2

19문항

01. 다음은 사람의 유전 형질 ⓐ에 대한 자료이다.

○ ⓐ는 3쌍의 대립유전자 A와 a, B와 b, D와 d에 의해 결정되며, 유전자형에서 대문자로 표시되는 대립유전자의 개수에 따라 표현형이 결정된다.
○ ⓐ를 결정하는 유전자는 서로 다른 상염색체에 존재한다.
○ 표는 대문자로 표시되는 대립유전자의 개수에 따라 나타나는 표현형을 (가)~(다)로 구분한 것이다.

대문자로 표시되는 대립유전자의 수	표현형
0개 이상 ⓧ개 미만	(가)
ⓧ개 이상 ⓨ개 미만	(나)
ⓨ개 이상	(다)

○ 유전자형이 AABbDd인 아버지와 aaBbDd인 어머니 사이에서 ㉠이 태어날 때, ㉠의 표현형이 (다)일 확률은 $\frac{1}{16}$이다.
○ 유전자형이 AaBbDD인 아버지과 AaBbDd인 어머니 사이에서 ㉡이 태어날 때, ㉡의 표현형이 (가)일 확률은 $\frac{3}{16}$이다.

이에 대한 설명으로 옳은 것을 〈보기〉에서 있는 대로 고르고, □에 알맞은 말을 채우시오. (단, 돌연변이와 교차는 고려하지 않는다.)

〈보 기〉

ㄱ. ⓐ는 복대립 유전이다.
ㄴ. ⓧ+ⓨ=□이다.
ㄷ. ㉡의 ⓐ의 표현형이 아버지와 같을 확률은 □이다.

02. 다음은 사람의 유전 형질 ⓐ에 대한 자료이다.

○ ⓐ는 3쌍의 대립유전자 A와 a, B와 b, D와 d에 의해 결정되며, A, B, D는 a, b, d에 대해 각각 완전 우성이다.
○ ⓐ를 결정하는 유전자는 서로 다른 3개의 상염색체에 있다.
○ ⓐ의 표현형은 4가지이며, A_B_D_는 ①, A_B_dd는 ②, A_bb는 ③, aa는 ④이다.
○ 표현형이 ①인 아버지와 표현형이 ④인 어머니 사이에서 아이가 태어날 때, ㉠ <u>이 아이</u>의 표현형이 ②일 확률은 $\frac{3}{8}$이다.

㉠이 표현형이 ③인 남자일 때, ㉠과 유전자형이 AaBbDd인 여자 사이에서 태어난 아이의 표현형이 ③일 확률은? (단, 돌연변이와 교차는 고려하지 않는다.)

03. 다음은 사람의 유전 형질 (가)~(다)에 대한 자료이다.

- (가)~(다)의 유전자 중 2개는 1번 염색체에, 나머지 1개는 7번 염색체에 있다.
- (가)는 대립유전자 A와 A*에 의해 결정되며, A는 A*에 대해 완전 우성이다.
- (나)는 1쌍의 대립유전자에 의해 결정되며, 대립유전자에는 B, D, E가 있고, 각 대립유전자 사이의 우열 관계는 분명하다. D는 E에 대해 완전 우성이다.
- (다)는 1쌍의 대립유전자에 의해 결정되며, 대립유전자에는 F, G, H가 있고, 각 대립유전자 사이의 우열 관계는 분명하다. F는 G에 대해 완전 우성이다.
- ⓐ (나)와 (다)의 유전자형이 BDGG인 아버지와 ⓑ (가)와 (나)의 유전자형이 AABE인 어머니 사이에서 ㉠이 태어날 때, ㉠에게서 나타날 수 있는 (가)~(다)의 표현형은 최대 3가지이고, (가)~(다)의 유전자형이 모두 이형 접합성일 확률은 $\frac{3}{16}$이다.

이에 대한 설명으로 옳은 것을 〈보기〉에서 있는 대로 고르고, □에 알맞은 말을 채우시오. (단, 돌연변이와 교차는 고려하지 않는다.)

〈보 기〉

ㄱ. (가)와 (나)를 결정하는 유전자는 같은 염색체에 존재한다.

ㄴ. H는 G에 대해 완전 우성이다.

ㄷ. ㉠의 (가)~(다)에 대한 표현형이 아버지와 같을 확률은 □다.

04. 다음은 사람의 유전 형질 ⓐ와 ⓑ에 대한 자료이다.

- ⓐ는 대립유전자 A와 A*에 의해 결정되며, A는 A*에 대해 완전 우성이다.
- ⓑ는 2쌍의 대립유전자 D와 d, E와 e에 의해 결정된다. ⓑ의 표현형은 유전자형에서 대문자로 표시되는 대립유전자의 수에 의해서만 결정되며, 대문자로 표시되는 대립유전자의 수가 다르면 ⓑ의 표현형이 다르다.
- ⓐ와 ⓑ를 결정하는 유전자 중 2개는 1번 염색체에, 나머지 1개는 7번 염색체에 있다.
- ⓐ에 대한 유전자형이 A*A*인 아버지와 ⓑ에 대한 유전자형이 DDEe인 어머니 사이에서 ㉠이 태어날 때, ㉠에게서 나타날 수 있는 ⓐ와 ⓑ의 표현형은 최대 8가지이고, ⓑ에 대한 표현형이 아버지와 같을 확률은 $\frac{3}{8}$이다.

㉠의 ⓐ와 ⓑ의 표현형이 아버지와 같을 확률은? (단, 돌연변이와 교차는 고려하지 않는다.)

05. 다음은 사람의 유전 형질 (가)에 대한 자료이다.

○ (가)를 결정하는 데 관여하는 2개의 유전자는 서로 다른 상염색체에 있으며, 2개의 유전자는 각각 대립유전자 A와 a, B와 b를 갖는다.
○ 표는 유전자형에 따른 (가)의 표현형을 나타낸 것이다.

유전자형	표현형
AABB, AABb, AaBB	ⓐ
AAbb, AaBb, aaBB	ⓑ
Aabb, aaBb, aabb	ⓒ

○ 표현형이 ⓑ인 아버지와 ⓒ인 어머니 사이에서 ㉠이 태어날 때, ㉠에게서 나타날 수 있는 표현형은 최대 3가지이고, ㉠의 유전자형이 AAbb일 확률은 $\frac{1}{8}$이다.

이에 대한 설명으로 옳은 것을 〈보기〉에서 고르고, □에 알맞은 말을 채우시오. (단, 돌연변이와 교차는 고려하지 않는다.)

〈보 기〉
ㄱ. (가)의 유전은 복대립 유전이다.
ㄴ. 아버지와 어머니의 유전자형은 각각 □와 □이다.
ㄷ. ㉠의 표현형이 ⓒ일 확률은 □이다.

06. 다음은 사람의 유전 형질 (가)와 (나)에 대한 자료이다.

○ (가)는 대립유전자 A와 a에 의해 결정되며, A는 a에 대해 완전 우성이다.
○ (나)는 3쌍의 대립유전자 B와 b, D와 d, E와 e에 의해 결정된다.
○ (나)의 표현형은 유전자형에서 대문자로 표시되는 대립유전자의 수에 의해서만 결정되며, 이 대립유전자의 수가 다르면 (나)의 표현형이 다르다.
○ (가)와 (나)를 결정하는 유전자 중 3개는 1번 염색체에, 나머지 1개는 7번 염색체에 존재한다.
○ 유전자형이 AaBbDdEe로 같은 아버지 P와 어머니 Q 사이에서 ㉠이 태어날 때, ㉠에게서 나타날 수 있는 (가)와 (나)의 표현형은 최대 8가지이고, (가)와 (나)의 표현형이 모두 아버지와 같을 확률은 $\frac{3}{16}$이다.
○ P에서 정자가 형성될 때, 이 정자가 A, B, D, E를 모두 가질 확률은 $\frac{1}{4}$이다.

이에 대한 설명으로 옳은 것을 〈보기〉에서 있는 대로 고르고, □에 알맞은 말을 채우시오. (단, 돌연변이와 교차는 고려하지 않는다.)

〈보 기〉
ㄱ. (가)를 결정하는 유전자와 (나)를 결정하는 유전자는 서로 다른 염색체에 존재한다.
ㄴ. ㉠에게서 나타날 수 있는 (나)의 표현형은 최대 □가지이다.
ㄷ. ㉠의 (가)와 (나)에 대한 표현형 중 (나)에 대한 표현형만 부모와 같을 확률은 □이다.

07. 다음은 사람의 유전 형질 (가)에 대한 자료이다.

> ○ (가)는 상염색체에 있는 1쌍의 대립유전자 A, B, D, E에 의해 결정되며, A와 B는 모두 D와 E에 대해 완전 우성이다.
> ○ (가)의 표현형은 5가지이며, ⓐ, ⓑ, ⓒ, ⓓ, ⓔ이다.
> ○ 유전자형이 DE인 사람과 EE인 사람의 (가)에 대한 표현형은 같다.
> ○ 표현형이 ⓐ로 같은 아버지와 어머니 사이에서 ㉠이 태어날 때, ㉠에게서 나타날 수 있는 표현형은 최대 3가지이고, 표현형이 ⓑ일 확률은 $\frac{1}{4}$이다.
> ○ 표현형이 ⓑ인 아버지와 ㉮ ⓒ인 어머니 사이에서 ㉡이 태어날 때, ㉡에게서 나타날 수 있는 표현형은 최대 3가지이고, 표현형이 ⓓ일 확률은 $\frac{1}{4}$이다.

〈보기〉에서 □에 알맞은 말을 채우시오. (단, 돌연변이와 교차는 고려하지 않는다.)

〈보 기〉

ㄱ. 유전자형이 DE인 사람의 표현형은 □이다.
ㄴ. ㉮의 유전자형은 □이다.
ㄷ. 표현형이 ⓓ인 남자와 유전자형이 BE인 여자 사이에서 아이가 태어날 때, 이 아이의 표현형이 아버지와 같을 확률은 □이다.

08. 다음은 사람의 유전 형질 (가)에 대한 자료이다.

> ○ (가)는 서로 다른 2개의 상염색체에 있는 4쌍의 대립유전자 A와 a, B와 b, D와 d, E와 e에 의해 결정되며, A, a, B, b는 1번 염색체에, D, d, E, e는 7번 염색체에 있다.
> ○ (가)의 표현형은 유전자형에서 대문자로 표시되는 대립유전자의 수에 의해서만 결정되며, 이 대립유전자의 수가 다르면 표현형이 다르다.
> ○ (가)의 표현형이 서로 같은 P와 Q 사이에서 ⓐ가 태어날 때, ⓐ에게서 나타날 수 있는 표현형은 최대 7가지이고, ⓐ의 (가)에 대한 유전자형에서 대문자로 표시되는 대립유전자의 수가 4개일 확률은 $\frac{3}{16}$이며, ⓐ의 유전자형이 aabbDdee일 확률은 $\frac{1}{8}$이다.

ⓐ가 유전자형이 AABbddee인 사람과 동일한 표현형을 가질 확률은? (단, 돌연변이와 교차는 고려하지 않는다.)

09. 다음은 사람의 유전 형질 ㉠~㉢에 대한 자료이다.

○ ㉠은 대립유전자 A와 a에 의해, ㉡은 대립유전자 B와 b에 의해 결정된다. ㉠과 ㉡ 중 하나는 우열 관계가 뚜렷하고, 다른 하나는 유전자형이 다르면 표현형이 다르다.
○ ㉢은 1쌍의 대립유전자에 의해 결정되며, 대립유전자에는 D, E, F가 있고, 각 대립유전자 사이의 우열 관계는 분명하다.
○ 표 (가)와 (나)는 ㉡과 ㉢에서 유전자형이 서로 다를 때 표현형의 일치 여부를 각각 나타낸 것이다. ⓐ와 ⓑ는 각각 '일치함'과 '일치하지 않음' 중 하나이다.

㉡의 유전자형		표현형
사람 1	사람 2	일치 여부
BB	Bb	?
bb	Bb	ⓐ

(가)

㉢의 유전자형		표현형
사람 1	사람 2	일치 여부
DD	DF	ⓑ
EE	EF	ⓐ

(나)

○ 남자 P의 체세포에 들어 있는 일부 상염색체와 유전자는 그림과 같고, 여자 Q의 ㉢에 대한 유전자형은 DF이다.
○ P와 Q 사이에서 ㉮가 태어날 때, ㉮에게서 나타날 수 있는 표현형은 최대 8가지이다.

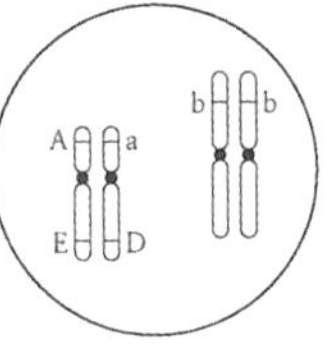

이에 대한 설명으로 옳은 것만을 〈보기〉에서 있는 대로 고르고, □에 알맞은 말을 채우시오. (단, 돌연변이와 교차는 고려하지 않는다.)

〈보 기〉

ㄱ. ⓐ는 '일치함'이다.
ㄴ. ㉡은 유전자형이 다르면 표현형이 다르다.
ㄷ. ㉮의 ㉠~㉢의 표현형 중 한 가지만 P와 같을 확률은 □이다.

10. 다음은 사람의 유전 형질 (가)에 대한 자료이다.

○ (가)는 서로 다른 2개의 상염색체에 있는 4쌍의 대립유전자 A와 a, B와 b, D와 d, E와 e에 의해 결정되며, A, a, B, b는 7번 염색체에, D, d, E, e는 10번 염색체에 있다.
○ (가)의 표현형은 유전자형에서 대문자로 표시되는 대립유전자의 수에 의해서만 결정되며, 이 대립유전자의 수가 다르면 표현형이 다르다.
○ P와 Q 사이에서 ⓐ가 태어날 때, ⓐ에게서 나타날 수 있는 표현형은 최대 4가지이고, ⓐ의 유전자형이 AABBDDEE일 확률은 $\frac{1}{8}$이며, 유전자형이 aaBbDDEe인 사람과 같은 표현형을 가질 확률은 $\frac{3}{8}$이다.
○ P에서 A의 DNA 상대량은 D의 DNA 상대량보다 크다.

이에 대한 설명으로 옳은 것만을 〈보기〉에서 있는 대로 고르고, □에 알맞은 말을 채우시오. (단, 돌연변이와 교차는 고려하지 않으며, A, a, B, b, D, d, E, e 각각의 1개당 DNA 상대량은 1이다.)

〈보 기〉

ㄱ. (가)의 유전은 다인자 유전이다.
ㄴ. P의 (가)에 대한 유전자형은 □이다.
ㄷ. ⓐ가 유전자형이 AABBDdee인 사람과 동일한 표현형을 가질 확률은 □이다.

11. 다음은 사람의 유전 형질 (가)~(다)에 대한 자료이다.

ㅇ (가)~(다)의 유전자는 서로 다른 3개의 상염색체에 있다.
ㅇ (가)는 대립유전자 A와 A*에 의해 결정되며, A는 A*에 대해 완전 우성이다.
ㅇ (나)는 대립유전자 B와 B*에 의해 결정되며, 유전자형이 다르면 표현형이 다르다.
ㅇ (다)는 1쌍의 대립유전자에 의해 결정되며, 대립유전자에는 D, E, F가 있고, 각 대립유전자 사이의 우열 관계는 분명하다.
ㅇ 남자 Ⅰ과 (나)와 (다)에 대한 유전자형이 B*B*DF인 여자 Ⅱ 사이에서 ㉠이 태어날 때, ㉠에게서 나타날 수 있는 (가)~(다)의 표현형은 최대 12가지이다.
ㅇ (가)와 (다)에 대한 유전자형이 AA*DE인 남자 Ⅲ과 (나)에 대한 유전자형이 BB인 여자 Ⅳ 사이에서 ㉡이 태어날 때, ㉡의 (가)~(다)에 대한 유전자형이 Ⅰ과 같을 확률은 $\frac{1}{16}$이다.
ㅇ Ⅰ, Ⅱ, Ⅲ Ⅳ의 (다)에 대한 유전자형은 모두 다르며, Ⅰ과 Ⅲ의 (다)에 대한 표현형은 같다.

이에 대한 설명으로 옳은 것을 <보기>에서 있는 대로 고르고, □에 알맞은 말을 채우시오. (단, 돌연변이와 교차는 고려하지 않는다.)

<보 기>

ㄱ. D는 E에 대해 완전 우성이다.
ㄴ. Ⅰ과 Ⅳ의 (가)~(다)에 대한 표현형 중 같은 표현형은 □가지이다.
ㄷ. ㉠의 유전자형이 Ⅰ과 같을 확률과 ㉡의 유전자형이 Ⅲ과 같을 확률의 합은 □이다.

12. 다음은 사람의 유전 형질 (가)~(다)에 대한 자료이다.

ㅇ (가)는 대립유전자 A와 a에 의해 결정되며, A는 a에 대해 완전 우성이다.
ㅇ (나)는 대립유전자 B와 b에 의해 결정되며, 유전자형이 다르면 표현형이 다르다.
ㅇ (다)를 결정하는 2개의 유전자는 각각 대립유전자에 D와 d, E와 e를 갖는다.
ㅇ (다)의 표현형은 유전자형에서 대문자로 표시되는 대립유전자의 수에 의해서만 결정되며, 이 대립유전자의 수가 다르면 표현형이 다르다.
ㅇ 그림은 남자 P의 체세포에 들어 있는 일부 염색체와 유전자를 나타낸 것이다.

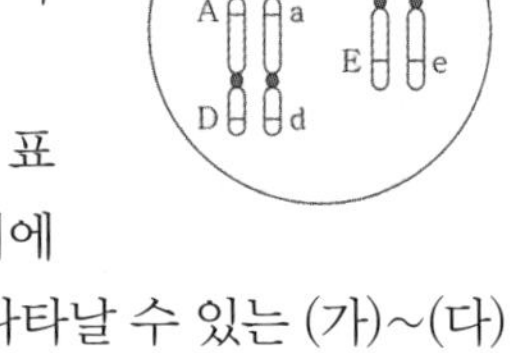

ㅇ 어떤 여자 Q에서 (가)~(다)의 표현형은 P와 같다. P와 Q 사이에서 ⓐ가 태어날 때, ⓐ에게서 나타날 수 있는 (가)~(다)의 표현형은 최대 15가지이다.

이에 대한 설명으로 옳은 것을 <보기>에서 있는 대로 고르고, □에 알맞은 말을 채우시오. (단, 돌연변이와 교차는 고려하지 않는다.)

<보 기>

ㄱ. Q의 (가)에 대한 유전자형은 □이다.
ㄴ. Q에서 A와 D는 같은 염색체에 있다.
ㄷ. ⓐ에서 (가)~(다)의 표현형이 부모와 같을 확률은 □이다.

13. 다음은 사람의 유전 형질 ㉠과 ㉡에 대한 자료이다.

○ ㉠을 결정하는 2개의 유전자는 각각 대립유전자 A와 a, B와 b를 갖는다.
○ ㉡을 결정하는 2개의 유전자는 각각 대립유전자 D와 d, E와 e를 갖는다.
○ ㉠과 ㉡의 표현형은 각각 유전자형에서 대문자로 표시되는 대립유전자의 수에 의해서만 결정되며, 이 대립유전자의 수가 다르면 표현형이 다르다.
○ 그림 (가)는 남자 P의, (나)는 여자 Q의 체세포에 들어 있는 일부 염색체와 유전자를 나타낸 것이다.

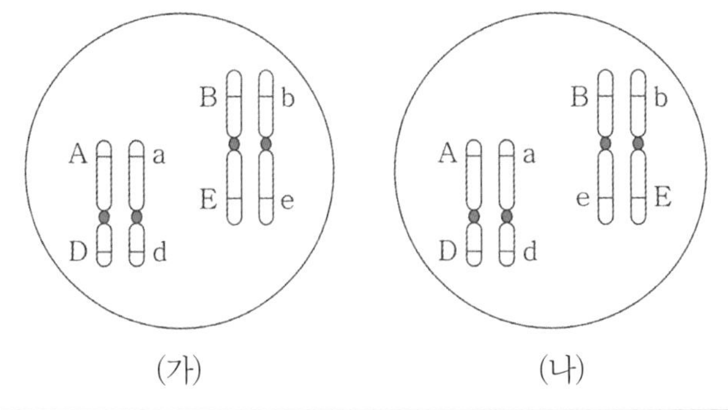

(가) (나)

P와 Q 사이에서 아이가 태어날 때, 이 아이에게서 나타날 수 있는 표현형의 최대 가짓수는? (단, 돌연변이와 교차는 고려하지 않는다.)

14. 다음은 사람의 유전 형질 (가)~(다)에 대한 자료이다.

○ (가)는 대립유전자 A와 a에 의해, (나)는 대립유전자 B와 b에 의해 결정된다. A는 a에 대해, B는 b에 대해 각각 완전 우성이다.
○ (다)를 결정하는 데 관여하는 3개의 유전자는 서로 다른 2개의 상염색체에 있으며, 3개의 유전자는 각각 대립유전자 D와 d, E와 e, F와 f를 갖는다.
○ (다)의 표현형은 유전자형에서 대문자로 표시되는 대립유전자의 수에 의해서만 결정되며, 이 대립유전자의 수가 다르면 표현형이 다르다.

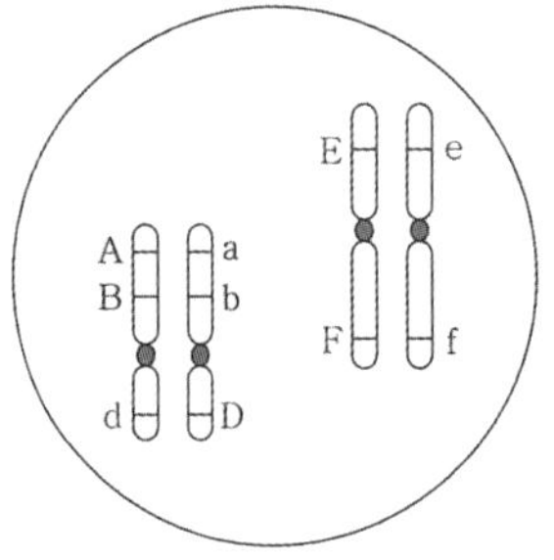

○ 그림은 어떤 남자 P의 체세포에 들어 있는 일부 염색체와 유전자를 나타낸 것이다.
○ 유전자형이 AaBbDdEeFf인 여자 Q와 P 사이에서 ⓐ가 태어날 때, ⓐ에게서 나타날 수 있는 표현형은 최대 10가지이다.

ⓐ의 (가)~(다)에 대한 표현형 중 (가)와 (나)에 대한 표현형만 부모와 같을 확률은? (단, 돌연변이와 교차는 고려하지 않는다.)

15. 다음은 사람의 유전 형질 (가)에 대한 자료이다.

- (가)는 서로 다른 2개의 상염색체에 있는 4쌍의 대립유전자 A와 a, B와 b, D와 d, E와 e에 의해 결정되며, A, a, B, b는 7번 염색체에, D, d, E, e는 10번 염색체에 있다.
- (가)의 표현형은 유전자형에서 대문자로 표시되는 대립유전자의 수에 의해서만 결정되며, 이 대립유전자의 수가 다르면 표현형이 다르다.
- (가)의 표현형이 서로 같은 P와 Q 사이에서 ⓐ가 태어날 때, ⓐ의 유전자형이 AaBbddee일 확률은 $\frac{1}{4}$이며, ⓐ가 유전자형이 Aabbddee인 사람과 같은 표현형을 가질 확률은 $\frac{1}{8}$이다.
- Q의 체세포에서 A의 DNA 상대량과 D의 DNA 상대량은 같다.

이에 대한 설명으로 옳은 것만을 〈보기〉에서 있는 대로 고르고, □에 알맞은 말을 채우시오. (단, 돌연변이와 교차는 고려하지 않으며, A, a, B, b, D, d, E, e 각각의 1개당 DNA 상대량은 1이다.)

〈보 기〉

ㄱ. P와 유전자형이 AaBbDdEe인 사람의 표현형은 서로 같다.
ㄴ. Q의 (가)에 대한 유전자형은 □이다.
ㄷ. ⓐ가 유전자형이 AABBDdee인 사람과 동일한 표현형을 가질 확률은 □이다.

16. 다음은 사람의 유전 형질 (가)에 대한 자료이다.

- (가)는 대립유전자 A와 a에 의해 결정되며, A는 a에 대해 완전 우성이다.
- (나)는 3쌍의 대립유전자 B와 b, D와 d, E와 e에 의해 결정된다.
- (나)의 표현형은 유전자형에서 대문자로 표시되는 대립유전자의 수에 의해서만 결정되며, 이 대립유전자의 수가 다르면 표현형이 다르다.
- 남자 P의 체세포에 들어 있는 일부 상염색체와 유전자는 그림과 같다.
- P와 Q 사이에서 ⓐ가 태어날 때, ⓐ에게서 나타날 수 있는 표현형은 최대 10가지이고, ⓐ는 유전자형이 AABBDdEE인 사람과 같은 표현형을 가질 수 있다.
- $\frac{\text{Q에서 a와 B의 DNA 상대량을 더한 값}}{\text{Q에서 d와 E의 DNA 상대량을 더한 값}}=1$이다.

이에 대한 설명으로 옳은 것만을 〈보기〉에서 있는 대로 고르고, □에 알맞은 말을 채우시오. (단, 돌연변이와 교차는 고려하지 않으며, A, a, B, b, D, d, E, e 각각의 1개당 DNA 상대량은 1이다.)

〈보 기〉

ㄱ. P와 Q의 (가)에 대한 표현형은 같다.
ㄴ. Q의 (가)와 (나)에 대한 유전자형은 □이다.
ㄷ. ⓐ의 표현형이 P와 같을 확률은 □이다.

17. 다음은 사람의 유전 형질 ㉠~㉢에 대한 자료이다.

○ ㉠은 대립유전자 A와 a에 의해, ㉡은 대립유전자 B와 b에 의해 결정된다.
○ ㉢은 2쌍의 대립유전자 D와 d, E와 e에 의해 결정된다.
○ ㉢의 표현형은 유전자형에서 대문자로 표시되는 대립유전자의 수에 의해서만 결정되며, 이 대립유전자의 수가 다르면 표현형이 다르다.
○ 표 (가)와 (나)는 ㉠과 ㉡에서 유전자형이 서로 다를 때 표현형의 일치 여부를 각각 나타낸 것이다.

㉠의 유전자형		표현형 일치 여부
사람 1	사람 2	
AA	Aa	?
AA	aa	×
Aa	aa	×

(○ : 일치함, × : 일치하지 않음)
(가)

㉡의 유전자형		표현형 일치 여부
사람 1	사람 2	
BB	Bb	?
BB	bb	×
Bb	bb	×

(○ : 일치함, × : 일치하지 않음)
(나)

○ 남자 P는 여자 Q와 ㉠~㉢의 표현형이 모두 같고, P의 체세포에 들어 있는 일부 상염색체와 유전자는 그림과 같다.

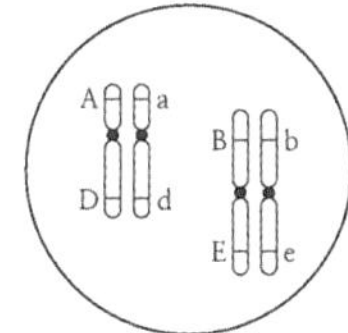

○ P와 Q 사이에서 ⓐ가 태어날 때, ⓐ의 ㉠~㉢의 표현형 중 한 가지만 부모와 같을 확률은 $\frac{3}{4}$이다.

이에 대한 설명으로 옳은 것만을 〈보기〉에서 있는 대로 고르고, □에 알맞은 말을 채우시오. (단, 돌연변이와 교차는 고려하지 않는다.)

〈보 기〉

ㄱ. ㉠의 표현형은 AA인 사람과 Aa인 사람이 서로 다르다.
ㄴ. Q에서 A, d, B, E를 모두 갖는 난자가 형성될 수 있다.
ㄷ. ⓐ에게서 나타날 수 있는 표현형은 최대 □가지이다.

18. 다음은 사람의 유전 형질 (가)~(라)에 대한 자료이다.

○ (가)는 대립유전자 A와 a에 의해, (나)는 대립유전자 B와 b에 의해, (다)는 대립유전자 D와 d에 의해, (라)는 E와 e에 의해 결정된다. A는 a에 대해, B는 b에 대해, D는 d에 대해, E는 e에 대해 각각 완전 우성이며, A, a, B, b는 1번 염색체에, D, d, E, e는 7번 염색체에 있다.
○ P의 (가)~(라)에 대한 유전자형은 AaBbDdEe이고, P와 Q의 (가)~(라)에 대한 표현형은 서로 같다.
○ P와 Q 사이에서 ⓐ가 태어날 때, ⓐ에게서 나타날 수 있는 (가)~(라)의 표현형은 최대 2가지이며, ⓐ의 (가)~(라)의 유전자형이 aabbDdEE일 확률은 $\frac{1}{8}$이다.

ⓐ의 (가)~(라)에 대한 표현형이 한 가지만 부모와 다를 확률은? (단, 돌연변이와 교차는 고려하지 않는다.)

19. 다음은 사람의 유전 형질 (가)~(다)에 대한 자료이다.

- (가)는 대립유전자 A와 a에 의해, (나)는 대립유전자 B와 b에 의해, (다)는 대립유전자 D와 d에 의해 결정된다. A는 a에 대해, B는 b에 대해, D는 d에 대해 각각 완전 우성이다.
- (가)~(다)의 유전자는 서로 다른 2개의 상염색체에 있고, (가)와 (나)의 유전자는 (다)의 유전자와 다른 염색체에 있다.
- 아버지와 (가)~(다)에 대한 표현형이 A_bbD_인 어머니 사이에서 ⓐ가 태어날 때, ⓐ에게서 나타날 수 있는 (가)~(다)의 표현형은 최대 6가지이며, (가)~(다)의 표현형이 모두 아버지와 같을 확률은 $\frac{3}{8}$이다.

ⓐ의 (가)~(다)에 대한 표현형이 한 가지만 아버지와 같을 확률은? (단, 돌연변이와 교차는 고려하지 않는다.)

Ⅰ. 개념 문항

번호	정답	번호	정답	번호	정답	번호	정답	번호	정답
01	③	36	③	71	①	106	①	141	①
02	⑤	37	⑤	72	①	107	①	142	①
03	②	38	③	73	①	108	②	143	①
04	⑤	39	②	74	④	109	①	144	③
05	③	40	①	75	⑤	110	⑤	145	④
06	①	41	①	76	⑤	111	①	146	④
07	③	42	①	77	④	112	③	147	④
08	③	43	③	78	⑤	113	⑤	148	②
09	③	44	②	79	⑤	114	①	149	①
10	⑤	45	②	80	⑤	115	⑤	150	④
11	⑤	46	⑤	81	⑤	116	①	151	④
12	⑤	47	③	82	②	117	①	152	④
13	⑤	48	④	83	④	118	①	153	⑤
14	⑤	49	④	84	①	119	②	154	②
15	②	50	④	85	③	120	④	155	④
16	④	51	②	86	①	121	②	156	⑤
17	④	52	④	87	③	122	②	157	⑤
18	⑤	53	①	88	②	123	④	158	②
19	②	54	④	89	④	124	⑤	159	⑤
20	⑤	55	②	90	⑤	125	②	160	④
21	④	56	⑤	91	③	126	③	161	④
22	③	57	①	92	④	127	③	162	④
23	④	58	④	93	④	128	①	163	①
24	③	59	③	94	⑤	129	⑤	164	④
25	①	60	①	95	①	130	④	165	④
26	③	61	③	96	⑤	131	③	166	⑤
27	①	62	③	97	①	132	⑤	167	22
28	④	63	③	98	①	133	①	168	③
29	④	64	①	99	②	134	③	169	⑤
30	②	65	③	100	①	135	④	170	①
31	⑤	66	①	101	②	136	④	171	④
32	①	67	③	102	①	137	①	172	①
33	⑤	68	②	103	③	138	⑤	173	①
34	③	69	④	104	①	139	①	174	②
35	①	70	⑤	105	①	140	⑤	175	②

176 ②
177 ⑤
178 ②
179 ②
180 ①
181 ③
182 ③
183 ①
184 ①
185 ②
186 ④
187 ③
188 ④
189 ③
190 ⑤
191 ①
192 ②
193 ④
194 ①
195 ⑤
196 ③
197 ⑤
198 ⑤
199 ①
200 ④
201 ④
202 ①
203 ⑤
204 ③
205 ③
206 ②
207 ②
208 ③
209 ④
210 ②
211 ③
212 ④
213 ④
214 ④
215 ④
216 ②
217 ②
218 ⑤
219 ④
220 ③
221 ①
222 ④
223 ①
224 ①
225 ③
226 ②
227 ⑤
228 ⑤
229 ④
230 ①
231 ④
232 ②
233 ③
234 ②
235 ①
236 ④
237 ④
238 ①
239 ⑤
240 ①
241 ②
242 ④
243 ⑤
244 ⑤
245 ②
246 ①
247 ⑤
248 ④
249 ③
250 ⑤

Ⅱ. 세포분열

1) Part 1

01	③	16	①	31	③	46	②	61	③
02	③	17	②	32	③	47	⑤	62	②
03	①	18	①	33	⑤	48	④	63	②
04	⑤	19	①	34	⑤	49	④	64	③
05	①	20	③	35	②	50	③	65	④
06	②	21	④	36	②	51	⑤	66	⑤
07	③	22	④	37	④	52	③	67	②
08	①	23	④	38	②	53	①	68	③
09	②	24	①	39	①	54	②		
10	④	25	③	40	①	55	②		
11	③	26	①	41	①	56	④		
12	①	27	⑤	42	②	57	②		
13	②	28	⑤	43	③	58	①		
14	③	29	⑤	44	①	59	④		
15	④	30	①	45	⑤	60	③		

2) Part 2

01	0 / × / ○	09	ⓑ / ○ / HhRrTT	17	○ / 1 / 4	25	× / × / 2
02	○ / × / ㉢	10	㉣ / × / ○	18	㉡ / 1 / Ⅱ, Ⅳ	26	㉤ / 남자 / ○
03	× / ㉠ / 1	11	× / n / ×	19	2 / × / ○	27	× / 1 / ○
04	㉠, ㉢, ㉣ / ○ / ×	12	○ / × / ㉡	20	○ / 남자 / ㉤	28	○ / X / ○
05	남자 / × / 0	13	1 / × / ×	21	2 / × / ○	29	(나) / ○ / ×
06	Q / eeff / ×	14	(가) / ○ / ×	22	2n / × / ×	30	0 / Ⅱ, Ⅲ / ×
07	○ / × / 1	15	× / ○ / 2	23	Ⅰ / X / 0	31	2 / P / 상
08	2n / ○ / ㉢, ㉣, ㉤	16	(라) / 2 / D	24	× / ○ / 1		

빠른 정답

Ⅲ. 사람의 유전 (1) - 멘델/다인자/복대립

1) Part 1

01 ⑤
02 ⑤
03 ⑤
04 $\frac{5}{32}$
05 ④
06 ①
07 ③
08 ④
09 ③
10 ⑤
11 $\frac{5}{8}$
12 ⑤
13 ①
14 ②
15 ⑤
16 ②
17 ④
18 $\frac{3}{8}$
19 ④
20 $\frac{3}{4}$
21 ①
22 ①
23 ⑤
24 ②
25 ⑤
26 ⑤
27 $\frac{3}{16}$
28 ②
29 ②
30 ③
31 ⑤
32 ①
33 ①
34 $\frac{2}{3}$
35 ⑤
36 10
37 $\frac{1}{8}$
38 ③
39 ⑤
40 ④
41 $\frac{1}{4}$
42 ①
43 $\frac{1}{8}$
44 $\frac{1}{8}$
45 7
46 $\frac{1}{4}$
47 ①
48 오류
49 ⑤
50 $\frac{1}{8}$
51 ②
52 ③
53 ⑤
54 ①
55 ⑤
56 ④
57 ④
58 $\frac{1}{8}$
59 $\frac{1}{32}$
60 ④
61 ①
62 $\frac{1}{4}$
63 ①
64 $\frac{3}{16}$
65 ⑤
66 $\frac{1}{4}$
67 ①
68 $\frac{3}{16}$
69 ④
70 $\frac{1}{16}$
71 ④
72 ⑤
73 ③

2) Part 2

01 × / 8 / $\frac{5}{8}$
02 $\frac{3}{8}$
03 ○ / × / $\frac{1}{2}$
04 $\frac{3}{16}$
05 × / AaBb, Aabb / $\frac{1}{2}$
06 × / 5 / $\frac{1}{16}$
07 ⓒ / DE / 0
08 $\frac{1}{4}$
09 × / × / $\frac{3}{8}$
10 ○ / AABBDdEe / 0
11 × / 0 / $\frac{1}{16}$
12 Aa / × / $\frac{1}{8}$
13 8
14 $\frac{5}{8}$
15 × / AabbDdEe / $\frac{1}{8}$
16 × / aaBbDdEE / $\frac{1}{8}$
17 ○ / × / 15
18 0
19 $\frac{1}{4}$